AFGESCHREVEN

DE KONINGSVREDE

Jo Walton

DE KONINGS-VREDE

Eerste boek in de Sulien Saga

Oorspronkelijke titel: The King's Peace
Vertaling: Gerard Grasman
Omslagillustratie: © Julie Bell
Omslagontwerp: DPS design & prepress services, Amsterdam

Eerste druk september 2006

ISBN 10: 90 225 4525 3 / ISBN 13: 978 90 225 4525 6 / NUR 334

© 2000 Jo Walton
Published by arrangement with the author and the author's agents, James Frenkel & Associates
© 2006 voor de Nederlandse taal: De Boekerij bv, Amsterdam
Uitgeverij M is een imprint van De Boekerij bv, Amsterdam

DEEL EEN

De koningsvrede

Proloog

'Ik wens dat het zo wordt dat, zelfs als de koning, zijn zoon en zijn kleinzoon op één en dezelfde dag zouden sneuvelen, toch de vrede des konings over heel Engeland gehandhaafd blijft. Wat is een mens, dat het simpele feit van zijn dood een heel volk in beroering kan brengen? Wij moeten wetten hebben.'
– Rudyard Kipling in *Rewards and Fairies* (1910)

Als ik uw woorden ter harte neem,
is dat alles wat ik ooit zal hebben.
Waar zou ik, zo ik mijn zwaard niet had,
ooit vrede kunnen vinden?

Een zwaard wint vrede uit tumult;
hongerenden kennen geen vrede.
daarom wordt vrede gewrocht
uit vele, vele keuzes, gemaakt
tijdens het werk van vele dagen.
– Graydon Saunders en Jo Walton,
in *Theodwyns Rede* (1996)

Wat wil het zeggen om oud te zijn en nog dingen te weten die geen andere levende ziel zich kan herinneren? Dat is wat ik altijd zeg als mensen me naar mijn opmerkelijk lange leven vragen. Nu kunnen ze het mij *horen* zeggen als ik het zeg – nu ik drieënnegentig ben en mij zoveel dingen herinner die voor hen slechts boeiende legenden uit verre, lang vervlogen tijden zijn. Wat ik hun niet zeg, is dat ik dat ook al zei toen ik pas zeventien was en er net zo over dacht. Hoewel er destijds maar één persoon was die het hoorde, van alle mensen tegen wie ik het had gezegd. Toch was het toen even waar als vandaag. Kortom, al sinds mijn zeventiende ben ik in eigen ogen oud geweest, ook al lijkt de zeventienjarige die toen mijn naam droeg me nu heel jong als ik me haar herinner.

Nu ik tot weinig méér in staat ben dan verhaaltjes vertellen aan kleine kinderen, ben ik gaan beseffen dat mijn herinneringen verloren zullen gaan als ik niet zorg dat ze worden overgeleverd. Het zijn allemaal dingen die geen levende ziel behalve ik nog weet. Soms zijn het zelfs dingen die al ware legenden zijn geworden. In legenden is voor mij geen plaats. Voor het verhaal dat ze vertellen was ik niet van belang. Mijn levensverhaal is geen drama: een land verdedigd, een eed gestand gedaan, een geloof bewaard. Geen stof voor legenden. Ik ben maar een oude vrouw, al bezit ik nog wat morgens land, in een paar dagen te ploegen. Lord Sulien noemen ze mij, alleen uit beleefdheid, maar ik zou mijn mensen nu niet meer kunnen verdedigen. In de raad des konings is het mijn achterneef wiens woorden tellen, zoals het betaamt. *Mijn* koning is dood.

Hij stierf lang geleden.

Zo lang geleden al. Veel te lang. Bij het schrijven van de woorden 'mijn koning is dood' bleef mijn hand rusten en verloor ik mezelf weer in mijn dromerijen. Vijfenvijftig jaar geleden is het al toen Urdo viel, maar toch herinner ik me hem als de dag van gisteren. De jaren waarin ik als zijn wapendrager met hem reed, behoren tot de helderst stralende herinneringen uit mijn lange leven. Voor de kinderen die ik in het licht van de herfstzon verhaaltjes vertel, lijken het echter legenden uit een ander tijdperk. Ik neem aan dat ze dat in feite ook zijn. De wereld is veranderd, en nog eens veranderd. De koning die mijn achterneef dient, is eerder een Jarnsman dan een Tanagaan. Hij volgt de Blanke God. De zeden en gebruiken van de Jarns vermengden zich met de onze, en zo werden de gebruiken en talen van twee volken één. Natuurlijk was dat onze droom, maar ik geloof niet dat we ons ooit hadden kunnen voorstellen hoe de wereld zou zijn als die droom werkelijkheid werd.

Nu zet ik mijn herinneringen op papier, zonder te weten wie ze zal lezen. Tegenwoordig kan niemand nog lezen, behalve de priesters van de Blanke God en hun leerlingen. Mijn moeder was in haar tijd al ouderwets toen ze erop stond dat al haar kinderen zouden leren lezen en schrijven. Ze was geboren onder de heerschappij van de Vincanen. Toen ik nog een kind was, gaf ze vaak hoog op van verworvenheden als beschaving en vrede – twee dingen die door de Vincanen naar ons eiland waren gebracht, en voor het herstel waarvan mijn heer Urdo heeft gestreden. Met succes. De vrede die wij in Tir Tanagiri bevochten was bestendig, ondanks alles. Dit is nog steeds ons land en ik ben de gebiedster van die paar families en bescheiden akkers. Mijn mensen komen en gaan in vrede; onze kuddes kunnen veilig grazen.

Ik schrijf daarom niet voor mijn achterneef en zijn vrienden, of voor de kinderen van het land. Tegenwoordig wordt de kinderen van heerschappen bijgebracht wat eer is, terwijl de kinderen van boeren leren het land te bewerken. Ze kunnen echter geen van allen schrijven. Voor de priesters schrijf ik evenmin. Zelf ben ik altijd een aanbidster van de Stralende Zon geweest. Hoewel ik respecteer wat mijn koning heeft gedaan toen hij de Blanke God in ons land aanvaardde, heb ik weinig op met de priesters en hun doen en laten. Evenmin schrijf ik voor de levenden die het óf te veel óf te weinig interesseert, of voor de doden die er wellicht belang aan zouden hechten, maar mij niet kunnen bereiken. Laat mij maar schrijven voor hen die in de toekomst belang hechten aan ons, ons kleine koninkrijk en onze zeden en gebruiken. Ik zal bescheiden schrijven, niet in de harde taal van de Jarns, noch in de oude taal van de boeren die ik als eerste heb geleerd. Ik heb lang genoeg geleefd om te zien hoe deze talen zijn veranderd en denk niet dat dit veranderingsproces al voorbij is. Daarom schrijf ik in de heldere taal van de Vincanen, die ik meekreeg van mijn ouders. Waarschijnlijk zal deze taal blijven bestaan zonder te veranderen en tenslotte is het, zoals mijn moeder me altijd heeft voorgehouden, de taal der boeken.

Als ik klaar ben, zal ik mijn schrijfwerk opbergen in lemen potten, verzegeld met de heilige zegels van de Luisterrijke Zon, Heer van het Licht, en van de Schilddraagster, de Wijsheidsvrouwe. Dan zal ik het opdragen aan hun bescherming, slechts vindbaar voor hen die het waardig zijn. Als jij deze woorden leest, hebben deze twee goden, zo bid ik, jou erheen geleid. Ook bid ik dat de namen van degenen over wie je in deze bladzijden leest zelfs na al die eeuwen niet volledig in vergetelheid zullen zijn geraakt. Ik weet dat mijn koning graag zijn wereldroem zou hebben prijsgegeven om de vrede tot stand te brengen. Niettemin koester ik de weemoedige hoop dat, als er werkelijk gerechtigheid bestaat, de naam van mijn koning over duizend jaar nog moge schallen als een klaroen.

```
     WELKOM BIJ DE
 OPENBARE BIBLIOTHEEK
      AMSTERDAM
    R E T O U R B O N


Lener  : 22000009773928
Artikel: 10000035435224 Prooi
Datum  : 20/07/2017
_____
--


Lener  : 22000009773928
Artikel: 10000033015763 Jager
Datum  : 20/07/2017
_____
--

***** Bedankt en tot ziens. *****
```

1

Eerst kwamen de Tanaganen, hop en hop maar door;
toen kwamen de Vincanen, dans en dans maar, hoor;
na hen kwamen de Jarns, pesten, sarren, plagen —
de goudgehelmde Jarns, om jou naar huis te jagen.
— Kinderrijmpje bij een stapspel

Als ik gewapend te paard had gezeten, was ik ze allemaal de baas geweest. Zelfs te voet had ik mij met een zwaard geducht kunnen weren. In een handgemeen zou ik een van hen goed partij hebben gegeven, denk ik, al waren het allemaal volwassen kerels en was ik op mijn zeventiende nog geen volgroeide vrouw. Toch had ik al tien jaar gevechtstraining achter de rug en ervaring opgedaan in een kortstondig gevecht tegen overvallers, een jaar eerder. Ik was sterk, niet zozeer als vrouw, maar naar alle maatstaven gemeten. Het waren tenslotte maar gewone Jarns, plunderaars van onze kusten, gehard in het gevecht, maar niet op het droge, zoals de meesten van hun soort. Zij waren niet op dezelfde manier grootgebracht als ik, als kind al steeds in de weer met zware gewichten en ijzeren staven om kracht en snelheid te ontwikkelen. Ik was echter moederziel alleen en ongewapend en zij waren met z'n zessen. Het ergste was echter dat ze mij overrompelden.

Ik was onderweg naar huis, vanaf een van de boerderijtjes die in die tijd een paar uren gaans van de kust waren gelegen, maar nog ruim binnen mijn vaders grondgebied. Een van de boerinnen was ziek en mijn moeder had me met een geneeskrachtige drank naar haar toegestuurd, en met een gezongen spreuk om aan haar bed te zingen. Ik was een poosje gebleven om de zoon van de boerin de zangspreuk te leren, want het kon zijn moeder helpen op krachten te blijven. De zoon had een voorliefde voor runen, zodat ik hem ook een paar kleinere loflinderen op de Stralende Zon bijbracht. Twee daarvan had ik zelf in de volkstaal vertaald. De boeren hadden in die tijd hun eigen namen voor de goden die we allemaal vereerden, en er waren in Derwen maar weinig mensen die ooit van de Blanke God hadden gehoord, of elders in ons deel van Tir Tanagiri.

Op mijn terugtocht over de akkers en velden liep ik te zingen. Ik had in de hete zon dorst gekregen en dacht met verlangen aan het heldere beekje in de schaduw onder de bomen. Ik keek op en zag rook opstijgen boven de boomtoppen, afkomstig uit de richting van ons huis. Ik vroeg me af wie er zo'n groot vreugdevuur had ontstoken dat de wind zo'n lange, zwarte rooksliert over de bomen blies. De wind kwam uit het zuidwesten en blies de rook van mij af. De stank had me kunnen waarschuwen. Ik merkte pas dat er iets niet pluis was toen ik een stuk of zes potige plunderaars uit het bos zag opduiken – blond en lelijk met hun bleke huid. Vorige zomer had ik al eens een groep van hen gezien, maar toch zagen ze er in mijn ogen vreemd uit. In dit deel van het koninkrijk hadden zich destijds nog geen Jarns gevestigd. Toen ze mij zagen, lachten ze hun rotte tanden bloot en riepen elkaar iets toe in hun eigen taal.

Onmiddellijk nam ik een verdedigingshouding aan. Ik omklemde de kruik met de geneeskrachtige drank steviger. Hij was van gebakken klei, geen goed wapen, maar het enige wat ik had. Ze kwamen op me af, dicht opeen. Ik gaf geen krimp en keek om me heen, op zoek naar hulp, maar vergeefs. Ik stond in een weiland met groen gras, bezaaid met madeliefjes en boterbloemen, een aangenaam oord waar de boeren graag hun koeien weidden. Er was zand – dat kon ik ze in de ogen smijten. Stenen kon ik niet ontdekken. De bomen waren niet al te ver weg, als ik tijdig de bosrand wist te halen, zou ik dekking kunnen zoeken; tenslotte kende ik het terrein beter dan die kerels en zou ik best thuis kunnen komen. Ook zou ik er gevallen takken kunnen vinden die ik als knuppel kon gebruiken. Waarom wist ik zelf niet, maar ik nam zonder meer aan dat deze invallers regelrecht uit hun boot waren gekomen en dat er niet meer zouden zijn dan deze zes.

De eerste bereikte me slechts enkele ogenblikken voor zijn kameraden. Hij droeg een wapen met slechts één snijkant, kenmerkend voor de Jarns; het kon doorgaan voor een kort zwaard, maar ook voor een lang en breed mes, even geschikt om je ermee een weg te kappen door struikgewas als om een vijand te doorsteken of hem een dodelijke houw toe te brengen. Hij hield het losjes in zijn hand, in de mening dat ik geen partij voor hem was. Ik schopte hard naar zijn arm, mikkend op de elleboog. Mijn voet raakte hem met zoveel kracht dat de schok zich door mijn hele been voort-plantte. Razendsnel draaide ik me om mijn as om de beweging te voltooien. Het korte zwaard viel uit zijn hand toen hij naar zijn arm greep en die bleef omklemmen. Op dat moment had de tweede man mij bereikt en stond ik tegenover hem. Ik ramde hem de kruik midden in het gezicht en liet meteen ook mijn arm flitsend neerkomen op zijn zwaardarm. Ik was niet snel genoeg, waardoor zijn mes dwars over mijn mouw schoot. Het zou me nauwelijks hebben gedeerd als ik leer had gedragen, maar het wapen sneed door het linnen en bezorgde me een jaap in mijn arm. Op dat moment voelde ik niets, hoewel ik mijn bloed zag stromen. Het was geen diepe snijwond, maar later leek mijn arm in brand te staan. Tijdens een gevecht voel ik nooit pijn. Volgens sommigen is dat een geschenk van de goden; anderen noemen het een vloek. Urdo zei altijd dat ik in de strijd zou vallen vanwege verwondingen waarvan ik niets had gemerkt. Het is nooit gebeurd, maar ik veronderstel dat het alsnog kan gebeuren.

De derde man stond inmiddels voor me en zijn speer wees naar mij. De eerste tastte met zijn goede hand naar zijn gevallen zwaard. Vlug bukte ik me, onder de tweede man door. Ik mocht van geluk spreken dat ze niet probeerden mij te doden. Hij had me met gemak te pakken kunnen nemen, want mijn keel was onbeschermd. Hij deed echter geen poging daartoe; in die tijd doodden de Jarns nog geen jonge vrouwen. Ze beschouwden mij niet alleen als iets waarmee zij zich konden vermaken, maar ook als buit. Ook destijds al kon je vrouwen voor goed geld op het vasteland verkopen, hoewel het aanbod overvloedig was. Waarschijnlijk hoopten ze voor een sterke meid als ik evenveel te krijgen als voor een paard.

Ik kreeg het zwaard te pakken en snel als een gedachte deed ik een uitval naar de knie van mijn tweede belager. Vanuit mijn houding was het een prima doelwit. Deze Jarns droegen een leren tuniek en hun zeelaarzen waren ook van leer, maar lang niet zo hard en degelijk gemaakt als mijn laarzen. De knieën waren onbedekt in de oude stijl van de Vincanen; niemand wordt geacht in een gevecht zo laag aan te vallen. Het zwaard woog meer dan de korte messen waarmee ik had geoefend. Het had niet het bereik van onze korte zwaarden, laat staan van het lange zwaard waaraan ik gewend was. Hij viel en ik haalde met het zwaardje uit toen een van de anderen mijn armen van achteren omklemde. Ik sloeg mijn hoofd hard achterover en raakte hem vol op de kin. Ik voelde de schok tot in mijn nekwervels. Hij wankelde even, maar bleef op de been – en nu waren ook de anderen er. Ik had er twee weten te verwonden, maar de resterende vier mankeerden niets en dus werd ik hun gevangene.

Als ze mij hadden meegenomen naar hun schip, zou ik ongetwijfeld de rest van een kort en onaangenaam leven als slavin op het vasteland hebben doorgebracht, in een Jarns dorp of een andere barbaarse nederzetting. Of misschien zou ik zijn ontsnapt en een nieuw leven zijn begonnen in een van de delen van het vasteland waar nog iets van de Vincaanse beschaving over was. Vaak heb ik me afgevraagd hoe ik het had kunnen overleven. Ik kon goed overweg met wapens, sprak meerdere talen en kende een paar nuttige en devote banvloeken, maar ik beschikte nauwelijks over de vrouwelijke vaardigheden die ze misschien hadden verwacht. Ze waren echter begerig en wilden hun buit eerst zelf smaken. Een van de mannen sneed snel mijn kleren kapot, met een kort scherp mes dat hij aan zijn gordel droeg. Het fraaie groene linnen werd erdoor geruïneerd en nu was er niets meer dat me enigszins kon beschermen. Ik hield me slap in hun greep, hopend op een kans om te ontsnappen. Uiteraard kende ik geen lichaamsschaamte, maar er was me verteld dat de Jarns daar veel mee te stellen hadden. Ik en mijn broers en zussen hadden altijd spiernaakt gesport, zoals onder de Vincanen vanouds de gewoonte was.

Ze koeterwaalden in hun eigen taal, waarvan ik geen woord verstond. Ze porden in mijn lijf en sleepten me mee terug naar de bosrand, zonder dat ik probeerde me te verzetten. Ik was echter klaar voor de strijd, zodra er ook maar een kansje was om voordeel te behalen. Ik negeerde mijn naaktheid en kwetsbaarheid alsof het er niet toe deed, bleef me slap houden en probeerde bij te houden waar ze zich allemaal bevonden. Dit had Duncan me op het hart gebonden, voor het geval ik in een hachelijke situatie mocht komen. En nu dit het geval was, herinnerde ik het me in een flits. Ze maakten zich vrolijk over hun twee gewonde kameraden, hoewel een van de Jarns de gewonde knie van zijn maat verbond. Ik zag het aan en wist dat hij, als dit het niveau was waarop ze wonden behandelden, vrijwel zeker zijn been zou verliezen. Zelfs als de wond genas, zou hij nooit meer kunnen lopen zonder te hinken, want ik had hem goed geraakt, uit alle macht.

Hun luide gelach was een slecht teken. Kennelijk maakten ze zich geen zorgen over de kans dat anderen hen zouden horen, óf dachten ze dat er alleen andere Jarns in de buurt waren. Ik herinnerde me de opstijgende zwarte rook en maakte me zorgen. Het zou trouwens toch geen zin hebben gehad om over die afstand om hulp te roepen; niemand zou me hebben gehoord. Nu ik hen echter hoorde schateren en ze luidkeels grappen tegen elkaar maakten, begon ik me ook te roeren – ik schreeuwde zo hard ik maar kon om hulp. Dit was niet alleen dwaas, maar druiste zelfs regelrecht in tegen Duncans wijze lessen. Het heeft me achteraf veel moeite gekost dit mezelf te vergeven. Ze snoerden me letterlijk de mond met een deel van wat mijn mouw was geweest. Ik kon het bloed uit de snijwond erin proeven.

In de schaduw van de bomen was het aangenaam koel. Het klateren van de beek, vlakbij, was een kwelling voor me. De bladeren waren groen en al helemaal uitgebot, zodat ze genoeg zonlicht konden vangen om de winter door te komen. Ze bonden mij vast aan de voet van een machtige eik, met repen linnen die ze van mijn jurk scheurden. Mijn polsen en enkels werden vastgebonden aan boomwortels. Ze zorgden er angstvallig voor mij geen schijn van kans te geven om me los te rukken en hen te verwonden. De boeien bezorgden me veel pijn, vooral aan mijn gewonde arm. De kleine wortels en dorre bladeren van de afgelopen herfst waren hard en ruw onder mijn blote zitvlak. Ik staarde omhoog naar de drievingerige bladeren en zond mijn geest door het dichte patroon van takken en twijgen naar boven, vastbesloten de pijn te negeren. Ik probeerde me ondanks mijn boeien te ontspannen, zoals Duncan me had geleerd, hoewel de boeien mijn ledematen afklemden met de kracht van een bankschroef. Zelfs nu nog zie ik die boom en zijn bladeren, waarvan de vorm scherp afstak tegen de blauwe hemel die onverschillig bleef voor mijn pijn. Er was me verteld dat mensen genot ervoeren bij de daad waarmee leven wordt verwekt, zelfs sommige vrouwen. Het was de enige keer van mijn leven dat ik er ervaring mee opdeed – de bezigheid die in het leven van de meeste mensen zo belangrijk schijnt te zijn en waarvoor zelfs koninkrijken vallen en volwassen mannen veranderen in kinderen, vooral als het ze wordt onthouden. Het deed me meer pijn dan onverschillig welke verwonding ooit. Ik geloof wel dat sommige mensen er genot aan beleven, maar ik was er niet voor geschapen.

De vijfde Jarnsman was net begonnen met zijn stoten en ik staarde omhoog naar de bladeren en vroeg me af of ik van de pijn zou sterven, toen de man plotseling over me heen viel en ik het gezicht van Darien, mijn broer, tussen mij en het licht zag. Ik had niet gedacht dat ik een van mijn dierbaren ooit nog terug zou zien en het werd me bijna te veel. Ik moest huilen.

'Sulien!' zei hij. Hij sleurde het lijk van mij af en bukte zich om mij los te snijden. Zo kwam het dat hij niets merkte van de laatste Jarnsman, de man met de gewonde knie, die hem van achteren besloop. Ik zag het echter en probeerde hem te waarschuwen, maar met die prop in mijn mond kon ik nauwelijks geluid maken. De Jarnsman ramde zijn mes recht in Dariens dij. De arme Darien had geen schijn van kans en viel vrijwel meteen voorover. Hij kwam vlak naast me neer en bloedde dood. De gewonde belager hinkte naar voren en trok intussen zijn tuniek op. Ik was straalmisselijk en deze keer was de ergste van allemaal – niet alleen vanwege de pijn, maar ook door het wrede geweld. Dariens dode lichaam lag slechts een handbreedte van mij vandaan en nu was het me onmogelijk een deel van mijn geest weg te sturen, zodat alles wat er gebeurde *mij* overkwam. Ik begon te geloven dat ook de rest van mijn familie al dood moest zijn. Niemand zou nog voor ons tot de goden van hemel en aarde bidden; we zouden onze namen nooit terugkrijgen en voor eeuwig als ongewroken schimmen ronddolen over de aarde. Deze bruut móest mij doden. Hij was in zijn eentje en gewond, en hij moest slim genoeg zijn om te weten dat hij me onmogelijk mee kon slepen naar zijn schip als hij me losmaakte.

Toen hij aan zijn gerief was gekomen, trok hij de prop uit mijn mond. Ik staarde naar zijn gezicht, er zeker van dat ik ging sterven. Ik gaf echter geen kik, wilde gedurende mijn laatste ogenblikken mijn waardigheid bewaren.

'Jij zangspreuken kennen?' vroeg hij in gebroken Vincaans.

Het was de meest onverwachte vraag die me ooit was gesteld. Bijna was ik in hysterisch gelach uitgebarsten, maar op het nippertje wist ik me in te houden. Voorzichtig tilde ik mijn kin op, als antwoord op zijn vraag.

'Jij mijn been verwond, jij wond genezen,' zei hij.

'Waarom zou ik?'

'Jij mij gewond, jij mij genezen,' herhaalde hij.

'Waarom zou ik, als je me straks toch gaat doden?' vroeg ik.

'Wat?' vroeg hij verbaasd.

'Waarom zou ik jou helpen als je me toch wilt doden?' zei ik langzaam. Zijn Vincaans was niet berekend op subtiliteit.

'Jij mij genezen, ik niet doden,' zei hij. 'Ik zweren bij Eenoog, Heer der Gevallenen.' Hij had het over een van hun oude goden. Ik had er al eens over horen praten, genoeg om te weten dat deze eed hem heilig zou zijn.

'Goed dan,' zei ik. 'Als het me mogelijk is. Trek me maar overeind.'

Hij schudde zijn hoofd. 'Jij staan, jij wegrennen,' zei hij. En terecht.

Ik loosde een zucht. 'Geef me dan water.' Mijn mond was ondraaglijk droog. Hij nam een waterzak van zijn gordel en hield de tuit tegen mijn mond. Er gutste zoveel uit dat ik er bijna in stikte, maar een deel ervan kreeg ik binnen.

'Waar is het zwaard?' vroeg ik.

Hij stak zijn eigen zwaard op.

'Waar is het zwaard dat jou verwondde?'

Na wat zoeken rond de lijken kwam hij er hinkend mee aanzetten. 'Hoe heet je?' vroeg ik. Zijn lelijke lichte ogen vernauwden zich. Ik heb een hekel aan die bleke Jarnsogen; in mijn ogen leken ze nauwelijks op normale, bruine mensenogen, vervuld van gedachten.

'Naam geheim!'

'Ik heb je naam nodig voor de spreuk,' zei ik.

Kennelijk begreep hij dat dit de waarheid was, ook al wist zijn volk er weinig van. 'Ulf Gunnarsson,' mompelde hij met tegenzin.

'Hou het zwaard tegen de wond,' zei ik.

Hij deed het, waarna hij neerknielde en mij zo aanraakte dat de spreuk in hem werkzaam kon zijn. Met meer weerzin dan ik mijn hele leven had gekend zong ik de spreuk voor het helen van wapenwonden; een aanroeping die niet alleen bestemd is voor de Heer van het Genezend Licht, maar ook voor de sinistere oorlogsgoden. Ik weefde Ulfs naam in de spreuk, en tegen de tijd dat ik ermee klaar was, zag ik dat de betovering maximaal had gewerkt tegen een dergelijke wond – het zag eruit als een wond die hij al tien jaar eerder had opgelopen, in plaats van vandaag. Zijn been zou echter nooit meer zijn zoals het vroeger was en daar viel niets tegen te doen.

'Laat me nu gaan,' zei ik.

Hij grijnsde weer zijn rotte tanden bloot. 'Ik nooit gezegd. Jij naam kennen, en spreuken. Jij gevaarlijk. Ik jou niet doden, ik gezworen. Maar jij hier blijven, jij offer aan Heer der Gevallenen, dan koren sterk groeien.'

Ik hoorde het vol afschuw aan. Hij nam het zwaard waarmee ik hem had verwond en gebruikte het om een sneetje in de muis van zijn hand te maken. Hij kneep er een paar druppels bloed uit, zodat ze op mijn maag vielen. Hij negeerde mijn woedende protesten en dreigementen om hem te vervloeken, maar hij vermeed zorgvuldig mij aan te raken en mijn vervloekingen zo de kans te geven hun werk te doen. Hij liep weg en liet me daar liggen, om naast mijn dode broer te sterven. Ulf Gunnarsson, zo zwoer ik, als ik ooit vrijkom en we elkaar nog eens tegenkomen, wordt dat je dood. Ik kende in die tijd geen echte vervloekingen, nog niet.

2

Terugkerend naar het schemerrijk der doden,
alle daden gedaan, alle tijd van leven verstreken,
wordt niets meer ongedaan: dit is wat je bent.
Dit is je naam, eindelijk weet je het allemaal.
Wij, rouwend achterblijvend op de kust des levens,
kunnen je niet vergezellen nu je ons verlaat,
het donker in, zonder je nog om te draaien.
Deze reis maak je helemaal alleen.
Hoezeer je ook werd bemind – en bemind werd je,
hoe moedig je ook was – en moedig was je,
hoe bekwaam je ook was – en bekwaam was je,
toch kom je eenzaam naar de zalen van Heer Dood,
waar je je naam zult noemen en je daden opsommen,
opdat ze voor zich spreken en getuigen wie jij bent.
Dan ga je stralend voort en begint een nieuw leven,
met medeneming van alle schoonheid uit dit leven,
en alle lessen van de fouten die je hebt gemaakt.
Rouw niet om ons, al zijn we van elkaar gescheiden;
jij was wie je was en leeft in onze herinnering voort.
Leer nu wat je allemaal nog meer kunt zijn;
wij rouwen met de naam die je ons hebt nagelaten
op de kust des levens, verstrikt in oude keuzes.
Ga ons bevrijd voor over nieuwe paden en keer terug!
– Uit *Hymne van de terugkeer*

Pas toen ik er zeker van was dat Ulf was vertrokken, begon ik mijn boeien te testen. De boei die Darien was begonnen door te snijden, was gerafeld en al half door. Ik draaide mijn hoofd naar links en boog het zo ver mogelijk, en zag wat ik had gehoopt te zullen zien. Dariens mes lag half verborgen in een groepje grote paddestoelen, vlak naast de wortel waaraan mijn pols was vastgebonden. Langzaam wrong ik mijn pols met de in elkaar gedraaide reep linnen naar de snijkant van het mes, dat op zijn kant lag, in plaats van met de punt naar boven. Vanwege de hoek van mijn arm ten opzichte van de boom kon ik óf zien wat ik deed óf het doen. Afwisselend keek ik of bewoog mijn pols, zonder erover na te denken. Het zou lang gaan duren en ik kon niet weten of ik eerst de reep linnen zou doorzagen, óf mijn pols. Als het mijn pols werd, zou ik eerder dood zijn dan Ulf me toewenste. Hoe lang het heeft geduurd voordat ik mijn pols vrij kreeg, weet ik niet meer. Daarna duurde het maar enkele ogenblikken voordat ik ook de rest van mijn boeien had doorgesneden. De krampen die me teisterden toen ik opstond en probeerde te lopen, waren een ware foltering. Het eerste wat ik deed, was naar de beek strompelen om te drinken tot ik niet meer kon. Toen bukte ik me en begon mezelf te wassen, steeds opnieuw en opnieuw. Het koude water was weldadig en het deed me goed om al het bloed weg te wassen. Het bloed dat Ulf op mijn maag had laten druppelen om mij aan de Eenogige God te offeren liet zich het moeilijkst verwijderen. Tegen de tijd dat ik klaar was met wassen, was ik verkleumd tot op het bot. Ik liep terug naar de lijken. Dariens mes had ik al; nu nam ik ook zijn zwaard en leren buis en broek. Steunbanden voor mijn borsten had het niet, zoals mijn eigen tuniek, maar het kon ermee door. De buis was onbeschadigd, maar waar Ulf Dariens dijslagader zo verraderlijk van achteren had doorstoken, zat de korte broek onder het bloed. Ik liep ermee terug naar de beek en spoelde het bloed er zo goed mogelijk af voordat ik hem nat en al aantrok. Het kledingstuk paste me goed genoeg. Darien was bijna even groot geweest als ik – als hij in leven was gebleven, zou hij me al gauw boven het hoofd zijn gegroeid. Hij was mijn beste vriend én mijn broer geweest. In de meeste opzichten waren we elkaars gelijke geweest, maar niet in alles, want hoewel ik de oudste was, was hij de erfgenaam. We hadden vaak ons best gedaan om elkaar qua behendigheid en snelheid de loef af te steken, maar dat had ons slechts aangemoedigd om nog harder te oefenen. Ik was beter met het zwaard, want ik was voor dat wapen in de wieg gelegd, zoals Duncan, onze wapenmeester, het noemde. Darien was een betere ruiter en ook kon hij een doelwit beter raken met zijn lans. Hij had gedroomd ooit een grote prijs met zijn lansvaardigheid te winnen.

Terwijl ik dit alles dacht, eigende ik me zijn kleding toe. Mijn gedachten dwaalden af naar de hoopvolle verwachtingen en dromen waarin hij mij had laten delen, en naar de keren dat we met houten zwaarden tegen elkaar hadden geoefend totdat onze armen en schouders gevoelloos waren van de spierpijn. Daarna hadden we elkaar ingewreven met olie. Ik herinnerde me de keren dat we voor elkaar hadden gelogen tegen vrouwe Veniva, onze moeder, want Darien en ik hadden altijd elkaars geheimen beschermd. Maar vandaag was Darien voor het laatst gekomen om mij te beschermen. Zonder hem zou ik dood zijn geweest, of als slavin weggevoerd. Dat was de eerste keer dat ik besefte wat het wilde zeggen om oud te zijn.

Ik wist dat het dom was, maar ik bleef toch een hele tijd daar om een brandstapel voor Darien te maken. Ik wist dat er misschien nog andere Jarns in de buurt zouden zijn, op zoek naar hun verdwenen kameraden. Ik kon mijn broer echter onmogelijk onbegraven in het bos achterlaten. Ik verzamelde dode takken langs de bosrand en hoopte ze op tot een hoge en brede stapel. De wapens en andere bezittingen van de mannen die hij had gedood gooide ik erop. Toen vlijde ik Darien in zijn linnen ondergoed op de brandstapel, met de wapens van zijn vijanden onder hem; de Jarns liet ik liggen waar ze lagen, voor de honden en de vogels. Dit alles kostte me veel tijd en het begon al te schemeren toen ik ermee klaar was.

Ik maakte vuur met Dariens vuursteen en ijzer, stak de stapel in brand en zong moederziel alleen onder de sterren van de avondschemering de *Hymne van de terugkeer*. Ik dacht aan de Jarns, maar nu beschikte ik over een zwaard en zou ze, als ze hierheen kwamen, met genoegen allemaal hebben gedood. Dan zou ik hun wapens op Dariens glorierijke brandstapel hebben gelegd. Ik had geluk; er kwamen geen Jarns. In feite kwam er niemand. Als iemand de rook had gezien, zou hij of zij waarschijnlijk hebben gedacht dat er nog meer verwoestingen werden aangericht. Zo kwam het dat ik, op nog geen halve mijl van huis, moederziel alleen om mijn gedode broer treurde. Toen het vuur eindelijk hoog oplaaide en alle hymnen waren gezongen, nam ik Dariens zwaard en sneed mijn haar af, volgens de rouwgebruiken van de Vincanen. Ik had mijn handen vol aan de zware dot zwart haar. Ik gooide het op het vuur, waar het in brand vloog en bleef smeulen met een stank die zo sterk was dat de geur van geroosterd vlees van de arme Darien erdoor werd verdrongen. Hij had ook wierook behoren te hebben. En offerandes. De wapens van zijn moordenaar hadden onder zijn voeten moeten liggen. Ik zwoer dat er ooit een dag zou komen waarop ik ze alsnog op zijn graf zou komen leggen, voordat ik me omdraaide en door de bossen verder liep naar het huis.

Toen ik onder de bomen vandaan kwam, wist ik niet precies wat ik kon verwachten. De brandlucht vertelde me echter dat er een enorme brand had gewoed. Er klonk geen enkel geluid en het was zo stil in het bos dat het leek alsof zelfs de nachtroofdieren voor de Jarns waren gevlucht. Het was alsof een deel van mijn wezen verwachtte elk ogenblik thuis te kunnen komen; daar zou ik me op mijn bed laten vallen en blijven huilen totdat ik me wat beter kon voelen. De rest van mijn geest vertelde me echter dat de Jarns zich aan hun gebruikelijke methode hadden gehouden en het huis in de as hadden gelegd, mét alle mensen die erin waren. De stenen muren stonden nog deels overeind, maar het silhouet zag er in het sterrenlicht vreemd uit. De dakpannen waren kapot gesprongen van de hitte en het hele dak was ingestort.

Voorzichtig sloop ik langs de muren. Geen spoor van de Jarns te bekennen. Lijken kon ik evenmin ontdekken, hoewel ik niet betwijfelde dat er in al die as binnen de muren botresten te vinden zouden zijn. Ik was kort na het middaguur van huis gegaan en schatte, geholpen door de stand van de sterren, dat ik niet langer dan zeven uur was weggeweest. Voor mijn gevoel leken het echter zeven maanden, want de ruïne van ons huis leek nu heel oud en afgedankt, bijna alsof het eeuwen eerder door de Vincanen was verwoest, toen zij Tir Tanagiri hadden veroverd. Zeker, het deed me veel verdriet, maar het was een verdriet dat minder schrijnde dat mijn verdriet om Dariens dood.

Nadat ik om het huis heen was geslopen, wist ik niet wat me nu te doen stond. Ik overwoog de nacht door te brengen in een boom, in de hoop dat ik wat zou kunnen slapen. Ik kende niet ver van ons huis een rode pijnboom met een brede, rechte tak die plat genoeg was om er languit op te kunnen liggen, buiten het zicht. Het liefst had ik de achtervolging op Ulf ingezet, om mij op hem en die andere plunderaars te wreken. Ik had echter geen idee waar ze heen waren gegaan of waar hun boot zou kunnen liggen. In de ochtenduren zou ik de kustinhammen kunnen verkennen, maar in de nacht zou ik alleen maar schaduwen kunnen zien. Ik had naar een van de boerderijen kunnen gaan om daar te slapen, maar ik was totaal uitgeput en gruwde van de gedachte aan gezelschap en gevraag. Ik vlijde mijn gezicht tegen het ruwe graniet van de stenen muur, twijfelend. Uiteindelijk prevelde ik een gebed tot de Boodschapper der Goden, de Keuzeleidsman, hem smekend mij te helpen de juiste keuze te maken. Hij moet op mijn gebed hebben gewacht, want zodra ik het gebed had opgezonden, wist ik dat ik naar de moederboerderij moest gaan, slechts een kwartier gaans van ons huis.

Zolang dat mogelijk was, liep ik in de donkerte van de bosrand. Toen ik de velden overstak, zag ik geen levend wezen, afgezien van een grote, witte uil die me de stuipen op het lijf joeg door plotseling geruisloos vlak voor me langs de grond te scheren om een veldmuis te grijpen. Toen ik de boerderij naderde, zag ik achter de ramen vuurschijnsel. Ik sloop dichterbij en bleef gebukt onder het raam staan luisteren. Ik hoorde de stemmen van de boeren en, tot mijn grote vreugde en verbazing, ook de stem van mijn moeder. Ik rende naar de deur en krabde aan.

Binnen werd het ogenblikkelijk doodstil, slechts verstoord door een zware ademhaling. Toen vroeg een van de boeren wie er was.

'Ik ben het, Sulien ap Gwien,' zei ik, 'en ik weet dat mijn moeder, vrouwe Veniva, binnen is.'

De man opende de deur op een kier om mijn gezicht te bekijken. Zijn eigen gezicht zag er ontdaan en angstig uit. Hij keek voorzichtig langs me heen voordat hij me binnenliet, waarna hij de zware eiken deur meteen afgrendelde met een ijzeren staaf. De helft van de ruimte bij de haard bleek te zijn ingenomen door mijn vader, die bewusteloos languit op een bed van heidekruid lag. Zijn ogen waren gesloten en hij had een zwachtel om zijn hoofd. Het was zijn ademhaling die ik buiten had gehoord. Zelfs geveld leek hij groot en indrukwekkend. Darien zou even groot zijn geworden. Het duurde even voordat ik me bewust werd van mijn moeder, die op haar knieën naast hem lag. Mijn ogen schoten vol.

'Darien is dood,' zei ik, door mijn tranen heen. Veniva keek meteen naar mij op. Haar gezicht was even bedaard als altijd, maar haar grijzende haar was verward – iets dat ik nooit eerder had meegemaakt. En haar kleren waren vuil en zaten onder de bloedvlekken. Ik herkende haar nauwelijks als mijn beschaafde moeder. 'Hij stierf toen hij me tegen Jarns verdedigde. Ik heb een erebrandstapel voor hem gemaakt en hem verbrand.'

'En jij? Maak je het goed?' vroeg ze.

Ik tilde bevestigend mijn kin op.

'Je vader is zwaargewond. Hij heeft een houw op zijn hoofd gekregen, al in het eerste gevecht, toen de Jarns net hun boot uit waren. Duncan heeft hem hierheen gebracht en kwam daarna naar me toe om het te zeggen – ik was nog bezig de verdediging van het huis te organiseren. Morien en Aurien waren er ook nog. De Jarns hebben sommigen gedood en een paar anderen meegenomen, net als alle paarden en kostbaarheden. Gwien zal het wel halen, denk ik, maar we moeten hulp hebben.'

'Hulp?' vroeg ik wezenloos. Een van de boeren gaf me een kom warme melk in handen en smeekte Coventina mompelend haar zegen af. Na een eerste slok dronk ik de kom meteen gulzig leeg – ze hadden er honing doorheen gedaan. Als door een wonder gaf het me nieuwe kracht. Al even verwonderlijk was het besef dat mijn hele familie het had overleefd, op Darien na.

'Iemand moet naar de koning,' zei mijn moeder. 'Er is niets dat deze Jarns belet om aan land te gaan waar het ze belieft, om daar naar willekeur te doden en te plunderen. We moeten alles weer opbouwen, maar waar halen we het geld en de arbeiders vandaan? Het merendeel van onze solda- ten is gesneuveld, net als ons huispersoneel. En nu is Darien ook nog dood, zeg je.' Het leek alsof mijn woorden nu pas tot haar doordrongen. 'Darien... we zullen later om hem rouwen – daar is nu geen tijd voor. Morien is nu de erfgenaam, maar hij is pas dertien. Ik hou de paar mensen die ik hier nog heb aan en begin opnieuw. Of Gwien dit overleefd, is niet zeker.'

Het liefst was ik naar haar toegestapt om haar aan te raken, met haar te huilen en haar te vertellen wat er allemaal was gebeurd, maar de afstand tussen ons was te groot. Ze spande zich geweldig in om haar zelfbeheersing te bewaren, maar haar pantser vertoonde al barstjes.

'Kun je rijden, Sulien?' vroeg ze.

Alleen al de gedachte aan een paard tussen mijn dijen was een kwelling, maar ik knikte.

'Dan moet je bij het krieken van de dag vertrekken naar Caer Tanaga. Gwien heeft deze jonge koning trouw gezworen, uit vrije keuze. Nu hebben wij hulp nodig en kan de koning niet anders doen dan ons die hulp sturen.'

Nooit had ze meer weg gehad van een Vincaan. Nog terwijl ze sprak zag ik haar handen naar haar hoofd gaan om haar lange haar los te maken. Algauw hing het in golven rond haar gezicht, volgens het oude Tanagaanse gebruik voor iemand die rouwt om een naaste verwant. Toen staarde ze mij strak aan, mij uitdagend om te spreken.

Mijn leven lang – en dat gold voor haar evenzeer – was ik er getuige van geweest hoe het land uiteenviel. De Vincanen waren vertrokken en lieten het aan ons over om onszelf te regeren. Ze waren in hun eigen land onder de voet gelopen en waren niet meer in staat Tir Tanagiri te beschermen. We hadden hun keer op keer om bijstand verzocht, voordat we uiteindelijk het besluit hadden genomen om zelf onze verdediging op ons te nemen. Nu verlangde ze van mij dat ik spoorslags naar Caer Tanaga zou rijden om de koning daar – de laatste in een reeks gebieders die ieder voor zich hadden geprobeerd zoveel mogelijk van ons rijk in verval in de wacht te slepen – om hulp te smeken. In mijn oren klonk het net zo als ik altijd van haar had gehoord als ze mijn vader overhaalde om een ijlbode naar Vinca te sturen, met een verzoek om militaire bijstand. Het antwoord dat hij haar tijdens dit soort tafelgesprekken steevast had gegeven lag me op de lippen, maar ik hield me in. Ik was op dat moment niet bij machte om tegen Veniva op te staan en te zeggen: 'We kunnen net zo goed de maan om hulp vragen.' In plaats daarvan schudde ik alleen het hoofd. De boeren stonden aarzelend bij de deur naar de voorraadkamer; blijkbaar wisten ze niet goed of ze konden blijven om dit aan te horen of niet.

'Hij zal zeggen dat het hem ontzettend spijt dit te horen, moeder, maar wat kan hij doen?' vroeg ik. Ik kon mezelf er niet van weerhouden ook de rest te zeggen van wat Gwien haar al zo vaak had geantwoord. 'De koning is veel te ver weg. We zullen onszelf moeten redden, in plaats van anderen om hulp te vragen.'

Veniva beet op haar lip en staarde naar de grond. Toen, sidderend, haalde ze diep adem. 'Je vader is bij hem geweest en heeft hem trouw gezworen. Vorig jaar, toen de plunderaars bij Magor waren geland, hebben wij hém soldaten gestuurd. Hij is het verplicht ons te helpen bij de wederopbouw. En hulp móeten we hebben, anders redden we het niet. Als koning Urdo het mocht weigeren, rij je door naar hertog Galba. Zijn zoon is jouw verloofde – hij is praktisch al familie van ons en zal zeker komen.'

Dit was niet het moment om mijn moeder te zeggen dat ik nooit zou kunnen trouwen, hoewel mijn maag ineenkromp bij de gedachte aan de jonge Galba, die drie jaar geleden sympathiek en beleefd genoeg had geleken, voordat mijn vader me had gevraagd of ik hem zou kunnen verdragen. Voor ons was het een prima alliantie. Galba de Oudere was een bekwaam krijgsheer en zelf bezaten wij nauwelijks grond genoeg om nog tot de adel te worden gerekend, in weerwil van onze verheven stambomen. Gwien kon bogen op voorvaderen die aan deze kust al koningen waren geweest voordat de Vincanen kwamen; en Veniva's voorouders behoorden tot de Vincaanse aristocratie van de Stad zelf.

Ik staarde Veniva aan als een uilskuiken, de kom nog in mijn handen. Ze knielde weer neer naast mijn vader, het lange haar los, maar volkomen beheerst. Ik verkeerde in tweestrijd: moest ik haar gehoorzamen of haar zeggen dat ze dwaas handelde? Feitelijk had ik al alles gezegd dat ik redelijkerwijs kon tegenwerpen.

'Ga slapen, Sulien,' zei ze, met een wat zachtere klank in haar stem. 'Je hoeft pas weg als het licht wordt.'

Ik boog voor haar en volgde de boer naar de hooizolder, waar ik een plekje zocht tussen mijn broer en zus en de kinderen van de boeren. Ik geloof dat ik onmiddellijk in slaap ben gevallen, hoewel ik me nog kan herinneren dat ik – heel egoïstisch – bij mezelf dacht dat ik, als ik wegreed, tenminste iets van de wereld zou zien, in plaats van me druk te hoeven maken over de dagelijkse beslommeringen thuis, die voorlopig bijna onoverkomelijk zouden zijn.

3

Draag mij gezwind over dit land,
lange benen, gekoesterd met zorg,
draai je oren, luister naar mijn stem,
je zachte mond, gehoorzaam mijn hand,
je flanken warm tussen mijn dijen,
galoppeer sneller dan de adelaar vliegt.

Draag mij gezwind naar de vijand,
lange benen, voorop in de strijd,
je sterke, met ijzer beslagen hoeven
voortgedreven door je bonkend hart,
opdat de voorover hellende lans
sterker dan de leeuw, hem doorboort!

Draag mij dan gezwind naar huis,
lange benen, waar de haver wacht,
aan het eind der dag, als de nacht invalt;
nooit beklaag je je, altijd draag je me,
gevleugelde voeten, schaduw in het duister,
de beste kameraad van allemaal.
– Aneirin ap Erbin in *Strijdros*

In het holst van de nacht schrok ik wakker van wanhopige hoefslagen, gevolgd door stilte. Morien lag wakker naast me, verstard in het hooi. Aurien sliep nog. Ik kwam voorzichtig overeind en werkte me op handen en voeten door het hooi naar de houten zolderdeur. Twee boerenkinderen volgden mijn voorbeeld. Ik gluurde door de kieren tussen de planken. Beneden, op het met kasseien geplaveide voorerf, stond een zwart paard, een schaduw te midden van schaduwen. Het dier snuffelde aan de gesloten poort. Geen spoor van een berijder te zien. Zoals altijd waar een boerderij uit meer dan één gebouw bestond, stonden de stal en het huis haaks ten opzichte van elkaar, zodat ze twee zijden van een vierkant vormden, met hoge muren langs de twee andere zijden. Vanuit de hooizolder konden we niet het hele erf in ogenschouw nemen.

'Appel!' hijgde het meisje naast mij.

Ik keek omlaag; ze was zelf niet meer dan een donkere vorm in het duister, misschien dertien of veertien jaar oud. 'Ken je dat paard?'

'Dat is Appel, Rudwens hengst. Ze reed vaak hierheen en liet hem dan aan de lijn over het grasveld draven. Ze kwam altijd langs voor een kom melk, en een appel voor Appel.'

Als de hengst Rudwens paard was, was hij afkomstig uit onze stallen. Ik tuurde omlaag door het duister. Hij had inderdaad een vertrouwde vorm. Al onze paarden waren geroofd. Er waren twee mogelijkheden: Appel had een Jarnsman hierheen gedragen, óf hij had op een of andere manier weten te ontsnappen. Beneden was geen spoor van menselijke beweging te zien. Het leek me het meest waarschijnlijk dat het paard was gevlucht en in zijn eentje naar een vertrouwde plek was gegaan. Ik kon me niet voorstellen dat de plunderaars behoefte hadden aan een dergelijke krijgslist, als ze van plan waren ons hier aan te vallen.

'Denk je dat Appel naar jou toe zou komen?' vroeg ik terwijl ik Dariens leren tuniek aantrok, over het wollen hemd dat de boerin me had geleend om in te slapen. De korte broek was nog steeds onaangenaam glibberig van het bloed. Ik nam Dariens zwaard en liep als eerste naar de ladder. In het voorbijgaan legde ik mijn hand op Moriens schouder. Ik voelde hoe hij onder mijn aanraking verstijfde, maar hij gaf geen kik. Ik liep verder. Hij was pas dertien jaar en had die dag gruwelijke dingen gezien; het is geen schande als een jongen die nog maar half getraind is er de voorkeur aan geeft om gevaar te vermijden. Het boerenmeisje volgde me naar de ladder, maar de andere kinderen bleven onder het hooi. Aan de voet van de ladder bleef ik staan, tussen de warme lijven en verse mestgeur van de koeien.

'Ik ga als eerste naar buiten – ik ben gewapend en geharnast. Als er een gevecht ontstaat, sluit je de poort en ren je weer naar binnen om zoveel mogelijk lawaai te maken, zodat Duncan en jouw en mijn ouders binnen wakker worden.

'Goed,' zei ze beslist.

'Voor het geval er iets mocht gebeuren – je weet hoe ik heet. Hoe heet jij?' vroeg ik. Haar gelaatsuitdrukking kon ik niet zien toen ze antwoordde, maar haar stem klonk vast. 'Ik ben Garah.'

'Ik zal het onthouden.'

De schaduwen maakten het pikdonker op het erf. Voorzichtig liep ik naar voren, bij het schaarse licht van de sterren. Garah volgde me naar de poort, die ik langzaam opende door de grendels een voor een terug te schuiven. Het gevaarlijkste moment kwam toen ik de poort naar buiten toe openduwde. Ik stond klaar, het zwaard stevig in mijn hand. Er kwam geen

aanval. Ik hoorde het zachte gekraak van leren paardentuig. In een oogwenk stond Garah naast me. Ze begon op het paard toe te lopen, zacht
fluisterend. Misschien was het een gebed tot de Paardenmoeder, of een
magische spreuk, of eenvoudigweg de manier waarop ze altijd een paard
benaderde. In elk geval had het resultaat. Appel kwam naar haar toe. Iets
aan zijn tuig rinkelde zacht. Hij stond toe dat Garah hem bij de teugel nam
en hem langs mij heen leidde, de binnenhof op. Zorgvuldig deed ik de
poort weer dicht en schoof de zware grendels terug op hun plaats.

In het sterrenlicht glom het ijzerbeslag van Appels tuig. Ik zag Garahs
witte tanden toen ze me toelachte, en ik lachte terug. Nu hadden we een
paard, een naar behoren getraind strijdros. Ik probeerde me een beeld te
vormen van zijn conditie, maar het was te donker om details te kunnen
onderscheiden. Hij was zes jaar oud en volledig getraind. Rudwen ap Duncan had hem verleden jaar nog bereden, tijdens die schermutseling. Een
paard als dit was kostbaarder dan goud. Voor de plunderaars was dit een
groot verlies, maar voor ons een groot gewin. Het zou mijn reis naar Caer
Tanaga bijna zinvol hebben gemaakt, als daar tenminste hulp te vinden zou
zijn geweest.

We leidden Appel de stal in. De koeien maakten plaats. Appel leek het
naar zijn zin te hebben in hun midden. Ik klom weer naar de hooizolder en
stelde de kinderen fluisterend gerust: alles was in orde en we hadden een
paard gevangen. Morien lag erbij als een stenen beeld en Aurien ademde
zacht en sereen, als een kind dat vast ligt te slapen. De jongere kinderen van
de boeren kropen weer het hooi in, toen ik opnieuw de ladder afdaalde.
Garah stond Appel aan te halen om hem op zijn gemak te stellen. Ze hielp
me hem van zijn zadel en hoofdstel te ontdoen. Ze kon uitstekend overweg
met dieren, maar had geen idee hoe het complexe tuig in elkaar zat. Het was
trouwens in het donker geen eenvoudige taak, maar uiteindelijk kregen we
het zonder ongelukken voor elkaar. Appel gooide het hoofd omhoog en
trapte naar achteren toen ik zijn mond aanraakte, maar stond Garah toe
hem het bit af te nemen.

'Ik ben bang dat zijn mond gescheurd is,' fluisterde Garah.

'Misschien heeft hij kans gezien zich los te rukken toen een Jarnsman
hem bij de teugels had,' opperde ik. Dit kwam me gunstiger voor dan die
andere mogelijkheid, namelijk dat hij hem ergens hier in de buurt had
afgeworpen. Over het algemeen waren de Jarns slechte ruiters. Ik moest er
niet aan denken dat het in de bossen wemelde van Jarns. Nu ik echter over
een zwaard én een paard beschikte, zou ik in elk gevecht duidelijk in het
voordeel zijn, en angst kende ik niet. Ik legde mijn hoofd een ogenblik
tegen Appels warme, zachte flank en weigerde aan Banner te denken, de
vos die Darien en ik hadden helpen trainen en die ik het afgelopen jaar
steevast had bereden. Ik nam mijn deken van de hooizolder, begon Appel

af te wrijven en bleef bij hem totdat hij zich in mijn nabijheid op zijn gemak leek te gaan voelen. Tegen de tijd dat ik weer de ladder opging, brak de ochtendschemering al aan en lag zelfs Garah vast te slapen.

Voor mijn vertrek had iedereen goede raad voor me. Duncan gaf me een duidelijke routebeschrijving naar Caer Tanaga. Zelf kon hij niet gaan; hij was niet alleen nog te zeer verzwakt door bloedverlies, maar bovendien was hij hard nodig met het oog op een eventuele nieuwe overval.

'Ik denk dat ze ervandoor zijn gegaan om de buit die ze al hebben van de hand te doen,' zei hij. 'Het waren kustplunderaars – numeriek zeer sterk, maar hoe dan ook ordinaire piraten. In het oosten komen deze kerels zich vestigen en verdrijven ze de mensen daar van hun land, maar niet hier.' De woorden die hij in het bijzijn van mijn moeder niet wilde uitspreken, bleven zwaar in de lucht tussen ons in hangen: *Hier nog niet.* 'Desondanks geloof ik dat het voor jou veiliger zal zijn om door de heuvels naar het noorden te rijden, totdat je de weg ten noorden van Magor hebt bereikt en de rivier kunt oversteken bij de doorwaadbare plaats bij Caer Gloran.'

'Er vaart een veerboot over de brede monding van de Havren bij Aberhavren,' bracht Veniva in het midden, met een lichte frons op haar voorhoofd. Ik geloof niet dat ze had geslapen of 's nachts ook maar even van mijn vaders zijde was geweken. Niets wees erop dat hij elk moment zou kunnen ontwaken. Het golvende haar van mijn moeder hing nog steeds los om haar gezicht. 'Als je die neemt, duurt de reis een dag korter.'

'De veerboot zal er misschien niet zijn, of misschien is hij niet veilig. Ik geloof trouwens niet dat het ergens aan de kust veilig zal zijn.'

Veniva perste haar lippen opeen, alsof ze van plan was haar wil door te zetten. Ik vroeg me een ogenblik af of mijn moeder mij werkelijk wilde wegsturen om hulp te halen, of dat ze hoopte dat ik onderweg zou sterven. Toen schudde ze haar hoofd echter. 'Mij best, Duncan, jij bent de aanvoerder en kent het land.'

De ochtend was al halverwege toen ik eindelijk kon vertrekken. Van de boeren kreeg ik een deken mee, en een zak vol proviand. Veniva omhelsde ik formeel, Duncan dankbaar. Toen, in ieders bijzijn, knielde ik voor Morien neer, om hem officieel te erkennen als mijn vaders erfgenaam. Ik was het met Duncan eens dat het verstandig was dit nu te doen, en wel in de aanwezigheid van zoveel mogelijk getuigen. Als Gwien overleed, zouden er misschien mensen zijn die beweerden dat ze een volwassen leider nodig hadden. Hoewel ik er weinig voor voelde, was het noodzakelijk dat ik dit leiderschap in naam van Morien een jaar of twee op mij zou nemen. Het leek ons het beste om daarover geen onduidelijkheid te laten bestaan. Ik wilde geen tweestrijd uitlokken.

Morien had donkere kringen om zijn ogen. Zijn haar hing los om zijn gezicht en hij sprak de formele woorden werktuiglijk uit. Hij zag er enigszins verbijsterd uit en keek me geen moment recht in de ogen. Dat nam niet weg dat hij de erfgenaam was en gauw genoeg zou opgroeien tot volwassen man. Trouwens, misschien zou Gwien nog herstellen. Ik bad erom. Ik omhelsde Aurien en, in een opwelling, ook Garah, die naast haar stond. Garah had genoeg tegenwoordigheid van geest om mijn omhelzing te beantwoorden. Onder een malse motregen reed ik het land in, zonder om te kijken.

Afgezien van de pijn in mijn dijen verstreken de volgende twee dagen als bij iedere andere rit door een afwisselend landschap – ik zag beboste hellingen en in de dalen boerderijen. Mensen ging ik uit de weg; ik had geen zin in praten. De vredige rust en stilte deden me goed. Onder het rijden was mijn hoofd vervuld van dagdromen over wraak, roem en een verheven dood in de strijd.

Niet dat ik de eerste dag ver was gekomen. Ik was nog uitgeput en het rijden bezorgde me veel pijn. Ik moest trouwens aan Appel wennen, en hij aan mij. Hij was nog een tikkeltje nerveus ten opzichte van mij. Ik had een beetje met hem moeten ruziën voordat hij tot de conclusie kwam dat ik hem als ruiter waardig was. Zijn gescheurde mond hielp niet erg mee, maar hij werd rustiger naarmate de tocht voortduurde. Die nacht sloegen we ons kamp op in een bos. Een strijdros valt niet te verbergen, en paarden moeten grazen. Ik deed wat Duncan me had aangeraden en waarin ik me had geoefend. Ik kluisterde hem op plaatsen waar hij kon grazen; zelf sliep ik in een boom, met Dariens zwaard binnen handbereik. Ik sliep zo goed en kwaad als het gaat in dit soort situaties, maar altijd was ik blij als het ochtend werd en ik een goede reden had om naar beneden te komen, me uit te rekken en mijn reis te hervatten.

De tweede dag leek op de eerste, maar dan droger, en met minder pijn in mijn dijen. De vogels kwinkeleerden en de bomen stonden vol in het blad. Slechts af en toe zag ik in de verte boeren. De streek was me nu onbekend, maar ik stuitte nauwelijks op moeilijkheden. Door zo vroeg weer op weg te gaan schoot ik flink op en bereikte de volgende dag de heirbaan tegen zonsondergang, precies zoals Duncan me had verteld. Wat hij me niet had verteld, was dat ik daar zou aankomen juist op het moment dat er een veldslag begon.

Althans, ik dacht toen dat het een veldslag was. Eerlijk gezegd kan ik het nu niet meer noemen dan een schermutseling. De weg liep hier van noord naar zuid door een smal dal. Ik naderde dit dal via een heuveltop in het westen. De strijdkrachten van de Jarns rukten vanuit het oosten op. Het leek me duidelijk dat ze de Havren op waren geroeid en niet ver van hier aan land waren gegaan. Ze waren met niet meer dan een stuk of drie complete scheepsbemanningen, ongeveer tweehonderd man en bewapend met speren en schilden. Waar het andere kamp op volle sterkte vandaan kwam, was minder duidelijk. Ik kreeg de indruk dat deze troep vanuit Caer Gloran op weg was naar het zuiden. Het was een cavalerietroep ter sterkte van circa zestig man, volledig bewapend en geharnast, met lange lansen en zwaarden. Juist toen ik de heuveltop had bereikt, stonden zij op het punt de gesloten gelederen van de Jarns te attaqueren.

Ik had nauwelijks in me opgenomen wat ik zag, toen ze een frontale aanval op de gesloten Jarnse muur van schilden ondernamen. Ze hielden hun lansen op een manier die ik nooit eerder had gezien en hanteerden ze met een opmerkelijke mate van snelheid en coördinatie. Wat ik toen deed, is later dikwijls aangemerkt als 'heldhaftig', maar even vaak als 'oerstom'. Laat me volstaan met te zeggen dat ik er helemaal niet bij nadacht. Appel rook de geur van opgewonden paarden die werd aangevoerd door de straffe wind. Hij hinnikte luid en gooide zijn hoofd ver omhoog. Van angst was niets te merken. Hij was voor de strijd opgeleid en hier waren andere paarden en iets dat hij begreep. Hij dacht er evenmin over na als ik. Zodra hij in beweging kwam, leek het me een goed idee.

De groep ruiters stormde onder groot gejuich op de Jarns aan, en de gesloten muur van ineengehaakte schilden werd doorbroken. Sommige Jarns gingen ervandoor, anderen stelden zich te weer. Terwijl Appel me de helling afdroeg, trok ik mijn zwaard. Dariens zwaard. Ik herinner me dat ik bedacht dat mijn polsen omwikkeld waren, zoals iedereen zou doen die hele dagen lang door geaccidenteerd terrein reed, maar minder strak dan je zou doen als je je voorbereidde op strijd. Het was niet anders; ik moest het ermee doen. Toen had ik hen bereikt en begon er op los te hakken. Het is lastig je de gang van zaken in een strijd te herinneren, want het is allemaal even wazig, en na zoveel jaar is het moeilijk om het ene gewapende treffen te onderscheiden van het andere. Soms is de zweetlucht van iemand die hard heeft gereden genoeg om het allemaal terug te roepen in mijn herinnering: opgewonden paarden en opgewonden mensen, het schuren van mijn dijen, het geweld van de botsing, de delicate dans van het paard en de snijkanten van het zwaard, ronde helmen, pothelmen, helmen van leer en het woud van speren, bijlen en hier en daar een te vermijden zwaard, opgeheven onder een dodelijke hoek.

Appel reageerde op mij alsof we één waren. Steeds bewoog hij zich zodanig dat ik met mijn houwen kon profiteren van zijn volle gewicht. Dit was pas mijn tweede echte gevecht. Het verbaasde me destijds nog enigszins hoe sterk de echte strijd overeenkwam met mijn oefeningen, en toch ook weer niet. Ik verbaasde me er vooral over hoe, telkens als ik uithaalde naar de plek rechts onder iemands sleutelbeen, hij een ogenblik later onder mijn zwaard ineenzakte – niet langer een man wiens woeste gezicht en zware opgeheven knuppel een bedreiging voor mij vormden, maar het zoveelste obstakel op de grond. Ik herinner me hoe ik moest lachen om de uitdrukking op het gezicht van een van de Jarns, toen Appel hem in zijn neus beet en hem dat lichaamsdeel afrukte. Hij liet zijn speer vallen en greep in stomme verbazing met beide handen naar zijn verminkte gezicht. Ik streed zo fel en hard als ik kon, vertrouwend op instincten die ik dankzij mijn lange, intensieve training had ontwikkeld. Steeds moest ik aan iets denken dat Duncan mij had verteld, namelijk dat een ruiter altijd in beweging moet blijven en geen moment mag aarzelen.

Hoewel hun gelederen waren verbroken onder het geweld van de lansen, vochten ze verwoed terug voordat ze vluchtten. Ze verzamelden zich om hun leiders en vormden groepjes die zich hardnekkig verweerden. Op een gegeven moment raakte ik in een hachelijke situatie verzeild, waarin ik twee bijlhouwen tegelijk moest pareren. Een van de ruiters schoot toe om mij te helpen – een breedgeschouderde man in een witte mantel. Zijn huid was zo licht van kleur dat ik hem, als hij niet te paard had gezeten, voor een Jarnsman had kunnen verslijten. Onze zwaarden kwamen tegelijkertijd omlaag en troffen doel. Twee pulserende stralen bloed spoten omhoog. Hij grijnsde me over de lijken van de twee gevallen vijanden toe, vlak voordat Appel zich afwendde, maar toen zag ik hoe hij zijn voorhoofd fronste – hij had zich kennelijk gerealiseerd dat hij mij niet kende. Ik lachte opnieuw, en juist op dat moment steigerde Appel en haalde met zijn voorbenen uit naar een Jarnsman. De man ging neer, maar ik had een ogenblik grote moeite om in het zadel te blijven. Tegen de tijd dat ik mijn houding had hervonden, sloegen de Jarns op de vlucht en zetten wij de achtervolging in. We lieten hen rennen totdat ze zich hijgend op de grond lieten vallen en begonnen te braken van uitputting. De meesten lieten hun wapen vallen en trokken zich de helm van het hoofd, onder de Jarns een teken van overgave. Ik doodde nog een paar treuzelaars die er weinig voor voelden hun vlucht te staken. Tegen de tijd dat wij de laatste stijfkoppen te pakken hadden, kregen we de rivier al in het zicht – een zilveren lint in het schemerlicht. Ik zag de gevreesde silhouetten van de schepen met de drakenkop boven de boeg: twee grote en drie kleinere schepen, verscholen achter de wilgen op de oever. O ja, dit was een bewuste plunderpoging. Deze kerels waren hierheen gekomen met het voornemen alleen genoegen te nemen met een rijke buit. De schepen bewezen dat ze van plan waren daarna weer te vertrekken.

Toen ik terug begon te rijden, werd ik ingehaald door een vrouw. Ze had net een groep van twaalf ruiters naar voren gestuurd, naar de schepen. Ik toomde Appel in en bleef naast haar rijden. Het leed geen twijfel dat zij een van de aanvoerders van de ruiterij was, want ze droeg een witte mantel, op de schouders waarvan gouden eikenbladeren waren geborduurd. Ik had haar opgemerkt onder de groep die de punt van de aanval had gevormd. Ze had brede schouders en een lange neus en haar huid was even bleek als die van de Jarns zelf. Haar ogen waren echter donker en haar blik was menselijk. Afgezien van die ene man die mij in het heetst van de strijd te hulp was geschoten, had ik nog nooit iemand gezien die niet duidelijk tot het een of andere ras behoorde, hoewel ik natuurlijk weleens had horen praten over diplomatieke allianties, in de vorm van een huwelijk tussen een beschaafde aristocraat en een barbaar. Ze hield in en liet zich van haar paard glijden zonder de teugels los te laten. De beleefdheid noopte mij haar voorbeeld te volgen. Mijn benen voelden aan als pudding toen ze de grond raakten, maar het gaf me een goed gevoel nu ik eindelijk even kon staan, in plaats van op Appels rug te zitten.

'Ik ben Marchel ap Thurrig,' zei ze met een buiginkje. Toen ze zich weer oprichtte, zag ik dat ze niet groot was; misschien zelfs een handbreedte kleiner dan ik. 'Ik ben prefect van de *ala* van Caer Gloran. En wie ben jij, in naam van de Blanke God? Hoe kwam het dat je hier zo plotseling opdook en zo geweldig met ons mee vocht?' Achter haar zag ik de man in de witte mantel weglopen van de gevangenen. Ze werden met touwen aan elkaar gebonden. Hij kwam naar ons toe.

'Ik ben de oudste dochter van Gwien van Derwen,' zei ik. Het beleefde onbegrip op Marchels gezicht was voor mij een openbaring. Vorsten moeten hun namen opgeven, en ik had nooit gedacht dat de naam van mijn vader onbekend zou zijn. 'Ik ben op weg naar de Grote Koning in Caer Tanaga,' voegde ik eraan toe.

Ze snoof. Op het gezicht van de bleekhuidige man die ons stond aan te horen verscheen een glimlach. 'Wel, het valt niet te betwijfelen dat je mét ons streed, in plaats van tegen ons, en...' begon Marchel.

'Waarom wil je de Grote Koning spreken?' viel de bleke man haar in de rede. Ik keek hem aan. Hij had zich niet voorgesteld. Ik wist niet eens in wiens dienst deze ruiters streden, alleen dat ze afkomstig moesten zijn uit Caer Gloran. Niets verplichtte mij hem antwoord te geven. Aangezien we echter zojuist zij aan zij hadden gevochten, vertrouwde ik hem, om een of andere reden.

'Kustplunderaars hebben het grondgebied van mijn vader in Derwen overvallen, en mijn moeder stond erop dat ik naar Caer Tanaga reed om daar om hulp te vragen.'

'Misschien kunnen we inderdaad hulp bieden, afhankelijk van het soort hulp dat jullie nodig hebben.' Er was nu een glimlach op zijn gezicht verschenen. 'Hoeveel overvallers? Waar kwamen ze vandaan? Jarns? Derwen, dat ligt aan de zuidkust, nietwaar?' Hij rimpelde zijn voorhoofd, alsof hij het zich probeerde te herinneren. 'Derwen, ja, Gwien ap Nuden! En zijn erfgenaam is... Darien?'

'Darien is dood,' zei ik, met het brok in mijn keel dat ik niet had gehad toen ik mijn moeder datzelfde treurige nieuws had verteld. 'En mijn vader, Gwien, is zwaargewond. Hij zal het misschien niet halen. De nieuwe erfgenaam is Morien, mijn jongere broer. Derwen ligt twee dagreizen van hier, dwars door het land, over de route die ik hierheen heb gevolgd. We hebben hulp nodig voor de wederopbouw, en ook moeten we weten wat ons te doen staat als de Jarns mochten terugkomen. We zijn niet met velen.' Ik probeerde de rest van zijn vragen te beantwoorden, terwijl hij geduldig maar zorgelijk voor zich uit stond te staren in de invallende duisternis. 'Ik denk dat ze met niet meer waren dan een scheepsbemanning, numeriek gesproken, maar ze hebben ons totaal overrompeld. De strijd zelf heb ik niet gezien, maar ik ben op een paar van die kerels gestuit en het waren ontegenzeggelijk Jarns. Ze hebben ons alles wat ze aan have en vee konden meenomen ontstolen en zijn ervandoor gegaan.'

'Het plunderseizoen,' zei Marchel, alsof hij een langdurig debat afsloot.

De bleke man keek afwezig op, voordat hij me recht in de ogen keek. 'Wat is jouw naam, dochter van Gwien?' Hij had het recht niet van mij te verlangen dat ik de waarheid van mijn woorden aantoonde, door mij te vragen mijn naam te noemen. Zijn ogen waren echter dwingend en we hadden gezamenlijk bloed vergoten. Als hij mij kwaad wilde berokkenen, hoefde hij deze moeite niet te doen.

Ik hief mijn armen op, de handpalmen geopend naar de hemel, en liet ze toen zakken. 'Ik, Sulien ap Gwien, smeek alle goden van aarde en hemel te getuigen dat mijn woorden waarachtig zijn.'

Hij glimlachte. 'Het komt goed uit dat je ons hebt gevonden, Sulien ap Gwien. In Caer Tanaga zou je geen hulp hebben gevonden; momenteel is daar niemand, behalve de inwoners van de stad en de kooplieden van dit jaargetijde. Het is noodzakelijk dat we in het zuiden onze verdediging organiseren. We zullen met je mee rijden naar Derwen, om te zien wat er kan worden gedaan.' Gedecideerd wendde hij zich tot Marchel. 'Zal het noodzakelijk zijn om eerst terug te gaan naar Caer Gloran, denk je?'

Ze dacht even na, omkijkend naar de gevangenen, voordat ze de rest van de ruiterij in ogenschouw nam. De mannen die de reservepaarden buiten de strijd hadden gehouden, hadden zich nu vermengd met degenen die wel aan de strijd hadden deelgenomen. Sommigen van hen waren bezig met het verbinden van wonden en het reciteren van zangspreuken om wapenrot – gangreen in het Vincaans – te voorkomen.

'Tenzij het bericht over de schepen anders uitvalt dan ik nu verwacht, lijkt het me het verstandigst dat we vanavond nog teruggaan,' zei ze. 'Dan kunnen we de gewonden laten verzorgen en de gevangenen achterlaten – vandaar kunnen ze naar Thansethan worden geëscorteerd. Als we dit doen, kunnen we morgenochtend uitgerust vertrekken, met de nodige proviand en verse paarden.'

'Uitstekend. Dat doen we. Regel het maar.'

Marchel knikte hem gedecideerd toe en klom met een zwaai weer in het zadel. Hij wendde zich tot mij. 'Je hebt voortreffelijk gevochten, Sulien ap Gwien. Als ze jou in Derwen kunnen missen, zou ik je graag een positie als mijn persoonlijke wapendrager aanbieden.'

Hij sloeg me op de schouder en wendde zich af. Ik bleef achter en staarde hem met open mond na.

Dat was de manier waarop ik kennismaakte met mijn heer Urdo ap Avren ap Emrys, Grote Koning van Tir Tanagiri, Beschermheer van het Eiland, aanvoerder van alle Tanaganen en de eerste onder zijns gelijken op de wereld.

4

Bij de Stralende Zon, mijn Heer in wie ik het grootste vertrouwen stel, zweer ik .... te dienen, geen andere vijanden te kennen dan zijn vijanden, geen van zijn vrienden te deren, en in zijn dienst overal te gaan, te staan en te strijden, waarheen hij mij beveelt, en geen Huis, naam of God te sparen totdat de dood hem of mij wegneemt, of hij mij deze woorden teruggeeft.

Bij de altijd Barmhartige Blanke God zweer ik .... en haar ros en zwaard in mijn dienst te nemen als passend voor een wapendrager, behorende tot mijn Huis, en haar te onderhouden tot hun dood; een slag haar toegebracht is een slag mij toegebracht, en haar daden zijn mijn daden, tenzij zij mijn vrede verstoren.
— Wapendragerseed in Tanaga

Te midden van de ala, Marchels ruitereskadron, reed ik naar Caer Gloran. De lange avondschemering van hartje zomer zou nog een uur duren en Marchel wilde die korte tijd optimaal benutten. Het grootste deel van de wapendragers bejegende mij van begin af aan heel vriendelijk. Het duurde enige tijd voordat het tot me doordrong hoe fortuinlijk ik was geweest dat ik deze mensen gedurende de strijd had leren kennen. Hoewel slechts een enkeling erfgenaam van een grondgebied was, waren zij vrijwel allemaal van hoge geboorte. Na slechts twee jaar waren zij al bijzonder trots op hun vaardigheden en positie. Later hoorde ik dat velen van hen als gijzelaar of borg door hun clans naar de koning waren gestuurd. Urdo had hen allemaal met alle eer ontvangen. Hij had erop toegezien dat zij naar behoren werden opgeleid en hun vervolgens ieder een positie als *armiger* aangeboden. De meesten van hen waren vervaarlijk als ze werden gedwarsboomd en niet snel geneigd een buitenstaander die zich niet had bewezen in hun midden te aanvaarden. Ik had het geluk dat ik mezelf had bewezen zonder dat een van hen mij daartoe had hoeven uitdagen.

Zodra Urdo mij alleen had gelaten, kwamen ze naar mij toe om met me te praten, zonder dat voorstellen noodzakelijk was. Zij maakten zich zonder bedenken aan mij bekend met de naam van hun vader of grondgebied. Er waren er zelfs die mij al die eerste avond hun eigen naam noemden, zoals onder bloedverwanten de gewoonte is, of onder hen die samen strijden en samen kunnen sterven. De meesten dachten dat ik tot een van de andere alae van de koning behoorde. Algauw maakte ik uit hun gesprekken op dat hij al over drie *alae* of ruitereskadrons beschikte, en dat binnenkort iedere sterkte in het land over een eigen ala zou beschikken. Dan zouden de Jarns terug worden gedreven naar de overkant van de Smalle Zee, waar ze thuishoorden.

De paarden briesten naar Appel en hij brieste terug, ook al doende om vrienden te maken en zijn plaats in hun midden te vinden. De wapendragers vroegen hoe ik aan zo'n fraai strijdros was gekomen en waar ik had leren rijden en vechten. Ze zagen mij aan voor een volleerd ruiter omdat ik had meegevochten, hoewel ik op dat moment nog nauwelijks bedreven was in het hanteren van de lans; ik wist alleen hoe ik dat ding naar een doelwit moest laten wijzen. Een van hen, wat ouder dan de meesten, stelde zich aan mij voor als de zoon van Cathvan. Hij zei dat hij Appel al had gekend voordat hij ter gelegenheid van de kroning aan mijn vader was geschonken. Ap Cathvan bleek een van de paardentrainers van de koning te zijn. De vijfjarige jonge hengst die hijzelf die dag bereed was nu gehard in de strijd en gereed om aan een vazal te worden geschonken. Hij liet blijken dat de gedachte aan het afscheid hem verdriet deed. Ik kon het me voorstellen, want ik wist uit eigen ervaring hoe moeilijk het was een strijdros af te richten. Ik had er nooit over nagedacht waar alle paarden die de koning had geschonken aan degenen die hem trouw hadden gezworen vandaan kwamen. Ik kende alleen de oude liederen over keizer Erarys die in het land der reuzen eens duizend paarden had gewonnen door een lied te zingen, naast de nog oudere liedjes die mijn min me had geleerd, liedjes over de witte paarden die geboren werden uit het schuim van de branding die brullend aanstormde op de rotsen, waarna ze in het water bleven wachten, overdekt met zeewier, totdat ze door de helden werden gevangen.

Ik vertelde mijn nieuwbakken wapenbroeders waarvoor ik was gekomen. Ik had me geen betere reactie op dat nieuws kunnen voorstellen, want ze keken me ernstig aan en zeiden dat gedane zaken geen keer namen, maar dat wij zouden worden gewroken. Verreweg de meesten waren nog erg jong – slechts enkele jaren ouder dan ikzelf, maar gehard in de strijd, zodat ze in mijn ogen volwassen mannen en vrouwen leken. Niet dat er veel vrouwen bij waren. Behalve Marchel waren er slechts vier andere vrouwen, in een ala die zestig ruiters telde. Als je de lans goed wilt hanteren, heb je veel kracht in je schouders nodig. Juist toen ik naar haar keek, zag ik hoe ze opsteeg door haar ros de nek te laten buigen en erop plaats te nemen, waarna het dier met een ruk het hoofd optilde, zodat zij in het zadel viel. Ze deed het met een gratie waarvan ze zichzelf nauwelijks bewust was, maar ik zag heel wat afgunstige blikken en een of twee pogingen tot navolging, die ermee eindigden dat de betrokken ruiters in de modder belandden of onbeholpen *achter* het zadel kwamen te zitten, op de achterhand van hun rijdier.

Marchel gaf ons haar marsbevelen. De hoofdmoot van de troep moest op de weg rijden, in rotten van vier, zoals gebruikelijk. De verspieders en flankruiters kregen hun posities duidelijk aangegeven. De krijgsgevangenen liepen voor ons uit, aan weerskanten geflankeerd door vier achter elkaar rijdende ruiters. Zelf koos ik positie te midden van mijn nieuwe kameraden, ongeveer halverwege de colonne. De paardentrainer, Ap Cathvan, bleef in mijn buurt. Toen we onze paarden in beweging zetten, begon ik een van mijn metgezellen uit te horen over Marchel. 'Is ze een Jarn?' vroeg ik.

Hij moest lachen. Hij was een breedgeschouderde man die me de naam van zijn clan had genoemd, Angas. Zelfs ik wist dat dit een van de grote clans van het noorden was. 'Marchel? In geen geval! Haar vader is Thurrig, een Malmse admiraal uit Narlahena. Hij dient nu koning Urdo. Dertig jaar geleden kwam hij met drie schepen naar Tir Tanagiri, maar die zijn al jaren en jaren geleden verloren gegaan in een zeeslag. Hij heeft al die tijd voor deze of gene koning gestreden, net als Marchel. De mensen beweren dat ze in het zadel geboren is.'

'Ja,' vulde Ap Cathvan aan, 'ze beweren ook dat hij haar van een merrie heeft, maar dat durven ze alleen te fluisteren.'

Angas lachte weer. 'Terwijl iedereen hier haar moeder kent? Ze is echter een formidabele strijder en als ruiter onovertroffen. Ook haar vader kan zich geweldig weren, al smacht hij altijd naar een schip.'

'Urdo heeft hem een paar schepen beloofd en het zal me deugd doen er getuige van te zijn dat hij ze krijgt. Dat zou ons de kans geven die Jarnse beulen op zee te pakken te nemen, voordat ze nieuwe schade kunnen aanrichten.' De beide mannen knikten enthousiast bij die gedachte en ik glimlachte, denkend aan schepen. Zonder het zelf te beseffen was ik besmet geraakt met de aanstekelijke hoop die de hele ala koesterde, een geloof dat Urdo ze had ingegeven, namelijk dat wij verandering in de situatie zouden kunnen brengen door het tij te keren.

'Van de Malms weet ik niet veel. Lijken ze op de Jarns?'

Angas keek me peinzend aan. 'Ik kan niet beweren dat ík veel van ze weet. Maar Marchel en haar vader zijn buitengewoon loyaal en in de strijd kun je geen betere naast je hebben. Als Thurrig ooit reden mocht hebben gehad om Thurrig in grote haast te verlaten, zoals sommigen fluisteren, moet hij daar volgens mij een goede reden voor hebben gehad. Als ik me de geschiedenis goed herinner, waren de Malms de eerste barbaren die een overwinning hebben behaald op de Vincanen, generaties geleden, ergens in het oosten.' Zijn arm wees echter eerder naar het zuiden dan naar het oosten, aangezien we naar het noordwesten reden, maar ik zei er niets over. 'Misschien teisteren ze in sommige delen van het imperium de beschaafde mensen even erg als de Jarns ons kwellen, dat weet ik niet. In deze ala beoordelen we mensen echter niet naar hun huidkleur, maar gaan we af op wie zij zijn en hoe ze zich gedragen. Toen Marchel tot onze prefect werd benoemd, ontstond er wat onenigheid over, maar wij beoordelen – zoals de koning zelf heeft gezegd – mensen naar hun daden, de kracht van hun armen, de kleur van hun bloed en voor wie ze bereid zijn het te vergieten.' Hij keek me ernstig aan.

Ik knikte kort – wat hij had gezegd klonk verstandig. 'Ik haat de Jarns,' zei ik.

'De plunderaars? Ik ook, reken maar. Wij allemaal. Ze zijn eropuit alles te verwoesten dat wij hebben opgebouwd. Toch leven er onder ons ook vredelievende Jarns; ze wonen voornamelijk in de dorpen in het oosten. Sommigen onder hen hebben zich zelfs bij ons aangesloten om tegen hun vroegere landgenoten te strijden toen die vorig voorjaar op strooptocht gingen, juist toen ik bij de koning in Caer Tanaga was. Het zijn er niet veel, dat is waar, maar er zullen er meer komen, zegt Urdo.'

Ap Cathvan spuwde naar de grond. 'Beoordeel ze ieder voor zich, bedoel je, Angas. Da's redelijk genoeg – het is de wijsheid van de koning en stemt overeen met de leer van de Blanke God. Als je echter met eigen ogen ziet dat ze op het punt staan jou te doden, zegt dat genoeg. Niets ten nadele van Marchel, dat niet, en die Jarnse boeren mogen dan een eed op de vrede van de koning hebben afgelegd, maar je zult mij niet tussen hen zien liggen slapen in het veilige besef dat ik de volgende dag zal opstaan met een ongeschonden keel en in het bezit van mijn paard. Je kunt zeggen wat je wilt, maar de meesten zijn gemene dieven, als puntje bij paaltje komt. Natuurlijk zitten er ook goeie mensen tussen, net zoals er bij ons ook lieden zijn die niet te vertrouwen zijn. Bij ons zijn de meesten echter te vertrouwen, en bij hen zijn de meesten dat niet.' Ook dit klonk verstandig. Ik wilde liever geloven dat de Jarns een ander soort mensen waren dan wij, zodat ik hen met een gerust geweten kon blijven haten.

'Onzin!' De felheid waarmee Angas het zei verraste me. 'Ongetwijfeld zijn er in jouw gebied buitengewoon eerlijke boeren, en ik ben blij dat te horen. De Jarns zijn echter niet anders dan wij, als ze maar eerst hun bloeddorstige afgoden afzweren.'

Weifelend keek ik van de een naar de ander. De oudere man lachte luid en keek mij aan. 'Angas praat er zo over omdat zijn vader hem een van hen tot vrouw zal geven.'

'Een Jarn?' Ik walgde van het idee.

'Een prinses van Jarnholme,' knikte Angas. Hij keek me aan en negeerde

Ap Cathvan. 'Het was overigens geen idee van mijn vader, maar van de koning. En het meisje is een verwante van vrouwe Rowanna, de moeder van onze koning.'

'Ik zeg: ga een alliantie aan met Isarnagan en drijf ze allemaal de zee in,' zei Ap Cathvan.

'En wat zou jij voor die alliantie willen betalen?' vroeg Angas, die zich plotseling in het zadel naar voren boog. 'Wat weet jij van de Isarnaganen? Ik heb ieder jaar thuis in Demedia tegen de Isarnaganen gevochten voordat ik hierheen kwam. Geloof me, een brandende oogst stinkt overal hetzelfde, ongeacht wie het koren in de fik heeft gestoken. Je moest eens zien wat de Isarnaganen in het noorden hebben aangericht, dan zou je weten of de mensen daar hen zullen verwelkomen als bloedverwanten.'

'En wat ga jij betalen voor die Jarnse prinses van je?' sneerde Ap Cathvan. 'Hetzelfde als wat koning Avren betaalde voor Rowanna? Grond waarop haar verwanten zich kunnen vestigen, en een wapenstilstand voor een aantal jaren, zodat de maden het eiland van binnenuit kunnen opvreten? En welke goden gaan jouw kinderen aanbidden? De Isarnaganen zijn wilden, dat geef ik toe – net zoals wij wilden waren voordat de Vincanen hier kwamen. Ze kennen echter onze goden, en als zíj voor een altaar een eed afleggen, doen ze die gestand. Hén kunnen we vertrouwen, maar die eedbrekende Jarns in geen geval!'

'Zonder de alliantie tussen Avren en de Jarnse prinses Rowanna zouden wij nu geen Grote Koning hebben,' kaatste Angas terug.

'O ja? En wat is er van Avrens oudere broers geworden na zijn dood? De zonen van koningin Branwen, de erfgenamen die iedereen erkende?' zei Ap Cathvan hoofdschuddend. Ik trok mijn wenkbrauwen op; als ik al ooit verhalen over hén had gehoord, had ik er geen aandacht aan besteed.

'De jonge Emrys sneuvelde in de strijd, da's waar,' erkende Angas, die zijn stem enigszins dempte. 'Sommigen beweren echter dat hij van achteren neer werd gehouwen. Mijn moeder heeft me verzekerd dat het niet de Jarns waren die Bran zouden hebben gedood, en een koorts was het evenmin. Het was koning Borthas van Caer Avroc, hoewel hij hun allen bescherming had beloofd. Ze moest zelfs voor haar leven vrezen als ze een poging zou doen om de kroon op te eisen; en ze was dolblij dat ze werd uitgehuwelijkt aan mijn vader, ook al was ze toen pas dertien jaar oud. Hoe noem je een bondgenoot die de zoons van de koning doodt en zijn dochters gebruikt om allianties te smeden?'

'Een verrader, dat zeker. Het is een schande dat zo'n man nog in leven is en zich koning mag noemen. Toch kan niemand die destijds in leven was er aanspraak op maken dat...'

Angas viel Ap Cathvan in de rede voordat hij meer kon zeggen. 'Het is helaas waar dat er de afgelopen twintig jaar links en rechts verraad werd gepleegd, maar niemand kan beweren dat Rowanna zelf zich schuldig heeft gemaakt aan verraad. Ze heeft Urdo genomen en is in vermomming naar Thansethan gevlucht; er was geen andere manier om hem veilig groot te brengen. Het waren alleen de Jarns die vertrouwen bleven houden in wat zij had gezworen. En over welke "goden" heb je het, Ap Cathvan, waarmee je mijn bloed aan het koken brengt door het voor te stellen alsof ze allemáál de bloeddorstige oorlogsgoden aanbidden? Per slot van rekening weet jij net zo goed als ik dat zij en al haar bloedverwanten vertrouwen stellen in de Blanke God. Waarachtig, er zijn meer dan genoeg eden gebroken toen de mensen zwoeren bij goden die niet de hunne waren, maar daar is nu een eind aan gekomen.'

'Alleen voor degenen die bereid zijn hun eigen zeden de rug toe te keren. Dat zullen we echter niet allemaal doen en ik wil wedden dat dit ook voor hun kamp geldt. Meineed zit hen in het bloed, zoals eergevoel ons in het bloed zit.'

'Rowanna heeft géén eed gebroken; zij bleef standvastig trouw aan haar eed, ook toen niemand anders dat deed. Zelfs mijn eigen vader heeft zich niet zo voorbeeldig gedragen als zij, in de jaren na Avrens dood.' Angas leek nu zo kwaad dat ik vreesde dat hij zich bij de minste of geringste provocatie op Ap Cathvan zou storten.

'Er zijn er,' waagde ik te zeggen, 'die erop wijzen dat haar kind drie tot vier jaar oud was toen ze vluchtte, terwijl er niemand is die kan bevestigen dat de man die vijftien jaar later in het klooster opstond datzelfde kind was.'

Nu keerden hun woedende gezichten zich naar mij, één in hun toorn. Plotseling vormden we de kern van een zich uitbreidende kring van stilte.

'Niemand die de koning trouw is, zal dat zeggen!' snauwde Ap Cathvan.

'Urdo is de beste Grote Koning die we ooit hebben gehad,' zei Angas. 'Toen hij werd gekroond, heeft hij gevraagd of er iemand was die in twijfel trok wie hij was en wat hij wilde doen. Als niemand destijds de moed heeft gehad om zijn mond open te doen, moeten ze nu niet achter zijn rug kwaad over hem spreken!'

'Ik heb alleen gezegd wat ik heb gehoord; niet dat ik het geloof,' zei ik, Appel in bedwang houdend. Ik had hem onder mij voelen verstrakken, alsof hij zich voorbereidde op strijd.

Inderdaad tastte Angas' hand al naar zijn zwaard. 'Als jij geloof hecht aan wat je zojuist zei, zal ik je uitdagen teneinde de eer van onze koning te verdedigen!'

Ik voelde niets voor een twist met deze man die mij sympathiek leek, en al helemaal niet voor een zaak als deze, maar ik kon moeilijk terugkrabbelen zonder een lafbek te lijken. Ik haalde diep adem, maar voor ik iets kon zeggen bevond de koning zelf zich plotseling in ons midden, gezeten op zijn strijdros. Hij had het gesprek gehoord en had zich tussen de gelederen laten afzakken terwijl wij door elkaar in beslag werden genomen. Nu toomde hij zijn paard in en deden wij hetzelfde, in een brede drom om hem heen – de hele ala luisterde mee. Hij liet zich van zijn paard glijden en plantte zijn voeten stevig op de grond. Hij was de grootste en breedste man die ik ooit had gezien – naast hem leek zelfs Angas (en dat zou ook voor Duncan gelden) een berk naast een eik. Ik was er vrijwel zeker van dat ik nu ter dood zou worden gebracht wegens hoogverraad. Ik haalde bevend adem, maar hij negeerde mij.

'Is dit de manier waarop jullie mijn eer verdedigen?' vroeg hij terwijl hij eerst Angas en daarna Ap Cathvan aankeek. Ze lieten het hoofd hangen. 'Ze heeft dit slechts uit onwetendheid gezegd, net als zoveel anderen. Als een jongen in het verborgene is opgevoed tot man is het heel begrijpelijk dat mensen gaan twijfelen of hij wel is wie hij zegt te zijn. Ik heb zelf mijn oren nauwelijks kunnen geloven toen mij werd verteld dat ik de ware Grote Koning van heel Tir Tanagiri was – het leek me meer een sprookje. Er zijn er onder jullie die weten dat mijn weg van daar naar hier lang niet zo effen is geweest als de verhalen ons willen doen geloven.' Er werd vrolijk om gelachen en de spanning ebde meteen weg. Toen stak hij zijn hand op en werd het weer stil. 'Als het voor *mij* al moeilijk was het voor waar aan te nemen, hoe moeilijk moet het dan niet zijn voor mensen die mij nooit hebben ontmoet? Vooral voor hen voor wie de namen van mijn vader en grootvader nog slechts legenden zijn en die hun leven lang niets anders hebben meegemaakt dan vechten tegen de Jarns en gebekvecht onder hun eigen broeders? Wij zullen de koninklijke vrede niet stichten door iedereen voor wie dit moeilijk te geloven is te doden! Dat verhaal wordt niet uit de wereld geholpen door iedere boer die het opdist te speren of iedere wapendrager die ervan gewaagt te verslaan in een gevecht op leven of dood.' Op dat moment keek hij me glimlachend aan en maakte mijn hart een sprongetje. 'Het is waar dat ik in Thansethan ben grootgebracht. Het zwaard is niet het instrument om het gerucht dat ik niet de zoon van mijn vader zou zijn uit de wereld te helpen. Zelfs het woord van de monniken die erbij waren toen vrouwe Rowanna, mijn moeder, mij bij hen bracht, is daartoe niet bij machte, hoewel ze daar nog altijd zijn. Het enige wat ertoe in staat is, is mijn eigen doen en laten. Ik zal jullie koning zijn, maar in z'n eentje kan niemand koning zijn! Jullie daden zullen mijn vrede moeten bewaren, want als jullie ertoe overgaan om degenen in te rekenen die deze vrede breken, zullen de mensen zeggen dat er geen gerechtigheid bestaat en dat Urdo een valse koning is, en zijn wapendragers even vals. Het maakt geen deel uit van mijn vrede om te doden vanwege een gerucht. Steek jullie zwaard dus weg en omhels elkaar, ongeacht of ik in de ogen van Gwiens dochter genoeg koning ben of niet.'

Angas en ik stegen af en we omarmden elkaar teneinde vrede te sluiten, zoals de koning van ons had gevraagd. Na het opduiken van de koning had ik geen woord meer gezegd. Ik had willen zeggen dat ik geen moment aan hem had getwijfeld nadat ik hem met eigen ogen had gezien, dat hij mij de meest waarachtige en eerbare koning leek die hij maar kon zijn, en dat hij mij bovendien hulp had beloofd. Ik kon echter geen woorden bedenken die niet dwaas zouden hebben geklonken als ze mij over de lippen waren gekomen. Terwijl Angas weer opsteeg, liet ik mij voor Urdo op mijn knieën in de modder zakken.

Het begon nu donker te worden en de troep ruiters bestond nu nog slechts uit donkere schimmen in de donkerte. Het maanlicht liet hun lanspunten glimmen. Urdo's grote gestalte tekende zich echter scherp voor mij af tegen de westelijke hemel, en dat gold ook voor zijn strijdros, achter hem.

'Mijn Heer, ik ben bereid u trouw te zweren,' zei ik.

Hij keek me ernstig en langdurig aan voordat hij mijn hand nam. Ik was genoodzaakt hem naar de juiste formulering te vragen. Hij zei me de wapendragerseed voor en ik herhaalde zijn woorden, maar daar waar een ander alleen de naam van de koning zou hebben genoemd, zei ik: 'Mijn waarachtige koning, Urdo ap Avren ap Emrys, Grote Koning van de Tanaganen.'

Toen trok hij me op en gaf mij glimlachend mijn zwaard terug.

5

De drie edelmoedigste mensen van Tir Tanagiri:
Elin de Vrijgevige, dochter van Mardol de Kraai,
Gwien Openhand, zoon van Nuden ap Iarn, en
Cathvan Pollepel, zoon van Senach Roodoog.
Maar de royaalste van allemaal was Urdo zelf.
— Uit *De Triade van Tir Tanagiri*

Toen Darien en ik nog klein waren, hadden we dezelfde min, een vrouw die als kindermeisje nog op mijn vader, Gwien, had gepast. Onder het oog van mijn moeder vertelde ze ons vaak verhalen over Vincaanse helden en hun veldslagen, hun beroemde overwinningen en hun doorzettingsvermogen als ze met tegenslagen te kampen kregen. 's Avonds voor het slapen gaan luisterden we naar haar oude Tanagaanse verhalen over gewaagde avonturen, wanhopige laatste verdedigingen en onverwacht gunstige wendingen van het lot. In die verhalen reisden de helden vaak over heirbanen die hen bij elke bocht verrasten met onverklaarbare of wonderbaarlijke zaken: brandende bomen, reusachtige vechtende katten met zwarte en goudkleurige strepen, of zwevende kastelen. Zulke wonderen leken altijd op een of ander iets waarmee wij vertrouwd waren, maar hun grootte of uiterlijk maakte ze vreemd. De eerste keer dat ik Caer Gloran voor mij zag opdoemen, geloofde ik een moment dat ik in zo'n soort verhaal was beland.

De muur rond de burcht was opgetrokken uit granietblokken, net als de muren van huizen of boerderijen, maar deze muur was twee keer zo hoog als ikzelf lang was en strekte zich uit zo ver het oog reikte. Oorspronkelijk was Caer Gloran een sterkte van de Vincanen geweest, een van de forten die zij vijfhonderd jaar geleden hadden gebouwd bij hun veroveringen. In tijden van vrede hadden zij het een geschikte plek gevonden om er een legioen te legeren. Het fort staat aan de heirweg, daar waar de Havren smal en ondiep genoeg is om de rivier te kunnen doorwaden. Als er in de provincie stabiele vrede heerste, werd Caer Gloran het plaatselijke centrum voor belastinginning. Er was een marktstadje rondom het fort ontstaan, waar de boeren uit de omgeving heenreden om ruilhandel te drijven met de soldaten en provinciale bestuurders. De stad was blijven groeien en was welvarend geworden, totdat er slechte tijden aanbraken. De hoge muur was gebouwd in de tijd van mijn overgrootouders, toen de eerste barbaarse invallers de Havren op begonnen te varen en steeds dieper in het land doordrongen. Voor iedereen die ooit Vinca had gezien, of zelfs maar Caer Tanaga, was Caer Gloran echter een armzalig stadje. Zelf had ik nog nooit een stad gezien, althans niets dat groter was dan Magor, waar hooguit achthonderd mensen woonden. Van de geschiedenis van Caer Gloran wist ik niets toen ik in het maanlicht naar de indrukwekkende muur van de stad staarde.

Ik was moe. Ik had me bij voorbaat verheugd op een stal voor Appel en een nachtje slaap voor mezelf, met een dak boven mijn hoofd. Nu voelde ik me verkleumd en onzeker. Ik kon me moeilijk een warm welkom binnen die massale muren voorstellen. Toen we de stadspoort bereikten, zakte mijn mond nog verder open, want de dikte van de muur was volledig in proportie met de rest. Toen de poortdeuren openzwaaiden en wij de stad inreden, keek ik achterom, alsof ik me ervan wilde overtuigen dat de heuvels en de rivier nog achter mij lagen, overgoten door maanlicht. Ik was er niet helemaal zeker van of er in één nacht niet honderd jaar zou kunnen verstrijken, of dat ik bij het ontwaken tot de ontdekking zou komen dat ik een totaal andere gedaante had aangenomen.

Het uiterlijk van de man die ons kwam begroeten, stelde me niet in het minst gerust. Hij droeg een lange bruine pij en had de capuchon over zijn hoofd getrokken. Pas toen hij Urdo zag, trok hij de capuchon van zijn hoofd, zodat zijn smalle, donkere gezicht zichtbaar werd. Om zijn nek hing een koord met een witte steen die het licht van zijn lantaarn reflecteerde en daardoor enigszins leek te glinsteren. Als ik had geweten wat hij was en hoe woedend hij kon worden als hij werd vergeleken met de bewoners van de Hollow Hills, zou ik van mijn paard zijn gesprongen om luidkeels uiting te geven aan mijn gedachten. Zoals het was, bleek ik echter in het zadel zitten en volgde de anderen naar de stallen, terwijl Urdo afsteeg om de man te begroeten. In Caer Gloran bevinden de stallen zich dicht bij de poorten. Oorspronkelijk was het fort gebouwd volgens de plattegrond van alle Vincaanse forten die bedoeld waren om er voetvolk in te huisvesten – een Vincaans legioen dat op zijn veroveringstochten gedisciplineerd te voet oprukte en alles bij zich had wat het nodig had. Overal waar ze territorium hadden bezet, hadden ze hetzelfde fort gebouwd, vanaf de hete woestijnen tot aan de ijsgrens. Jaren later, toen ik in Caer Avroc en Caer Lind belandde, vond ik daar veel dingen die me vertrouwd voorkwamen omdat ik er al in Caer Gloran kennis mee had gemaakt. Er was sinds de bouw maar weinig veranderd in de stad, behalve dan dat de stallen nieuw waren, en ruim van opzet. De meeste paarden mochten gewoonlijk gekluisterd lopen grazen in de paardenweilanden binnen de stadsmuren, maar dit keer reden we door naar het stallencomplex, waar gretige stalknechten in actie kwamen zodra ze het massale hoefgetrappel hoorden. De stalknechten waren overwegend jongeren, ongeveer van Garahs leeftijd of iets ouder. Het duurde even voordat ik een van hen – een meisje – duidelijk kon maken dat ik weliswaar mét de ala binnen was gekomen, maar dat er voor mijn Appel nog geen box was vrijgehouden. Ik verzekerde haar dat hij zich braaf gedroeg en gewend was aan het gezelschap van andere paarden, maar desondanks nam ze ons mee naar de stal voor tijdelijke gasten, waar meer dan genoeg ruimte voor hem was. Er was zelfs zoveel ruimte dat ze hem een box gaf tussen twee lege boxen in. Dit bewees mij dat ze gewend was om met hengsten om te gaan. Ik wist wel dat Appel het haar niet moeilijk zou maken, maar was toch blij met deze speciale behandeling.

De vloer was droog en de boxen waren nauwelijks beschadigd door achteruitslaande hoeven. Appel zette meteen koers naar de krib. Een jonge stalknecht kwam Appel de koolrapen, wortelen en armen vol hooi brengen die ook de andere paarden kregen. Hij viel er enthousiast op aan. Het meisje ging mij voor naar de ruimte waar ik Appels tuig kon weghangen. Nog voordat ik Appel goed en wel had geïnstalleerd, kwam Marchel een kijkje nemen. Ze had haar helm afgedaan en ik zag nu dat haar lange haar de kleur had van vochtig stro. Ze boog zich over de zijwand van de box.

'Schitterend dier,' zei ze. 'En een goede eetlust ook. Hij ziet er niet eens erg vermoeid uit. Op en top een strijdros. Hoe oud is hij? Een jaar of zes?'

'Zes, ja. Hij was vier toen mijn vader hem meebracht uit Caer Tanaga.'

'Je hebt hem dus nog maar een paar jaar? Al wat geluk gehad met veulens?'

Ik richtte me op, ondanks de pijn in al mijn gewrichten. 'Hij werd aan Duncan gegeven, de aanvoerder van mijn vader. Niet aan mij. Duncan beschikte zelf al over een strijdros, maar dat was een ruin, van een kleur die ongeluk brengt. Duncan was twaalf jaar geleden teruggekomen uit het oosten en zijn strijdros was het enige dat we hadden voordat mijn vader met Appel terugkwam. Duncan wilde echter niet van paard veranderen en gaf Appel daarom aan zijn dochter, Rudwen. De koning had mijn vader en mijn broer ieder een merrie geschonken. Dankzij hem kregen we er het afgelopen jaar twee jonge volbloedhengsten bij, die even mooi waren als hun vader. Dit jaar werd er een merrie geboren, een tint lichter van kleur, maar met een hoofd dat even mooi was. Ik had juist een begin gemaakt met het helpen africhten van een van de jonge hengsten, door Appel verwekt bij Dauntless, de merrie van mijn vader.' Ik wendde mijn blik af, want ik wilde me niet verdiepen in de vraag waar de kleine Held nu zou zijn. Appel deed zich onbekommerd te goed aan zijn voer. Ik boog me naar hem toe en haalde hem even aan, want ik putte troost uit zijn warme aanwezigheid. 'Hij zou voor mij zijn, als hij volwassen was. Meestal bereed ik de merrie van mijn broer om die te helpen africhten, of Banner, een halfbloed van vier jaar die hertog Galba ons als veulen had geschonken. Appel mocht onze andere merries dekken zoveel hij maar wilde, want de andere hengsten waagden zich niet in zijn buurt en bovendien was mijn vader ingenomen met de algemene verbetering van onze paarden.'

'Dat zou iedereen zijn geweest. Het was echter niet mijn bedoeling jou verdrietig te maken door over jullie paarden te beginnen, die nu verloren zijn. Niet dat de Jarns er veel mee kunnen beginnen. Strijdrossen doen het niet goed in groepjes van twee of drie – je hebt een complete ala nodig om er volop profijt van te trekken. Maar wat is dit een pracht van een dier. Ik heb alle gelegenheid gehad hem onderweg te bewonderen en vroeg me af of hij mijn Lente even goed zou bevallen als mijzelf. Tenminste, als Ap Cathvan vindt dat die twee goed bij elkaar passen. Hij heeft er kijk op en heeft hart voor paarden. Hij heeft ontzaglijk veel tijd besteed aan de taak om zoveel strijdrossen genoeg manieren bij te brengen dat ze bij de kroning konden worden weggegeven, maar hij kent ze nog allemaal. Er waren een paar monniken in Thansethan die het maar niks vonden wat Urdo met hun kudde deed. Niet dat ze er niet genoeg hebben overgehouden. Ze hebben daar al heel lang paarden gefokt.'

'Dienen deze monniken dan de Paardenmoeder?' vroeg ik terwijl ik een van mijn eigen dekens over Appels rug legde en het Paardenmoeder-teken maakte.

Marchel trok een wenkbrauw op. 'Ze aanbidden allemaal de Blanke God en zijn heel devoot. Hij schijnt goed over hen te waken, want de paarden in hun weilanden blaken van gezondheid.'

'Ik ken de Blanke God niet.'

Marchel keek me fronsend aan. 'Waar heb je onderricht gehad?' vroeg ze.

Ik beantwoordde haar blik en zei: 'Mijn moeder heeft ieder van ons leren lezen en schrijven, en Duncan leerde me rijden en zwaardvechten.'

Ze lachte even. 'Neem me niet kwalijk. Je spreekt het Vincaans zo voortreffelijk dat ik dacht dat je ergens een van hun scholen moest hebben bezocht, waar ze het je hadden ingehamerd. En dan de manier waarop jij je in de strijd hebt geweerd – die Duncan van jullie moet een uitstekende leraar zijn. Overigens komen een paar van onze beste wapendragers recht[streeks van het land. Zo gezien is het logisch dat je niets van de Blanke God weet. Luister, de priesters van de Blanke God leren ons eerbied te hebben voor al wat leeft. Veel ruiters in onze alae aanbidden hem. Thansethan is een van zijn belangrijkste bolwerken in Tir Tanagiri. Urdo is daar grootgebracht, zoals je misschien wel zult weten.'

'Hebben ze hem daarom hun paarden afgestaan?'

'Ze konden moeilijk weigeren, nadat hij hun paarden had gebruikt om hun klooster met succes te verdedigen tegen Geelhaar en een groep wetteloze Jarns. In de regel hebben zelfs Jarns enig respect voor een heilige plaats, maar deze wolfskoppen niet. Het merendeel van hen was al beladen met een bloedvloek nadat ze een bloedverwant hadden vermoord of andere misdaden hadden begaan. Voor Urdo was dit een van zijn eerste echte aanvallen. Hij stormde aan het hoofd van een groep monniken, pelgrims en zelfs onbereden paarden een helling af, voor een frontale aanval op een groep bloeddorstige rovers die het volkomen verdienden om tot pulp te worden vertrapt. Mijn vader verzekerde me dat er van Geelhaar zelf weinig meer over was dan een van haar gele vlechten,' lachte Marchel.

'Had hij het zelf gezien?'

'Hij maakte deel uit van de lijfwacht van koning Custennin. Thurrig had als eerste ingestemd met het plan toen Urdo het voorstelde, en reed naast de beide vorsten voorop toen de aanval werd ingezet.' Haar stem klonk trots. 'Ik zou graag aan die aanval hebben deelgenomen. En dat zou het geval zijn geweest, ware het niet dat ik mijn jongste nog de borst gaf.' Ze grinnikte. 'Heb je zin mee te gaan naar de baden als je hier klaar bent? Het duurt nog een paar uur voordat we kunnen eten en een bad zal ons goed doen. Waarschijnlijk zal mijn moeder er ook zijn, met de kinderen – om deze tijd is ze er meestal. Je moet trouwens beslist kennis met haar maken.'

'Hebben jullie dan warm water genoeg voor iedereen?' vroeg ik. Thuis hadden we een warmwaterbassin dat deel uitmaakte van de huisverwarming, maar dat was net groot genoeg voor vier mensen tegelijk.

'Dat is een van de grootste voordelen van het leven in een stad. Je zult het wel zien. Je kunt zeggen wat je wilt over luie en decadente Vincanen, maar ik moet toegeven dat ze verstand hadden van huiselijk gerief.'

We liepen de stallen uit. Veel leden van de ala schenen dezelfde kant uit te gaan, over een met kasseien geplaveid pad dat van de stallen naar de grote gebouwen van de stad liep. Het was inmiddels helemaal donker, zodat ik weinig meer kon onderscheiden dan vreemde, donkere vormen. In de stad stonk het heviger dan de ergste beerput die ik ooit had meegemaakt.

'Ik geloof niet dat je geneigd bent tot lichtzinnigheid,' zei Marchel terwijl we verder wandelden, 'maar ik vertel dit je liever nu we alleen zijn: je doet er goed aan voorzichtig te zijn met wat je over de Blanke God zegt. Veel mensen hier zijn op dat punt nogal lichtgeraakt.'

'Ik hoop maar dat ik niets heb gedaan dat de indruk kan wekken dat ik ooit onhoffelijk zou zijn tegenover de goden,' zei ik onzeker. 'Ik heb alleen gezegd dat ik hem niet kende. Daar bedoelde ik niets beledigends mee. Er zijn tenslotte zoveel goden in de wereld – hoe zou ik ze allemaal kunnen kennen?'

Marchel deed haar best om haar lachen te bedwingen, maar ik zag haar schokschouderen. 'Wij volgelingen van de Blanke God weten dat er geen andere goden zijn en dat alleen Hij de redder is van alle mensen,' zei ze vol overtuiging. Voor het eerst hoorde ik iemand zoiets zeggen. In het begin klonk het me als onzin in de oren, want destijds dacht ik dat zij – tenslotte een barbaarse – iets verkeerd moest hebben begrepen. De goden zijn overal om ons heen! Zelfs daar, midden in die stad, kon ik hun invloeden duidelijk bespeuren: de Grijsogige Wijsheidsvrouwe omhulde ons met haar beschermende mantel en de geniale hand van de Maker was te herkennen in iedere steen. Ik hoefde niet eens mijn voelhorens uit te steken naar de koorden die de hele wereld bijeenhouden om te weten dat dit zo was. Al je eerbied reserveren voor één enkele god was weliswaar iets dat veel mensen deden, maar dat betekende niet dat je alle andere goden de rug toekeerde.

'Hoe kan iemand beweren dat er geen andere goden zijn?' vroeg ik. 'Ik wil niemand aanstoot geven, maar ze zijn overal om ons heen.'

'Dat zijn geen ware goden. Soms zijn het demonen die de mensen zo hebben misleid dat zij hen aanbidden, maar de meesten zijn aardgeesten die je kunt helpen om de genade van de Blanke God te leren zien en hem te aanbidden. Er staat geschreven dat toen de Blanke God in mensengedaante onder ons verkeerde, Hij veel van dergelijke geesten heeft bekeerd en tal van demonen heeft uitgedreven.'

'Hij heeft als mens op aarde geleefd? Ik wist dat er in de oude verhalen sprake was van zo iemand. Heb jij hem zelf gekend?' Als ik zoiets bij klaarlichte dag in de openlucht had gehoord, zou ik er misschien om hebben gelachen, maar de vreemde silhouetten van de gebouwen en donkere vormen binnen deze massieve muren maakten dat ik me gretig naar haar toe had gebogen om die vraag te stellen.

'Nee, het was vijfhonderdvijftig jaar geleden, in het oosten, in Sinea. Hij was God, begrijp je, de Schepper; hij heeft de wereld geschapen, met alle dingen die er deel van uitmaken. Het grootste deel van de mensheid heeft echter vergeten hem te aanbidden. In plaats daarvan aanbaden veel mensen zijn dienaren, de kleine geesten. Daarom kwam hij in het lichaam van een mens bij ons om ons en al wat leeft aan hem te herinneren. Hij groeide op, onderrichtte de mensen en wandelde onder ons. Hij stierf doordat hij werd gestenigd, maar stond op uit de dood om zijn moordenaars te vergeven en zich te doen kennen als de Allerhoogste God, de Ene Ware God. Heel de wereld moet hem aanbidden: mensen, dieren, geesten. Er zijn boeken over hem geschreven door mensen die hem goed hebben gekend. In die boeken vertellen zij ons over zijn leven en wat hij ons leerde.'

Ze zweeg een ogenblik en ook ik deed er het zwijgen toe, want dat leek me het verstandigste. We liepen naast elkaar een poosje in stilte verder, totdat we een enorme triomfboog met pilaren bereikten, aan beide zijden geflankeerd door schildwachten. De schildwachten bogen voor Marchel en we konden naar binnen.

Over badhuizen had ik al vaak horen praten, maar ik was nog nooit in zo'n faciliteit geweest. Belangstellend keek ik om me heen. Het atrium had een marmeren vloer. In het midden, enigszins verhoogd en beschermd door een marmeren traptrede, was de vloer ingelegd met een rond mozaïek dat de Moeder der Wateren uitbeeldde. Het was een schitterend geheel in de kleuren azuurblauw, wit en goud. Ik kon er nauwelijks barsten in ontdekken en er ontbraken slechts een paar tegeltjes aan.

'Dit is de grote therme van Caer Gloran. De andere therme is een stuk kleiner, maar die mag alleen worden gebruikt door de inwoners van de stad; deze hier is gereserveerd voor de alae. Dat voorkomt moeilijkheden. Het is nog ontworpen door Decius Manicius, een vooraanstaand bouwmeester van de Vincanen, die ook de stadsmuren van Caer Tanaga heeft ontworpen. Het wordt algemeen als het beste op het hele eiland beschouwd en is gelijk met de rest van de stad gebouwd, zo'n driehonderd jaar geleden,' – ze keek me van opzij aan en gaf me een knipoog – 'voordat mijn voorouders de Vonar overstaken. Zo, we gaan hierin en leggen onze wapens af – we houden ons hier aan de zeden en gebruiken van de Tanaganen.'

Ze ging me voor door een doorgangsboog aan mijn linkerhand, waarin een verbazingwekkend assortiment van strijdbijlen, messen en korte en lange zwaarden was te zien. Ze waren keurig opgeborgen in houten rekken. Tegen de muren leunden schilden, alsof ze bedoeld waren als decoraties. Bij de deur zat een oude man met één been. Hij knikte Marchel toe terwijl ze haar lange strijdbijl losmaakte, maar voor mij had hij slechts een korte grom over toen ik mijn zwaard en mes in een rek legde. Dit had ik nooit eerder gedaan; thuis leggen we altijd onze wapens zo neer dat we ze voor het grijpen hebben. Soms droeg ik mijn zwaard op mijn heup, andere keren had ik het alleen bij me tijdens een oefensessie. Het gevoel dat ik in een van de wonderbaarlijke Tanagaanse verhalen verzeild was geraakt, was sterker dan ooit.

We liepen terug naar de hal bij de ingang. 'Stoor je niet aan Vigen,' zei Marchel. 'Het is niet zo dat hij niet wil praten; hij kán het eenvoudigweg niet. Ze hebben hem de tong afgesneden, jaren geleden.'

'De Jarns?' vroeg ik.

Marchel maakte een grimas en zei hoofdschuddend: 'Een van de koningen van het noorden. Ik meen dat het Angas' vader is geweest.'

We liepen nu een ruimte rechts van ons in, en nu begon ik het gevoel te krijgen dat ik in een Vincaanse vertelling was beland. Het was een kleedruimte, eveneens met een marmeren vloer, met houten banken langs de muren. Er waren al enkele leden van onze ala, die bezig waren zich van hun kleren te ontdoen. Ap Cathvan zwaaide naar ons. Hij had een litteken in zijn zij en over zijn ribben; eerder een verwonding die hem was toegebracht met een lang mes dan met een zwaard of speer. Ik zag nog juist hoe Angas zijn hemd op de grond liet vallen en door de doorgangsboog aan de andere kant van de ruimte verdween. Een bediende raapte het kledingstuk op en riep hem iets na. Zijn schallende lach veroorzaakte echo's die op ons toe kwamen. Ik deed Marchel na en stapelde alles netjes op een van de banken, allang blij dat ik mijn leren harnas kon afleggen.

'Is vrouwe mijn moeder hier?' vroeg Marchel in het Tanagaans terloops aan een dienares. Het meisje trok haar hoofd in alsof ze een klap verwachtte en antwoordde zonder naar Marchels gezicht op te kijken.

'Thurrigs gemalin is in de bassins,' zei ze.

'Met een beetje geluk zal ze schone kleren hebben meegebracht,' riep Marchel me over haar schouder toe, toen ik achter haar door de tweede doorgangsboog liep. Nu hoorde ik pratende stemmen en plonsgeluiden. Aan de andere kant van de doorgangsboog strekte zich een groot bassin uit. Er steeg damp op van het water. Het wemelde van de mensen: ze speelden, zwommen, wasten zich en praatten met elkaar, al naar het hen uitkwam. Langs een van de zijden was de vloer afgewerkt met een mozaïek, dat al op zoveel plaatsen was gerepareerd dat moeilijk te zien was wat het ooit had voorgesteld; het enige wat ik kon herkennen, waren wijnranken. Langs de andere bassinzijde strekte zich een smalle strook aarde uit, waarin echte wijnstokken groeiden. De ranken slingerden zich langs de muren omhoog naar het dak, dat echter niet van steen was, maar van dikke glasplaten, zodat je de sterren kon zien. Hoewel ik nog nooit wijnranken had gezien, herkende ik ze dadelijk van de afbeeldingen op tapisserieën en in boeken. Ik staarde ernaar. Ze leken me vreemd en tegelijkertijd toch vertrouwd.

'Ik heb schone kleren meegebracht, maar dat is meer dan je verdient!' riep een zware stem vanuit het water.

'Liefste,' zei Marchel. In haar stem klonk blijdschap en verbazing door. 'Wanneer ben je teruggekomen?' Ze ging op haar tenen staan en dook met gestrekte armen het water in, waarbij ze een grote wolk van fijne druppeltjes veroorzaakte. Even later dook ze op naast een gespierde man met een lange, warrige haardos. Vlak bij hem in het water zag ik een vrouw met een lichte huid en twee kleine jongens. Te oordelen naar haar gezicht moest ze Marchels moeder zijn. De twee jongens begonnen meteen pogingen te doen om Marchel onder water te duwen en noemden haar zo vaak *mama* dat ik er niet aan hoefde te twijfelen wie ze waren. Ze hadden geen aandacht voor mij. Ik liep een eindje door over het mozaïek, voordat ik me stilletjes in het water liet glijden, op een plaats waar het tot aan mijn borst reikte.

Niets is zo aangenaam als grote hoeveelheden warm water om je heen. Ik dompelde me er helemaal in onder en liet me toen aan het oppervlak drijven. Het was onbeschrijflijk weldadig voor mijn gekneusde, pijnlijke lichaam. Voor het eerst sinds ik de Jarns uit het bos had zien opdoemen begon ik me vanbinnen lekker warm te voelen. Een tijdlang negeerde ik alles en iedereen en liet me door het water koesteren. Het water was schoon en warm en stroomde zachtjes in de lengterichting door het bassin, dat een bocht maakte achter een reeks fonteinen met dolfijnsculpturen, zodat ik de rest ervan niet kon zien. Ik bad oprecht tot de Moeder der Wateren en de Maker om mijn dankbaarheid voor deze verrukkelijke therme te uiten. In dagen had ik me niet meer zo heerlijk gevoeld. Als ik niet het risico had gelopen in slaap te vallen, zou ik daar nog urenlang stil zijn blijven drijven. In plaats daarvan sloot ik me aan bij een paar leden van de ala die baantjes trokken in het bassin. Osvran gaf me een ruw stuk zeep waarmee ik mijn huid kon schuren en mijn haar grondig wassen. We bespraken de voor- en nadelen van olie versus zeep, als het ging om reinheid en behaaglijkheid. Na een poosje liepen we in een lachende groep naar de stoomruimte, en vandaar naar de afkoelingszaal, waar zowel warme als koude watervalletjes waren, naast een dompelbassin, gevuld met koel water. Het was een ware verrukking toen we teruggingen naar het warme bassin onder het glazen dak.

Toen we er eindelijk uitklommen, aangemoedigd door dreigementen en aangelokt door de belofte van een avondmaal, kwam Marchels moeder naar mij toe. Ze maakte een buiging. In haar handen hield ze iets roods, dat ik herkende als een tros druiven. In de tot op de draad versleten tapisserie in de kamer van mijn vader, thuis, had ik ze ook gezien, achter het hoofd van een lachende, tweeslachtige godheid. Ik beantwoordde haar buiging. Mijn metgezellen liepen door naar de kleedruimte. Ze was klein van stuk en reikte nauwelijks tot aan mijn oksel. Ze had een tenger postuur en zag er buitengewoon elegant uit, hoewel ze niet meer om zich heen had dan een badhanddoek. Ze gebaarde naar een dienares, die me er dadelijk ook een kwam brengen. De handdoek was ruw en versleten, en niet bepaald kurkdroog.

'Ik ben Amala, de gemalin van Thurrig,' begon ze. Haar Vincaans was uiterst correct en ze leek elk woord scherp af te bijten. Hoewel dit het enige accent was dat ze had, klonk het buitengewoon voornaam. 'Ik ben belast met de huisvesting van Urdo's mensen, hier. Mijn dochter had je eerder naar mij toe moeten brengen. Ze vertelde me dat je de dochter bent van Gwien van Derwen? Je zult iets nodig hebben dat je aan tafel kunt dragen, want je had alleen het harnas waarin je hebt gevochten, is het niet? Ze heeft je glad vergeten en is er nu vandoor om zich af te drogen en wat met haar echtgenoot te knuffelen – ze hoopt dat je haar dit gebrek aan beleefdheid zult willen vergeven, want ze heeft hem ruim een maand niet gezien.'

Amala had het glimlachend gezegd om haar woorden te verzachten, en

51

ik beantwoordde haar glimlach. 'Er is geen sprake van een gebrek aan beleefdheid van uw dochter. Ik heb volop genoten van mijn bad.'

'Fijn. Ik had je echter willen zien, om je te kunnen zeggen dat er in de dormitoria een slaapplaats voor je is en dat je strijdros voortaan bij de andere paarden zal worden gestald zolang je hier bent. Ongetwijfeld zal Urdo binnenkort wel een besluit nemen over wat hij met je aan wil.' Amala boog opnieuw en reikte me de tros druiven aan. 'Veel druiven kunnen we hier niet telen, maar op kleine schaal lukt het wel. Volgens mij hebben we hier de enige wijnstokken op het hele eiland. De rijpe druiven bewaren we voor onze bezoekers. Dat is het enige wat ik mis van Narlahena – daar hadden we meer dan genoeg druiven om wijn te kunnen maken.'

Verlegen nam ik de druiven aan. Naast deze elegante vrouw voelde ik me groot en onbeholpen. Ik trok een druif van de tros en stak hem in mijn mond. De vrucht was veel zoeter dan welke pruim of abrikoos die ik ooit had geproefd. Plotseling besefte ik nu ook hoeveel honger ik had, vooral omdat mijn maag zich luid liet horen.

'Het is bijna etenstijd,' zei Amala met een lachje. 'Kom, dan breng ik je eerst naar je kleren, en daarna naar het dormitorium, dan kun je daar je spullen achterlaten, bij je slaapplaats. Van daaruit gaan we naar de grote hal om te eten. Urdo dineert vanavond met de hele ala, zoals altijd na een slag. Hij zal je daar verwachten.' Ze gaf een klopje op mijn arm. 'Na een goed maal zul je je stukken prettiger voelen, wat?'

Ik volgde haar door de kleedruimte. Na een kort gebaar van Amala kwam een van de dienaressen met een rieten mand met kleren naar ons toe. De mand bevatte verscheidene effen hemden, en mooie overgooiers waarin patronen waren geweven, alles brandschoon en van voortreffelijk linnen. De overgooiers waren verfraaid met prachtige borduursels. Ik zou er vol trots een hebben gedragen, ware het niet dat al snel bleek dat zelfs de kleren die lang genoeg leken in de schouders veel te smal waren. Ik veronderstel dat ze van Marchel waren. Of van Enid, die ik later zou leren kennen.

Amala hielp me over mijn verlegenheid heen, nog voordat ik iets had kunnen zeggen. Ze had zich aangekleed terwijl ik de inhoud van de mand bekeek, en zag er nu eleganter uit dan ooit. Ik voelde me een melkkoe naast een hert.

'Ik zie dat ik in mijn harnas volledig uit de toon zou vallen,' zei ik, met een hoofdknik naar mijn leren tuniek en broek. 'Maar misschien kan ik een tuniek lenen van Osvran? Hij is ongeveer even groot als ik. En anders kan ik misschien wat brood krijgen, om daarna te gaan slapen – ik ben erg moe.'

Amala schudde het hoofd. 'Niets van dit alles is een probleem. Wacht een ogenblik.'

Ik ging op de bank zitten. In de kleedruimte bevond zich nu nog maar een handvol mensen. Tegenover mij zat Glyn van Clidar. Hij gaf me een knipoog. In de stoomkamer had hij water over me heen gegoten en had ik hem onder de koude waterval geduwd.

'Ik weet zeker dat je straks met een fraaie zijden mantel over je blote huid de eethal zult binnenlopen. Gelukkig is het in dit jaargetijde in de hal niet zo koud en tochtig als 's winters, als er ijspegels aan de dakranden hangen,' lachte hij.

'Jij hebt lef, Glyn!' zei een van zijn kameraden.

'Luister maar niet naar hem. Ze zal iets goeds voor je weten te vinden. Amala lost altijd alles op. Ik herinner me die keer dat al het leer op was en we meer harnassen nodig hadden. Binnen de kortste keren liet ze geitenhuiden looien.'

Ik glimlachte hem toe en wreef met de handdoek over mijn korte haar. Het was nu al bijna droog. Toen Amala terugkwam, droeg ze een opgevouwen doek van wit linnen die met goudstiksels was verfraaid. Bovendien had ze drie gouden fibulae bij zich, en een scherp mes. Haar gezicht drukte voldoening uit.

'Hiermee kan ik je een echte Vincaanse stola omhangen die ruimschoots lang genoeg is. Sta even stil, dan drapeer ik hem voor je.'

Mijn moeder zou zeker in haar nopjes zijn geweest met mijn Vincaanse uiterlijk, toen ik die avond naar de grote hal wandelde. Ik was er zeker van dat iedereen daar naar me zou staren, maar niemand zei er iets over en algauw ontspande ik me volledig. Na een poosje voelde ik me er zelfs behaaglijk in. Het geïmproviseerde kledingstuk was verrassend comfortabel voor me, veel comfortabeler dan een hemd, een overgooier en een mantel, want mijn benen konden er zich veel vrijer onder bewegen. De stola was vastgemaakt met twee Vincaanse borstspelden, maar de doek die ik om mijn hoofd moest dragen, werd met een Malmse speld op zijn plaats gehouden. Toen ik later terugkwam in Caer Gloran, heb ik Amala gesmeekt mij te laten zien hoe je zo'n gewaad elegant kunt plooien. Zo kwam het dat ik bij officiële gelegenheden meestal een stola ben gaan dragen.

We namen plaats op de banken, langs tafels die in een cirkel waren opgesteld. Bijna de hele hal was nodig om iedereen plaats te bieden. Urdo zelf zat gewoon bij ons aan de tafel, net als ieder ander. Hij at naar hartelust, lachte veel en praatte met de mensen om hem heen. We hadden nauwelijks ruimte voor onze ellebogen. Het midden van de tafels boog bijna door onder het gewicht van alle etenswaren en voor iedereen was er een schotel en een kom van aardewerk op tafel gezet. Thuis hadden we ook borden, maar lang niet zoveel en lang niet zo gelijk gekleurd. Het mijne had een warme tint oranje en was helemaal effen. Ik had mijn moeder vaak het kostbare vaatwerk uit haar jeugd horen roemen, en hoewel ze veel kritiek had op zijn werk, had ze vaak pogingen gedaan om de pottenbakker van Magor naar Denwer te lokken. Deze borden en bekers zouden beslist haar goedkeuring hebben weggedragen. Er waren nauwelijks gebarsten exemplaren bij, en elk gebarsten bord was keurig gerepareerd.

Het eten was heerlijk. Nooit had ik zoveel soorten zoete en hartige pasteien bij elkaar gezien. Er was dikke gerstepap en er stonden grote schalen, gevuld met verschillende soorten brood. Er waren meerdere geroosterde schapen en tientallen geroosterde kippen. Volgens Angus zouden het in het noorden zwijnen zijn geweest, die daar minder zeldzaam waren. Osvran wierp hem een stuk brood naar het hoofd, omdat hij het waagde te klagen. Marchel zat ook aan tafel, hoewel ik tot mijn verbazing opmerkte dat haar echtgenoot ontbrak. Een blik van haar was genoeg om te maken dat Angas zich verontschuldigde. Er waren zoveel tafelgenoten die me verzekerden dat ik niet moest denken iedere dag zulk eten te krijgen, dat ik bijna Glyn begon te geloven toen hij zei dat de dagelijkse kost in de barakken bestond uit dunne pap met kool. De dienaren bleven rondgaan met kannen ale om onze bekers steeds opnieuw te vullen, en vaak zag ik een groepje mensen hun bekers opheffen om elkaar lof toe te zwaaien. Iedereen die mij nog niet had gesproken, wilde weten wie ik nu eigenlijk was, en de ene toast na de andere werd op mij uitgebracht. Er waren echter zoveel wapendragers dat het me moeilijk viel al die gezichten te onthouden en me te herinneren wie zij waren.

Aan het eind van de maaltijd dronken we onze bekers leeg in een toast op de koningsvrede. Ik snakte naar mijn bed, maar Urdo kwam naar me toe om wat met mij te praten. Ik volgde hem de hal uit, waarna we een paar trappen beklommen, naar een vertrek met tapisserieën langs de muren. In de hoek stond een keurig opgemaakt bed, en ook stond er een lange marmeren tafel, volgestapeld met boekrollen, veders en schrijftabletten. Urdo nam plaats in een van de twee sierlijke stoelen en verzocht me glimlachend de andere te nemen.

'Ik heb hier een landkaart. Zou je mij willen laten zien waar Derwen is, en hoe je vandaar hierheen bent gekomen? En wat denk je, zou het voor een omvangrijke troep ruiters mogelijk zijn er langs die weg te komen?'

Ik bekeek de kaart en wees hem de landtong waar Derwen lag, waarna ik hem de route begon te wijzen die ik had gevolgd. Er werd aan de deur gekrabd, en meteen liep de man in de bruine pij die ik bij de poort had gezien de kamer in.

'Heb je even?' vroeg hij, Urdo aankijkend, nauwelijks notitie nemend van mijn aanwezigheid.

Urdo knikte afwezig. 'Wat is er, Raul?'

'Als je werkelijk morgenochtend naar het zuiden wilt rijden, moeten we afspreken wat er met de krijgsgevangenen en hun schepen moet gebeuren.'

'Schrijf Thurrig dat hij de schepen kan komen halen. Hij bevindt zich in Caer Thanbard. De krijgsgevangenen worden via de gebruikelijke route overgebracht naar Thansethan – daar zullen ze moeten werken voor de kost totdat er losgeld voor hen is betaald, of zij voor het hoogaltaar hebben gezworen dat zij de vrede in acht zullen nemen.' Bij die laatste woorden keek Urdo glimlachend naar mij. 'Raul is mijn secretaris, Sulien. Hij is een van de monniken van de Blanke God. Zonder hem zou ik met mijn paperassen en financiën geen raad weten.'

Raul keek heel even mijn kant uit, maar wendde meteen zijn blik weer af. 'Over financiën gesproken,' zei hij, 'heb je er al over nagedacht hoe je de alae van de winter te eten gaat geven? We kunnen niet eeuwig van oorlogsbuit leven.'

Urdo's gezicht werd ernstig. 'Excuseer mij even, Sulien, ik wil wat cijfers met Raul doornemen.'

Ik stond op en liet me naast het voeteneinde van het bed op de grond zakken. Er lag een schapenvel op de houten planken, heerlijk zacht. Raul nam mijn plaats in en begon zacht met Urdo te praten. Het leek me dat hij veel van wat Urdo te berde bracht tegensprak. Raul vermenigvuldigde trefzeker in hoog tempo de cijfers die Urdo hem noemde voor het te paard afleggen van een afstand van vierentwintig uur rijden, en daarna van vierenzestig uur. Dit had ik nog niet eerder horen doen. Dat nam niet weg dat het saai was om aan te horen naarmate ze er langer mee bezig waren. Ik bestudeerde de kaart een tijdje, met al die heuvels en rivieren en een paar verspreid liggende steden. De kustlijn was ontzettend lang en er waren heel veel Jarnse schepen – ik kon ze bijna op de geschilderde golven zien naderen. Ik betrapte mezelf erop dat ik knikkebolde en keek met een ruk op. Niemand had er iets van gemerkt. Het eentonige geluid van hun stemmen was slaapverwekkend. Als ik mijn hoofd een ogenblik neervlijde totdat de koning tijd had om met mij te praten, zou hij dat vermoedelijk niet erg vinden...

Het ochtendlicht bescheen mijn gezicht toen ik wakker werd. Ik droeg de stola nog steeds, hoewel het gewaad deels open was gevallen. Iemand had een deken over me heen gelegd. De dekens op het bed waren opzij geduwd en verkreukt. Urdo stond bij de tafel, al volledig gekleed. Hij had kennelijk niet het gordijn opengetrokken. Toen ik overeind kwam en hem slaperig aankeek, knikte hij me glimlachend toe.

'Je lag zo vast te slapen dat het me niet redelijk leek om je wakker te maken en je naar je bed te sturen. We moeten echter vroeg op weg. Laat mij de route zien op de kaart; dan kun je terug naar je dormitorium om je klaar te maken.'

Nu pas merkte ik dat mijn hand nog steeds de kaart omklemde, zodat een van de hoeken gekreukt was. 'Jawel, heer,' zei ik.

6

'U verzoekt om militaire steun, maar we hebben momenteel geen soldaten beschikbaar. Alle legioenen en geallieerde troepen zijn ingezet in de strijd tegen de barbaren die ons overvallen. U klaagt dat u beroofd bent van uw wapens en manschappen. Onze positie is hachelijk en we zouden ú om meer hulp vragen als dat mogelijk was. U zult zich aaneen moeten sluiten om zelf zo goed mogelijk uw verdediging te organiseren. Wij bevelen u aan in de bescherming der goden.'
— Brief van Gazerag, legerleider van Marcian, keizer van alle Vincanen, aan Emrys, oorspronkelijk van Caer Segant, aanvoerder van de Tanaganen

Pas iets meer dan een jaar later had ik de laatste problemen die het gevolg waren van de overval van de Jarns op Derwen opgelost en had ik mijn handen vrij, zodat ik terug kon rijden naar Caer Tanaga om mij weer bij Urdo aan te sluiten.

Althans, zo begon ik altijd als ik mijn verhaal vertelde, ook al wist toen iedereen – of dácht het te weten – dat dit alles was wat ervan te weten viel. Echter, het heeft weinig zin perkament en inkt te verspillen om dit op te schrijven als ik niet volkomen eerlijk ben. Zelfs als ik dingen weglaat en leugens verkoop, heb ik al veel te veel van de waarheid prijsgegeven. Ook de goden kunnen niet iedere afloop voorzien.

Een jaar eerder was ik met Urdo en zijn ala teruggereden naar Derwen. Die eerste keer verbaasde het me hoeveel meer mensen dan alleen de wapendragers – de combattanten zelf – met ons op moesten trekken: artsen, stalknechten, kwartiermakers, hoefsmeden en koks. Ze vormden zelf al een compleet eskadron. Ook stond ik ervan te kijken hoeveel reservepaarden we meenamen. Mij werden twee voortreffelijke rijpaarden toegewezen, geen strijdrossen, maar halfbloeden zoals mijn diep betreurde Banner. Het waren merries, te oordelen naar hun gebit een jaar of twaalf, dertien oud. Nu ik die gedurende de tocht kon berijden, zou Appel fitter zijn als er gestreden moest worden. We volgden de route door de heuvels naar het zuiden, die ik op de heenweg had genomen. Het rijden was een genoegen voor me, ook al regende het. We zagen maar weinig mensen. We hadden tenten bij ons zodat we droog konden slapen, en we waren numeriek sterk genoeg, zodat we allemaal slechts af en toe een paar uur wacht hoefden te lopen 's nachts. Sommige wapendragers plaagden mij met mijn nacht bij Urdo, vooral als ze merkten dat hun onterechte conclusies maakten dat ik begon te blozen. Er waren erbij die met hun plagerijen ophielden als ze dat zagen, maar anderen gingen ermee door, vooral Glyn. Het duurde niet lang of ik moest er zelf om lachen. Het werd me duidelijk dat ze zouden geloven wat ze wilden geloven, maar ik vermoedde dat er sowieso niet veel waren die er geloof aan hechtten.

Op de derde dag bereikten we Derwen. Alles daar leek veel kleiner dan toen ik was vertrokken. We reden eerst naar de moederboerderij, waar ik tot mijn grote blijdschap mijn vader levend aantrof – wakker en goed bij de tijd. Dat hij nooit meer recht zou kunnen lopen, leek nu een kleinigheid. Hij schonk mij officieel Appel en Dariens zwaard en gaf officieus zijn zegen aan mijn besluit om voortaan Urdo als wapendrager te dienen. In feite was het voor mij al te laat hem om toestemming te vragen. Ik deed mijn best te vermijden dat ik alleen was met Veniva. Niet dat dit moeilijk was, want mijn hele familie woonde nu op de boerderij. Trouwens, Urdo had mij ingedeeld bij de derde penoen en ik had het druk.

Angas was mijn *decurio* of penoencommandant, en Osvran ap Usteg, de vaandrig, was onze *sequifer*, die tijdens een slag de aanvalsvlag moest dragen. Angas bejegende hem als zijn plaatsvervanger. Hij was groot van stuk en afkomstig uit Demedia. Zijn ouders waren boeren, maar hij was door Angas' ouders geadopteerd en samen met hem opgevoed. Wij sliepen met ons zessen in een tent in het hoogste weiland. Overdag maakten we verkenningstochten langs de kustlijn, waarbij we verder naar het westen reden dan ik ooit was geweest, zelfs helemaal tot aan de ruïnes van Dun Morr of zelfs verder, tot Kaap Tapit. We vonden vier plaatsen waar de kustplunderaars aan land waren gegaan. Alles wees erop dat ze steevast vertrokken als ze zoveel buit hadden vergaard als ze konden meenemen. Het plunderseizoen was in volle gang en we verrasten een groep plunderaars die naar hun schip vluchtten. Degenen die we op zee zagen, waren te bang om aan land te gaan als ze ons eenmaal hadden gezien. De Jarns waren met hun schepen echter heer en meester op zee. Hun vierkante zeilen waren al van verre zichtbaar, en als ze dichterbij kwamen konden we de met drakenkoppen getooide boegen door het glinsterende water zien snijden. Hun roeiriemen gingen in een gestaag ritme op en neer en soms konden we zelfs de bleke gezichten van de kustplunderaars boven hun schilden onderscheiden. Slechts één schip had de moed de confrontatie met ons aan te gaan. De schermutseling stelde niet veel voor – het kostte ons weinig moeite ze terug te slaan. Angas ontdekte op de kliffen plekken waar we uitkijktorens konden bouwen, zei hij, naar het voorbeeld van Caer Thanbard.

'Helaas hebben we daar alleen iets aan als we genoeg wapendragers hebben om de schoften af te schrikken, of als we in staat zouden zijn om op zee de strijd met ze aan te binden,' zei hij, nors turend naar het draken-schip dat zich snel verwijderde in oostelijke richting. 'Als Urdo genoeg geld bijeen kan krijgen, zal hij schepen laten bouwen. Deze schepen dringen zo ver door naar het westen omdat het nu plunderseizoen is en de kust bij Caer Thanbard voor hen afgegrendeld is. We moeten de hele kust bestrijken.'

Ik begon nu te leren op de juiste manier de lans te hanteren. Darien zou van deze training hebben genoten. In feite zou het hele leven in de ala hem zijn bevallen. Ik moest vaak aan hem denken. Als lansier was ik geen na-tuurtalent. Het was geen vaardigheid die ik gemakkelijk meester werd, want veel van wat Duncan mij had geleerd, moest ik afleren, om het op een nieuwe manier te gaan doen. Verscheidene keren duikelde ik over Appels hoofd naar voren, en de lans schoot me vaker uit handen dan ik kon tellen, voordat ik eindelijk de kunst van het steken van ringen op staken in de grond onder de knie had.

Garah gebruikte veel van haar tijd om voor mijn paarden te zorgen, en na een half jaar vroeg ik of ze er iets voor voelde mijn stalknecht te worden en met mij mee te gaan. Ze kon uitstekend overweg met dieren en Appel mocht haar graag. De meeste stalknechten waren beducht voor hem, wat hem natuurlijk niet ontging, zodat hij er nog een schepje bovenop legde. Bij Garah was hij altijd goedgehumeurd, hoewel ze hem te veel verwende met versnaperingen.

We hadden veel tijd nodig om naar omliggende boerderijen te rijden en daar voorraden in te slaan, vooral wortels en knollen voor de paarden. Toen Angas een boerin met muntgeld betaalde, balde de vrouw woedend haar vuist. 'Wat heb ik daaraan? Jullie zijn al net zo erg als die Jarns! Nu ben ik de helft van mijn knolrapen kwijt! Waar kan ik dit uitgeven? Wat koop ik ervoor?'

'Vrede,' zei Angas nijdig, voordat hij zijn paard afwendde. Hij stuurde even later mij en Osvran terug om haar tot rede te brengen.

Toen we de boerderij weer bereikten, was de boerin niet blij ons terug te zien. Osvran verzekerde haar dat ze de munten volgens het decreet van de koning zou kunnen uitgeven op een van 's konings markten, maar zei ook dat mijn vader ze zou accepteren als bewijs dat ze haar belastingen had betaald. Ik hoorde het sceptisch aan. Van belastingen had ik geen verstand, maar ik had mijn moeder vaak horen zeggen dat het een bezoeking was; de hele adel werd erdoor geruïneerd en ook het verval van de steden was eraan te wijten. Ik verzekerde de boerin niettemin dat mijn vader de munten zou aannemen als tegenwaarde voor de knolrapen. Ik gaf haar bovendien de raad volgend jaar meer te planten – misschien lag een van haar akkers nog braak? Ze wist wie ik was en verzoende zich met de situatie, vooral nadat ik een zangspreuk had gereciteerd voor haar koe, die uierontsteking had. Voor we vertrokken gaf ze ons allebei een kom heerlijk romige melk te drinken.

Toen we ons weer bij de rest van onze penoen op de landtong voegden, was Angas nog altijd rood van woede. 'Als een boerin zo'n toon had aangeslagen tegen mijn vader, zou hij haar de zweep hebben laten voelen!' snauwde hij.

'Ze heeft het wettelijke recht haar stem te laten horen, net als ieder ander,' zei Osvran bedaard terwijl hij de laatste druppels melk van zijn snor veegde. 'Het zijn tenslotte háár knolrapen, al hebben we ze nog zo hard nodig. Sta even stil bij wat Urdo moet verduren van wat de mensen allemaal zeggen tijdens raadsvergaderingen. De mensen moeten ervaren wat een koningsvrede eigenlijk is voordat ze ernaar gaan verlangen.'

'Heb ik je teruggestuurd of niet?' gromde hij verlegen.

Een halve maand later kondigde Urdo aan dat we verder zouden rijden naar Magor. De tweede penoen zou achterblijven, samen met een paar timmerlieden en steenhouwers en metselaars, om Gwien en Veniva te helpen bij de wederopbouw.

Urdo schonk mijn vader bovendien een stel paarden en voerde in de achterkamer van de boerderij een lang gesprek met hem, onder vier ogen. Na dat onderhoud hinkte mijn vader met tranen in de ogen naar buiten en riep Morien toe hem een spade te brengen. Zonder zich iets van de ontstelde protesten van mijn moeder aan te trekken stuurde hij Morien weg om onze schat op te graven, de schat waarover ik mijn leven lang had horen spreken, maar die ik nooit had gezien. In de boerderij zat ik met mijn ouders, Aurien en Urdo aan tafel, wachtend op zijn terugkomst. Er hing een onbehaaglijke stilte. Urdo, tegenover mij, gaf me een knipoog. Hij droeg effen witte wol, zoals hij vaak deed, fijn geweven, maar zonder versieringen. Niets aan hem verried dat hij een koning was, behalve de manier waarop hij zijn hoofd rechtop hield.

Na een ongemakkelijke wachttijd kwam Morien terug, met de schat, opgeborgen in een half verrotte, vlekkerige leren zak, van boven afgesloten met een metalen ring. Hij gaf de zak aan Gwien, die de ring terugschoof en de zak opende. Hij bleek twee kleinere leren zakken te bevatten. Aurien slaakte een gesmoord kreetje toen de zak boven het gehavende hout van de tafel werd leeggeschud en er behalve de twee zakken ook nog een stroom gouden munten uitkwam. Het werd een hele berg. Ze droegen de beeltenis en krijgshaftige lijfspreuken van halfvergeten keizers. Er moesten munten zijn van nagenoeg iedere keizer die ooit had geregeerd sinds de Vincanen dit land in bezit hadden genomen. Het was één grote, geel glanzende hoop.

59

Er rolden een paar munten op de grond. Morien bukte zich, raapte ze op en legde ze op de rand van de tafel.

Nu maakte Gwien de grootste van de twee kleinere leren zakken open en schudde hem leeg aan zijn kant van de tafel. Hij bleek een massa kleinere zilveren munten te bevatten. Sommige bleven min of meer aan elkaar plakken en ze waren vrijwel allemaal groen en zwart uitgeslagen. Nu maakte hij ook de kleinere zak open. Die bevatte een gouden kam en wat sieraden, verpakt in een pluk vuile schapenwol. De kam gaf hij aan mijn moeder, voordat hij met zijn wijsvinger de sieraden uiteen schoof. Er waren twee gouden fibulae bij. De eerste gaf hij aan Aurien, de tweede aan mij. Er lagen twee kettingen op tafel, die hij naar het zilver schoof, en een zware gouden ring. Die deed hij aan zijn vinger. Toen haalde hij zijn hand door de berg gouden munten, die weliswaar dof waren na zo lang in de aarde te hebben gelegen, maar toch de onmiskenbare glans van goud vertoonden. Hij nam een van de munten op en hield hem zo dat het licht erop viel: in de rand stonden de woorden *Vinca Victrix* te lezen. Op de muntzijde stond een afbeelding van een krijgsman die zijn voet op de nek van een gevallen vijand had gezet. Dit was de munt die ooit geslagen was ter herinnering aan de verovering van een of andere provincie, misschien zelfs Tir Tanagiri, vijfhonderd jaar geleden. Hij legde de munt weer neer en schoof hem terug naar de grote hoop. Al die tijd had niemand iets gezegd. Gwien legde zijn beide handen tegen de grote berg gouden munten en schoof die over de tafel een eindje naar Urdo toe. Hij verbleekte een beetje van de inspanning die het hem kostte.

'Dat moet zo ongeveer uw belastingen voor op zijn minst de komende twintig jaar zijn,' zei de koning, die mijn vader bedaard aankeek, zonder het goud aan te raken.

'En wie kan zeggen wat er in die twintig jaar allemaal zal gebeuren?' zei Veniva, met een gezicht naar Gwien alsof ze zich afvroeg of de bliksem hem in het hoofd was geslagen.

'Tja, voor die tijd kan ik dood zijn en is misschien alles wat ik hier wil opbouwen alweer uiteengevallen,' zei Urdo glimlachend.

Ze keek hem aan, van haar stuk gebracht. 'Een andere regering zal uw voornemens misschien niet willen sanctioneren, hoe goed ze ook bedoeld mogen zijn,' zei ze aarzelend.

Urdo schoot in de lach. 'Dat is beslist waar,' knikte hij.

'Wie anders kan ons nu nog helpen met de wederopbouw?' zei Gwien tegen Veniva. 'Jij hebt Sulien zelf naar hem toegestuurd met een verzoek om hulp – en nu is hij hier. Hij is gekomen! Ik heb hem mijn eed gegeven. Vergeef mij, heer, ik deed dat vanwege de paarden en heb er verder niet veel over nagedacht. De zoveelste kleine koning die aanspraak maakt op het hele eiland, dacht ik toen; vandaag is hij er, morgen niet meer. Maar nu is hij hier, hier in Derwen, en hij komt niet met gebakken lucht, maar met echte hulp: steenhouwers, timmerlieden, noem maar op. Hij zal hier een penoen legeren zodra hij voldoende mensen heeft: achtentwintig bereden wapendragers en al degenen die hen moeten dienen. Ook heeft hij beloofd ons ambachtslieden te sturen wier huizen in het oosten zijn verwoest. Pottenbakkers, leerlooiers, lakenwevers en misschien zelfs een wapensmid. Die zullen zich hier vestigen, in Derwen. Dit is geen hulp van de maan, of hulp van de mensen uit het binnenland die wegsmelt in de zon. Ook is het geen eis om belasting te betalen waarmee misschien elders goede dingen zullen worden gedaan, maar waaraan wij niets zouden hebben. Hij zal ons het recht verlenen, gebaseerd op koninklijke wetten, om hier voortaan een geregelde markt te houden waar met het geld van de koning kan worden betaald. Er zullen mensen hierheen komen en wij kunnen van iedereen die hier handel wil drijven een munt verlangen.'

'In ruil voor onze familieschat? De schat van onze voorvaderen?' Mijn moeder draaide de kam in haar handen om en om. Het was het soort kam waarmee vrouwen een wrong haar op het hoofd kunnen vasthouden en ik zag dat het woord MANEO erin gegraveerd stond: 'Ik zal blijven'. De kam zou mooi staan in haar grijze haar, dat de kleur had van blank ijzer. Wat voor goeds had deze schat ons gebracht, al die jaren in de grond? Ik bekeek mijn fibula – barnsteen, in goud gevat – van alle kanten. Hij was veel groter en fraaier dan het meeste werk van de Vincanen. Welke vergeten voorouder had deze mantelspeld gebruikt om een stola bijeen te houden?

'Van de schat was me niets bekend,' zei Urdo. 'Ik zou de marktrechten al hebben verleend in ruil voor het legeren van de penoen, hier. Die zullen de streek gaan beschermen, niet alleen jullie, maar ook de rest van de kust. In ruil daarvoor zullen jullie ze moeten huisvesten en voeden. Alleen al voor de strijdrossen komt dat neer op een halve mud peen per dag, naast groenvoer. Daarnaast moeten de manschappen eten. Zonder voorraden kan ik niets uitrichten. Ik heb niet om dit goud gevraagd.' Urdo had het nog altijd niet aangeraakt.

'Het klinkt allemaal mooi genoeg, maar wat zal er gebeuren als de Jarns komen?' Veniva keek van de een naar de ander, en daarna naar Morien, die tegen de muur leunde en er heel jong en broos uitzag. Onder haar blik richtte hij zich op en trok zijn bruine tuniek recht.

'Er zullen ten noorden en ten zuiden van hier meer troepen worden gelegerd. Op dit moment beschik ik nog niet over voldoende getrainde ruiters en het is moeilijk ze te vinden en te onderhouden. Toen ik u de paarden schonk, heb ik u verzocht uw kinderen te laten opleiden voor de strijd te paard. U hebt mijn raad ter harte genomen – zoals velen hebben gedaan. Daarom zullen we over een paar jaar genoeg eskadrons hebben om het land te beheersen. Zodra ik genoeg wapendragers en paarden heb, zal ik hier een complete ala legeren. Waarschijnlijk in Magor,' verzuchtte Urdo. 'Paarden en wapendragers die tezamen zullen worden opgeleid; en familie-hoofden die voldoende zijn opgeleid om met hen te kunnen strijden en genoeg trouw kunnen opbrengen om elkaars huizen te verdedigen. Als de Jarns komen, kunnen we hen verslaan zolang we er zijn. Ze zullen onze huizen niet in brand kunnen steken als die goed genoeg verdedigd worden. Ik heb keer op keer ervaren hoe hun gesloten schildenmuur werd doorbro-ken door een stormaanval van ruiters. Als we ons snel genoeg kunnen verplaatsen en degelijke stenen muren hebben om onszelf te verdedigen, kunnen we hen verjagen. En zodra ik daartoe in staat ben, zal ik ook een varende kustwacht organiseren.'

Veniva bleef sceptisch kijken.

'Daarom wil ik de koning ons goud *nu* geven,' zei Gwien, met een klopje op Veniva's hand. 'Als de Jarns massaal komen opzetten en het hele land verwoesten, komt er nooit welvaart en ook geen markt. Goud kunnen we niet eten. Als wij bij de laatste inval allemaal waren omgekomen, zou deze schat tot het eind der tijden in de grond hebben gelegen. Wij zouden er dan niets aan hebben gehad, en degenen die van ons afhankelijk zijn evenmin. Als er eenmaal vrede is, zal het genoeg zijn om ons voor vele jaren te vrijwaren van belastingen en tegen die tijd zal onze welvaart weer zijn toegenomen. En als er geen vrede komt, hebben we er hoe dan ook niets aan. Mijn vader heeft het begraven. Hij heeft me toevertrouwd waar, en zei erbij dat we, als de tijden slecht werden, de schat konden opgraven om ermee te vluchten. Waar kunnen we nu heen, Veniva? Over de zee ver naar het oosten, naar de landen van zonneschijn en vertellingen? Daar heb je ook barbaren! En op ons grondgebied leven bijna tweeduizend families voor wie wij een steun en toeverlaat zijn. Wie kan hun overtocht betalen? En op welke schepen?' Mijn vader schudde het hoofd en duwde de stapel munten nog wat dichter naar Urdo toe. 'Al zolang ik leef – en mijn vader voor mij – heb ik oorlogen, invallen en strooptochten van plunderaars meegemaakt. Dit is mijn grondgebied; dit zijn mijn mensen. Ik ben van mening dat dit geld u kan helpen, en wel nu meer dan volgend jaar – en dat is een kans die ik wil aangrijpen.'

Urdo trok het goud naar zich toe en begon te tellen. 'Ik zal mijn klerk opdracht geven u een ontvangstbewijs te sturen,' zei hij. 'En ik dank u, Gwien ap Nuden, bekend als Gwien Openhand, met heel mijn hart voor deze edelmoedige bijdrage. Als de priesters die zeggen dat wij zullen wor-den beloond zoals we denken en doen, gelijk hebben, zal er straks goud in uw open handen stromen. Dit is het soort dienstbaarheid dat mij zal helpen om dit koninkrijk te stichten.'

Magor was een grotere plaats dan Denwer, ook al was het slechts de residentie van een hertog en geen stad. Urdo bracht veel tijd door om met hertog Galba te overleggen – ik veronderstel over verdedigingstactieken. Ik weet dat hij Galba heeft overgehaald om timmerhout en dakpannen naar Denwer te sturen, want hij had mij gevraagd waaraan mijn vader de meeste behoefte had. Dat was slechts een beleefdheid; hij had namelijk een veel beter idee dan ikzelf. Ik was allang blij dat ik niet thuis hoefde te blijven, ingedeeld bij de tweede penoen, en ik wenste alleen dat Glyn dat lot was beschoren. Ik begon genoeg te krijgen van zijn gepest over het delen van dekens, iedere keer nadat Urdo met mij had gepraat. We patrouilleerden dagelijks langs de kust, maar we kregen weinig kustplunderaars te zien en hoefden nauwelijks in actie te komen. Na een maand was ik niet langer de slechtste met de lans, want toen kwam Galba de Jongere bij ons in de leer. Hij zei me dat hij opgeleid wilde worden tot wapendrager, om later in staat te zijn de ala die op zijn grondgebied zou worden gelegerd zelf te kunnen aanvoeren. Hij kwam me dit op dusdanige manier vertellen dat het tot me doordrong dat het hoog tijd werd dat ik met zijn vader ging praten.

Een paar dagen later had ik een afspraak voor een gesprek onder vier ogen met hertog Galba. Hij was hoffelijk en hartelijk en ging mij voor naar zijn opkamer, alsof ik een vooraanstaand persoon was. De wanden gingen schuil achter tapisserieën en er lag een tot op de draad versleten geknoopt tapijt op de houten vloer. Hij boog; ik boog terug. Toen gebaarde hij naar een rode stoel met gecapitonneerde kussens. Ik vroeg me al af of ik soms een vergissing had gemaakt en beter mijn moeder had kunnen vragen hem in te lichten. Ik hield mijn rug recht en besloot zo beleefd mogelijk mijn verhaal te doen en daarbij zo weinig mogelijk prijs te geven over mijn redenen. Hij liet me een beker warme cider brengen. Ik nam de beker aan en bedankte hem. Misschien zou het mogelijk zijn geweest Veniva uit te leggen hoe misselijk me voelde, alleen al bij de gedachte dat ik ooit nog door een man zou worden aangeraakt, maar dat was me onmogelijk tegenover deze oude, hoffelijke edelman. Hij droeg zijn grijze haar in een paardenstaart en deed mij denken aan een van de bustes van de Vincanen. Hij was echter een vreemde voor mij en zou beleefd blijven, hoe dan ook. Hij zou mij niet tegen wil en dank het huwelijksbed in sturen, zoals mijn moeder wellicht zou doen. Ik besloot meteen de koe bij de horens te vatten.

'Hertog Galba, hoewel ik mij bewust ben van de eer die u mij en mijn familie hebt bewezen en hoewel ik de grootste achting heb voor u en uw familie, vrees ik dat ik niet langer in staat ben met uw zoon te huwen. Ik heb de eed van trouw als armiger afgelegd, en sinds mijn vader dit huwelijk heeft gearrangeerd is mijn hart veranderd.'

Hij rimpelde zijn voorhoofd een beetje, maar scheen niet erg verrast te zijn. 'Ik heb al iets gehoord dat maakte dat ik me ging afvragen of je me iets dergelijks zou komen zeggen.'

Ik had geen flauw idee van wat hij kon hebben gehoord. Zou iemand hem hebben ingefluisterd dat ik veel beter geschikt was voor het bestaan als wapendrager dan voor het bestieren van een huishouden? Dat ik beter overweg kon met het zwaard dan met de naald?

'Weet je zeker dat je niet al te overijld handelt?' vroeg hij. 'Mijn zoon is mijn enig kind en erfgenaam van heel Magor – dit huis, het uitgestrekte grondgebied... Niets dat de koning je heeft aangeboden kan zo bestendig zijn.'

'Ik weet heel zeker dat ik niets anders wil dan wapendrager zijn, heer, dit leven bevalt me prima.'

'Heel verstandig,' zei hij. 'Maar misschien komt er een dag dat je met wat meer enthousiasme naar mijn zoon gaat kijken. Wees er gerust op dat jouw eerdere status voor ons geen enkel beletsel zal zijn.'

Dat mocht ik hopen. Ik nam een teugje van mijn cider en probeerde een diplomatieke manier te bedenken om hem uit te leggen dat ik nóóit over een huwelijk zou peinzen. 'Er is een godin, heer, in wier hand ik ben geweest; en zij heeft mij bijgebracht dat uw zoon beslist een waardige levensgezel is, maar dat ik nooit de gevoelens voor uw zoon zal kunnen hebben die hij van mij zou mogen verwachten.'

Ik maakte vanuit mijn heupen een buiginkje, ingenomen met de manier waarop ik dit onder woorden had gebracht. Pas toen ik de Maanmaagd ter sprake bracht, werd ik me ervan bewust dat ik haar sikkel niet had gevoeld zoals ik had behoren te doen. Ik begon in stilte mijn dagen te tellen. Ik veronderstelde dat het kwam door het vele rijden, of door de verandering van drinkwater. Mijn min had me er altijd voor gewaarschuwd dat te veel rijden de cycli kon verstoren.

'Helaas, ons verlies is Urdo's winst,' antwoordde Galba, na een buiging. 'Ik meen dat je vader nog een dochter heeft, is het niet?'

Ik knikte, waarop hij over grenstwisten, eigendomsrechten en erfenissen begon, zaken die ik al de helft van mijn leven had moeten aanhoren en die door mijn huwelijk met Galba de Jongere moesten worden opgelost. Ik zong voor hem Auriens lof en vertelde hem in alle eerlijkheid hoe goed ze overweg kon met cijfers en heel fraai kon naaien en borduren. In feite was ze veel beter geschikt om de hertogin van Magor te worden dan ik. Ik beloofde hem dat ik zou doen wat ik kon om zowel Aurien als mijn vader te doen instemmen met deze verbintenis; op zijn beurt beloofde hij me dat hij er met zijn zoon over zou praten. Daarna zou hij mijn vader schrijven over Aurien. Voor mij was dit een grote opluchting, want het betekende dat het ergste van Veniva's woede al voorbij zou zijn tegen de tijd dat ik haar onder ogen moest komen. Met opgewekt gemoed verliet ik de opkamer. Ik was nu vrij van al mijn lastige plichten, behalve die welke ik uit vrije wil had gekozen en die ik met plezier zou vervullen.

64

Ik was de deur nog niet uit of ik werd overvallen door een hevige golf van misselijkheid. Ik rende naar de mesthoop en vouwde me dubbel om te braken, zo hevig dat ik ervan moest hijgen. Ik had niet beseft dat ik me zo nerveus had gemaakt en ook was ik nooit eerder misselijk van opluchting geweest. Misschien waren een paar van de kruiden in de cider me niet goed bekomen? Die avond dronk ik veel water en ging vroeg naar bed. Toen ik vroeg wakker werd, had ik last van mijn maag. Ik vroeg me af of Galba me misschien had vergiftigd, en waarom. Ik wist die dag nauwelijks de tent uit te komen. Later voelde ik me echter weer beter en kon die dag meerijden op patrouille zonder dat ik ergens last van had. In de loop van de volgende maand werd ik 's morgens vaak misselijk wakker, hoewel de misselijkheid al voorbij was voor het ontbijt. Het leek een kleinigheid. Pas anderhalve maand later, toen we terug waren in Caer Gloran, was mijn trage brein in staat een paar dingen met elkaar in verband te brengen, waardoor het me duidelijk werd dat ik zwanger moest zijn.

Dat was op de vroege ochtend, toen ik in de keuken van de barak water boven het vuur hing. De ontbijtkok was al op en druk in de weer met het afmeten van havermeel en het snijden van pruimen. Hij negeerde me; we hadden elkaar al begroet toen ik binnen was gekomen. Hij was er gewend aan geraakt dat ik in alle vroegte naar de keuken kwam. Straks zou de melkmeid melk komen brengen en even later zou hij de bel luiden om de penoen te wekken. Ik was net binnengekomen, via de bedauwde tuin, waar ik wat munt had gesneden. Ik had een grote kom in mijn hand. Als het water kookte, zou ik de pollepel nemen om wat heet water over de munt in de kom te gieten. Ik kon dan kleine teugjes van de muntthee nemen totdat mijn maag weer rustig werd. Ik beefde nog enigszins van de aanval van misselijkheid. Mijn borsten waren pijnlijk. Plotseling beschouwde ik al die dingen niet meer als vanzelfsprekend. Ik legde verband tussen alle symptomen – ochtendbraken, twee (of nee, drie) gemiste maandstonden, de pijn, de verkrachtingen. Iets in mijn binnenste danste. Er was iets dat mijn hersens had beneveld, maar nu was de mist ineens opgetrokken. Het water kookte, en ik schepte wat in de kom. Toen zette ik de kom neer op het eind van de schraagtafel en drukte zacht met beide handen tegen mijn buik.

Ik concentreerde me. Ik stak mijn mentale voelhorens uit en begon de God van Genezing en de Schenker van Vruchten aan te roepen. Ik kon het nieuwe leven in mij voelen, net ontkiemd, zojuist echt tot leven gekomen. Zelfs nu nog zou het heel eenvoudig zijn om de dunne draad waaraan dit prille leven hing door te snijden en het weg te laten vlieden, terug naar Lethe, om een andere keuze te maken. Voor een nieuw kind is het veel gemakkelijker weer weg te glippen dan vol te houden. De meesten zullen met slechts één gedachte teruggaan en zelfs de meest volhardenden zwichten als de moeder ze met een gebed duidelijk maakt dat ze dit kind niet wenst. Een vrouw moet werkelijk verlangen om een kind te krijgen of het als haar dure plicht beschouwen, als ze wil voorkomen dat de wens bij haar opkomt er vrij van te zijn. Het is voor veel vrouwen moeilijk deze eerste maanden door te komen zoals mij was gebeurd, namelijk zonder iets te bevroeden. De meeste vrouwen verliezen al in de beginperiode een nieuw kind voordat ze hun eerste kind voldragen. Mannen zijn vrijwel onkundig van dergelijke dingen. Het is ook altijd een priesteres die tijdens de huwelijksceremonie de zangspreuk voor het ontsluiten van de moederschoot reciteert, nooit een priester. Het had voor mij onmogelijk moeten zijn dit nieuwe leven in mij te hebben, dit kleine hart dat binnen het ritme van het mijne klopte. Ik had niets gedaan om deze conceptie mogelijk te maken.

Heel even verlangde ik het te voldragen en te voelen hoe de kleine mond de melk uit mijn borsten zoog, of te horen hoe het kind mij 'mama' zou noemen. Dat moment was meteen weer voorbij. Waar moest ik het kind laten? Ik zou niet als wapendrager kunnen dienen, tenzij iemand anders in mijn plaats voor het kind zorgde. Ik had iedere mogelijkheid van een huwelijk met Galba de Jongere resoluut afgesloten, áls zoiets al mogelijk was geweest. Ik had niet de minste behoefte aan een huwelijk; alleen al de gedachte maakte me opnieuw misselijk. Ik slikte moeizaam. Afgezien van mijn sentimentele dromerijen koesterde ik geen echt verlangen naar dit kind. Een dag eerder zou ik het zonder wroeging hebben prijsgegeven. Ook nu nog zou dat noch mijzelf noch het kind veel schade berokkenen. En hoe eerder hoe beter.

Ik stond op, liet mijn koud wordende kom muntthee staan en ging op weg naar de stinkende latrine. 'Het spijt me, liefje,' zei ik in stilte onder het lopen. 'Ik moet je laten gaan. Er zit meer aan het schenken van leven vast dan alleen het baren van een kind, en ik heb in deze kille wereld nergens een veilig plekje waar ik je heen kan brengen om gezond en heel op te groeien. Ga maar terug, kind, en probeer het nog eens bij een andere moeder. Ik wens je veel geluk.'

Ik veegde met wat bladeren het hout schoon en ging boven het gat zitten. Ik zond mijn wil omlaag om de hechting in mijn schoot los te maken, maar merkte dat ik niets aanraakte. De goden wilden mij dus niet bijstaan. Ik deed een nieuwe poging en zond mijn wil naar de verblijfplaats der goden terwijl ik in gedachten een hymne zong om de aanroeping te vergemakkelijken. Geen reactie. Het was alsof ik mijn handen uitstak naar Appels teugels en tot de ontdekking kwam dat ze er niet waren. Als ik een poging deed me het opgroeiende kind voor de geest te halen, lukte me dat; als ik me wilde voorstelde hoe ik de band tussen mij en het kind doorsneed, kon ik dat niet.

Alles wat mij was geleerd vertelde mij dat als de goden weigeren mee te werken, ze daar een goede reden voor hebben of op een beletsel stuiten.

Het was hun taak het evenwicht in de wereld te handhaven. Bovendien was het verkeerd als iemand alleen naar zijn eigen wil handelde. Ik dacht terug aan de verkrachtingen en het moment waarop mijn laatste verkrachter, Ulf, mij met zijn bloed aan de Heer der Gevallenen had geofferd. Wenste deze eenogige god dat ik dit kind zou voldragen? Zou het offerritueel daar sterk genoeg voor zijn geweest? Ik deed een nieuwe poging en deed zelfs een beroep op de Vrouwe der Doden om het kind terug te brengen naar het domein waaruit het zo kortgeleden was gekomen, maar er gebeurde niets.

Toen stond ik op en liep met opgeheven hoofd de latrine uit. Dat een ongehuwde vrouw zwanger werd, was al onwaarschijnlijk genoeg. Zeker, er waren bastaarden op de wereld, maar die waren door een getrouwd man bij een al dan niet getrouwde vrouw verwekt. Zoiets was een schande. Ik zou in ongenade vallen. Mijn moeder zou het me nooit vergeven. Toen drong het tot me door dat ik de ala zou moeten verlaten en sprongen de tranen me in de ogen. Ik zou naar huis moeten zonder enig vooruitzicht daar ooit nog weg te kunnen, en zonder hoop op roem en eer. Ik zou alleen nog verplichtingen hebben aan een baby. In een staat van verdoving liep ik de barak uit en volgde de straat, langs de leerlooierij naar de stallen. Ik had behoefte aan Appels nabijheid.

Bijna liep ik Amala, Thurrigs echtgenote, omver. Ze kwam net uit een van de bakhuizen. Toen ik klaar was met mijn verontschuldigingen, keek ze me fronsend aan.

'Wat is er mis?' vroeg ze.

'Niets,' zei ik, bijna stikkend in het woord.

Ze troonde me mee naar de totaal overwoekerde tuin van een ingestort huis. Daar ging ze op een lage muur zitten en klopte uitnodigend op de bakstenen naast haar. Langzaam wist ze het verhaal uit me te trekken. Ik herinnerde me de opmerkingen die Marchel had gemaakt over de goden en verzweeg Ulfs offerritueel.

'Wel,' zei ze peinzend, toen ik was uitverteld. 'Het had niet mogelijk behoren te zijn, maar dat het gebeurd is staat vast. Beschouw het echter niet als een ramp. In elk geval moet de koning erover worden ingelicht. Ik zou niet weten waarom dit probleem onoplosbaar zou zijn, tenzij hij het er niet mee eens is. Binnenkort zal hij dit ruitereskadron verlaten om met de rest van zijn hofhouding naar Caer Thanbard te verkassen. Jij kunt dan naar Thansethan. Iedereen hier zal denken dat je bij het eskadron van Thanbard dient. Dan kun je in Thansethan rustig je kind baren. De monniken van de Blanke Barmhartige God leren dat elk leven moet worden gerespecteerd. Ze nemen wezen en ongewenste kinderen liefderijk op. Je kunt je kind daar laten, om het samen met die andere kinderen groot te laten brengen. De opvoeding daar zal in niets onderdoen voor die de koning daar zelf heeft genoten. Later kun je je weer aansluiten bij Urdo, waar hij op dat moment ook zal zijn. Hij zal een positie voor je vinden in een van de nieuwe eska-drons die hij vormt, en daar zal niemand zich afvragen waar jij de afgelopen maanden bent geweest. Je kunt zelfs je stalknecht meenemen, dat jonge meisje, dan heb je vertrouwd gezelschap, daarginds. Het lijkt me niet nodig dit aan iemand anders te vertellen.'

Amala maakte een gebaartje met haar vingers, dat gewoonlijk betekende dat het zoveelste complexe logistieke probleem was opgelost, en op dat moment barstte ik luidruchtig in tranen uit.

7

Ik weende, en Hij zeide tot mij: 'Waarom weent gij? Spoedig zult gij allen de vrijheid smaken.'
Ik antwoordde: 'Heer, omdat Gij onder hun steniging zult sterven.'
Hij trok mij overeind, kuste mij en sprak: 'Kerigano, ik sterf voor ieder van u, opdat heel ons volk leve. Ik zal de weg ontsluiten en voor u een deur zijn, opdat allen mij kunnen volgen naar het eeuwige leven.'
Hierop sprak Maram: 'Heer, zijt Gij de Komende die ons is beloofd?'
Het bleef een wijle stil, maar toen keek Hij glimlachend de gezichten rond en legde zijn hand op de deurklink om heen te gaan. Daar draaide hij zich om en sprak: 'Staat er niet geschreven dat de Komende de dood overwint? Kinderen, vergeeft de stenen Mijn bloed. Gedenkt u mijner.'
(Zo komt het waarom wij te Zijner nagedachtenis altijd stenen bij ons dragen en ze vergiffenis hebben geschonken, zoals Hij ons heeft gevraagd.)
Toen ging Hij naar buiten, het zonlicht in, waar de mensenmenigte Zijn bloed eiste; en zij hadden stenen in hun handen. Achter hen wachtten de soldaten.
– Uit het *Kerigano-evangelie*

De steen die ze boven Geelhaars graf hadden opgericht was zo groot dat ze hem met paarden de helling af hadden moeten slepen. Hij zou veel te zwaar zijn geweest om op te tillen, voor wie dan ook. Als deze steen de barmhartigheid van de Blanke God symboliseerde, moest die wel enorm groot zijn. Trouwens, hij had de verkeerde kleur, want dit was geen marmeren steen, maar een groot en onregelmatig brok graniet. Dit had niets met hun geloof te maken. Veeleer had iemand met radicaal andere opvattingen er zeker van willen zijn dat Geelhaar niet meer kon opstaan uit haar graf. Er was geen inscriptie in een beschaafde taal in aangebracht; alleen hoekige Jarnse runen in de ruwe bovenkant. In de diepe runen waren nog wat sporen van rood pigment te zien, ondanks de verwering. De krijgsgevangen Jarns wendden hun blik af als ze het graf passeerden en maakten hun vreemde versie van het teken tegen het Boze Oog. Nooit had ik barbaarsere dingen zien doen.

De steen ligt ongeveer tien minuten gaans ten oosten van het klooster Thansethan, op de grens van het grondgebied van het klooster. Hij ligt er nog altijd, een merkwaardig monument op die korte afstand, maar niemand heeft ooit de moed gehad om voor te stellen hem daar weg te halen. Gedurende de maanden dat ik er verbleef, ben ik er vaak naar toe gewandeld. Vanaf deze plaats kon ik ver uitkijken naar het oosten, over het grondgebied dat de Jarns zich hadden toegeëigend. Naar het zuiden had ik er uitzicht op golvende heuvels die steeds hoger werden en de horizon afsloten, maar soms zag ik er mistbanken hangen, boven het dal van de rivier de Tamer. Daar, ver weg, lag Caer Tanaga. Meestal keek ik lang die kant uit, voordat ik me met tegenzin weer omdraaide naar de vierkante gebouwen van goudkleurige zandsteen die samen het kloostercomplex van Thansethan vormen. Ik kon me een voorstelling maken van Urdo's eerste schitterende stormaanval hier, met zijn gevolg van twee koningen en hun hofhouding, en alle monniken die de rijkunst machtig waren. Aan de andere kant was het zo'n vredig oord dat het moeilijk was je hier het kabaal van een veldslag voor te stellen.

Hoewel ik Geelhaar diep verachtte, als de bloeddorstige, barbaarse broedermoordenaar die ze was geweest, waren er dagen waarop ik me heel goed kon indenken waarom ze het klooster en allen die het bewoonden had willen vernietigen. Thansethan was zo groot als een stad. Als ik alleen de monniken en nonnen telde, woonden er al tweehonderd mensen, dus zonder de weeskinderen en krijgsgevangenen. Er waren verstandigen en dwazen bij, mannen en vrouwen, Tanaganen en Jarns, maar ze hadden één ding met elkaar gemeen: ze waren er allemaal van overtuigd dat zij de Enige Waarheid kenden. Ze geloofden werkelijk dat ieder ander het mis had, zich had laten misleiden of doelbewust bedrog pleegde. Dit soort zelfgenoegzaamheid was voor mij moeilijk te verdragen, zelfs van de religieuzen die ik graag mocht.

Na het vertrek van de koning waren Garah en ik de enigen die in het hospitium sliepen. We konden de klokken horen, en de bedrijvigheid, maar we waren alleen. Het gastenverblijf bevond zich binnen de buitenmuren van het complex, net als de school, het hospitaal en de gevangenis waarin de krijgsgevangenen waren ondergebracht. De stallen waren echter binnen de binnenmuur gelegen. In het oorspronkelijke bouwplan van de stichter, Sethan, was gedacht aan huisvesting voor paarden, maar niet voor gasten. De meeste kudden graasden in de weilanden en kwamen zelden binnen de muren. De gemakkelijkste manier om het klooster in en uit te gaan, was via de stalpoort. Het was mij een raadsel hoe iemand een zo groot complex had kunnen ontwerpen en in maar één toegangspoort had voorzien. Bovendien waren er grote afstanden tussen de gebouwen aan de ene kant van het complex en die aan de andere kant. De stalpoort was later toegevoegd, naar alle waarschijnlijkheid op aandringen van een monnik die het geluid van hoefslagen op kasseien onverdraaglijk vond. De stallen waren uitstekend: ze waren droog en schoon, en overal stonden emmers water gereed.

Het mooiste in het klooster was de waterklok. Ik had weleens over dit soort dingen gelezen, maar gezien had ik er niet één. Het was een ingenieus ontworpen geval dat met grote zorg was geconstrueerd. Het mat de uren van de dag zo nauwkeurig dat de monniken altijd op exact hetzelfde tijdstip – negen keer per dag – tot hun god konden bidden. De waterklok stond in het midden van de binnenhof. Als het tijdstip naderde, kwam een van de jongere monniken naar buiten en wachtte. Op het moment dat het water doorliep, luidde hij een klok en ging iedereen de grote sacristie binnen, die de hele oostzijde van het klooster besloeg. Toen ik er voor het eerst in was, keek ik mijn ogen uit, want de monniken repten zich in stilte uit alle hoeken en gaten naar deze ruimte, vanuit de zuilengang, over de bibliotheektrap, uit de keukens en voorraadkamers, uit de school, het hospitaal en uit de tuinen en van de akkers. Alleen zij die bezig waren met de bereiding van maaltijden of andere plichten vervulden, zoals letten op de kinderen of het bewaken van de gevangenen, bleven waar ze waren. Het was een merkwaardig gezicht om zoveel bruine pijen naar de sacristie te zien stromen.

De woorden *monnik* en *non* slaan gewoonlijk op een gelovige die zich volledig aan het dienen van een god wijdt. Zo was er in de heuvels nabij Derwen in mijn kinderjaren een vrouw die de Maanmaagd aanbad. De boeren stuurden haar etenswaar die ze konden missen en mijn vader stuurde haar altijd een stuk vlees als hij een reebok had buitgemaakt, want dergelijke dieren zijn heilig voor deze godin. Meestal voedde ze zich met radijsjes die ze zelf kweekte, en met de forellen die ze ving. Mijn vader stuurde mij vaak met het vlees, want zij had de gelofte afgelegd om nooit met een man of getrouwde vrouw te spreken. Zij leerde me een paar uitstekende hymnen op de maagdelijke Jachtgodin. Een zangspreuk van haar gebruik ik tot op de huidige dag als ik een splinter wil uittrekken. Ze heeft nooit iets gezegd om te proberen mij over te halen hetzelfde leven te gaan leiden als zij of bij haar te blijven, noch sprak ze ooit over het aanbidden van andere goden.

De monniken van Thansethan waren ánders. Zij waren bijeengekomen om een gemeenschap te stichten, ook al hadden ze ieder een eigen cel om in te slapen en in beslotenheid hun god te vereren. Zij wijdden zich oprecht aan zijn dienst, maar de wens om iedereen die ze ontmoetten te bekeren tot hun godsdienst kwam voortdurend tot uiting. De meesten leken er echt verdrietig om dat anderen hun geloof niet deelden. Zij die zich hadden laten bekeren, waren er rotsvast van overtuigd dat als iemand eenmaal het geloof had horen uitleggen zoals het hún was geleerd, hij of zij zich onmiddellijk zou laten bekeren. Ik had daar grote moeite mee. Hun geloof had voor mij weinig aantrekkingskracht. Kruipen voor een god die van iedereen verlangt hem te loven en op een voetstuk te zetten, is niet bepaald respectabel. Per slot van rekening behoor je voor alle goden even eerbiedig te zijn – het zijn tenslotte goden. Dat neemt niet weg dat een mens nu eenmaal een mens is. Het dienen van de Blanke God heeft zijn mooie kanten, maar ik kreeg nooit de indruk dat er hoffelijkheid aan te pas kwam.

Het hoofd van de monniken van Thansethan was een man die vader Gerthmol werd genoemd. Hij was een Isarnagaan, hoewel hij al op jeugdige leeftijd naar Tir Tanagiri was gekomen. Hij was broodmager, liep enigszins gebogen en had de gewoonte om iedereen met wie hij praatte indringend aan te kijken, alsof hij probeerde in zijn of haar ziel te blikken. Veel kinderen en jonge monniken beefden in zijn tegenwoordigheid. De eerste keer dat hij het bij mij probeerde, moest ik op mijn tong bijten om niet in lachen uit te barsten. Ik neem aan dat hij het niet gewend was naar iemands gezicht op te moeten kijken, in plaats van omlaag. Op de tweede dag dat ik daar was, stuurde hij een jonge non naar me toe om mij naar zijn werkkamer te escorteren. Ze durfde nauwelijks naar me te kijken, maar bleef stiekem onder haar capuchon naar mij gluren toen we de trappen naar de kleine werkkamer beklommen. Ik zag dat ze een Jarn was, waarschijnlijk niet ouder dan een jaar of vijftien.

Vader Gerthmol behandelde mij beleefd, afgezien van zijn indringende blik. 'We zetten iedereen hier aan het werk,' legde hij uit. 'Daarom willen we graag weten waar je goed in bent. "Steek bereidwillig je handen uit voor de taak die moet worden verricht, en vind de taak die het geschiktst is voor je bereidwillige hand,"' citeerde hij. 'Wat kun jij doen om ons te helpen zolang je hier bent, dochter van Gwien?'

Zijn glimlach leek hartelijker dan de situatie vereiste. Dat hij mij op deze vormelijke manier aansprak, kwam wat geforceerd op me over. Als de monniken en nonnen in de kerk werden opgenomen, ontvingen zij een nieuwe naam en dankten hun oude naam af, net als hun vroegere leven. De meeste volgelingen van de Blanke God hielden hun nieuwe namen voor zich, net zoals ze hun oude voor zich hadden gehouden, maar de monniken en nonnen spraken elkaar openlijk, in ieders bijzijn, met hun nieuwe naam aan.

'Ik heb een bescheiden vaardigheid in de meeste dingen, maar ben graag bereid te leren wat ik nog niet weet.'

Dat antwoord beviel hem bijzonder goed, want de Blanke God hecht grote waarde aan leren en kennis verzamelen als doel op zich. Hij hoorde me uit over mijn huishoudelijke vaardigheden en kennis op het gebied van de landbouw, en toen ik op het punt stond hem te verlaten, zei hij op de valreep: 'Als je werkelijk graag leert, zijn wij bereid je te leren schrijven.'

Glimlachend zei ik: 'Lezen en schrijven kan ik, dat heeft mijn moeder me geleerd.' Toen hij dit hoorde, zei hij dat de bibliotheek te allen tijde voor mij open zou zijn. Hij verzocht me wat te gaan praten met de monnik die belast was met het kopiëren van handschriften; die zou weten wat het dringendst moest worden gedaan, zodat ik hem kon assisteren. Dit werd met zoveel meer ernst gezegd dan waarmee hij het over het belang van cider maken en appels kweken voor de gemeenschap had gehad, dat het me moeite kostte niet te gaan giechelen. Als er een ander lid van de ala bij was geweest en me een knipoog had gegeven, had ik mijn gezicht onmogelijk in de plooi kunnen houden.

Algauw werd mijn dagindeling in Thansethan al even gereglementeerd als die van de monniken en nonnen zelf. Bij het krieken van de dag stond ik op, dronk een kop muntthee en ging in de refter een bord dunne pap eten. Later, toen mijn buik begon te zwellen, gaf Thossa, de monnik die de leiding had over het hospitaal, mij de raad een brouwsel van vlierbloesem en framboosblad te gaan drinken. Ik volgde zijn raad op. Na het ontbijt ging ik, als de monniken en nonnen hun ochtendgebeden zeiden, een uurtje rijden op Appel. Daarna ging ik naar de kloosterbibliotheek op de bovenste etage, een ruimte waarin ik me heel prettig voelde. De bibliotheek was licht en ruim en de muren gingen schuil achter boeken, boeken en nog eens boeken. De monniken hadden ze uit alle windrichtingen verzameld. Gedurende een paar uur, bij het beste licht, kopieerde ik manuscripten. Als de monniken hun middaggebeden gingen zeggen, hield ik op met kopiëren om mijn verkrampte vingers rust te gunnen. In plaats daarvan zat ik te lezen tot hun terugkeer.

Zo las ik *Herinneringen aan de Blanke God*, deels om de monniken een plezier te doen en deels uit nieuwsgierigheid. Hoewel ik er wat meer door werd geboeid dan wanneer ik er anderen over hoorde vertellen, beviel het me maar matig. De fragmentarische aard van de ooggetuigenverslagen vond ik tamelijk verwarrend, vooral op plaatsen waar ze elkaar tegenspraken. Het leek me dat het geheel kon worden verbeterd door er een samenhangend verhaal van te maken en de dingen toe te lichten. Ik veronderstel dat veel devote gelovigen er net zo over dachten, want Rauls commentaren op deze dingen worden de laatste tijd buitengewoon populair onder de priesters. In weerwil van deze tekortkomingen voelde ik veel sympathie voor de Blanke God als mens, een man die ervan overtuigd was de rechtmatige koning van de Vincaanse provincie Sinea te zijn.

Toch vond ik dat hij in sommige opzichten zijn verdiende loon had gekregen: hij had óf de leiding van de opstand op zich moeten nemen, óf de opstand krachtig moeten ontmoedigen. In mijn ogen moest iemand die in die situatie zijn leven gaf om zijn volk te redden en erop vertrouwde dat de Vincaanse machthebbers na zijn dood hun woord gestand zouden doen, niet goed snik zijn geweest. God of geen god, ik vond dat hij zich lelijk op de dingen had verkeken. De veronderstelling dat hij de Ene God, Schepper en Verlosser van de hele mensheid zou zijn, had voor mij niet de minste aantrekkingskracht. Ik moet echter toegeven dat sommigen van zijn volgelingen bij de verwoesting van hun stad en daarna wonderbaarlijk veel geluk hadden gehad. Eigenlijk nam ik de heilige boeken van Sinea maar vluchtig door, want ik vond ze taaie lectuur, met hun gehamer op hun Ene God die de wereld had gemaakt, en met de lange lijsten van de daden der koningen die zijn dienaren en wetsuitleggers waren geweest.

De boekenplanken stonden echter vol met fascinerende boeken, zodat ik me niet tot de theologie hoefde te beperken. Ik trof er tal van Vincaanse klassieken aan die in de ogen van mijn moeder essentieel waren voor een beschaafde opvoeding. Ook waren er veel boeken te vinden uit alle delen van het imperium en ze handelden over een enorme verscheidenheid aan onderwerpen. Ik ontdekte een paar geweldige boeken over paardenfokken, en ook boeken over cavalarietactiek in de Oudheid. Ze fascineerden me en waren recentelijk in een fraai handschrift gekopieerd. Toen ik bezig was aan een hoofdstuk over het gebruik van de lichte lans op koudbloedpaarden, vond ik een snipper perkament tussen twee bladzijden, beschreven met hetzelfde handschrift. Aan de ene kant was een strijdros getekend, met een normale lans ernaast, om de proporties aan te geven. De andere kant bevatte een schematisch overzicht, zo te zien van de organisatie van een eskadron, naar de namen te oordelen: *ala*, wat letterlijk 'vleugel' betekent – het eskadron; en *penon,* penoen of slagpen. Er had nooit een ruitereskadron van honderdachtenzestig wapendragers bestaan, maar toch was dat hier schematisch voorgesteld. Ik begreep dat dit door Urdo moest zijn geschreven toen hij hier woonde, voordat hij koning was geworden.

Ik las nog andere werken, boeken over oorlog in het algemeen, en tactiek en strategie in het bijzonder. Aan dat soort boeken geen gebrek! Ik heb zelfs een oud boek met overpeinzingen over de Narlahena-veldtocht gekopieerd. Het origineel dreigde uiteen te vallen en ik was blij dat het bewaard moest blijven. Ik las een boek over een missionaris die te midden van de Jarns in Jarnholme had gewoond. Hij deed niet alleen verslag van hun levenswijze, maar ook van hun goden. Zijn kijk erop verschilde van die van Marchel, want hoewel hij hun goden als tegenstanders van de waarheid zag, noemde hij ze niet 'demonen'. Hij had hen willen overhalen ook de Blanke God te gaan volgen. De missionaris had belangstelling gehad voor van alles en nog wat, van de soorten bomen en vogels in Jarnholme tot de aanbiddingsrituelen van de Jarns. Ik heb in die bibliotheek veel geleerd en deed veel praktijkervaring op met het schrijven van fraaie kopieën.

Als de monniken terugkwamen van hun gebeden, ging ik naar de refter voor het middagmaal. Ik heb gedurende mijn tijd in Thansethan meer dan mijn bekomst gekregen van pap, maar honger heb ik er tenminste niet geleden. Bovendien was er meer dan genoeg honing om erdoorheen te doen. Fruit was er ook, en op sommige dagen werd er vis gegeten. De monniken en nonnen zelf aten geen vlees of kaas, behalve op hoogtijdagen. Die waren allemaal verbonden met het leven van de Blanke God of de heilige verhalen uit Sinea. Veel hoogtijdagen vielen nagenoeg samen met die welke ik altijd had gekend, maar andere waren volkomen nieuw voor mij.

's Middags maakte ik graag wandelingen in de openlucht, over de pas geploegde akkers of door de weilanden waar halfwilde paarden liepen te grazen. Als ze mij zagen, gingen ze ervandoor – met wapperende manen en glanzende vacht, volkomen vrij en schitterend om te zien. Dan zette ik koers naar de kleine bossen, waar pasgevallen bladeren onder mijn voeten kraakten of lagen te verschimmelen en een werden met de bladeren van vorig jaar, die al bezig waren te veranderen in bosgrond. Toen de herfst plaats maakte voor de winter kwam ik minder snel vooruit, want de baby in mijn buik woog zwaar. Na de eerste sneeuwbuien kon ik niet verder komen dan de grafsteen van Geelhaar en terug.

Na mijn terugkomst ging ik helpen in de stallen of assisteerde ik de imkers. En als daar niets te doen was, ging ik soms wat helpen in de keuken. Niet lang na mijn komst in Thansethan kreeg ik er genoeg van om aan het weefgetouw te staan, inktpigment te wrijven of koeien te melken, hoewel ik al die dingen in het begin had gedaan. Ik ontdekte al spoedig welke nonnen en monniken graag over hun werk van dat moment praatten, en welke liever de gelegenheid te baat namen om mij lastig te vallen met gebazel over hun god, of om mij de les te lezen over mijn 'slechte levenswandel'. Aangezien ik niets verkeerds had gedaan, kon ik daar moeilijk tegen en deed dan ook mijn best om die monniken en nonnen te mijden. De meeste vrouwen die naar Thansethan kwamen om er hun kind te baren, hadden zich echter inderdaad schuldig gemaakt aan echtbreuk, zodat het voor de hand lag dat religieuzen er zo over dachten. Als ze erover door bleven zeuren, zei ik dat ik ongehuwd was of liep weg.

Ik sloot vriendschap met degenen die liever praatten over waarmee we bezig waren, of over het fokken van paarden, of over de koning. Wat ik ook van hen mocht denken, ik twijfelde geen moment aan hun trouw aan Urdo. Ik hoorde veel verhalen over de tijd die hij als jongen in Thansethan had doorgebracht. Sommigen hadden deelgenomen aan de aanval op Geelhaar en wilden er graag over praten. Een jong meisje, Arvlid, had rennend een afstand van tien mijl afgelegd om het klooster te alarmeren. Geelhaar, die zelfs onder haar eigen volk een uitgestotene was, had de blunder begaan om bekend te maken wat zij van plan was, toen ze probeerde meer strijders te rekruteren. Over de details van de strijd waren de monniken ergerlijk vaag; ze zeiden alleen dat ze de helling af waren gereden en dat de plunderaars op de vlucht waren geslagen. Anderen beweerden dat de mannen van koning Custennin en koning Talorgen van Angas al het doden voor hun rekening hadden genomen. Het moest spectaculair zijn geweest om te zien.

Voordat ik bij het vallen van de avond naar bed ging, at ik nog meer van die eeuwige pap. De monniken vervaardigden prima kaarsen van bijenwas, de beste die ik ooit heb gezien. Waarvoor ze ze gebruikten, weet ik niet, maar ze verspilden ze niet aan gasten. Soms zaten Garah en ik bij het schijnsel van het vuur te praten over droomstallen en de vraag welke bloedlijnen van de paarden die wij kenden bij kruising het allerbeste cavaleriepaard zouden opleveren. Af en toe begon Garah ook over de baby die ik droeg, maar ikzelf praatte er niet graag over.

Misschien zou ik van mijn tijd in Thansethan meer hebben genoten als het leven me daar niet eindeloos en benauwend had geleken. Ik was daar niet uit vrije wil. Ik wachtte alleen, was gedwongen te wachten, en dus moest ik het verduren. Niets van wat ik doen kon zou de tijd daar bekorten. Zonder de troost van Appel en de steun van Garah zou het me veel moeilijker zijn gevallen.

Bij gebrek aan beter vergelijk ik mijn lot vaak met dat van de gevangengenomen Jarns, een vergelijking die gunstig uitviel. Er waren veel Jarnse gevangenen in Thansethan, mannen die zich gedurende de strijd hadden overgegeven omdat ze tussen leven en dood hadden moeten kiezen. Zij die voor het eerst kozen werden eerst door wapendragers naar het hoogaltaar in de sacristie geëscorteerd, waar ze moesten zweren niet te zullen vluchten. Voor de Blanke God gold iedere eed. Wie een eed schond, werd streng door hem gestraft. De onuitputtelijke genade van de Blanke God strekte zich niet uit tot schenders van eden. Het klooster stuurde boodschappen naar hun familie thuis, zodat degenen die in hun eigen land nog dierbaren hadden mochten hopen dat er losgeld voor hen zou worden betaald. Andere Jarnse gevangenen zouden echter geen grond erven, waren afkomstig uit een arme familie of hadden helemaal geen familie – en zij verbleven al jaren en jaren in de gevangenis. Zij konden echter elk moment hun vrijheid herkrijgen als ze zich bekeerden tot het geloof in de Blanke God en zwoeren nimmer een hand op te heffen tegen de koninklijke vrede. In dat geval konden ze zich als vrij man in een Jarns dorp vestigen of terugkeren naar hun vaderland. Veel gevangenen legden de eed af en vestigden zich in de omgeving van Thansethan. Indien hun familie niet genoeg om hen gaf om losgeld voor hen te willen betalen, zouden ze trouwens thuis niet gemakkelijk meer worden geaccepteerd, omdat ze vervreemd waren geraakt van de goden van hun voorouders.

Af en toe observeerde ik de gevangenen. Zij deden het zwaarste werk: stenen sjouwen, mest kruien, de akkers omploegen om wortels te planten, onkruid wieden, de mest in de grond keren of aanmaakhout vergaren in het kreupelhout en de bossen. Ik vroeg me af of ik me zou laten bekeren als ik in hun schoenen stond. Arvlid vertelde mij dat ze de bekeerlingen grondig aan de tand voelden en hun oprechtheid op de proef stelden; ze stonden niemand toe zich te bekeren als hij of zij het niet meende. Toen mijn buik in de laatste halve maand te gezwollen raakte om Appel nog te berijden, troostte ik me met de gedachte dat het mij vrij stond om te gaan, anders dan de Jarnse gevangenen. Ik deed mijn best de kinderen van de kloosterschool niet te zien door me te houden aan de dagindeling van de kloosterlingen. Als ik hen in de velden zag spelen, keek ik het glimlachend aan, maar als ik zag dat ze ernstig in de rij stonden om de sacristie binnen te gaan, wendde ik mijn blik af.

Mijn kind kwam een dag na de lentedag-en-nachtevening ter wereld, precies op de dag waarop Sethan het klooster zestig jaar eerder had gesticht. Daarom was het voor de kloosterlingen een heilige dag. Zelfs Thossa, die gedurende de maanden van wachten zo aardig voor mij was geweest, was boos op me omdat ik zo'n verkeerde geboortedag had uitgekozen. De bevalling duurde uiteindelijk zo lang dat iedereen zich in de sacristie bevond toen hij ter wereld kwam. Alleen Garah en Arvlid waren bij me.

De geboorte van een kind is een mysterie, dus vertrouwde ik mij volledig toe aan de Moeder. Garah liet me heen en weer lopen, waarbij ze stevig in mijn hand kneep. Ze zei dat ze vaak genoeg een merrie een veulen had zien werpen, of nog veel vaker een koe een kalf. Ze had tot de Moeder als Bredá gebeden, en tot de Paardenmoeder Riganna. Arvlid bad tot de Barmhartige, maar ze leken elkaar toch te begrijpen. Het was geen moeilijke bevalling, voor zover een bevalling niet moeilijk kan zijn. De pijn was draaglijk, maar anders dan de pijn in een gevecht voelde ik deze pijn voortdurend. Het kind was een jongen, recht van lijf en leden en volmaakt gevormd, hoewel hij natuurlijk een lichte huid had. Zijn donshaar was bijzonder donker en zijn ogen hadden aanvankelijk de kleur van de hemel kort voor een storm. Een paar dagen later werden ze lichter en kregen het bleke zeegrijs van de ogen van de meeste Jarns. Ik kon niet van hem houden. Toch waren zijn kleine handen sterk en schopten zijn beentjes. En hij probeerde meteen te zuigen, hoewel de melk nog moest schieten.

Thossa, de hospitaalmonnik, kwam pas tegen het krieken van de dag terug en putte zich uit in verontschuldigingen omdat hij bij de bevalling verstek had laten gaan. Ik was blij met zijn komst, want hij ruimde het meeste van de rommel op, zoals al het bloed en de moederkoek op de grond waar ik gehurkt had gezeten. Hij gooide het luik open om de koele lentelucht binnen te laten en bedekte de vloer met schone biezen. Ik lag er stilletjes bij, want ik vloeide nog. De baby lag op mijn buik te slapen. Garah bracht warm water en waste mijn benen en voeten, waarop het bloed al bezig was bruin op te drogen. Thossa deed wat rozemarijn in de waskom, waardoor de kamer weer een aangename geur begon te krijgen. Ik was al bijna in slaap gevallen toen Garah een deken over me heen legde, tot over mijn middel.

Toen, plotseling, was vader Gerthmol er ook, en hij straalde. Hij nam het kind op, dat prompt wakker werd en luid en schril begon te huilen Hij woog hem op de handen en beklopte zijn rug, op de geroutineerde manier van iemand die al veel baby's in handen heeft gehad. Bijna voelde ik een steek van jaloezie toen hij de baby stil kreeg.

'Wel, wel, gezond en wel ter wereld gebracht, de Barmhartige zij gedankt,' zei hij toen hij me de baby teruggaf. Hij ging aan het voeteneind van het bed staan. Ik trok de deken op tot aan mijn kin en wikkelde het kind in een hoek van de deken. 'Een gezonde, sterke zoon, geboren op de heilige dag van Sethan. Een goed teken!'

Ik glimlachte vermoeid en wilde dat hij wegging, zodat ik kon slapen. Zelfs een gevecht had me nooit zoveel pijn bezorgd en me nooit zo uitgeput.

'Heb je al nagedacht over de naam die hij zal krijgen?'

Ik schudde het hoofd.

'Zullen we hem dan maar Sethan noemen, aangezien hij op de dag van Sethan is geboren?'

Ik denk dat hij zelf ook erg moe moet zijn geweest, als hij er zo onomwonden over begon. Als hij een gunstiger tijdstip had afgewacht, of als hij had gedaan alsof híj het recht had het kind een naam te geven – een kind dat híj tenslotte zou opvoeden – zou ik vermoedelijk niets hebben gezegd. Nu schudde ik nee, uit ergernis. Arvlid ging op de rand van het bed zitten en raakte de wang van het kind aan. Het leek donker, in vergelijking met haar vingers.

'Tja, het is de gewoonte, hier in Thansethan. Wat zou beter kunnen zijn? Sethan ap...' Hij aarzelde. 'Wat is de naam van zijn vader? Wil je het me nu vertellen?'

Ik schudde opnieuw nee, deze keer feller, en haalde diep adem. Al deze maanden had ik mijn best gedaan om niet terug te denken aan de verkrachting, en het offerritueel van Ulf Gunnarsson, maar deze vraag riep al die pijnlijke herinneringen ineens op. Als ik dan al een kind moest hebben, dan moest dat maar, maar onder geen beding zou hij me mogen associëren met die vervloekte verkrachter.

'Hij is mijn zoon,' zei ik.

Garah ging op de andere kant van het bed zitten en nam mijn hand in de hare, zoals ze gedurende deze beproeving al vaak had gedaan. Het was een fijn gevoel de steun van deze twee te hebben, ook al wist ik dat Arvlid nooit iets ten nadele van vader Gerthmol zou zeggen.

'Het is gebruik een kind een heilige naam te geven, gevolgd door de naam van zijn vader,' herhaalde vader Gerthmol. 'Hoe wilde je hem dan noemen?'

Mijn zoon moest vrij zijn van zijn verwekker; hij moest een schone lei hebben en daarom zou ik hem namen geven waarop hij trots kon zijn. 'Darien,' zei ik. 'Zo zullen we hem noemen, Darien.' Mijn broer Darien zou zelf geen kleinzoons hebben om zijn naam te dragen. Hij was veel te jong gestorven om de grootse daden te kunnen doen die zijn herinnering levend zouden hebben gehouden. Hij zou het met me eens zijn geweest.

Vader Gerthmol trok een rimpel in zijn voorhoofd en zag er nors uit. Garah kneep in mijn hand, Arvlid keek me beleefd aan, met opgetrokken wenkbrauwen. De naam zei haar niets.

'Darien,' hernam de abt. 'Dat is een heidense naam.'

'Daar is niets mis mee, vader, want zoals u weet ben ik een heiden.'

Hij beet op zijn lip. 'En hoe wil je hem dan verder noemen? Zullen we hem Darien ap Sethan noemen, net als andere kinderen van wie de naam van de vader onbekend is?'

'Waarom bent u er zo op gebrand de naam van uw heilige stichter toe te voegen aan de naam van mijn zoon, vader Gerthmol?'

Arvlid hijgde toen ze deze vrijpostigheid hoorde.

Hij verplaatste zijn gewicht op zijn andere voet en keek me weifelend aan. 'Omdat het Sethans dag is,' probeerde hij.

'Hij zal bekend zijn als mijn zoon – dat is goed genoeg. Ik ken de naam van zijn vader, maar die komt niet over mijn lippen. Zijn vader is geen heilige en zijn naam gaat niemand iets aan, behalve mij.'

Garah wist met grote moeite te voorkomen dat ze in lachen uitbarstte. 'Hij kan moeilijk Ap Sulien worden genoemd!' zei ze snuivend. Ik moest ook grinniken, en Arvlid glimlachte. Vader Gerthmol keek van de een naar de ander alsof hij drie krankzinnige vrouwen tegenover zich had. De kleine Darien verroerde zich weer en ik legde hem aan de borst.

'Inderdaad, hij kan onmogelijk zo heten,' zei vader Gerthmol. 'Het is beslist een ongepaste toevoeging en het zou nóg vreemder zijn de naam van zijn moeder aan zijn naam toe te voegen.'

Daar had hij natuurlijk gelijk in, want *ap* betekent zoveel als 'verwekt door' en kan niets anders betekenen. Ik dacht weer even aan Ulf, waardoor ik nog vastbeslotener werd niet zijn naam te noemen. Maar de heidense vorm ervan was enigermate acceptabel. Het kind was voor de helft Jarn en hij zou opgroeien in Urdo's koninkrijk, waar vrede zou heersen voor allen die zich aan de wet hielden. Een Jarns klinkende naam zou geen groot nadeel voor hem zijn. 'Laten we hem maar Darien Suliensson noemen,' zei ik.

Vader Gerthmols mond zakte open, maar ging weer dicht toen hij naar Arvlid keek, die opnieuw glimlachte. Garah knikte instemmend.

'Het zij zo,' zei hij. Toen draaide hij zich om en liet me alleen, zodat ik me kon overgeven aan een gezegend diepe slaap.

8

Zo kwam de oude man door de bomen,
en posteerde zich naast de Oude Plaats,
waar hij zijn vad'ren kon horen spreken,
het gezicht zo hard en koud als steen.
'Wiens zaad, o oude stenen, bomen,
groeit in de jongen die 'k u hier toon?
Wiens kind is uit mijn vrouw geboren
dat mij zo wild en vreemd toeschijnt?'
Geen antwoord kwam er, maar de
luide wind rukte aan de kale takken,
waarop de stem van zijn voorvaâr
duidelijk en kil de lucht liet trillen.
'Weet dit, o laatste van mijn stam,
en wees tevree en vraag niet meer:
voor u zal deze jongen echter meer zijn,
dan ooit een zoon kan zijn geweest.'
– Naar *De ballade van Cinon de Getrouwe*

Ik was net terug van een rit, overdekt met zweet, vermengd met dat van Appel. Mijn borsten waren gespannen en deden me pijn; de melk begon al door mijn hemd te lekken. Garah kwam door de stallen naar me toe rennen, terwijl ik Appel stapvoets naar de trog reed.

'Sulien! Kom gauw, de koningin van Demedia is hier en wil jou spreken!'

'Mij?' Het zonlicht en de vermoeidheid van de rit maakten dat ik traag reageerde. Het trage tempo van het leven hier in Thansethan had bezit van mij genomen en wilde niet worden verstoord. Bovendien was het tijd om Darien de borst te geven; ik had geen behoefte aan mensen. 'Waarom zou ze voor mij belangstelling hebben?'

'Ze had vooral belangstelling voor Darien.' Garah keek me onbehaaglijk aan. 'Hij huilde. Broeder Thossa had iemand gestuurd om jou te halen en ik ben naar hem toegegaan om te zeggen dat je spoedig terug zou zijn.'

'Het heeft wat langer geduurd, het spijt me. Appel was toe aan wat meer beweging.' Ik liet me van zijn rug glijden en klopte hem liefkozend op de hals. 'We gingen snel als de wind. Ik ga nu meteen naar Darien, als jij Appel voor me droogwrijft, ja?'

'Nee. Thossa heeft hem al koemelk te drinken gegeven. Het wordt trouwens tijd dat hij wordt gespeend, of de kom hem bevalt of niet. Over een halve maand vertrekken we, zodra de koning ons laat halen.'

Ik fronste mijn voorhoofd. Mijn borsten deden zeer; ik was eraan toe hem te voeden. Hoe gretig ik ook verlangde naar mijn vertrek uit Thansethan, op dat moment wilde ik alleen nog maar verlost worden van het gevoel dat mijn borsten zouden springen.

'Hoe het ook zij, toen Thossa bezig was de huilende Darien te sussen, vloog de deur plotseling open en kwam er een vreemde vrouw binnen. Ze droeg een donkerrood gewaad, bestikt met kleine parels, en op haar hoofd had ze een gouden kroon, als een koningin in een verhaal.'

'Als zij de moeder van Angas is, moet ze de koningin van Demedia zijn, in het noorden,' zei ik. 'En de dochter van de Grote Koning, dus Urdo's halfzuster. Ze heeft dus het recht een kroon te dragen.' Mijn vader had me verteld van de grote kroon die Urdo tijdens de kroningsplechtigheid op zijn hoofd had gezet, de ring die zijn huwelijk met het land symboliseerde.

'Ze lijkt in niets op Angas en op Urdo evenmin! Die zijn allebei beleefd genoeg om notitie van iemand te nemen als die er is. "Aha," zei ze alleen terwijl ze naar Darien liep, "dit is dus de kleine zomerhavik!" Toen begon ze te lachen; en toen ze niet meer lachte, keek ze om zich heen alsof ze plotseling had gemerkt dat wij er ook nog waren. Ze vroeg hoe het kind heette. Broeder Thossa zei dat hij Suliensson van Thansethan was, waarop ze vroeg wie Sulien was en waar ze zich bevond. Ze zei dat ze jou onmiddellijk wenste te zien. Broeder Thossa stuurde me naar Arvlid om te zeggen dat ze voor wat melk voor Darien moest zorgen; en daarna moest ik jou gaan zoeken en je meteen naar de koningin sturen.'

'Toch moest je Appel maar gaan droogwrijven,' zei ik.

Garah gooide het hoofd in de nek. 'Dat wilde ik net gaan doen!'

'Zijn dit háár paarden?' In de boxen tegenover die van Appel stonden zes fraaie halfbloeden en een schimmel. Dat dier had de kleur van verse room en er was geen zwart haartje aan hem te bekennen. Hij verkeerde in perfecte conditie. De halfbloeden waren minder opvallend, maar het waren stuk voor stuk prima paarden. Ze stonden wat onrustig met hun hoeven te krabben, in deze vreemde stal. Een hengst, een vos, deinsde terug voor mijn hand, zodat ik hem wat scherper bekeek. Zijn mond was ingescheurd, zodat hij me niet dichterbij liet, maar het zag er veel erger uit dan die keer bij Appel, toen hij aan de Jarns was ontkomen.

Ik keek om naar Garah. 'Als ik niet terug mocht zijn voordat je klaar bent, zou je kunnen proberen wat zalf op de mond van deze hengst te doen. Neem de beste; in de tuigagekamer is nog genoeg voorradig.'

Arvlid onderschepte mij toen ik haastig over de binnenhof van het klooster naar het hospitium liep. 'Ik heb net wat melk naar Darien gebracht en de koningin van Demedia wil je spreken!'

'O, gaat iederéén me dat vertellen?' snauwde ik. 'Neem me niet kwalijk, zuster, ik was al op weg.'

'Ze is in de werkkamer van vader Gerthmol.'

'Dan wil ze mij zeker pas daarna zien?' zei ik opgelucht. Nu kon ik toch naar Darien.

Arvlid keek me fronsend aan. 'Ze *blijven* daar, in de werkkamer van vader Gerthmol.'

Dat verraste me. Tijdens mijn verblijf in Thansethan waren er wel wat bezoekers geweest, hoewel het toen winter was en er geen pelgrims op weg waren. Ze hadden allemaal in de kleine kamers van het hospitium verbleven. Zelfs Urdo had daar genoegen mee genomen, toen hij een nacht overbleef. Ik trok mijn wenkbrauwen op.

'De heer van Angas blijft maar zeggen dat hij zal overgaan tot het geloof,' zei Arvlid met gedempte stem, 'en vader Gerthmol zegt dat hij daar deze keer echt op durft te hopen. Zijn laatste pelgrimage hierheen had hij gemaakt om te bidden om een kind; en negen maanden later werd er een zoon geboren, hun vierde kind. Ze zijn nu hier voor de plechtige opneming van het kind in de kerk, later in de sacristie. Ik heb gehoord dat ze dit doen vanwege de hulp van de Blanke God én omdat er bij de heidense ceremonie eens iets fout is gegaan. Dat zou kunnen betekenen dat ze zich deze keer werkelijk laten bekeren.'

'Hoe zou hij een bekeerling kunnen zijn?' vroeg ik stomverbaasd. 'Hij is koning – Arvlid, ik bedoel het niet beledigend, want ik weet dat de Blanke God veel voor jou betekent omdat je in dit geloof bent opgevoed, maar een koning moet de vrede in het land handhaven door boven de partijen te staan. Hij kan zich niet laten bekeren én koning blijven. Zijn voorouders en de heiligen zullen het niet toelaten.'

'Koning Custennin heeft het ook gedaan,' zei Arvlid, me aankijkend alsof ze een onnozele voor zich had. 'De heilige Dewin heeft wijwater over het land gesprenkeld en alle aardgeesten in Munew bekeerd. Dewin is met de zuster van koning Custennin gehuwd en ze hebben in Caer Thanbard een grote kerk gebouwd. Hij is een van de naaste raadgevers van de koning.'

Hoofdschuddend vroeg ik: 'En wie handhaaft de landsvrede in Munew?'

'God.' Arvlid betastte de steen die ze om haar hals had hangen.

'In zijn eentje? Een koning staat tussen de heiligen en het volk!'

'De heiligen loven de Blanke God ook.' Arvlid gaf me een klopje op mijn arm. 'Als het je interesseert, zul je hier meer dan genoeg kloosterlingen vinden die er uitvoeriger over met je willen praten.'

We lachten allebei – ze wist hoe ik mijn best deed om dat soort gesprekken uit de weg te gaan.

'Maar nu moet ik weg – ik moet helpen om nog voor de gebedsklok een bijenkorf te verplaatsen en jij moet meteen naar de koningin.'

Terwijl ik de trap opliep, dacht ik verbaasd over dit alles na. Ik stond op het punt aan vader Gerthmols deur te krabben toen de deur openging en een kind van een jaar of vier de kamer uitrende, waarbij hij me bijna omver liep. Het was een mooi kind, stevig gebouwd, maar met een soepele manier om zich te bewegen. Hij had in zijn gelaatstrekken wel iets weg van Urdo, vermoedelijk van moederskant. De jongen droeg kostbare kleren, van geweven rode en groene stof. Hij negeerde mij en stormde de trap af. Hij werd op de voet gevolgd door een grijsharige man in leren rijkleding. Hij leek opmerkelijk veel op Angas en ik boog beleefd het hoofd. Zijn glimlach, terloops maar charmant, deed me eveneens denken aan zijn oudste zoon.

'Neem me niet kwalijk, maar ik moet die dondersteen te pakken krijgen,' zei hij. Ik stapte opzij en hij stormde op zijn beurt de trap af, de jongen achterna. Toen krabde ik aan de deur en stapte naar binnen.

De koningin van Angas zat in vader Gerthmols beste stoel. Ze deed me denken aan een keizerin op een troon, maar ze glimlachte toen ze mij zag. Ze was mooi, en de hoge gouden kroon stond haar. Ze had dezelfde gratie als haar jongere zoon. Toch riep ze bij mij het beeld op van een grote uil die geruisloos over de donkere grond kan scheren.

'Jij bent Sulien?' vroeg ze. Uiteraard kende ze mijn naam, aangezien haar was gezegd hoe mijn zoon werd genoemd. Ik tilde mijn kin bevestigend op.

'Ik ben Sulien ap Gwien, van Derwen.' Zo, nu zou ze mij wat beleefder moeten aanspreken. 'En u bent de gemalin van Angas, koningin van Demedia?'

'Zeker.' Haar glimlach was perfect, maar net even te lang, misschien. Ze nam mij uitvoerig op. Ik was me sterk bewust van de geur van paardenzweet en de melkvlekken in mijn hemd – een schril contrast met haar kostbare kleren en mooie gezicht. 'Ga zitten, dochter van Gwien, toren niet zo boven me uit, wil je?'

Ik nam plaats op de kruk waarop ik altijd zat als ik met vader Gerthmol praatte. 'Waarom wilde u mij zo dringend spreken, my lady?' vroeg ik.

'Wel, omdat ik je zoon in het water heb gezien,' zei ze.

Ik hijgde van schrik. Ze nam mijn hand en streelde hem zacht. In het water blikken om de toekomst te zien, was de taak van een orakel. Er waren geen orakels in Tir Tanagiri en dat was al vele jaren zo geweest. De laatste die er was geweest, had boomringen bestudeerd en het einde van de wereld voorzien. Dat was honderdvijftig jaar geleden. Toch geloofde ik haar. Haar stem klonk zacht, vriendelijk en warm. Als ze sprak, kwam ik in haar ban, alleen al door te luisteren.

'Ik zie de toekomst natuurlijk niet, zoiets is onmogelijk. Er zijn vele toekomsten en misschien ook vele werelden. De verschillende paden in die werelden kan ik echter wel zien. Ik zie de rollen die mensen zullen spelen, of zelfs hóe ze ze zullen spelen. Ik wist dat Urdo een Grote Koning zou zijn, al toen hij nog een klein kind was. Jouw zoon zal een grote held zijn, een van de beste wapendragers ter wereld. Hij zal een grote queeste volvoeren, met succes. Ik zie schaduwen in het water, schaduwen van wat komen gaat of elders is geweest en hier kan zijn. Ik kan maken dat zulke dingen gebeuren, maar ik kan ze ook voorkomen. Voor jou lijken er echter geen schaduwen te zijn.'

Sterven van de honger in de bossen. Of vermoord worden als slavin in Jarnholme. Per ongeluk gedood worden door een afgedwaalde speer. Zou mijn broer Darien in deze werelden leven, in mijn plaats? Ik schudde het hoofd en probeerde iets te zeggen, maar mijn stem leek dienst te weigeren.

'In sommige werelden zijn de goden hoogmoedig en kruipen de mensen voor hen. In andere werelden zijn de goden in zichzelf gekeerd en voor de mensen moeilijk toegankelijk. Heb jij in deze wereld vertrouwen gesteld in bepaalde goden, Sulien?'

Ik knipperde met mijn ogen, haalde diep adem en dwong mezelf helder te denken. 'Ik...' zei ik aarzelend. 'Eh, waarom neemt u mij op deze manier zo in vertrouwen, vrouwe van Angas?' Mijn woorden kwamen traag en klonken in mijn eigen oren ruw. Zij was Urdo's zuster en Angas' moeder. We waren in het hart van Thansethan, waar zij een welkome gast was. Zij was een orakel, wijs en door de goden begunstigd. Bovendien leek alles aan de manier waarop zij met me sprak mij aan te moedigen om haar te vertrouwen, en te geloven dat zij het niemand zou vertellen. Iets in mij liet de gedachte aan de gescheurde mond van het paard echter niet los. Het was absurd, maar ik vroeg me af of het paard van haar kon zijn, een vrouw met zo'n koninklijke houding en die mij zo vriendelijk bejegende.

'Vertrouw je mij, Sulien?' vroeg ze onomwonden terwijl ze allebei mijn handen vasthield.

Ik wist niet goed hoe ik die vraag moest beantwoorden. Ik was ten prooi aan verwarring. Als ik haar niet vertrouwde, kon ik dat niet zeggen zonder haar diep te beledigen. Dan zou ik uiteindelijk toch nog met Angas moeten strijden. Ik voelde een traan over mijn gezicht biggelen, want of ik hém doodde, of hij mij, ik zou er veel verdriet van hebben. Als hij me de handschoen toe wierp, zou ik kiezen voor de lans. Dan zou hij winnen. Hij zou misschien echter uit eergevoel aandringen op het zwaard, en in dat geval zou ik winnen.

Ik wist dat ik ja of nee moest zeggen, maar was er niet toe in staat. 'Angas gaat Eirann Zwanenhals huwen,' zei ik. 'En het is verschrikkelijk om zonder kinderen te sterven.'

'Ik weet niet waarom mijn zoon Gwyn zo opeens ter sprake komt,' zei ze terwijl ze mijn polsen streelde. 'Houd je van hem, Sulien?'

'Hij is mijn vriend,' zei ik met trage tong. Ze had zijn naam niet mogen onthullen, want Angas had me die nooit genoemd.

'En waar ligt jouw loyaliteit?' vroeg ze, bijna spinnend als een kat, terwijl ze mij in de ogen keek.

Zelfs in die merkwaardige geestestoestand was ik volkomen zeker van het antwoord op díe vraag. 'Ik ben de trouwe dienares van Urdo, de rechtmatige koning van Tir Tanagiri.'

'Jammer,' zei de koningin kil terwijl ze mijn handen vast bleef houden en er nog steeds uitzag als een uil – mooi, stilletjes en dodelijk, een schepsel van de nacht. 'Maar met een wil die zich zo moeilijk laat onderwerpen denk ik toch niet dat ik je in leven kan laten.' Toen, plotseling, was alles donker om mij heen en kon ik me niet meer bewegen of zelfs maar ademen. 'Zijn er goden die hun bescherming uitstrekken tot Sulien ap Gwien, zodat ik haar nu niet kan doden?'

Ik had geen bescherming ingeroepen, noch had ik nu een vrije wil om dat alsnog te doen. Maar in een verblindende lichtflits kwam de Heer van het Licht naar mij toe, zijn beschermende hand naar mij uitgestrekt, een pijl die opwaarts wees, naar de duistere koningin. In de schaduwen achter hem wachtten anderen, hele scharen. Ze waren voor mij gekomen. Diep in mijn longen voelde ik het begin van een ademhaling. Zij glimlachte, sprak een woord en meteen vervaagden ze, maar keerden algauw weer terug.

'Bij mijn naam!' zei ze. 'Jouw dag is voorbij en dit is jouw plaats niet. Sulien heeft jouw namen uitgesproken en was je trouw, inderdaad. Je kunt haar naam teruggeven en meenemen voor een nieuw leven, er is geen andere band dan dat. Ga heen, je bent niet sterker dan mijn wil!'

Ze vervaagden opnieuw, hoewel ik wist dat ze mij zouden komen redden als ik hun hulp inriep. Ik probeerde mijn mentale voelsprieten uit te strekken, om hulp te roepen, mijn wil tot gelding te brengen, maar ik was ervan afgesneden. Toen waren ze weg. Op afstandelijke, wazige manier realiseerde ik me dat zij de wereld met niet meer dan haar wil veranderen kon, zelfs zonder de sanctie van deze of gene god. Mijn ademhaling was stilgevallen. Ik wist dat ik stervende was. Ik zou nooit de lans meester worden, deelnemen aan een echte aanval, Urdo of Appel terugzien, of Darien zien opgroeien.

Opeens stond er iemand achter mij. Ik kon hem niet zien, maar voelde een ijzige koude. De vrouwe van Angas keek op. 'Jij!' bracht ze uit. 'Jou kan ze niets hebben bezworen!'

'Ze is mij geofferd,' zei een sinister lachende stem, rauw als het krassen van een raaf. 'Zij is aan mij gewijd en ik maak uit of ik haar neem of niet. Ik geef er de voorkeur aan haar niet aan jou te geven, Morwen, Avrens dochter, onverschillig wat je mij ook in het verleden hebt geschonken.'

Ik ademde weer in die duisternis en voelde Morwens handen strak om mijn polsen.

'Zij past niet in het patroon,' zei ze.

'Wat kunnen jouw patronen mij schelen? Ze heeft mij een zoon gegeven,' zei de rauwe stem, de stem van de eenogige Leugenaar, de Heer der Gevallenen. Ik had in de boeken van de monniken over hem gelezen hoe hij negen dagen lang aan de Wereldboom had gehangen om het geheim van het schrift aan de weet te komen.

'Bah! Scheer je weg!' zei Morwen terwijl ze haar ijzeren greep versterkte. 'Jouw dagen zijn ook voorbij, oude dwaas. De Blanke God zal winnen en overal worden vereerd. Jij zult dit land nooit bezitten. Ik heb het gezien!'

De god lachte. Het klonk als een troep opgeschrikte kraaien die zich te goed hadden gedaan aan de gevallenen die twee dagen eerder op een slagveld waren gesneuveld. 'Lang is een nacht aan de windgeteisterde Boom, schoonogige koningin. Honger streelt geen handen; de gerst van de angst is nog niet gedorst. Embla's gave aan deze Wapenboom is even groot als de jouwe, en wie kan zeggen wat van mij is en wat niet?'

Morwen knipperde met haar ogen en er verschenen diepe rimpels in haar voorhoofd.

De stem van de god klonk welhaast bezwerend: 'Jij dacht dat Noodzaak heldendaden schept?'

Ze haalde met een sissend geluid adem, alsof deze pijl doel had getroffen. 'O nee,' snauwde ze. 'Ik heb een andere vrouw voor hem gevonden.'

'Natuurlijk, natuurlijk.' Weer klonk het als het krassen van zwarte vogels. Ik voelde hun vleugelslagen en toen was hij verdwenen. Morwen hing achterover in haar stoel, de ogen gesloten, de handen nu slap langs haar lichaam. Het zonlicht stroomde door het raam naar binnen. Ik kon me weer bewegen.

Ik sprong op en rende de trappen af, het klooster in, snakkend naar adem. Mijn longen voelden aan alsof ze uitgedroogd waren. *Ik moet het vertellen, ik moet het vertellen*, dacht ik, maar onder het rennen wist ik dat niemand hier mijn woord zou geloven tegen het hare. Ze zou glimlachen en zeggen dat ik gek geworden was. Ze zou zeggen dat ik haar had aangevallen, en ze kon mij even gemakkelijk met een mes als via een rechtszaak doden. Ik moest Darien redden en ervandoor gaan.

Of nee. Ik bleef staan, nog geen twee passen verder. Darien was hier veilig. Ze had hem in haar 'patroon' gezien; hém zou ze niet deren. Ik moest ermee naar Urdo; hij zou naar mij luisteren, ook al was ze zijn zuster. Urdo moest nog in Caer Tanaga zijn, vier uur rijden van hier.

Ik repte me naar de stallen. Niemand achtervolgde mij, maar de meeste kloosterlingen keken bevreemd op toen ze mij zagen hollen. Garah was er;

ze was bezig tegen het gewonde paard te zingen terwijl ze zijn mond insmeerde met zalf.

'Dit is verschrikkelijk,' zei ze toen ze mij zag. 'Hij moet keer op keer mishandeld zijn, het arme dier.'

Ik bekeek de wond. Het was nog erger dan ik had gedacht. 'Zou je hem kunnen berijden?' vroeg ik.

Garah slaakte een zucht en glimlachte raadselachtig.

'Nee, heus. Zou je hem kunnen berijden als het moest? Of is hij je te groot?'

'Hij is niet zo groot als Appel, en die heb ik ook bereden toen je bijna in het kraambed lag, maar...'

'Zadel hem op. Ik moet nu weg, Garah, nu meteen, zonder te wachten op Urdo, over een halve maand. En jij kunt beter meekomen. Je hebt geen paard en dit dier verdient het niet om bij iemand te blijven die hem dit heeft aangedaan en het hem zal blijven aandoen.'

'Verlang je van mij dat ik een paard steel?' zei Garah achter mij. Ik was al op weg naar de tuigagekamer om Appels tuig te halen. 'Besef je wel dat ze mij ervoor kunnen ophangen?' vroeg ze terwijl ik Appel begon te zadelen.

'Je steelt geen paard, je *redt* het,' zei ik. 'Deze vrouw is een heks!' Ik draaide me half om naar Garah, die een gewoon zadel van de haak nam. 'Ze heeft net geprobeerd mij te doden. Doe wat ik zeg.'

Tien minuten later reden we Thansethan uit, richting Caer Tanaga, alsof de Verschrikkelijke Jager ons achtervolgde. De beide hengsten briesten naar elkaar als rivalen. Ze probeerden allebei de ander voor te blijven.

'Ik begrijp zelf niet waarom ik dit doe!' riep Garah me toe nadat ik haar alles had verteld wat er was gebeurd. 'Mij wil niemand vermoorden!'

'Je bent dapper en houdt van paarden!' riep ik terug.

'Wie een strijdros steelt, wordt opgehangen!' zei ze terwijl we in galop de rivier naderden. 'Laat dit maar in mijn grafsteen beitelen: "Hier ligt Garah ap Gavan; ze was dapper, hield van paarden en was zo dom een keer te vaak naar Sulien ap Gwien te luisteren!"'

Dat heb ik inderdaad gedaan, maar dat was lang daarna.

We lachten ons krom, maar toomden onze paarden in om de rivier over te steken en af te slaan naar het zuiden, richting Caer Tanaga.

9

'Je rug is naakt, zonder een broeder achter je.'
– Spreekwoord in Jarnholme

'Ze volgt duistere goden,' zei Urdo. Fronsend liet hij de stijlen van het raam los, draaide zich naar mij om en liep met grote passen de kamer door. Hij had geen moment stilgestaan zodra ik de naam van zijn zuster noemde. Ik betrapte mezelf erop dat ik in de huid tussen mijn duim en wijsvinger beet en verstrengelde mijn handen op mijn schoot. Ik was veilig en wel hier. Zelfs als hij me niet zou geloven.

De reis was ongemakkelijk geweest. We wisten niet of we al dan niet werden achtervolgd en hadden de nacht tussen de bomen naast de heirbaan doorgebracht. Iedere keer dat we iemand hoorden naderen, hadden we ons in de struiken verborgen, en als er geen struiken waren, in een greppel. Mijn moeder had me dikwijls gezegd dat ik eruitzag als een bedelaarskind, maar nooit had ik er meer op geleken dan op de dag dat we de grote stad Caer Tanaga binnenreden. Mijn kleren zaten onder de modder en vlekken en het borststuk van mijn hemd stond stijf van sijpelende zure melk. Als we niet het grote geluk hadden gehad dat Glyn die dag wachtdienst had bij de binnenste poort, zouden ze ons nooit binnen hebben gelaten. Ik had me intussen kunnen wassen, Garah had mijn haar zorgvuldig ontdaan van twijgjes en ik had Osvrans op een na beste reservetuniek geleend. Desondanks had het me grote moeite gekost om de schrijvers en bedienden ervan te overtuigen dat ik de koning dringend moest spreken, over een onderwerp dat ik niet kon openbaren. Uiteindelijk hadden ze de koning echter toch over mijn komst ingelicht. Ik had in de hal met marmeren vloer staan wachten, mezelf dwingend niet op mijn vinger te kauwen of mijn pijnlijke borsten te wrijven. Dat soort dingen stemde de klerken onbehaaglijk. Hij móest me geloven! Ze brachten me naar een kleine werkkamer. In de hoek stond een grote tafel, in plaats van het bed dat ik in zijn kamer in Caer Gloran had gezien, maar voor de rest was er weinig verschil. De perkamenten rollen, de schrijftabletten en de kaarten leken de vier, vijf dagreizen ongeschonden te hebben doorstaan, ruim tweehonderd mijl, en het was alsof ze in dezelfde stapels en hopen op zijn tafel waren gelegd. De geluiden van trainende wapendragers, beneden in de binnenhof, drongen door het raam naar binnen. Urdo zat achter de tafel te schrijven toen ik binnenkwam. Hij begroette me vriendelijk en duidelijk bezorgd. Ik wenste dat ik hem goed nieuws had kunnen brengen, nieuws dat hem sterker kon maken in plaats van zijn lasten te verzwaren. Zodra ik de vrouwe van Angas ter sprake had gebracht, stuurde hij de jongen die hem hielp de kamer uit, met het bevel iedereen op afstand te houden. Toen was hij opgestaan en was heen en weer gaan lopen terwijl ik hem mijn verhaal vertelde.

'Werkelijk duistere goden,' vervolgde hij.

'Ik vrees dat het erger is dan dat,' zei ik. 'Ik ben er vrijwel zeker van dat ze door geen enkele god wordt geholpen.'

Urdo bleef meteen staan en zijn beide handen omklemden de rugleuning van de stoel. Hij staarde me aan. 'Maar ten koste van haar ziel? Laat ze die zomaar wegknagen? Helemaal geen goden?' Zijn vingerknokkels werden wit en ik dacht even dat het hout van de stoel zou breken. 'Ze gebruikt haar *ziel* om haar toverspreuken kracht bij te zetten?'

Ik keek naar hem op, zo rustig mogelijk. 'Ik heb over dergelijke dingen gehoord, heer. Ze heeft niet één naam aangeroepen, behalve de hare. Ik heb nooit een kracht als de hare ondervonden. Ze stuurde de goden van mijn volk weg alsof het een vlucht duiven betrof.' Ze zou echter niet mijn ziel hebben verslonden, om die te gebruiken voor haar toverkrachten. Als ik was gestorven, zouden ze me hebben meegenomen naar de duistere landen en me mijn naam hebben teruggegeven. Dan zou ik dit kostbare leven hebben verloren, maar ik zou teruggekomen zijn. Anderen zouden misschien minder geluk hebben. Ik moest hem dit alles vertellen, ook al bracht het hem nog zo van zijn stuk.

'Dit is veel erger dan ik dacht. Ik kan haar echter niet raken!' Hij liet de stoel abrupt los, zodat het meubelstuk met een harde klap achterover viel. Hij zette hem weer overeind, klopte er afwezig op en ging weer zitten, het gezicht naar mij toe. 'Ze heeft jou groot onrecht aangedaan, Sulien, en zou je nog veel erger hebben gedeerd zonder de bescherming van een god die nooit slechts één oogmerk heeft.'

Ik slaakte een zucht van pure opluchting en deed mijn ogen heel even dicht. Hij geloofde mij.

'Ze heeft ook mij eens op die manier betoverd, zodanig dat mijn wil machteloos was. Daar zou ze nu niet meer toe in staat zijn; de krachten van het land zouden het niet toestaan. Ik had gedacht dat ik daardoor veilig voor haar zou zijn, maar ik had het mis. Ze heeft jou ernstig kwaad gedaan en aangezien jij mij trouw hebt gezworen, ben ik jou bescherming en wraak verschuldigd, en iedere compensatie die ik maar kan geven. Ik kan echter niets openlijk tegen haar ondernemen!' Hij sprong weer op en ijsbeerde door de kamer, de handen gebald tot vuisten. 'Dit is onverdraaglijk! Haar gemaal, Talorgen, is de koning van Demedia, heer van Angas, de grootste clan van het noorden. Demedia is een groot land. Naar passen afgemeten is het zelfs verreweg het grootste land, maar gemeten naar morgens gecultiveerde grond in geen geval, want het bestaat voor het grootste deel uit bergen. Hoge bergen, waar de bewoners nog in de forten wonen die ze al hadden gebouwd voordat de Vincanen kwamen. Zelf ben ik daar nooit geweest. Het volk daar kent mij niet en zij gehoorzamen alleen hun heer, zoals het betaamt. Hij is een goede koning, op zijn manier, streng maar binnen de grenzen van de wet, zodat ze hem respecteren. Hij heeft mij ondersteund, betaalt zijn belastingen en stuurde mij zijn erfgenaam als borgstelling. Ik ben zeer tevreden over zijn zoon, die inmiddels een van mijn beste en trouwste wapendragers is.'

Hij draaide zich om zijn as, waarbij hij tegen een *raper*bord stootte. De witte koning stond in het midden, zijn troepen om zich heen, terwijl de rode stukken aan de randen op de loer lagen, klaar voor een hinderlaag. 'Hij is nu naar het zuiden gekomen om getuige te zijn van het huwelijk van de jonge Angas en tegelijkertijd om te zien of ik al een eskadron voor hem heb. Hij wordt belaagd door de Isarnaganen uit de Westelijke Zeeën. Ongetwijfeld is hij ook beducht voor Borthas, langs zijn zuidoostelijke grens. Althans, dat zou hij moeten zijn, als hij een greintje verstand heeft. Als ik echter iets ten nadele van zijn vrouw zou zeggen, zou dat uitdraaien op oorlog, zelfs al is ze mijn bloedeigen zuster. Dan zouden we alles verliezen en ontstaat er een bloedvete waarbij de oude liederen zouden verbleken. Uitsluitend de Jarns zouden in een dergelijke oorlog winnaars zijn, want Talorgen heeft vele bondgenoten onder de overige koningen. Wij zouden wellicht veldslagen winnen, maar het koninkrijk zou ineenstorten.' Hij hield op met ijsberen en draaide zich met een ruk naar mij om. 'Denk jij dat ze erop uit is het koninkrijk te schaden?'

Ik herinnerde me haar woorden, in die inktzwarte duisternis, en hoe ze mij had doen verstarren, zodanig dat ik zelfs niet in staat was een beroep te doen op goden die mij wilden helpen. Ik huiverde. De geluiden van wapengekletter en lachende stemmen beneden klonken hard. De rechthoek van zonlicht lag warm op de houten vloerdelen en raakte net een punt van mijn rijlaars. Hoewel het linnen mijn pijnlijke borsten schuurde en ik vrijwel uitgeput was, was het voor mij toch een heerlijk gevoel om te leven en te ademen. 'Ik heb u zo goed en kwaad als ik het me herinner alles verteld wat ze tegen mij heeft gezegd. Ik kreeg de indruk dat ze alles wil weten en alles in de hand wil hebben. Ze zei dat het jammer was dat ik u trouw was, maar ook zei ze altijd te hebben geweten dat u een Grote Koning zou zijn.'

Urdo's frustratie was bijna tastbaar. 'Volgens mij is ze gek. Wat doe je met een gek die over zoveel macht beschikt?' Hij rimpelde zijn voorhoofd.

'Ik zou een priesteres op haar af kunnen sturen. Een paar priesteressen die sterk in hun eigen kracht staan, zouden haar kunnen trotseren. Ik vraag me af of Teilo, de priesteres van mijn moeder, bereid zou zijn naar haar toe te gaan. Misschien is zij tegen Morwen opgewassen. Ik zal hoe dan ook met haar praten. Ik kan niet toestaan dat deze vonk heel het koninkrijk in vuur en vlam zet, Sulien. Ik zal echter voor je doen wat in mijn vermogen ligt. Er is niet altijd een weg naar voren die de eer bewaart en het land spaart.' Opeens leek hij vermoeid. 'Ik zal naar Thansethan rijden, zoals ik van plan was, om met haar te praten. De heer van Angas krijgt zijn ruitereskadron, maar ik zal Morwen niet haar zoon teruggeven. Ik zal de jonge Angas eren met een commando in het zuiden, hoewel hij een zeer betrouwbare en standvastige tribuun nodig zal hebben, als tegenwicht.' Angas... Hoe zou ik ooit nog in staat zijn hem aan te kijken? 'Marchel stuur ik naar het noorden, nadat ik me ervan heb overtuigd dat allen die daarheen gaan haar en mij trouw zijn. Ik zal een zegen over hen laten spreken die hen kan beschermen. De koningin zal ik onder het oog brengen dat ik geen enkele aanval tegen een van mijn mensen zal gedogen.'

'Ik heb u alleen voor haar willen waarschuwen. Die toverban werkt doordat je er onverhoeds door wordt overvallen, maar alleen bij mensen die haar vertrouwen.'

Urdo zuchtte. 'Ik zal haar zeggen dat ik dit niet kan tolereren. Ook zal ik erop toezien dat alle wapendragers die ik naar Demedia zend tegen dat soort dingen beschermd zijn.'

'Hopelijk is dat voldoende. Ik verlang geen wraak en oorlog al helemaal niet, maar ik zou niet graag willen dat ze mij nog eens belaagt.'

Urdo liet een kort lachje horen en ging zitten. 'Ze is niet helemaal zonder vrees. Deze waarschuwing zou voor haar genoeg moeten zijn. "En wie kan zeggen wat van mij is?"' citeerde hij hoofdschuddend. Hij wachtte even, voordat hij deze woorden van de galgengod nog eens herhaalde. Toen schudde hij opnieuw het hoofd en keek mij aan. 'Ik zal ervoor zorgen dat alles wat zij openlijk tegen jou zou willen ondernemen wordt verijdeld. Als er iets is dat ik moet weten, kom je mij dat direct vertellen, ongeacht op welk tijdstip. Weliswaar telt een gewaarschuwd man voor twee, maar het lijkt me verstandig om jezelf en de jouwen goed te beschermen, voor het geval ze dwaas genoeg mocht zijn nog meer tovenarij te proberen. Ik denk echter niet dat ze dat zal doen.'

Ik knikte instemmend. 'Dat zal ik doen.'

'En je zoon? Darien Suliensson? Het was moedig van je die naamsvorm te kiezen.'

'Ik was kwaad op vader Gerthmol,' mompelde ik, naar de vloer starend. De pijn in mijn gezwollen borsten werd dubbel zo hevig bij de gedachte aan Darien, die het nooit zou kunnen begrijpen of zelfs maar weten dat ik niet was gekomen. 'Ik heb de goden gesmeekt welwillend op hem neer te zien, direct na zijn geboorte. Hij is bij de monniken veilig genoeg, denk ik. Uw zuster zei dat hij een grote held zal worden.' Bij die gedachte glimlachte ik.

Urdo trok een wenkbrauw op. 'Mooi. Wel, wat wilde je nu gaan doen? Als je dat wenst, geef ik je het heerschap over een eigen grondgebied. Het zal nergens veilig zijn, want ik kan je niets schenken waar je veilig bent, waar dan ook. Je zult het zelf moeten verdedigen en zelf de troepen die je nodig hebt moeten onderhouden, maar het zou jouw eigen territorium zijn, op jouw naam. Dat is meer dan ik zelf heb, maar minder dan waarop jij vanwege dit recht hebt.'

Ik schudde al nee voordat ik erover had nagedacht, ook al werd het geacht ieders droom te zijn. 'Nee, alstublieft, nee. Daar heb ik geen behoefte aan. Ik zou het vreselijk vinden een heerschap te zijn. Er is niets wat ik liever doe dan u dienen in uw alae, als uw armiger, uw wapendrager. Het hele jaar heb ik me erop verheugd bij u terug te komen. Ik heb zoveel mogelijk geoefend met de lans.'

Urdo keek me aan, ondoorgrondelijk. 'In dat geval ben ik van mening dat je voorlopig hier moet blijven, in Caer Tanaga. Er zijn geruchten over onlusten in het Jarnse territorium ten oosten van de Tamerrivier. Daarom zal hier een eskadron gelegerd blijven, en er zullen veel mensen worden opgeleid. Ik zal ervoor zorgen dat mijn zuster niets tegen jou onderneemt.'

'Dat is fijn. Er is nog iets anders – haar paard. Heb ik al gezegd dat ik de hengst gestolen heb? Garah heeft tenslotte alleen maar gedaan wat ik haar had opgedragen. Wilt u hem opnemen in de ala? Als ik het dier teruggeef, zal ze hem waarschijnlijk opnieuw mishandelen.' Ik vroeg me af of er misschien een Paardenmoeder-vervloeking was die ik Morwen kon opleggen, waardoor geen paard haar ooit nog zou willen dragen.

'Nou, gelukkig kan ik je wél helpen met zo'n kleinigheid.' Urdo glimlachte. 'Is het een strijdros?'

'Ja. Een hengst; een vos. Negen tot tien jaar, naar het gebit te oordelen. U zou de gescheurde mond van het dier eens moeten zien. Toch zal het wel genezen, denk ik. Ik heb hem de naam Bode gegeven.'

'Zal hij met jouw zwarte hengst vechten?'

Ik schoot in de lach. 'Mijn Appel maakt zoveel indruk op andere paarden dat het nooit tot een gevecht komt – en Bode is geen uitzondering.'

'Dan schenk ik hem jou. Je zult meer dan één goed strijdros nodig hebben.' Terwijl ik een bedankje stamelde, vervolgde Urdo: 'Mijn merrie, Schemer, heeft vorig jaar een veulen geworpen. Ze is gevlekt, net als haar moeder – en de vader, Poolster, was zwart en wit gevlekt. Hij is dood, nu; ik heb hem verloren toen we dit voorjaar tegen de Jarns streden. Het veulen hebben we Sterrelicht genoemd. Haar krijg je ook. Je kunt haar africhten met Ap Cathvan. Dan heb je over een paar jaar drie goede strijdrossen als je ze nodig hebt.' Ik deed mijn mond open om hem te bedanken, maar hij stak zijn hand op en sprak verder, een tikje verlegen: 'Ik heb zitten denken – ik was niet van plan nog dit jaar met Schemer te fokken, want ik wil haar berijden, maar volgend jaar...'

Dit verzoek had ik al in allerlei vormen aangehoord van de helft van de wapendragers die een merrie bezaten. Ik wist wat er zou volgen. 'Ik weet zeker dat Appel zich even vereerd zal voelen als ik, heer,' zei ik.

Ik liep langs de klerken zonder naar hen te kijken, hoewel ik merkte dat ze mij nastaarden en met elkaar fluisterden. Raul stond te wachten en liep rechtstreeks door naar de kamer van de koning, terwijl ik mijn zwaard ophaalde en de trap afdaalde. Urdo had me verzocht naar Ap Rhun, de sleutelbewaarder, te gaan; hij zou me een plaats in de barakken toewijzen. Daarna wilde ik de stallen zelf in ogenschouw nemen en een bezoekje brengen aan de weilanden om mijn nieuwe veulen te vinden. Daar zou ik Ap Cathvan bij nodig hebben.

Toen ik de boogpoort doorliep, knipperde ik met mijn ogen. Een eindje voor mij haalde een breedgeschouderde man met een zware baard en bleke huid met een lange strijdbijl uit naar Angas. Ze droegen allebei een dikke ijzeren Jarnse helm met wangbeschermers en zware schouderstukken. De bijl zoefde door de lucht, maar op het laatste moment sprong Angas opzij en bracht zijn eigen strijdbijl omhoog, om die meteen weer met evenveel kracht omlaag te laten suizen. De Jarn sprong opzij en riep: 'Stop! Als je je schouder ongedekt laat om je hoofd te beschermen, ben je even dood als je zou zijn met een gekliefde schedel. Een lange strijdbijl verbrijzelt je sleutelbeen. Dat kost je je leven. Als het harnas daar niet tegen bestand is, kan de bijl doordringen tot het punt waarop jullie jonge kerels je lans plegen te richten. En als het harnas dat wél is, bezorgt het je twee of drie gebroken ribben en dan leef je ook niet lang meer.'

Angas stond nog uit te hijgen toen hij mij opmerkte. 'Hé! Hoe ben jij hier gekomen?' riep hij grijnzend.

'Enig idee hoe Uthbad Eenhand aan zijn naam is gekomen?' riep ik. 'Ik heb nooit eerder iemand zijn hoofd zien intrekken als een schildpad.'

Angas moest lachen. 'Bijlslagen schampen af van je helm, als je niet snel genoeg bent.'

'Mits de helm sterk genoeg is,' gromde de andere man, die nu naar mij opkeek. 'In Narlahena zeggen wij: "Als hij dat niet is, is het de manier van de Wijze Moeder om haar fout goed te maken omdat zij iemand die te traag leert heeft toegestaan ter wereld te komen."' Hij dempte zijn stem en werd ernstig. 'Dit is nou het nadeel van iedere koningszoon, Angas. Jij hebt nooit mindere kwaliteit gedragen dan dit harnas dat je nu draagt.' Inderdaad was

Angas' harnas uitzonderlijk van kwaliteit: geëmailleerde smeedijzeren platen in de kleuren rood en groen, vastgenageld aan zwaar leer. Het bedekte zijn lichaam van zijn schouders tot over zijn knieën. 'Jij hebt in zo'n harnas getraind en jouw wapenmeester zou zijn werk niet goed hebben gedaan als hij je niet had bijgebracht om zoveel mogelijk op je harnas te vertrouwen. Bij een zwaardgevecht, wel te verstaan. Tegen dit wapen' – hij tilde zijn strijdbijl op om zijn woorden kracht bij te zetten – 'is geen harnas bestand. Een van die zware schilden die Urdo voor jullie jonge gasten heeft laten maken zou misschien bestand zijn tegen een bijlslag, maar misschien ook niet. Hoe dan ook, geen enkel harnas is bestand tegen een goed gemikte bijlslag, tenzij je iets van Waylandse makelij in handen krijgt. Om die reden zijn de stelen van deze bijlen vanaf het blad versterkt met ijzerbeslag, want je moet langs het wapen van je tegenstander uithalen naar de zijkant van zijn nek, of zijn hand hard raken met de steel. Blokkeren is onmogelijk en je kunt midden in het strijdgewoel niet om je tegenstander heen dansen. En het laatste wat je wilt, is die bijlslag opvangen. Je bent meer dan eens gewond geraakt en hebt zelf gezien hoe deze bijlen tegen jullie werden gebruikt. Als jij blijft pareren met je hoofd, zal ik die helm eens op een paal hangen om je te laten zien waarom je dat moet laten.'

Angas knikte ernstig. Zelf zou ik dolgraag leren hoe je je met een zwaard het beste tegen een strijdbijl kon verweren. Angas wendde zich tot mij. Ik had al geraden wie deze krijgsman moest zijn, maar Angas bevestigde mijn vermoeden. 'Had je al kennisgemaakt met de vader van Marchel?' vroeg hij.

'Marchels vader, zei je?' zei Thurrig, een diepe rimpel boven zijn zware wenkbrauwen. 'Zo noem je mij, die zelf een vermaarde vader heeft en twee zoons – waarvan er een spijtig genoeg weg is om tot zijn god te bidden? Dat zijn geen kleine prestaties voor een leven van bijna vijftig jaar! En toch stel jij me aan een schone dame voor als de vader van mijn dochter!'

Ik lachte, en hij lachte mee terwijl hij met zijn strijdbijl uithaalde naar Angas, die lenig opzij sprong.

'Zo is het. Maar dat doet hij aangezien u, uw vader en uw ongetwijfeld vermaarde zoons vreemden voor mij zijn, en omdat Angas weet dat ik uw geëerde en moedige dochter al heb ontmoet,' kaatste ik lachend terug. 'En bovendien ken ik uw wijze en bekwame echtgenote.' Ik bedoelde het alleen maar vriendelijk, maar stond versteld van het resultaat.

Thurrig smeet zijn bijl naar de grond, maar bedierf het effect door de steel van het wapen te grijpen voordat het meer dan een handbreedte was gevallen. Nu liet hij het zachter op de kasseien vallen. Hij plofte naast de bijl neer en bedekte zijn gezicht met zijn handen. 'Helaas!' klaagde hij luid. 'Hoe komt het toch dat, steeds als ik een schone maagd ontmoet, in dit geval zelfs een gewapende schone maagd, een ware *walkurja* die groot genoeg is om zwanen uit de lucht te speren, hoe komt het toch dat ik, steeds als ik zo'n hemels wezen tref, mijn vrouw toch kans heeft gezien haar eerder te leren kennen, zelfs als het mens tweehonderd mijl van mij vandaan is?'

Nu lachte ik zo hard dat ik steun moest zoeken bij de muur van de boogpoort om niet te vallen. Een paar andere mensen die aan het exerceren waren, kwamen nu naar ons toe om te zien wat de reden was van al dat kabaal. Angas klopte Thurrig troostend op de rug.

'Het is een moedig man die het opneemt tegen de dochter van Gwien, zelfs als het hem vrij stond haar een aanbod te doen,' zei hij terwijl hij met een glimlach opzij keek naar mij. 'Jij hebt haar niet meegemaakt in de strijd. Heb ik je niet verteld dat ze in haar eentje een stormaanval ondernam op drie scheepsbemanningen Jarns?'

'Ah, was jij dat?' Thurrig sprong op. 'Mijn vrouw heeft me over je verteld, al begrijp ik niet dat ze zoveel moois heeft weggelaten – al dat haar, die borsten...' Hij maakte een veelzeggend gebaar. Dit verbaasde me niet al te zeer, aangezien mijn haar alle richtingen op piekte doordat Garah had geprobeerd er de twijgjes en blaadjes uit te plukken. Bovendien waren mijn borsten gezwollen als de uiers van een koe, terwijl zijn vrouw, Amala, de personificatie was van beschaving.

'Ja, die zijn allebei flink gegroeid terwijl ze afwezig was,' zei Enid ap Uthbad droogjes achter ons toen ze dicht genoeg bij was. 'Glyn zal er verrukt van zijn.'

'De arme Glyn heeft haar gezien, maar er geen woord over losgelaten,' zei Osvran. 'Hij kwam bij mij bedelen om mijn kleren, om te voorkomen dat ze Urdo halverwege de middag zou afleiden door spiernaakt bij hem binnen te komen. Hij bracht mijn tuniek meteen naar het badhuis. Ik denk dat hij nog wel zal leven, hoewel daar enige twijfel over bleef bestaan.' Ze lachten.

'Dat was heel aardig van Glyn en ook van jou,' zei ik terwijl ik aan de zoom van de tuniek trok. 'Je krijgt alles terug zodra mijn eigen kleren droog zijn.'

'Eindelijk leer ik een vrouw kennen die nog minder subtiel is dan Ap Rhun!' bulderde Thurrig terwijl hij zijn bijl opraapte.

'Kijk een beetje uit!' riep Enid toen Thurrig een schijnbeweging maakte met de bijl. 'Ik heb geen behoefte aan een tweede!'

'Ik vroeg me al af hoe je aan dat litteken kwam,' zei ik. Ik had het moeilijk over het hoofd kunnen zien – een vuurrood litteken over haar wang, bijna tot aan de kaaklijn. 'Werd je door zo'n ding geraakt?' Ik knikte naar Angas' strijdbijl.

'De een of andere Jarn met een groot doodsverlangen ramde zijn mes in de buik van Urdo's paard toen hij op de grond lag,' antwoordde ze. 'Net toen ik me omdraaide om te zien of de koning achter mij veilig was, kwam zijn kameraad met de bijl aan mijn linkerkant iets te dichtbij. Nadat de bijl mijn wang had geschampt boog ik opzij en drong dat rotding van achteren door mijn schouderblad – gelukkig zonder mijn longen te raken, want dan zou ik nu beslist dood zijn. Het was de strijdbijl die Angas nu in zijn hand heeft; Emlin heeft hem voor me opgeraapt. Ik ben nu weer helemaal de oude...'

'Maar toen jij naar de verzamelwimpel kwam en de hand van je vriendin vasthield, terwijl zij met de koning op haar paard de tegengestelde richting uit ging, had je een klein probleem, dacht ik,' zei Osvran grijnzend. 'Hoe je na zoveel bloedverlies niet van je stokje bent gegaan is mij een raadsel.'

'Ik denk dat het komt omdat vrouwen geen drukte maken over het verlies van een paar druppels bloed, zo nu en dan,' kaatste Enid gevat terug, zodat we het allemaal uitschaterden. 'Maar de nuchtere waarheid is dat ik mijn leven te danken heb aan Urdo, want hij heeft de wond genezen, met behulp van deze bijl.'

'Wat zal je moeder daarvan zeggen?' gromde Thurrig.

'Ze zal zeggen dat ze me al twee jaar heeft voorgehouden dat een hond op je lijf tatoeëren geen vervanging is voor een schild. Ik moet toegeven dat ze gelijk heeft gehad. Gelukkig is het mijn schildarm maar.' Ze zweeg even. 'Mijn vader zei alleen: "Bij de slagtanden van een olifant, meisje! Hoe kom jij ooit nog aan de man met zo'n gezicht?"'

'Praat eens met Amala. Niet dat ze mij raadpleegt, maar ik geloof dat ze op zoek is naar een vrouw voor Larig,' zei Thurrig.

Enid deed alsof ze moest braken.

'Nee, ik meen het. Wij Malms zijn niet zo kieskeurig; een mooi smoeltje geeft niet de doorslag. Borsten, heupen, hersens – dáár komt het op aan. Sterke armen ook. Mits Urdo ze op de juiste manier heeft geheeld,' zei Thurrig terwijl hij deed alsof hij het wilde controleren. Enid duwde hem van zich af en bracht hem uit zijn evenwicht. Osvran en ik sprongen opzij en hij rolde door over de plek waar wij hadden gestaan tot hij weer op zijn voeten stond.

'Ah, echtgenoot van Amala, je reageert razendsnel.' Met een luide brul stormde Thurrig zwaaiend met zijn bijl op Angas af, die de benen nam over het exercitieplein, zigzaggend om hem te ontwijken. Het deed me meer goed dan ik kan zeggen, want ik had sinds mijn tijd in Thansethan niet meer zo gelachen.

10

[...] Iedereen die gewend is aan een aangenaam klimaat, zal dit eiland vochtig en kil vinden. Al dat vocht maakt het echter ook overal groen en er is nergens gebrek aan goed drinkwater. Ik voer vanuit zee de rivier de Tamer op, naar de plaats waar voor de brand Castra Tanaga had gelegen.

Die plaats ligt op de noordelijke rivieroever, op een lage heuvel en op het kruispunt waar alle grote wegen van de provincie samenkomen. Langs de rivieroever waren kaden en steigers gebouwd en het was er een komen en gaan van goederen en mensen. Het was me op slag duidelijk dat een poging om de nieuwe hoofdstad elders te bouwen pure dwaasheid zou zijn. Ik heb vele dagen door de ruïnes gedwaald om naar de indeling van de grond te kijken. Toen ik door een van de met as bedekte straten wandelde, kwam een oude vrouw uit een schuur naar me toe. Ze sprak me aan en zei dat haar zoon een orakel was; hij zou, toen de stad brandde, hebben gezien dat zij nog twee keer in vlammen op zou gaan, maar steeds opnieuw zou worden herbouwd. Ik vroeg haar waar haar zoon nu was, maar ze lachte alleen met haar tandeloze mond en liep weg. Ik kwam tot de conclusie dat de nieuwe stad die ik hier zou bouwen bestand diende te zijn tegen dergelijke inferno's. Aanvankelijk stelde ik me iets voor in de stijl van Mater Vinca, maar ik begreep al gauw dat dit niet gepast zou zijn. Zuilen en pilaren zijn uitstekend geschikt voor zonovergoten streken, maar in Tir Tanagiri kun je ze beter binnenshuis hebben. Ik realiseerde mij dat ik andere steden zou moeten bezoeken en de tijd moest nemen om te bepalen welke stijl zich het beste zou lenen voor deze plaats, die van nature alles bezit wat een hoofdstad nodig heeft.

Toen ik eindelijk terugkeerde, had ik rode steen uit het westen bij me, en witte steen uit het oosten, schoon zand uit het zuiden en een idee dat in het noorden al oud was. Ik bouwde de muren op uit steenbloklagen, met hoge, gecanneleerde torens die als het ware uit de glooiing van de heuvel oprezen. Voor bolwerken rond de stad bestond geen noodzaak – welke vijand kon tot hier doordringen, zo ver van Vinca's grenzen? Niettemin zijn ze sterk genoeg om eeuwig overeind te kunnen blijven. Het heeft mij drie jaar gekost om het ontwerp dat ik op één enkele avond had geschetst daadwerkelijk te bouwen. Iedere steen werd met zorg geplaatst in een rood-wit patroon dat een afspiegeling was van de welving van de heuvelhelling. Ik bedolf de muren onder zand, een werk waaraan ik zelf leiding heb moeten geven omdat mijn opzieners niet begrepen wat ik wilde doen. Toen stapelden we hout op, naast en tussen de muren, en staken het in brand. De vlammen laaiden hoog op en waren zo heet dat het zand smolt en alle steen verglaasde alsof het een lemen pot was. Toen de sporen van de brand eenmaal door de regens waren weggespoeld, zag ik dat het werk waarvoor ik naar het eiland was gekomen was volbracht: ik had voor mijn keizer een stad gebouwd die blinkt. [...]

– Decius Manicius in *Over mijn fundamenten*

Als ik iedere blessure en schermutseling uit mijn opleidingstijd hier moest beschrijven, zou ik daarmee bezig zijn totdat ik stierf. Zelfs als ik voor een waarde van vier schapen aan perkament vol zou schrijven, zou ik er niet genoeg aan hebben. De opleiding in Caer Tanaga verschilde weinig van die welke ik had gevolgd om wapendrager te worden, met dien verstande dat wij tot de eersten behoorden die zo werden getraind. Laat me volstaan met te zeggen dat ik die zomer genoeg met de lans kon oefenen om dat wapen in de strijd met succes te kunnen hanteren. Heel wat dagen kwam ik afgemat en pijnlijk gekneusd binnen en was tot niet meer in staat dan een uur lang in het warme bad liggen. 'Ontspan je genoeg om je paard een deel van het werk te laten doen!' schreeuwde Angas me dikwijls toe, totdat ik eindelijk het foefje doorhad om schild en lans licht te blijven hanteren totdat er spierkracht aan te pas moest komen. Uren achtereen oefende ik me in het oprapen van staken en de lans schuins op een doelwit richten, net zo lang totdat ik niet langer razend op mezelf werd vanwege mijn onbeholpenheid.

Tegen Oogstbinnen, begin herfst, als de stormen op zee voor de kustplunderaars te hevig worden om over te steken, heerst er altijd een soort wapenstilstand. Dat jaar dromden de helft van alle koningen op het eiland samen in Caer Tanaga om getuige te zijn van Angas' huwelijk. Er waren er zoveel dat het welhaast onmogelijk was door de straten van de citadel te lopen zonder op deze of gene koning te stuiten, pratend met mensen uit zijn gevolg. Alleen met behulp van een goede kaart kon je nagaan waar alle koninkrijken lagen. Ze noemden zich niet allemaal 'koning', maar ze waren stuk voor stuk heersers en erkenden zonder uitzondering Urdo als hun gebieder. Het was niet mogelijk aan hun uiterlijk te zien of zij een domein van tweeduizend families regeerden, zoals mijn vader, of over tien keer dat aantal, zoals de heer van Angas. Er werd veel gefeest en er was veel bedrijvigheid. Ook werden er vele formaliteiten afgewerkt. Gwilen ap Rhun zocht verwoed naar ruimte om iedereen in onder te brengen en werd tot waanzin gedreven door problemen als wie voorrang moest krijgen ten opzichte van wie.

Van alle koninklijke gasten was de moeder van de Grote Koning, Rowanna, de meest opvallende. Ze was elegant, met een waarlijk koninklijke uitstraling, en je zag haar altijd aan de zijde van deze of gene koning. Zelf heerste zij over het kroondomein Segantia. In feite was dit Urdo's domein, maar zij bestierde het sinds de dood van haar gemaal. Een enkele keer ving ik een glimp op van de bruid, Eirann Zwanenhals. Ze kleedde zich als ieder ander, maar bleef altijd gesluierd, zoals hooggeboren vrouwen uit Jarnholme voor hun huwelijk plegen te doen. Ook haar beide ouders waren opvallende verschijningen, aangezien er weinig andere Jarns in de stad waren. Ze zagen er luisterrijk uit, met hun Jarnse regalia, maar niettemin barbaars. Ze heetten Guthrum en Ninian en waren koning en koningin van Cennet. Ninian was een zuster van Rowanna. Volgens de geruchten had Urdo – tot afschuw van de andere koningen – hun eerbewijzen als lagere koningen aanvaard, waarmee hij impliciet hun recht tot heersen over Cennet had bevestigd. Wat mij veel meer verbaasde, was de aanblik van Ayl, die over de Jarns aan de oostzijde van de Tamer heerste. We hadden in het voorjaar nog tegen hem gestreden en de wapenstilstand met hem zou slechts duren tot het komende voorjaar, maar toch had hij het gewaagd hier zijn gezicht te laten zien, te midden van alle andere koningen.

Hertog Galba arriveerde. Hij riep mij toen ik een van de binnenhoven van de citadel overstak, op weg naar de exercitieplaats. 'Ik heb brieven van je ouders bij me,' zei hij.

Ik nam ze aan en las ze haastig door. Het scheen dat de nieuwe stad in Derwen floreerde. In haar brief schreef mijn moeder dat ze meer problemen hadden met het kweken van vlas en het opslaan van linnen dan iets anders. Mijn vader maakte het goed. Hij schreef dat Morien beter begon te rijden. Ook meldde hij dat er over de verloving van Aurien met Galba de Jongere in principe een akkoord was bereikt, voor zover zoiets mogelijk was zonder dat die twee elkaar hadden gezien. Dit was goed nieuws, en ik feliciteerde hertog Galba ermee.

'Ik ga ervan uit dat ze over een jaar of drie trouwen,' zei hij glimlachend. 'Zelf heb ik je zusje al gezien. Ze is weliswaar nog jong, maar ik heb de indruk dat je gelijk had en een goede hertogin voor Magor zal zijn. Zelf maak je het goed, mag ik hopen? Ik heb gehoord dat de koning jou heeft vereerd met enkele paarden?'

Ik zou langer met de hertog hebben gepraat, want niets beviel me meer dan praten over mijn paarden en vooral de manier waarop Sterrelicht zich ontwikkelde. Het werd ons echter onmogelijk gemaakt, doordat juist op dat moment Rowanna uit de thermen kwam, geflankeerd door twee van haar gesluierde Jarnse dienaressen, en hem aanriep.

'Ze wil vast weer met me praten over haar nieuwe hooimethode en de opslag van het hooi,' zei Galba met een zucht. Hij boog voor me alsof ik van gelijke rang was, iets waarover ik me niet weinig verbaasde.

Een dag later ontving ik minder welkom nieuws, in een antwoord van Arvlid uit Thansethan. Ze schreef dat zij Morwens beschuldiging dat ik demonen tegen haar zou hebben aangeroepen niet kon geloven. Vader Gerthmol geloofde haar wel. Ze gaf me de raad om voorlopig niet terug te komen en schreef dat Darien het uitstekend maakte en voorspoedig groeide. Hij at al fijngeprakt vast voedsel en kon rechtop zitten. Achter mijn ogen brandden tranen, maar ik verborg de brief tussen mijn kleren en probeerde dit nieuws van me af te zetten.

Drie dagen voor het huwelijk had Urdo een langdurig onderhoud met Angas. Veel mensen opperden dat hem een grote eer zou worden bewezen. Ik zei niets. Toen Osvran die middag over de exercitieplaats naar mij toe kwam lopen, was ik blij dat ik mijn pijnlijke benen van Bodes rug kon laten glijden om me bij mijn kameraden te voegen, die zich om Osvran heen verdrongen om te horen wat hij ervan wist. De rest van de penoen leek heel verbaasd toen ze hoorden dat Angas het bevel over de ala van Caer Gloran had gekregen.

'Hij is nog erg jong voor een prefect, maar hij verdient het,' zei Osvran.

'Het heeft hem geen kwaad gedaan om de juiste vader te kiezen,' gromde Emlin in zijn baard.

'Ja, zonder dat zou hij deze promotie niet zo vroeg hebben gehad,' zei Enid terwijl ze de hals van haar merrie beklopte om haar gerust te stellen. 'Het zou echter niets uitmaken wie zijn vader is als hij niet bekwaam genoeg was.'

'Marchel is ook prefect, en zij is een Malm. Ze is een barbaar en zelfs als zodanig niet eens van hoge geboorte. In Narlahena was Thurrig naar eigen zeggen geen edelman, en toen hij naar hier kwam, was hij alleen maar een verbannen kustplunderaar,' vulde Glyn aan. Er werd instemmend gemompeld.

'Urdo heeft Thurrig officieel de titel "vlootadmiraal" gegeven,' zei Emlin grinnikend. Thurrig had zichzelf al admiraal genoemd voordat de meesten van ons waren geboren. We waren allemaal op hem gesteld.

'Na de trouwerij gaat hij met koning Custennin terug naar Caer Thanbard om nog meer schepen te bouwen,' wist Osvran. 'Dan kan hij eindelijk een echte admiraal worden en de Jarns onderscheppen voordat ze de kust bereiken. Marchel is trouwens ook bevorderd: zij krijgt het bevel over een nieuwe ala in Dun Idyn, ten noorden van hier. Ik heb nu al te doen met iedereen in het noorden; het zal daar niet erg vredig zijn tussen Marchals ala en Teilo's nieuwe klooster, ook zonder invallen van de Isarnaganen uit het westen en overvallen van de Jarns vanuit het oosten.'

'Komt de nieuwe ala onder de zeggenschap van Angas' vader te vallen?' wilde ik weten.

Osvran trok zijn wenkbrauwen op. 'O nee! Alle ruitereskadrons vallen te allen tijde onder de zeggenschap van de Grote Koning zelf. Talorgen van Angas zal ze moeten onderhouden, dat spreekt, en als dat nodig mocht zijn zullen ze met hem en zijn mannen strijden, maar Marchel is Urdo's gezworene en aan niemand anders trouw verschuldigd.'

'Gaan wij met Angas mee, of moeten we naar het noorden?' vroeg Emlin.

'Voorlopig blijven wij hier, zei Urdo. We zullen nog meer training krijgen en er zullen nieuwe rekruten komen die wij moeten trainen. We gaan allerlei nieuwe dingen beproeven. Het zal echter niet bij veel trainen blijven, want we zullen ook moeten vechten als dat nodig is. Ach, eigenlijk kan ik jullie de rest ook wel vertellen. Ik heb het bevel over onze penoen gekregen.'

'Nou, dat bewijst meteen dat Urdo mensen op grond van hun kennis en kunde bevordert, in plaats van hun afkomst,' zei ik. Er viel een oorverdovende stilte, waarin het gerinkel van harnassen heel luid leek te klinken. Toen gooide Osvran het hoofd in de nek en begon te lachen. Even later lachte iedereen mee. Ik voelde mijn wangen heet worden. 'Ik bedoelde niet...'

'Geen zorg, ik beschouw het als een compliment en beloof je dat ik het niet aan mijn moeder zal vertellen,' zei Osvran, bijna stikkend van het lachen om mijn verlegenheid. Iedereen drong op om hem te feliciteren en ik probeerde naar de achtergrond te verdwijnen. Wat ik had gezegd was nog erger dan het eerst leek, want er werd gefluisterd – hoewel ik er geen aandacht aan had geschonken en het niet eens geloofde – dat Osvran was verwekt door Angas' vader, en niet door Usteg, de echtgenoot van zijn moeder. Usteg en Osvran leken te veel op elkaar om daar geloof aan te hechten. Osvran was trouwens even lang als ik en bijna een handbreedte groter dan Angas. Qua temperament hadden die twee niet sterker van elkaar kunnen verschillen. Hoewel ik er niets kwaads mee had bedoeld, wenste ik dat de aarde me zou verzwelgen.

De volgende dag arriveerden Amala en Marchel in Caer Tanaga. Marchel ging meteen naar Urdo, nadat ze zich van het meeste stof van de reis had ontdaan. Amala kreeg mij te pakken toen ik uit de stallen kwam. Ik had de hele ochtend met mijn lans ringen gestoken, en ik had Galba de Jongere beloofd hem na het middagmaal te helpen met zijn zwaardtechniek.

'Hoe maak je het?' riep ze uit. 'En hoe is het met de baby? Is alles goed verlopen? Je ziet er prima uit. Ik weet zeker dat je nog twee duim bent gegroeid sinds ik je voor het laatst heb gezien! Ik ben op zoek naar Thurrig.'

'Ja, ik maak het goed, en ook mijn zoon blaakt van gezondheid, volgens het laatste nieuws dat ik heb gekregen. Als u echter uw rondborstige, edele echtgenoot zoekt, zult u moeten wachten tot vanavond. Hij vaart met een boot op de rivier om hertog Galba en vrouwe Rowanna te demonstreren hoe hij een schip naar de wind kan zetten als hij eropuit gaat om Jarns te onderscheppen.'

Amala's gezicht betrok. Ik nam haar mee naar de barakken. Ik had honger als een paard en zij zag er erg vermoeid uit, na haar lange reis. In het voorbijgaan stak ik mijn hoofd om de deurpost van de keuken. 'Eén extra, Ap Cadwas,' zei ik. Ap Cadwas keek even op van zijn potten en pannen en stak een hand op, maar toen we aanstalten maakten om verder te lopen, de eetzaal in, keek hij opnieuw op, verrast, en maakte een diepe buiging voor Amala. Daarna ging hij bedrijvig verder met zijn werk, nu twee keer zo snel, en spoorde zijn helpers aan om voort te maken.

'Ik hoop dat Marchel kans ziet de Grote Koning ervan te overtuigen dat hij haar niet naar het woeste noorden moet sturen,' zei ze, toen we plaats namen aan het eind van een van de lange banken langs de schraagtafels.

'Waarom?' vroeg ik. 'Ik denk dat hij er niet van af te brengen zal zijn; het komt hem prima uit om daarginds iemand te hebben die hij volledig kan vertrouwen.' Ik schepte wat hachee van schapenvlees voor Amala op uit de pot die Ap Cadwas op tafel had gezet, voordat ik mijn eigen kom vulde.

Amala keek me fronsend aan. 'Je kunt een koninkrijk niet opbouwen door families uit elkaar te rukken. Mijn Thurrig moet in Caer Thanbard zijn, dat is duidelijk. Zelf zou ik hier kunnen zijn, ware het niet dat Marchel en haar zoontjes mij nodig hebben en ik voor Urdo nuttiger kan zijn als sleutelbewaarder in Caer Gloran. Nu wil hij Marchel naar de barbaren in Dun Idyn sturen, met mij erbij.' Het was vreemd te horen dat deze tengere Malmse vrouw noorderlingen 'barbaren' noemde. Toch had ze in zekere zin gelijk – in de noordelijke landen hadden de zeden en gebruiken van de Vincanen nauwelijks ingang gevonden. 'Ik veronderstel dat dit in mijn geval wel goed is, maar het zou prettig zijn als ik Thurrig zo nu en dan kon zien. Marchel is echter jong en ze heeft maar twee kinderen. En haar echtgenoot gaat niet mee.'

'Hij gaat niet mee? Hoezo?' Ik blies op de hachee en nam vlug een hap.

'Hij is smid. Maakt prima zwaarden. Een Tanagaan, goeie vent. Ap Wyn de Smid, zo noemen ze hem. Zwaarden smeden is zijn grote passie, en Marchels hartstocht is vechten, maar ze kunnen 't goed met elkaar vinden.'

Ik knikte. Ik had al bij mijn eerste bezoek aan de thermen gezien hoe gesteld ze op elkaar waren.

'Hij kocht zijn ruwijzer voor de zwaarden altijd in Narlahena. Zo hebben ze elkaar ontmoet, voor het eerst in Caer Thanbard, de havenstad waar de schepen van de Malms aanleggen als ze er kunnen komen. Hij onderhandelde over de prijs van het ijzer en Marchel vertaalde voor hem wat de kooplieden zeiden. Hij gaat elk jaar terug naar de haven als het weer geschikt is voor de schepen van de Malms, om er goed ijzer te kopen. Soms trekt hij ook de heuvels in, op zoek naar ijzererts, maar daar heeft hij het nooit kunnen vinden.' Ze keek me aan. 'En nu heeft hij ijzer gevonden in Tir Tanagiri, en dat is eigenlijk aan jou te danken. Hij is naar het grondgebied van je vader gereden, Derwen, omdat daar een schip uit Narlahena was aangekomen om er linnen in te nemen. Onderweg stuitte hij op prima ijzer, zegt hij, bijna even goed als dat uit Narlahena. Daardoor kan hij nu meer zwaarden maken zonder ijzer te hoeven kopen uit Narlahena, zwaarden, speerpunten en misschien ook nog andere dingen. Sikkels, zei de koning. Die heeft hij nodig om genoeg hooi te snijden voor al deze paarden. Hij kan veel mensen gebruiken om zijn ijzer te smeden en heeft zelfs al geprobeerd mijn badhuisdienaren in te pikken.' Ze glimlachte en ik wist meteen dat ik niet graag zoiets bij haar zou proberen. Zuchtend voegde ze eraan toe: 'Maar Ap Wyn laat zijn ijzer natuurlijk niet in de steek. Hij wil daarheen verhuizen, bij dat ijzer.'

Ik vroeg me af welke heuvels die ik was overgetrokken ijzererts konden bevatten. Appels hoeven hadden geen vonken geslagen – de manier waarop ze in de verhalen dikwijls ijzererts vonden. Ik vroeg me af hoe mijn ouders op dat nieuws zouden hebben gereageerd.

'Caer Gloran is voor hem te doen – hij kan in één dag bij zijn ijzer komen en de volgende dag terug zijn – maar Dun Idyn is veel te ver. En zij wil niet zonder hem weg.'

Een van de hulpkoks kwam de keuken uit om warm brood te brengen, vers uit de oven. Hij oogstte een spontaan gejuich van de wapendragers. We kregen niet vaak brood, als het geen bijzondere dag was.

Ik zuchtte. 'Wie hij anders zou kunnen sturen weet ik niet, maar ik neem aan dat hij een dergelijk argument niet naast zich neer zal leggen. Daarginds in Demedia zal vermoedelijk geen ijzererts te vinden zijn.'

'Hij zou misschien mijn Larig kunnen sturen. Of anders de goeie ouwe Ap Meneth uit Caer Rangor. En ook is er nog Gwair Aderyn in Caer Asgor. Alleen komt hij dan dáár weer iemand te kort. De moeilijkheid is dat hij nu al zes ruitereskadrons heeft, maar slechts vijf prefecten. Urdo heeft méér goede bevelhebbers nodig. Dat heb ik al vaak tegen hem gezegd. Larig zit liever op een schip, net als zijn vader. Angas is werkelijk nog heel jong. Aan koning Custennin hebben we niet veel als aanvalsleider, ook al heeft hij de

Blanke God aan zijn zijde. Erger is nog dat hij buitengewoon voorzichtig is, al heeft hij mijn Thurrig en bisschop Dewin als raadgevers.'

Ik reikte haar het brood aan en ze brak er een homp af – groter dan ik bij zo'n kleine vrouw zou hebben verwacht. 'Ik geloof dat hij ze zo snel als maar mogelijk is opleidt,' zei ik, met een hoofdknik naar de etende mensen om ons heen.

Amala glimlachte en dempte haar stem. 'Al mijn hele leven heb ik tussen krijgslieden verkeerd. Mijn vader was huurling, net als Thurrig gedurende heel ons huwelijk, al meer dan dertig jaar. Als je de beste zoons van je vazallen neemt, zullen er altijd wel een paar geschikte tussen zitten, maar als je echte leiders nodig hebt, moet je beroeps zien te vinden. Als hij verlegen zit om krijgslieden die het hele jaar door beschikbaar zijn, zou hij die moeten rekruteren in Narlahena of Jarnholme. Daar zijn meer dan genoeg lieden zonder land die graag zouden komen.'

Ik keek om me heen, maar gelukkig was Ap Cathvan nergens te zien. Ik wist niet goed wat ik erop moest zeggen. Ik voorzag rampzalige gevolgen als ik zou proberen iemand die zelf een Malm was uit te leggen dat als je een dief in de arm neemt om een dief te vangen, de eerste dief je daarna niet met rust zal laten. 'Hoe komt dat? Ik bedoel, waarom zijn daar zoveel mensen zonder land? Ze krijgen toch niet meer kinderen dan iedereen, of wel?'

'Nee, natuurlijk niet,' zei Amala, rollend met haar ogen. 'Er zijn echter veel Malms in Narlahena die het daar niet naar hun zin hebben – het is zo'n honderdvijftig jaar geleden sinds hun voorouders dat territorium hebben veroverd en nu beginnen ze rusteloos te worden. In Narlahena is er altijd wel oorlog, Malm tegen Malm, en de verliezers zijn op zoek naar nieuwe territoria om zich te vestigen. En wat de Jarns betreft, tja, de zee is stijgende en hun land krimpt, dus móeten ze wel weg, of ze willen of niet. Ze zullen de Smalle Zee oversteken naar hier, goedschiks of kwaadschiks, en het zou beter zijn als we er verstandig mee omgaan.'

Gelukkig hoefde ik geen antwoord te geven, want Marchel kwam binnen. Ze werd door veel wapendragers enthousiast begroet en ze had even nodig om zich uit hun midden los te maken. Toen kwam ze naar ons toe, ging naast Amala zitten en zei in rad Malms iets tegen haar. Het was vreemd hoeveel sneller ze in die taal sprak dan in het Tanagaans of het Vincaans, de taal die ze gewoonlijk sprak. Ik keek haar vragend aan.

'Ik ga naar het noorden, maar het is maar voor een jaar. Nu eerst eten, dan pas vragen.'

Haar moeder vulde haar kom met hachee, en ik reikte haar zwijgend het resterende stuk brood op onze tafel aan.

11

Broedermoord, rouwend hart,
het rode vuur kwijnt weg.
Broeder doodt broeder,
blanke zwaarden kruisen elkaar.

Oorlogsnood, rouwend hart,
het smeulend vuur wordt as.
Steden liggen er verlaten bij,
vele wapens kletteren luid.

Gevallenen zie ik, rouwend hart,
hun koude as verwaait al.
Een koninkrijk ineengestort,
gitzwarte raven krassen.
— Uit *Jammerklacht voor Avren*

De volgende dag ving Ap Cathvan mij op toen ik uit de thermen kwam. Ik was lang in het bad gebleven om de roet uit mijn haar te wassen. Thurrig had rookpotten gebruikt om ons te leren hoe je in een brandend gebouw moest vechten. Nu, eindelijk, was ik weer schoon en droeg mijn stola, bijeengehouden door de grote fibula van goud en barnsteen die mijn vader mij had gegeven. Ik was op weg naar een feest dat de penoen Angas had aangeboden. 'Sterrelicht heeft een zwelling, achter op haar been,' zei hij. 'Ik heb haar naar binnen gehaald en in de stal van de koning gezet. Ik heb er jouw speciale zalf op gesmeerd, maar het is moeilijk te bepalen hoe ernstig het is. Ik hou haar goed in het oog en jouw stalknecht is bij haar, maar het leek me goed je op de hoogte te brengen.'

'Kan ik iets doen?' vroeg ik.

'Op dit moment niet,' zei Ap Cathvan. Hij keek me aan. 'Je gaat op Angas drinken?'

'Dat was de bedoeling, en ik hoor erbij te zijn, maar als Sterrelicht me nodig heeft zal hij het begrijpen, dat weet ik zeker.'

Ap Cathvan dacht na en streelde zijn baard. 'Nee, niet nodig. Er kan nu niets aan worden gedaan. Ze is niet alleen. Het lijkt me beter die zalf de kans te geven om zijn werk te doen. Ga rond middernacht even kijken en doe er dan meteen nog wat zalf op. Kijk het even aan. Als ze koortsig is, moet je me wekken. Waarschijnlijk heeft ze door het vele trainen een spier verrekt, maar we kunnen beter aan de veilige kant blijven. Ze staat in de laatste box, weg van de andere paarden.'

Sommigen onder ons waren de vorige dag de rivier overgestoken, en nu konden we Angas verrassen met een geroosterd zwijn. In de Jarnse bossen leefden veel meer wilde zwijnen dan aan onze kant. Gelukkig vroeg niemand hoe we eraan waren gekomen. Een jachtpartij daar kwam formeel gesproken neer op een inbreuk op de wapenstilstand met Ayl. Het zwijn lag – heerlijk bruin geroosterd en feestelijk getooid met gebakken appelen – midden op de grote schraagtafel. Het vlees was heerlijk van smaak, mals en rijk. Er waren verse, smakelijk in boter gegaarde knolrapen. Zelfs Osvran, die in de regel zijn neus ophaalde voor knolraap – in zijn ogen paardenvoer – vond ze lekker. Voorts waren er grote, ronde honingbroden, zo uit de oven. Toen de dienaar dit gerecht binnenbracht, haalde Enid een zelfgebakken koek van eikelmeel te voorschijn, van het soort dat we soms aten als we langdurig op patrouille waren, en bood die Angas aan, met een plechtige buiging. Hij griste haar de koek uit handen, gaf een brul en smeet de koek het raam uit. Hij had de afgelopen tien dagen met de koning, zijn familie en de andere hoogedelgeborenen dagelijks aan een feestdis gezeten en zich keurig moeten gedragen. Nu at en dronk hij naar hartenlust en boerde als een opgewonden Jarnsman om zich uit te leven, te midden van het geschater en de luide bijval van zijn vrienden.

De cider ging rond en rond. Iedereen wilde zelf een toost uitbrengen op Angas en had wel iets ondeugends over hem te zeggen. Ik zat ontspannen met de anderen mee te drinken en te lachen, zodat ik bijna Sterrelicht vergat. Gormant haalde een harp te voorschijn en speelde een oud bruiloftslied, vol toespelingen over het inzaaien van graanakkers en rijpende vruchten. Daarna gaf hij de harp door aan iemand anders die kon spelen en er werd uit volle borst gezongen, zodat het leek alsof er barden waren gekomen om voor Urdo te zingen. Na lamentaties voor de gevallenen uit de tijd van onze grootouders en een lang lied over de manier waarop de held Kikok de snorharen van het monsterlijke everzwijn Turth had gestolen, zong Ap Erbin een lied dat zijn broer had gemaakt, over de schoonheid en adeldom van strijdrossen. Toen hij was uitgezongen, bleef het een ogenblik doodstil, maar toen werd er oorverdovend met de voeten gestampt en op Ap Erbin en zijn afwezige broer gedronken.

Tegen die tijd was Angas stomdronken, maar hij zwoer dat dit lied op zijn bruiloft moest worden gezongen. Het was al bijna middernacht toen er wat mensen weggingen. Op dat moment herinnerde ik me dat ik naar Sterrelicht moest gaan omzien. Ik wandelde door de lange, gebogen straten terug naar de stallen. Het duizelde me een beetje, van alle cider en de meeslepende muziek. De straten werden steeds donkerder en stiller en de stank werd er steeds heviger terwijl ik van de citadel afdaalde. Ik was al bijna aan de stank van steden gewend geraakt, maar op een warme, stille avond kreeg ik er nog steeds kotsneigingen van.

In de hoge ingangsboog van de koninklijke stallen hing een brandende lantaarn. Achter in de stallen brandde een tweede. Garah hield de wacht bij Sterrelicht en keek grinnikend op toen ik binnenkwam. 'Volgens mij maakt Ap Cathvan weer eens drukte om niets,' zei ze. 'Kijk zelf maar.'

Ik liep langs de touwen die de achterzijde van de overige boxen afsloten naar haar toe. Overal wierp het licht vreemde dubbele schaduwen, zwart en grijs, waardoor de stallen groter leken dan anders. Garah lichtte me bij, zodat ik beter kon zien. Sterrelicht hinnikte zacht en een van de andere paarden antwoordde, iets luider. De zwelling leek niet erg groot en zag er niet ontstoken uit. Zacht liet ik mijn hand over haar been glijden. Ze probeerde terug te deinzen.

'Het is minder geworden dan het was toen ik het voor het eerst zag,' zei Garah. 'Het lijkt me niets om je zorgen over te maken.'

'Des te beter.' Ik vertrouwde Garah meer dan Ap Cathvan, als het erop aankwam. Ze was mijn vriendin en had verstand van dieren en lijven. Tijdens onze vlucht vanuit Thansethan had ze me geholpen om mijn pijnlijk gezwollen borsten in een greppel leeg te masseren, nadat ze mij had laten zien hoe ik dat moest doen. Onderwijl had ze me verteld van koeien met uierontsteking die ze had gezien. Toen ik eindelijk de arts in Caer Tanaga ging vragen om een amulet voor het laten opdrogen van de melk, vertelde hij me hoe goed Garah het had aangepakt.

'Ga gerust naar bed,' zei Garah.

'Straks. Ik ben dronken en ik denk dat ik maar een poosje bij Sterrelicht blijf zitten voordat ik naar bed ga. Ga jij nu maar – nergens voor nodig dat we allebei hier zijn.'

'Het komt beslist goed met haar.' Garah stond op. 'O, da's waar ook, er is weer een berichtje van je bewonderaar gekomen.'

Ze reikte me een brief aan en ik kreunde. Glyn had de laatste tijd de gewoonte ontwikkeld om mij te kwellen door mij extravagante, sentimentele gedichten te sturen waarin hij bezwoer dat hij naar mij smachtte. Toch bekeek ik het epistel even, om er zeker van te zijn dat er niets in stond dat interessanter was. 'Weer in Appels stal?' vroeg ik.

Garah knikte grinnikend. 'Hij kwam er vandaag mee aan. Wat heeft die het te pakken.'

Ik zuchtte opnieuw.

'Mag ik de brief hebben?' vroeg ze.

'Natuurlijk. Maar waarom?' Ik gaf haar de brief terug.

'Ik dacht dat ik hem misschien zou kunnen gebruiken om te leren lezen. In Thansethan waren ze begonnen me de letters te leren, maar ze kwamen altijd met dat stomme Boek van ze aanzetten. Ik dacht dat dit wat interessanter zou zijn.'

'Ik zal je helpen, als je het wilt leren. Maar waarom zou je? Ik bedoel, het ís dat mijn moeder me ertoe heeft gedwongen, en soms is het wel nuttig, maar zo leuk is het nu ook weer niet.'

'Je weet dat Glyn de helper is van de kwartiermeester? Nou, ik maakte een praatje met hem toen hij dit kwam brengen, en hij zei dat Dalmer, de kwartiermeester, als stalknecht in dienst van Avren is begonnen.' Ze haalde haar schouders op, waardoor de schaduwen een sprongetje maakten. 'Ik zal nooit groot genoeg zijn om wapendrager te worden, maar ik zal straks even groot zijn als Dalmer nu.'

Ik kon me moeilijk voorstellen dat iemand het saaie, moeilijke werk van de kwartiermeester zou willen doen, zoals uitrekenen hoeveel je van alles mee moest nemen voor de paarden als een eskadron op pad ging. Het was zwaar en ondankbaar werk waarmee weinig eer te behalen was. Maar als dit was wat ze wilde, zou ik doen wat ik kon. 'Ik zal je helpen,' beloofde ik. 'Hou dat gedicht gerust. Maar we doen het bij goed licht, niet nu. Ik smeer eerst nog wat zalf op de zwelling, zoals Ap Cathvan me heeft aangeraden, en blijf dan bij haar zitten tot mijn hoofd weer helder is.'

'Voor het ontbijt kom ik nog even kijken en het zou me verbazen als ze dan niet zover is dat ze weer kan lopen.' Garah begon naar de staluitgang te lopen, de lantaarn nog in haar hand. 'Kun jij genoeg zien als ik deze lantaarn meeneem?' vroeg ze. 'Hij komt uit Appels stal. Ik moet hem nu mee terugnemen, anders moet je hem later komen brengen.'

'Neem hem gerust mee,' zei ik. 'Die andere geeft genoeg licht om te kunnen zien.' Onder het praten wrikte ik de houten stop van de pot met zalf.

'Goed, tot morgenochtend dan maar,' zei ze geeuwend terwijl ze de stal uit liep, langs de paarden. Ik ging op het krukje zitten dat zij had gebruikt en zorgde dat Sterrelicht me niet kon trappen als ik de zalf opbracht. Ze was slaperig en ik deed het zo zacht mogelijk, zodat het van een leien dakje ging. Toen ik licht zag naderen, keek ik op. Ik dacht dat Garah terugkwam, of dat het Ap Cathvan zou zijn. Het was Urdo echter, in gezelschap van een andere man, een van de koningen die ik niet kende – een breedgeschouderde man met een zwart-witte baard en grijs haar. Hij droeg een lantaarn en Urdo had een wijnkruik en een gouden bokaal bij zich. Waar het licht de mantel van de koning bescheen, zag ik de kleur rood, maar waar de plooien in de schaduw bleven leek de stof zwart, of zelfs zwarter dan zwarte stof kon zijn. Urdo droeg als gebruikelijk zijn witte mantel. Ik kon hen goed genoeg zien, hoewel zij mij hooguit als een donkere vorm tussen andere vormen en schaduwen konden zien. Ik stond op het punt om op te staan en hen te begroeten toen ze dichterbij kwamen en ik de vreemde koning mijn naam hoorde noemen.

'Er zijn er die graag zouden zien dat jij met Ap Rhun trouwt, of met Ap Gwien,' zei hij tegen Urdo.

Ik voelde de kracht uit mijn benen vloeien en liet me abrupt weer zakken, verbijsterd. Gwilen ap Rhun was de sleutelbewaarder van Caer Tanaga. Het was algemeen bekend dat de koning soms het bed met haar deelde.

Urdo begon te lachen en het was duidelijk dat hij al een poosje had zitten drinken. 'Er zijn er ook die zouden willen dat ik met wie dan ook trouw, zolang ze maar een schoot heeft, en genoeg tegenwoordigheid van geest om de koning aan tafel niet te beschamen. Ga me niet vertellen dat jij een van hen bent geworden, Mardol! Zeg gerust wat je op je hart hebt. Je hebt tegenover mij nooit een blad voor de mond genomen en ik verwacht van jou niets anders.'

Nu wist ik dat de andere man hertog Mardol van Wenlad moest zijn. Hij had de bijnaam 'De Kraai' gekregen, omdat hij er slag van had te profiteren van veldslagen die anderen hadden uitgevochten. Hij zette zijn lantaarn op de wand van een van de lege boxen en liet zich op een lage bank zakken die de kleinere stalknechten gebruikten als opstapje als ze strijdrossen moesten zadelen.

'Ik zal er ook nu geen doekjes om winden,' zei hij, opkijkend naar Urdo. De koning kwam naast hem zitten. 'Ap Rhun is een prima sleutelbewaarder, maar ze is niet van hoge geboorte. Ap Gwien kan er qua afstamming mee door en lijkt me vruchtbaar genoeg. Je zou geen vijanden maken door een van de twee te huwen. Het is de hoogste tijd dat je trouwt, man! Je hebt de afgelopen vijf jaar wonderen gewrocht, maar de komende vijf jaar zullen de doorslag geven. Ik ben stom geweest. Als je destijds was getrouwd, zou je nu een zoon hebben die bijna even oud is als dat jongere broertje van de bruidegom dat ons al de hele week op zijn pony voor de voeten heeft gereden. Je hebt geen erfgenaam en onsterfelijk ben je niet – je gaat te vaak voorop in de aanval om jezelf dat wijs te kunnen maken. Alles wat je hebt opgebouwd, staat of valt met jouw persoon en je kunt er niet op rekenen dat je nog dertig jaar te gaan hebt en je zoon en opvolger zal zien opgroeien.'

'Ik reken nergens op,' zei Urdo luid en hartstochtelijk. Een van de paarden schopte tegen de achterwand van zijn box. Ik maakte me naast Sterrelicht zo klein mogelijk en hoopte vurig dat ze mij niet zouden opmerken. Ik kon onmogelijk langs hen heen naar buiten sluipen en had al vanaf het eerste woord te veel gehoord.

Urdo zette zijn bokaal neer, vulde hem uit de kruik, nam een lange teug en zei op gedempte toon: 'Wat wil het zeggen koning te zijn, Mardol? Tenslotte ben jij er zelf een, ook al noem je jezelf hertog.'

Mardol hakkelde even. 'Hertog is een hogere titel dan koning. Iedereen kan zichzelf koning noemen. Hertogen kunnen hun waardigheid herleiden tot adelbrieven die nog stammen uit de Vincaanse tijd.'

Urdo stak afwerend zijn hand op. 'Zij hadden keizers en legeraanvoerders – dat is de betekenis van *dux* in het Vincaans, een woord dat later is verbasterd tot *duke* en wij nu vertalen als "hertog". Dat is de titel die ze jouw voorouders hebben gegeven. Met het woord "koning" liggen de zaken heel anders. Het is een *magisch* woord. Zeker, ik weet dat ze mij de hertog van de Tanaganen noemen, omdat ik voorop ga in de strijd. Dat is echter maar een deel ervan. Een koning staat tussen de goden en zijn volk, dat weet je.' Urdo staarde in de duisternis voor zich uit en ik probeerde niet te ademen. 'Wat is Wenlad, Mardol? Het dankt zijn naam aan een paar bergen met witte toppen en het omvat wat morgens grond die mijn klerk voor me kan tellen, naast drie steden, zes burchten en een zeekust. Is het daarom Wenlad? Of is het dat vanwege de mensen die daar wonen? Of is het gewoon maar een woord? Een woord dat, als de Jarns met overmacht terugkomen, niet langer zal worden uitgesproken, hoewel de bergen er nog steeds staan en de golven op dezelfde kust beuken?'

'Ik zou zeggen alle drie,' zei Mardol, die enigszins verbijsterd klonk over de felheid waarmee Urdo had gesproken. Hij pakte de bokaal op en nam een slok.

'Ook zonder de naam zou het nog een plaats zijn, maar niet Wenlad. Jij hebt al zo lang moeten strijden dat je het zicht op het doel waarvoor je vecht kwijt bent geraakt, Mardol. Zoiets overkomt je gemakkelijk. Ik kon het blijven zien omdat ik onbevangen ben begonnen. Het zijn niet alleen jouw volk en de Jarns die om het bezit van Tir Tanagiri strijden – ook onze goden en hún goden strijden erom. Als ik aan het kortste eind trek, als deze kans die ik creëer ongebruikt voorbij gaat, heb ik verloren. Dan winnen de Jarns. Dan zal het er niet toe doen of er een zoon met mijn naam als bestanddeel van de zijne achterblijft. Er komt dan geen nieuwe kans meer. Dan behoort het land de Jarns en hun goden toe, of misschien – dat zou het barmhartigste zijn – de Blanke God, die naar iederéén luistert. Dan zal Tir Tanagiri instorten en niet langer bestaan. Misschien dat jij ze nog op de grens van Wenlad kunt stuiten, of Angas op de grens van Demedia, maar Tir Tanagiri is dan al niet meer. Die naam zal geen betekenis meer hebben. En niemand zal dan behoefte hebben aan een Grote Koning.' Hij nam de bokaal terug en dronk hem leeg, waarna hij hem peinzend in zijn handen ronddraaide. Het goud blonk zacht in het schijnsel van de lantaarn. Een zwarte kat sloop langs zijn voeten, een en al aandacht voor zijn beoogde prooi.

'Dus wat is het nut van een erfgenaam als ik sterf? Er is niemand die als regent het rijk bijeen kan houden. Er zal geen baby in Thansethan verborgen worden gehouden, in de hoop op een nieuw wonder gedurende de volgende generatie. Het zal te laat zijn. Als wij nu op tijd zijn, is dat op het nippertje. Trouwens, er is niets magisch aan het bloed van koningen – wie onder jullie had niet met evenveel recht aanspraak op de titels Grote Koning en keizer over het hele eiland kunnen maken als mijn grootvader, Emrys? Als er al van magie sprake kan zijn, zal Gwyn van Angas even sterke aanspraken op het Groot-Koningschap kunnen laten gelden als een eventuele zoon van mij. Je geeft me het gevoel dat ik een hoog in het bloed staande fokhengst ben die als zodanig in actie moet komen voordat zijn berijder ten strijde trekt. Dit om er zeker van te zijn dat hij voor die tijd voldoende veulens verwekt. In werkelijkheid gaat het echter niet om een enkele veldslag, maar om een lange wedren die op volle snelheid moet worden gewonnen. Ik ben me er heel goed van bewust dat ik vroeg of laat zal sterven, maar ik sta niet toe dat die wetenschap iets verandert aan de manier waarop ik leef zolang ik leef, anders kon ik net zo goed dood zijn. Ik zal lang genoeg leven om een erfgenaam te hebben, óf niet – ik ben pas vierentwintig. Er is genoeg tijd, óf die is er niet.' Hij schonk de bokaal weer vol en reikte hem Mardol aan, die hem aannam terwijl hij Urdo bleef aankijken.

'Je wilt me toch niet vertellen dat je een kuis leven leidt om je krachten te sparen voor de strijd?'

Urdo antwoordde geamuseerd: 'Als ik je uit de droom help, beloof je me dan dat je er niet met Rowanna of vader Gerthmol over zult praten?'

Mardol lachte kort. 'Waarom neem je dan geen vrouw?'

'Wie kan ik tot vrouw nemen? Je weet dat ik niets tegen een huwelijk heb. Ik ga echter niet hals-over-kop trouwen, alleen om een erfgenaam te verwekken. Dat is zinloos. Ik trouw geen vrouw die de goedkeuring van de ene helft van de koningen wegdraagt, maar door de andere helft niet wordt geslikt. Ook trouw ik geen vrouw die ik niet kan begeren, of een vrouw die de plaats aan mijn zijde niet waardig is. Waarom zou ik er dan over piekeren?'

'Vijf jaar geleden heb je mij om de hand van mijn dochter gevraagd.'

'Vijf jaar geleden heb je mij de hand van je dochter geweigerd.'

'Dat zou ik vandaag niet doen, als ze nog in leven was geweest, zodat ik je haar hand kon schenken.'

'Ze heeft zich geweldig geweerd door te zorgen dat heel Wenlad te eten at gedurende die vreselijke pest.'

'Ik ben er zelf bijna aan gestorven. Wij allemaal zouden gestorven zijn, als jij ons dat alles niet uit Thansethan had gestuurd. Daar dank ik je voor. En ik zou de monniken ervoor moeten bedanken. Hoewel ik van hun god niets moet hebben, was ik blijer met hun voedselvoorraden dan je misschien zult geloven. Iedereen in Wenlad was ziek; er was nog nauwelijks iemand die over zijn akkers kon lopen zonder te wankelen. De oogsten verrotten op het veld. Het leek wel een vervloeking uit een oud verhaal. Veel mensen dachten dat het eind van de wereld was gekomen en er waren er die eisten dat ik zelf ondergeploegd werd. Toch had ik niet het gevoel dat de goden vertoornd op ons waren – en na dat ene rampzalige seizoen ging het ons meer voor de wind dan ooit tevoren. Arme Elin... De wormen vraten haar van binnenuit op. Er is nooit een betere sleutelbewaarder geweest dan zij. Als *claviger* wist ze precies wat er in iedere voorraadschuur aanwezig moest zijn. Haar laatste woorden gingen erover hoe we de voedselhulp die jij had gestuurd het beste konden verdelen.'

Ze bleven een poosje zwijgend naast elkaar zitten, totdat Mardol het hoofd schudde. 'Ik had het mis, vijf jaar geleden. Dat heb ik al erkend. Ik was niet bereid zo hoog op jou in te zetten. Ik heb je een zoon van mij gegeven, om hem op te leiden tot wapendrager, en wilde niet ook nog mijn dochter riskeren.'

'Elin zou een uitstekende koningin zijn geweest. Ik wilde vrede met jou en hoopte op jouw steun. Bovendien wilde ik een vrouw als zij als gemalin. Helaas, die gelegenheid is voorbij.' Urdo nam een lange teug uit de bokaal en gaf hem door aan de oudere man. 'En nu? Ik had nog maar nauwelijks een eerbare oplossing gevonden tegen het plan van mijn moeder om mij uit te huwelijken aan Eirann Zwanenhals of ze begint een samenzwering om mij te koppelen aan Lined van Munew.'

'Zij is erfgenaam van dat grondgebied en zal dat blijven totdat Custennin een zoon heeft.' Mardol liet zijn stem zo neutraal mogelijk klinken.

'O, beslist, ze is zestien jaar oud en erfgename van Munew, maar ze is op haar manier al even bleek als Eirann, en bovendien een vrome volgelinge van de Blanke God. Dat zal jou niet aanstaan, en het volk evenmin. Ik zie de gezichten van de andere koningen al voor me, als ik zoiets bekend zou maken.' Urdo zuchtte. 'Ik wou maar dat Custennin zich niet had laten bekeren, ook al was zijn volk ermee ingenomen en ook al regeert in feite bisschop Dewin het land in zijn plaats. Ik zou Dewin en Linwen naar Demedia sturen om daar in het noorden een klooster te stichten, als ik dacht dat Munew zonder hen in leven bleef.'

'Ik dacht dat je de priesteres van je moeder zou sturen, Teilo?'

'Dat heb je gehoord? Het is waar. Teilo is buitengewoon vroom en zeker van haar eigen rechtschapen levenswandel én mijn moeder kan het zonder haar stellen. In het noorden zou ze veel goed kunnen doen. Wat ik echter wilde zeggen, Mardol, is dat mijn eigen priester, net als de monniken van Thansethan, en net als Dewin, Custennin en Rowanna, allemaal graag zouden zien dat ik Lined ap Custennin tot vrouw nam. Talorgen van Angas aarzelt echter en wil geen beslissing nemen. Ik denk dat hij wil wachten tot zijn dochter oud genoeg is. Ik kán echter niet met haar trouwen, zelfs dan niet, aangezien ze veel te na aan mij verwant is – haar moeder is mijn zuster. Borthas van Tinala zou graag zien dat ik zijn zuster trouwde, ook al is ze twee keer zo oud als ik, maar zelfs als ze even oud was zou ik geen banden willen met die slang. Penda en zijn bondgenoten willen dolgraag dat ik met koningin Atha ap Gren van Isarnagan trouw, om vervolgens alle Jarns uit dat land te verdrijven. Iedereen die een dochter of zuster heeft, dringt erop aan dat ik háár zal kiezen, maar als ik dat deed, zou iedereen woest op mij zijn. Ze hebben allemaal hun eigen kandidate en hun eigen oogmerken. Daarom lijkt het mij het beste om geen verplichtingen aan te gaan en pas een beslissing te nemen als dat voordeel oplevert.'

'Waarom Atha ap Gren niet?' Mardol veegde zijn mond af en zette de bokaal tussen hen in. 'Ik heb gehoord dat ze heel mooi is, en dat ze vanuit een strijdwagen speren werpt en veel volgelingen heeft.'

'De Isarnaganen hebben nooit lang een Grote Koning gehad en hun kleine vorstendommen zijn eeuwig met elkaar of anderen in oorlog – kortgeleden hebben ze nog een aanval op het westen van Demedia ondernomen. Nee, ik wil uiterst voorzichtig zijn omdat ik er niet in verwikkeld wil raken. Een dergelijk huwelijk zou allerlei complicaties met zich meebrengen. Hoe het ook zij, Eirann trouwt straks met Gwyn van Angas en ik wil Demedia en Cennet niet tegen mij in het harnas jagen, laat staan Rowanna, Custennin en de monniken van Thansethan.'

Ze schonken de bokaal nog eens vol en deze keer was het Mardol die hem overnam en leegdronk.

'Geloof je dat we kunnen winnen?' vroeg hij terwijl hij voorzichtig de bokaal terugzette.

'Hebben we iets te kiezen?' grimlachte Urdo, maar zijn stem klonk luchtig. 'Ik geef je hetzelfde antwoord als zes jaar geleden in Thansethan, en dat ik drie jaar geleden heb herhaald voor iedereen die de kroning heeft bijgewoond. Het zal niet gemakkelijk worden en niet alles wat ik moet doen zal jullie aanstaan, maar als we geloven dat we zullen slagen, kúnnen we het. De goden van het land staan aan onze kant en de kerk van de Blanke God steunt mij ook. Ik heb alle reden om te geloven dat de goden van mijn vijanden lang niet zo onvermurwbaar tégen ons zijn als ik me aanvankelijk heb voorgesteld. Als we tegen elkaar gaan strijden, geen belastingen innen en niet alles doen wat we kunnen om de alae in stand te houden en hun aantal uit te breiden, zullen we verliezen – en wel voorgoed. En als we winnen, zal het slechts een tijdelijke overwinning zijn, hooguit voor enkele generaties. Het is onmogelijk altijd te winnen. Het is echter wel mogelijk voorgoed te verliezen.'

Urdo stond op en stak de oudere man een hand toe om hem overeind te trekken van de bank. 'Zo. Als je nu alles hebt gezegd dat je mij onder vier ogen wilde vertellen, lijkt dit me een goed moment om naar bed te gaan.'

Ik wachtte totdat ze weg waren en stond toen op. Mijn ene voet sliep en kwelde mij met venijnige speldenprikken. Sterrelicht stond te slapen. Ik vroeg me af of de arme Urdo dit soort moeilijke gesprekken met alle koningen had moeten voeren. De maan was op toen ik naar buiten liep en alle muren van de stad glansden in haar zilveren schijnsel. Caer Tanaga moest wel de mooiste stad van de wereld zijn. Ze zag er elegant uit en deed mij denken aan een exotische vogel of vlinder, neergestreken op een heuveltop. Bij maanlicht leek de stad één grote, magische belofte. De aanblik was altijd voldoende om het hart te verheffen en het geloof te geven dat beschaving en vrede mogelijk waren.

Terwijl ik daar stond, in het holst van de nacht, twijfelde ik geen moment aan Urdo's uiteindelijke overwinning.

12

Hoefslagen op de heirbaan die kwamen bij nacht
met slechte tijdingen, als bladeren in de storm,
dwarrelend in een werveling, tegen ons verzameld.

Daarginds sneuvelden Guthen Gunulf, Randwine
en Rankin, zojuist uit Jarnholme, en Edfrith
en Egbold in 't verre koninkrijk.

Strijdende ruiters, volgers van de Heer der Doden,
landden op het zeestrand, sterke zonen van Sigmund,
gedreven door landhonger tot ver van huis en haard.

Langsperen vonden hen, rood bloed in ochtendgrauw,
schouder aan schouder, maar graven hun enige gewin.
— Uit *De verovering van Tevin*

D ie drie jaren in Caer Tanaga waren de gelukkigste die ik in mijn
korte leven had gekend. Ik was jong en gezond, verkeerde te midden van vrienden en leerde het handwerk waarvoor ik in de wieg
was gelegd. We reden, oefenden, vochten en werden wat ouder, bijna ongemerkt. En hoewel de dingen niet beter leken te worden, werden ze in
geen geval erger, voor het eerst in een periode van vele jaren. Wij noemden
het vrede, wij die in ons hele leven geen vrede hadden gekend, evenmin als
onze ouders vóór ons. We dronken op de vrede en gebruikten al onze tijd
om oorlogsvaardigheden te leren. Soms waren we, als er een wapenstilstand
was met Ayl en de winter de zee onbevaarbaar maakte voor de kustplunderaars, een paar maanden bijeen zonder te hoeven vechten. We waren in Caer
Tanaga gelegerd, want wij waren Urdo's persoonlijke eskadron. Velen van
ons werden bevorderd en naar elders gezonden, maar onze gelukwensen
gingen altijd gepaard met wat deernis. Zodra Urdo drie penoenen bijeen
had en al het overige dat een ala benodigde, stuurde hij ze ergens heen waar
ze nodig waren om te helpen ook daar drie penoenen te organiseren. In-

middels beschikte hij over acht ruitereskadrons van elk zes penoenen. We kregen voortdurend aanvulling van nieuwe rekruten die we moesten opleiden, maar we wisten dat we bijzonder waren. Urdo trainde met ons mee en vocht vaak zij aan zij met ons. Als hij zich niet bij de troepen bevond, zat hij raadsvergaderingen voor, hield rechtszittingen en vaardigde wetten uit. Zelf noemde hij dit nooit 'vrede', want hij was onder ons de enige die wist wat vrede was en waarom het goed was om voor vrede te strijden.

De exercities waren uitputtend. Er waren dagen dat we blij waren als we hoorden dat er ergens een inval was gedaan, want als we de strijd konden aangaan, leek dat ons bijna een adempauze, in vergelijking met de training. Voordat ik naar Caer Tanaga kwam had ik gedacht dat ik sterk en fit was, maar nu pas verwierf ik mijn volle kracht en uithoudingsvermogen. Ik kon hele ochtenden oefenen in de vorming van formaties door te reageren op vlagsignalen, en 's middags onderrichtte ik de rekruten in de kunst van het zwaardvechten totdat de schemering inviel. Zodra ik in bed lag viel ik uitgeput in slaap, en als ik de volgende morgen opstond begon het allemaal opnieuw. Op de zeldzame dagen dat we vrij kregen, dronken we ons lam en gingen op de vuist met andere penoenen. Ook speelden we vaak eindeloze partijen *rapere* of zaten we te dobbelen. Het gekanker was niet van de lucht. Het was altijd te koud, te warm, te nat of te droog. Of de buigzame oefenlansen waren te slap, of de strijdlansen waren te hard en de verzwaarde zwaarden te zwaar. En altijd waren we doodop en met modder bespat. Toch zou ik, als iemand me had gevraagd of ik het naar mijn zin had, grif ja hebben gezegd. Ik wist dat ik gelukkig was.

Na twee jaar werd Osvran aangesteld tot prefect over onze ala. Zelf werd ik tot decurio gepromoveerd en kreeg ik het commando over de vierde penoen. Ik was toen eenentwintig. Ik voelde me trots en zelfverzekerd, ook al hadden mijn knieën geknikt toen ik slechts enkele maanden eerder was aangewezen om als vaandrager een stormaanval te leiden. Ik zwoer dat ik zachtzinniger met mijn wapendragers om zou springen dan Angas of Osvran met mij hadden gedaan, maar nog geen halve maand later beklaagde Masarn zich erover dat hij mijn gezicht beter kende dan dat van zijn vrouw. Ik liet ze allemaal zo hard werken dat de vierde penoen de beste was van allemaal, en daarna spanden we ons flink in om te zorgen dat wij de beste bleven.

Een jaar later stuurde Urdo ons in de herfst naar Tinala in het noorden.

'Het zijn niet de doden waarover ik inzit, maar degenen die gevlucht zijn.' Osvran trok aan zijn snor en staarde omlaag naar de waterkant. Daar, in de rietkragen langs de oever, stonden twee Jarnse schepen in lichterlaaie. 'We weten hoeveel we er hebben gedood, en anders horen we het wel als Glyn hierheen komt met Borthas en zijn voetvolk. Op het veld heb ik ze niet geteld. Er was geen tijd voor – of heeft iemand anders het gedaan?' Hij keek naar ons op. Ik schudde het hoofd, net als de overige decurio's.

'Vierhonderd?' opperde ik.

Osvran rimpelde zijn voorhoofd, maar bleef naar de brandende schepen staren. De afgelopen drie jaar hadden de kustplunderaars voldoende geleerd om te weten dat ze vóór alles moesten voorkomen dat wij hun schepen buitmaakten. Onder het bevel van Thurrig waren die ons beste wapen tégen hen geworden, zoals ze inmiddels waren gaan beseffen. Het afgelopen voorjaar had de stoutmoedige Larig ap Thurrig zelfs de oorlog overgebracht naar hun territorium door Jarnholme binnen te vallen. Iedereen was afgunstig op de krijgslieden die erbij waren geweest, al waren slechts twee van zijn acht schepen teruggekeerd.

'Verdomd jammer dat we hen niet voor konden zijn,' zei Ap Erbin.

Ik was het met hem eens dat koning Borthas veel te laat het sein had gegeven dat we in de achtervolging konden gaan, maar hield mijn mond.

'Ze zijn tot hier gekomen, althans, sommigen van hen. Of hun koning en zijn gezworenen erbij waren, wie zal het zeggen?' zei Osvran, die zo wijs was Ap Erbins opmerking te negeren. 'Misschien hadden ze meer schepen bij zich en zijn ze in die schepen vertrokken. En anders zijn ze misschien over land gevlucht. Ik wou maar dat ik wist waar ze nu uithangen.'

'Was Urdo maar hier,' zei Galba de Jongere, die onze gedachten onder woorden bracht. Tot een koning spreken de rivieren en bomen soms over het voorbijkomen van vreemdelingen en de verblijfplaats van troepen. Tot ons spraken ze heel weinig. Als de wind al nieuws had, was dat alleen dat de grijze bewolking ons spoedig weer regen zou brengen.

'Tenzij het land een ontzettende kronkel heeft gemaakt, moet dit de Don zijn, en ligt het grondgebied van de Jarns aan de overkant van de rivier,' merkte Enid op. 'We moeten op de kaart zoeken naar wat daar de provincie Valentia wordt genoemd. Het huidige Tevin, bedoel ik.'

Ik boog me over de kaart. Zo te zien hetzelfde golvende, heidelandschap, met hier en daar een bos, als het grondgebied waar we doorheen waren getrokken nadat we de heirbaan hadden verlaten. Op een heuveltop stond een in verval geraakte stenen toren. Geen teken van leven te bekennen, afgezien van een enkel schaap dat op de oever liep te grazen zonder notitie van ons te nemen. Ze konden zich in het dichtstbijzijnde bos bevinden, lachend om ons, maar ze konden ook mijlen ver weg zijn. Het was kort voor het middaguur, voor zover ik dat door de bewolking heen kon bepalen. Het was achteraf altijd moeilijk te bepalen hoe lang een slag had geduurd.

'Een mijl of vier, vijf naar het oosten stroomt nog een andere rivier,' zei Rhodren. Hij wees. 'Volgens de kaart. De, eh...' – hij tuurde naar de kaart – '... Derwent? Daarna krijg je alleen nog laagveengebieden, moerassig, met

118

veel stroompjes erdoorheen, totdat je uiteindelijk uitkomt bij de zee. Of die stroompjes zoetwater bevatten of zilte kreken zijn, weet ik niet. Ik zou trouwens niet weten waarom iemand zo'n drassig grondgebied zou willen hebben. Je kunt er met beschaafde methoden niets verbouwen. Waarom laten we het niet over aan de Jarns?'

'Jarnholme leek er vroeger veel op.' Enid staarde naar de heide aan de overzijde van de rivier. 'Maar hou erover op, Rhodren!'

Rhodren maakte een grimas naar haar en wijdde zich weer aan de kaart. 'Hoe het ook zij, Caer Lind ligt niet ver stroomafwaarts aan de Don, ten zuidoosten van hier. Een halve dag rijden, ongeveer. Als de mensen in Caer Lind tenminste nog in leven zijn, wat we niet weten. Het is vijftien jaar geleden dat iemand van ons daar een kijkje is wezen nemen.'

'Ik ben beslist niet afgunstig op Raul,' zei Galba, opkijkend naar de nog te paard gezeten ala, wachtend op bevelen. 'Ik zou voor geen dozijn merries ambassadeur willen zijn bij een nieuwe Jarnse koning, in een territorium waar sinds een generatie niemand meer is geweest. Is de ouwe Borthas daar al iets wijzer over geworden?'

'Niet dat ik weet,' zei Osvran. 'De Grote Koning heeft ons uitdrukkelijk verzocht er niet over te praten. Urdo wil onder geen beding dat de Jarns Tinala bezetten. Maar hij wil Borthas evenmin Tevin in de schoot werpen. Borthas is geen vriend van ons, voor zover iemand dat vergeten mocht zijn.' We lachten. 'Waar wij op uit zijn, is vrede – geen veroveringen. In Tevin woont nog nauwelijks iemand van ons – er leven alleen Jarns. Het is er nat en moerassig, ze worden er vaak overvallen en nagenoeg iedereen uit die stad is dood of is verhuisd naar betere oorden. En anders is hij of zij als slaaf weggevoerd en buiten ons bereik.'

'Mijn oude wapenmeester kwam uit Caer Lind,' zei ik. 'Hij zei er nooit veel over. Hij was vertrokken toen de stad in handen van de Jarns viel.'

'In zekere zin heeft Rhodren gelijk,' zei Enid. 'We hebben die stad een-voudigweg aan ze overgelaten.'

'Dat is lang geleden en nu niet meer van belang,' zei Osvran. 'Urdo zou een Jarns Tevin beslist erkennen, net zoals hij met Aylsfa en Cennet heeft gedaan. Hij heeft ons hierheen gezonden omdat Borthas zijn hulp heeft ingeroepen. Borthas is niet met de Jarns in Bereïch in oorlog, en dit jaar evenmin met koning Penda in Bregheda. Hij had echter gehoord dat een Jarnse koning bij Tevin aan land was gegaan en wil moeilijkheden daar voorkomen. Hij heeft Urdo gezegd dat hij voor een inval vreesde. Als ze een nieuwe koning hebben, zullen ze zich misschien aaneensluiten, rede-neerde hij. Daarom zijn wij – Urdo's trouwste ala – hier alleen voor dit seizoen. We zullen echter moeten toegeven dat de Jarns vandaag Tinala binnengevallen zijn. En we zijn hier tijdig genoeg om zelf de plaats te kunnen kiezen waar we tegen ze willen strijden. We zullen de Jarns een halt toeroepen, maar als Borthas hier is, zal hij de rivier willen oversteken om dorpen daar in brand te steken. Ik zal zelf moeten beslissen of wij dat gaan doen of niet. Nu hoor ik graag nuttige argumentaties over waar ze heen kunnen zijn gegaan, alsjeblieft.'

'Als ze naar het noorden zijn gevlucht, is er op zijn minst een schip met volledige bemanning regelrecht op weg naar Caer Avroc,' zei Galba. 'Mag ik de kaart even zien?'

'Deze kaart zou veel informatiever zijn als hij geen tweehonderd jaar oud was,' mompelde Rhodren. We hadden al vastgesteld dat de heuvels, rivieren en Vincaanse steden erop aangegeven stonden, maar we konden nergens op de kaart aanwijzingen voor Jarnse dorpen vinden. De Jarns schenen hun dorpen welbewust zo ver mogelijk buiten het zicht van de heirwegen te bouwen. De nederzettingen die we aan deze kant van de Don hadden gezien behoorden in naam tot Tinala, maar ze waren niet bepaald verheugd om vertegenwoordigers van ongeacht welke koning te zien.

'Noordwaarts naar Caer Avroc, of in zuidoostelijke richting naar Caer Lind, of over land naar de Derwent om Tevin binnen te vallen,' zei Galba, zonder van de kaart op te kijken.

De rook die opsteeg van de brandende schepen dreef weg en werd een met de donkere wolken. 'Als ze mankracht genoeg hadden gehad, zouden ze wel een van deze schepen hebben meegenomen, desnoods slepend,' zei ik.

'We hebben ze op het veld verslagen en ze hebben zware verliezen geleden, dat valt niet te betwijfelen. De moeilijkheid is alleen wat we nu moeten doen,' zei Osvran. 'Ze zijn numeriek nog sterk genoeg om schade aan te richten, dus moeten wij ze dwingen tot een beslissende slag, óf een wapenstilstand. Als ze de rivier zijn overgestoken, zijn ze opgegaan in de daar wonende Jarns. Onder die Jarns zullen ze vast genoeg verwanten en gastvrije vrienden vinden om daar geen verwoestingen aan te richten, net als hier onder Ayls volk. Als ze daar genoeg tijd voor hebben gehad, zullen we ze nooit te pakken krijgen, maar in plaats daarvan de grote oorlog uitlokken waar Borthas zo beducht voor is. Als iedere Jarnsman die zich in het oosten heeft gevestigd de wapens opneemt, draait het uit op een ramp.'

'Volgens mij is dat precies waarop Borthas hoopt,' zei Rhodren, starend over het traag stromende water. 'Ik vind het hier maar niks. Hij wil dolgraag dat de Jarns de wapens opnemen, tegen óns.'

'Mag ik iets zeggen?' vroeg Ap Erbin. 'Het is geen suggestie over waar ze kunnen zijn, maar ik denk dat het relevant is.'

'Als jij denkt dat iets relevant is, kun je dat altijd zeggen,' zei Osvran. 'Ik weet dat je nog maar kort decurio bent, maar heb je nog geen van Urdo's strategiefeesten bijgewoond?' Urdo was de overtuiging toegedaan dat iedere wapendrager die een bevel voerde een minimale opleiding op het gebied van krijgsgeschiedenis, strategie en tactiek diende te volgen en ook moest weten wanneer hij of zij het woord moest vragen. Zijn strategiefeesten konden een beproeving zijn, maar tegelijkertijd bijzonder boeiend. Iedereen boven de rang van seiner werd ervoor uitgenodigd en de gesprekken konden heel interessant zijn. Hij neigde ertoe de volgende keer van ons te verlangen dat iedereen er een boek over had gelezen. Enid klaagde graag dat ik vals speelde omdat ik als kind al over de Lossiaanse Oorlogen had gelezen. Zelf zag ik geen verschil tussen door je moeder gedwongen worden om Fedra's eindeloze proza te lezen, of van Urdo bevel daartoe te krijgen, behalve dan dat Urdo er betere redenen voor had. Het was mijn schuld niet dat Enid een slecht geheugen had.

'Eentje pas,' antwoordde Ap Erbin. 'Goed, dit is misschien onzin, maar waarom hebben ze eigenlijk schepen bij zich?'

Iedereen staarde hem aan alsof hij een onnozele neef voor zich had. Jarnse kustplunderaars kwamen altijd in schepen.

Hij bloosde. 'Ik bedoel, als Ayl de Tamer oversteekt, heeft hij daar geen schepen voor nodig. Dit zijn geen invallers uit deze streken. Ze kunnen niet het hele eind hierheen zijn gekomen als ze eerst langs Caer Lind moesten. Het zijn tenslotte grote schepen. En hun koning was erbij. Daar komt bij dat ze tamelijk goed konden vechten, anders dan de invallers uit zee. Ze waren gedisciplineerd. Ze weerden zich uitstekend tegen Borthas' voetvolk en tegen onze stormaanval, die ze even goed doorstonden als wie ook. Bovendien hebben ze zich ordelijk teruggetrokken. We hadden heel wat met ze te stellen.'

'Klopt,' beaamde Galba. 'Ap Erbin heeft gelijk. Dit waren uitstekend gedisciplineerde Jarns – een koning en zijn gezworenen. Dit waren geen kustplunderaars, maar ze zijn toch in hun schepen ergens vandaan gekomen, om een of andere reden. Waarschijnlijk zijn ze nu weer op de terugweg daarheen, als ze een greintje verstand hebben.'

'Of zouden ze misschien hun schepen achter zich hebben verbrand om duidelijk te maken dat ze vast van plan zijn hier te blijven?' opperde Enid. 'Dat ze zich van dit gebied meester willen maken en zich niet meer terug zullen trekken, ook al hebben ze dat voor dit moment gedaan?'

'We zijn hier niet in Aylsfa,' bracht ik in het midden. 'We hebben met deze lieden geen wapenstilstand en zijn evenmin gewoon die met hen te sluiten. Misschien weten ze niet eens hoe ze daarom kunnen vragen. Als we langs de rivier naar het zuiden rijden om te zien of we ze de pas af kunnen snijden, kan Borthas zijn leger mee terugnemen naar Caer Avroc, voor het geval zij naar het noorden zijn getrokken. Als we ze inderdaad daar vinden, kunnen we hem een paar ijlboden sturen; het is niet noodzakelijk dat we meteen de strijd met hen aanbinden. Omgekeerd kan hij, als híj ze aantreft, een paar ijlboden naar ons toe sturen, met het verzoek terug te komen. En als we dan terug zijn en tegenover ze staan, nou, misschien zijn ze dan bereid naar rede te luisteren. Mijn seiner en een paar mensen in mijn penoen spreken Jarns.'

'Niet slecht geredeneerd,' zei Osvran, en ik voelde mijn wangen heet worden bij deze onverwachte loftuiting. 'We beschikken over ons eigen bevoorradingsysteem, zodat we niet langer bij Borthas hoeven te blijven dan nodig is.' Hij grinnikte en nam een besluit. 'Stijg maar op en hou je gereed, we kunnen net zo goed meteen op weg gaan. Enid, stuur jij een roodmantel naar de hoofdmacht om uit te leggen wat we gaan doen.'

'Wat doen we als Borthas niet wil meewerken?' vroeg Rhodren.

'Dat is de reden dat ik hier niet blijf afwachten, zodat ik er met hem over moet twisten,' zei Osvran. 'Stuur ook een bode naar Glyn – dat wil zeggen, Glyn persoonlijk – om ook hem in te lichten. Laat alle voorraden en reserves ons zo gauw mogelijk volgen. Zeg Glyn dat we drie mijl stroomafwaarts op hem wachten. Intussen kunnen wij daar een hapje eten en uitrusten totdat zij ons hebben bereikt.'

Ik wandelde terug naar mijn wachtende penoen, keurig in het gelid. Ze waren zo grondig gedrild dat ze uiteindelijk meer geneigd waren het juiste te doen dan andersom. Ze keken allemaal naar mij. We waren met één man minder, want de arme Senach had een geworpen speer in zijn oog gekregen. Indeg, mijn seiner, had zijn trompet al in de hand, klaar om mijn bevelen door te geven. Ik grijnsde hen toe toen ik mezelf op Appels rug zwaaide. 'We gaan een eind stroomafwaarts en slaan daar vermoedelijk ons kamp op voor de nacht om erachter te komen wat er gaande is, niet om te vechten.' Ze antwoordden door als één man te kreunen, een bevredigende reactie. Ze hadden vandaag al hevig gevochten en we waren uitstekend uit de strijd gekomen, ondanks de onverwacht hoge kwaliteit van de Jarnse troepen. Ze waren nog strijdvaardig en wilden ermee doorgaan.

'Nou, gelukkig gaan we tenminste niet terug. Ik vecht liever dan weer een van die gruwelijke banketten in Caer Avroc te moeten bijwonen,' zei Geiran met een grimas. Iedereen lachte en er werd instemmend gemompeld.

'*Vechten*?' zei ik, verrassing voorwendend. 'Ik zou zo denken dat we dat allemáál liever doen. Persoonlijk zou ik zelfs de voorkeur geven aan een voetpatrouille van een hele nacht in hartje winter, met een mud knolrapen op m'n rug.' Ze lachten weer, goed gehumeurd.

'Wie hier heeft niet het aanbod gekregen van bevordering en dubbele soldij als hij of zij bereid was zich te laten overplaatsen naar de persoonlijke paardentroep van Borthas Slangsmoel?' vroeg Bran ap Penda zich hardop af.

'Paardendansers,' snierde Masarn ap Sifax. 'Hebben jullie gezien hoe ze zich op de achtergrond hielden, achter hun voetvolk?'

'Hij heeft niet het flauwste idee van hoe je ruiters in een slag inzet,' glimlachte Bran flauwtjes.

Ze namen ieder hun vaste plaats in de formatie in zonder dat ik iets hoefde te zeggen. We waren gewend aan elkaar en voelden ons bij elkaar op ons gemak. De colonne stond nu in rotten van vier zonder dat iemand daartoe bevel had gegeven. Geiran en Bran posteerden zich naast mij. Bran was mijn seiner en had aan zijn zadel het penoenvaantje en de witte verzamelvlag. Geiran was vaandrig en de gouden aanvalsvlag was aan haar zadel bevestigd. Ik had hen die in de strijd laten dragen, ook al had ik kunnen besluiten er zelf een te nemen. Indeg reed achter mij, klaar om mijn signalen door te geven. Ik hoefde niet eens om te kijken om te zien waar hij was.

'Je zou denken dat iemand, nadat ik hem honderdvijftig keer nee had verkocht, niet meer de moeite zou nemen mij te vragen,' zei Geiran.

'Wat heb je geantwoord?' vroeg Bran.

'O, ik had hem nog niet gezegd wie mijn vader was of hij ging er in volle galop vandoor.'

Bran grinnikte. Terwijl we de paarden in gang zetten, zei hij: 'Hij zou nu met mijn vader in oorlog zijn als de Grote Koning hem dat toestond. Zien jullie die heuvels daarginds, in het westen? Daar hebben bijna even veel veldslagen tussen Borthas en mijn vader plaatsgehad als tussen ons en de kustplunderaars. Wat zei je precies tegen hem?'

'Ik zei: "Ik heb al vrijers genoeg, zodat ik voor de eer moet bedanken, meneer,"' antwoordde Geiran. 'Ik heb gehoord dat Borthas Osvran de gunsten van zijn zuster – die ouwe taart met de koeienogen – wilde beloven als hij bereid was zich bij hen aan te sluiten.'

'Wat heeft onze kapitein geantwoord?' Ze grinnikten allebei en ik had hun moeten zeggen ermee op te houden, maar wilde het zelf ook graag weten.

'Hij zei dat hij het maar bij Glyn moest proberen – een dergelijk aanbod zou meer aansluiten bij zijn voorkeuren.'

'Ah, maar Glyn...' Bran dempte zijn stem en fluisterde iets.

'Hebben ze jou nog niet gevraagd, Sulien?' vroeg Masarn, uiterst rechts van mij.

'Flavien ap Borthas bood mij de twijfelachtige eer van het bevel over zijn kleine groep halfgetrainde ruiters,' antwoordde ik grijnzend. 'Het kostte me weinig moeite te weigeren, maar om dat op een beleefde manier te doen was moeilijker.' Hij had mij benaderd toen ik met Galba zat te praten, waarbij hij was gaan hameren op de vermeende belediging die personen van hogere geboorte was aangedaan toen Osvran het bevel over ons had gekregen. Later zei Galba dat Urdo hem voor ons vertrek had verteld dat hij, Galba, na onze terugkomst toe zou zijn aan het commando over de ala in Magor en Derwen, dat hem al veel eerder was beloofd. We hadden de rest van die avond gebruikt om een geschikt embleem voor hem te ontwerpen. Hij had me gevraagd of er iets geschikts was dat mijn zus Aurien ook zou bevallen. Hij had haar geregeld geschreven en wist nu meer over haar voorkeuren en dingen waaraan ze een hekel had dan ikzelf. Ze zouden op midwinter trouwen, de kortste dag van het jaar.

Lachend zei Masarn: 'Ik zal blij zijn als we die verdomde Jarns in de pan hebben gehakt, dan kunnen we weg uit deze ellendige contreien en terug naar huis.'

'Ik kan gelukkig zeggen dat ik me niet in het minst zorgen hoef te maken over de mogelijkheid dat iemand onder ons voor de verlokkingen van Caer Avroc zal zwichten.'

Glyn kwam naar ons toe, zoals we het hadden geregeld. We aten samen en reden verder. Die middag zagen we geen spoor van de Jarns. Tegen de avond sloegen we ons kamp op op een heuveltop, die ons rondom goed uitzicht bood. Toen we de paarden omhoog leidden, vonden we op het hoogste punt een enorme steenplaat, van het soort dat volgens de oude overleveringen is achtergelaten door de bewoners van de Hollow Hills.

'Dit verklaart waarom deze heuvel op de kaart aangegeven staat als Foreth,' zei Rhodren. 'Dat woord betekent zoveel als "Tafelberg".'

Sommige armigers om ons heen maakten allerlei rituele afweergebaren. Interessant. Osvran riep om stilte.

'Zien jullie deze tafel?' riep hij.

Iedereen keek ernaar of deed zijn best dat niet te doen. Het was een grijs steenblok dat tot aan Osvrans middel reikte nu hij ernaast stond. Het blok had bijna twee keer zijn lengte.

'Die is hier geplaatst door onze voorouders, misschien toen ze nog tegen de Vincanen streden. Dat wil zeggen dat dit een prima plek is om te verdedigen, als dat nodig mocht zijn, dus hebben we een goede kampplaats gekozen.'

Hierna stierf het gemompel weg en installeerden we ons voor de nacht.

'Als we voor het middaguur morgen niemand hebben aangetroffen, rijden we terug,' gaf Enid aan mij door, zodat ik het mijn wapendragers kon doorgeven. De kille regen was opgehouden. We waren blij met deze kans om te rusten en de meesten onder ons kankerden nauwelijks.

13

Neem uw zwaard en steek in zee!
Neem dit eerlijk gewonnen ros,
en laat u drijven in uw kokkelboot,
die ons uit koers heeft gebracht.

Sla acht op de woorden die ik spreek,
neem ze ter harte en vertrek, want
ik zweer u: dit land zal uw hart
nog voor het ochtendgloren breken.

Vier spellen won gij op dit witte strand,
verwierf ze met uw schone lied;
de hengstgolf beukt luid en druistig:
hij zegt dat we te lang hebben getalmd.

Naar huis, naar huis, mijn Heer, zeg ik,
die groen-vertrouwde kust; wij moeten
nu vertrekken, Heer; ik zou wenen als
wij hem nooit meer zouden terugzien!
– Naar *De ballade van Emrys*

Het is in het holst van de nacht altijd kil, zelfs hartje zomer. Bij de volgende vollemaan zou het Herfstfeest worden gehouden, het sein dat de appeloogst kon beginnen. Ik was daarom blij met mijn wollen mantel, maar zou nog blijer geweest zijn als dit het middaguur was. Af en toe gluurde de halvemaan door de jagende wolken, die dan merkwaardige, grillige schaduwen op de grond tekenden.

Ik liep wat rond om mezelf warm en wakker te houden en om te zien hoe het met de andere wachtposten ging. Al te vaak was Osvran naar een kil kampement gekomen en had hij mij bijna slapend aangetroffen. De vierde penoen zou zo goed als we konden de wacht houden. Als de Jarns mochten komen, zouden we allemaal gereed zijn om op te stijgen en de heuveltop af te stormen, bijna nog voordat zij er zeker van konden zijn dat we hier waren. Het is dwaas om het 's nachts tegen een goede infanterie op te nemen als de vijand het terrein kent en jij het voordeel hebt dat je je snel kunt verplaatsen. Geen van mijn schildwachten sliep. Nergens was beweging te bespeuren, behalve van een paar waakzame strijdrossen, die zo nu en dan zacht snoven of met de voorhoef over de grond krabden. Nog een uurtje onder deze maan, dan kon ik Bran ap Penda wakker maken; hij zou dan mijn plaats innemen en de andere helft van de penoen op wacht posteren. De vierde en vijfde penoen hadden hier ook wapendragers geposteerd, in de buitenste ring. Er zou nog tijd genoeg zijn om te slapen. De Jarns zouden ons niet kunnen verrassen, en afmatten al helemaal niet.

Ik liep rond het hele kampement, de hele heuveltop. Er stonden hier wat ruïnes van stenen en leem, waaruit bleek dat hier ooit mensen hadden gewoond. Ik leunde op het oude steenblok waaraan de heuvel zijn naam te danken had – Foreth, of Tafelberg. Hoe gerustgesteld de anderen ook waren door wat Osvran erover had gezegd, ik wist beter. Mijn moeder had me verteld dat dergelijke rotsblokken betekenden dat mensen daar vroeger hun goden hadden aanbeden. Ik strekte mijn mentale voelhorens uit, tastend naar deze oude band. Er was nauwelijks een spoor van te bekennen waaruit ik troost had kunnen putten. Ik kon zelfs niet bepalen of zij de Moeder of de Smid op deze heuveltop hadden aanbeden. Hun namen waren bijna in vergetelheid geraakt, zodat het heel lang geleden moest zijn geweest. Van de mensen zelf was niemand meer over. De goden namen nog nauwelijks notitie van deze heuveltop. Er zou een verschrikkelijke daad nodig zijn om hen te wekken. Al deze mensen waren dood en vergeten, zonder iets te hebben nagelaten. Mijn Tanagaanse voorouders hadden hen gedood of waren met hen gehuwd, maar er was niemand achtergebleven die de Foreth zou beklimmen om offerandes te brengen. De heuvel zélf nam trouwens ook nog nauwelijks notitie van mensen. Ik huiverde. Ik geloof niet dat ik vóór dit moment werkelijk had begrepen wat Urdo had bedoeld toen hij over de naam en dit land sprak. Het rotsblok lag stil in de duisternis en was als enige zichzelf gebleven, ook nu de Tanaganen uit Tevin waren verdreven.

Achter me hoorde ik een zacht geluid, dus draaide ik me vliegensvlug om mijn as, met halfgetrokken zwaard, maar het was Osvran. De eikenbladeren op zijn witte prefect-mantel waren van goud, maar glansden als zilver in het maanlicht. 'Ik kon niet slapen,' zei hij, met de gedempte stem die mensen gebruiken als er andere mensen om hen heen liggen te slapen. 'Iets opgemerkt?'

'Niets. Konijnen, een rusteloos paard, wolken langs de maan. Ik geloof niet dat iemand weet heeft van onze aanwezigheid hier,' antwoordde ik.

Osvran leunde naast me op het rotsblok. 'Toch is het mogelijk. Ik zou niet weten waarom niet. Je kunt niet met tweehonderd ruiters door een streek rijden zonder duidelijke sporen achter te laten die door anderen wel móeten worden opgemerkt.' De halvemaan gluurde tussen de wolkenflarden door en toverde de rivier om in een zilverkleurig, kronkelend lint. Ik kon de helft van Osvrans gezicht zien, op gelijke hoogte met het mijne, terwijl hij over de verlaten velden staarde. 'Ik wou maar dat ik wist wat ze uitspoken. Ik heb een boodschap van Borthas ontvangen – hij is terug in Caer Avroc, maar ook daar is geen spoor van ze te bekennen.'

'Dit gaat een buitengewoon vreemd verslag worden,' beaamde ik.

'En toen... waren ze verdwenen,' gromde Osvran. 'Een holle heuvel in. Misschien zelfs deze.' Hij bleef voor zich uit staren.

Ik werd bekropen door een kil gevoel van onrust. 'Dit land is uitgestrekt; ze kunnen overal zijn,' vulde ik aan. 'Misschien zullen we ze niet eens kunnen vinden.'

'Ik hoopte dat we hen zouden kunnen verleiden tot een aanval als we hier ons kamp maakten. Dan konden we morgenochtend uitbreken en ze bestrijden als het licht is.'

'Nog steeds geen spoor.' Ik richtte me op en liep helemaal om het grote rotsblok heen, speurend in alle richtingen. Mijn taak mocht er dan uit bestaan dat ik de schildwachten waakzaam moest houden, maar ik voelde me niet op mijn gemak als ik te lang één kant uitkeek. Toen de wolken de maan weer verborgen, kwam ik weer naast Osvran staan.

'Ik wil dit beslechten en dan naar huis,' zei hij.

'Ach, het mag hier dan kil zijn, maar iedereen zit liever hier dan in Caer Avroc.'

Hij lachte even. 'Dat geldt beslist ook voor mij!'

'Heeft Borthas' zuster werkelijk geprobeerd jou te verleiden?' vroeg ik, uit door afschuw ingegeven nieuwsgierigheid.

'Tja...' zei Osvran glimlachend, maar zonder geamuseerdheid. Hij koos zijn woorden met zorg. 'Ze heet Rheneth ap Borthas, want Borthas' vader had dezelfde naam, net als zijn oudste zoon – dat is de traditie in die familie. Stompzinnigheid en gebrek aan verbeeldingskracht zit ze in het bloed, vrees ik, samen met die arrogantie van de Tinala's. Ze is al twee keer getrouwd geweest, beide keren met mannen die voor Borthas nuttig waren en op een voor hem voordelige manier zijn gestorven. Ze heeft een zoon die voor de helft Jarnsman is; hij is een jaar of twaalf oud en kan enige aanspraak maken op Bereïch. Zijn oom wacht vermoedelijk alleen nog op het juiste moment om die te laten gelden. Bah. Hij heeft haar al aan zo ongeveer iedere koning in Tir Tanagiri aangeboden – en als hij het niet deed, deed zij het zelf. Ze gedraagt zich als een jong meisje dat mooi genoeg is om op clementie te kunnen rekenen. Maar daar is ze in feite te oud voor, zoals je wel zult hebben gemerkt.'

'Ik heb haar ontmoet,' beaamde ik.

'Bovendien heeft ze de intuïtie van een zeug. Of nee, dat is beledigend voor alle zeugen. Die dieren kunnen juist heel intuïtief zijn. Het komt door de vorm van haar neus dat ik dat zeg – niet haar intuïtie.' Ik giechelde, maar hield me haastig in. 'Ze is het echter absoluut niet gewend om nul op het rekest te krijgen.'

'Ze is strontverwend. Heb je haar gevraagd een verwant te sturen?'

Osvran snoof zacht. 'Nee. Geen dodelijke beledigingen aan het adres van hun Huis. Trouwens, de jonge Flavien ap Borthas had het kunnen proberen. Is dat soms wat er wordt gefluisterd?'

'Nee, zit daar niet over in. Volgens de geruchten zou haar de raad zijn gegeven de arme Glyn te vragen.' Mijn blik zocht weer de horizon. 'Ik dacht alleen dat het haar wat manieren had kunnen bijbrengen, als je dat tegen haar had gezegd. Zijn er in het noorden geen mannen die een voorkeur hebben voor elkaar?'

'Ik kóm uit het noorden,' antwoordde Osvran droogjes. Toen zei hij lachend: 'Waarom dacht je anders dat ik daar was weggegaan?'

'Jij komt toch zeker niet uit Tinala, of wel?' vroeg ik.

'Nee, de Blanke God zij gedankt. Uit Demedia. De plaats waar ik ben geboren, maakt feitelijk deel uit van het huidige Bereïch. Mijn ouders zijn voor de Jarns gevlucht en bewerken nu grond die eigendom is van de Angas-clan, nabij Dun Idyn. Ik ben grootgebracht met Angas, bij wijze van kameraad, omdat ik ongeveer van zijn leeftijd ben. Daar heb ik een gedegen opleiding tot wapendrager aan te danken.' Osvran aarzelde even, maar vervolgde: 'Er zijn er die beweren dat de heer van Angas in het jaar voor mijn geboorte een warme belangstelling had voor mijn moeder. Uiteraard moet ik iedereen die dat beweert de handschoen toewerpen.' Zijn stem klonk kil en effen.

'Waarom vertel je mij dit?' Ik had het natuurlijk horen fluisteren, maar dat hij dit nu zelf zei leek me ongelooflijk.

'Ik heb altijd gedacht dat ik nooit zou trouwen. Ik lig liever met mannen, altijd al. En ik ben geen erfgenaam van hun land. Urdo heeft mij echter een eigen grondgebied beloofd, mét een naam, iets dat waardevol genoeg is om er een erfgenaam voor te verwekken. Niet nu, natuurlijk. Pas als de oorlogen tegen de Jarns achter de rug zijn en we vrede hebben. Als de goden ons goed gezind zijn, zodat dit allemaal werkelijkheid wordt en wij nog in leven zijn om het mee te maken, vroeg ik me af of jij bereid zou zijn een aanzoek van mij in overweging te nemen. Ik weet dat je eervolle huwelijksaanzoeken van Galba én Glyn hebt afgewezen, net als van de helft van de ala. Daar zul je wel je redenen voor hebben. We zouden elkaar echter niet veel lastig hoeven vallen met dingen waarin we weinig zin hebben. Ik denk echter wel dat ik mezelf ertoe kan dwingen een kind te verwekken of, als jij geen tweede kind wilt, bij iemand anders. Op zijn minst zouden we jouw zoon terug kunnen halen uit Thansethan. Dat zouden we hoe dan ook kunnen doen; ik weet dat je hem...'

'Osvran...' Blijkbaar had hij zijn hele leven al uitgestippeld, alsof het een campagne betrof. Ik had hem alleen zoveel laten zeggen omdat hij me van mijn stuk had gebracht. Het was heel vreemd zijn kalme stem deze logische reeks van suggesties te horen uitspreken in het donker, waar ik niet eens zijn gezicht kon zien. De klank van mijn stem maakte dat hij de rest inslikte. Ik haalde adem, richtte me op en liep nog eens rond het rotsblok om genoeg tot kalmte te komen om weer iets te zeggen. Ik betwijfel of ik iets zou hebben gemerkt als er op dat moment een compleet Jarns leger de heuvel op was gekomen, met in oorlogskleuren beschilderde gezichten, maar het deed me goed. Hij was roerloos blijven staan. 'Nee. Het spijt me. Ik voel absoluut niets voor dat soort liefde – niet met een man, noch met een vrouw of zelfs een beest.' Ik rilde van afschuw bij de herinnering. 'We zouden allebei onszelf geweld aandoen en zo erg verlang ik niet naar een tweede kind. Het leven van wapendrager bevalt me uitstekend. Ik wil geen sleutelbewaarder zijn en een landgoed bestieren.'

'Je zou gewoon ruiter kunnen blijven; het hoeft niets te veranderen.'

'O jawel, er zou veel veranderen, dat weet je. Kijk maar naar Enid en Larig.'

Schouderophalend zei Osvran: 'Ze heeft hem overgehaald om haar mee te nemen op deze expeditie naar Jarnholme. Ze is hier, bij de ala. Wat is er dan veranderd?'

'Misschien dat ze hem om toestemming moest vragen voor iets wat haar goed recht was? Of de verlegenheid van alle mannen die na een slag haar deken met haar hebben gedeeld en nu niet goed meer weten hoe ze met haar moeten praten?' opperde ik.

'Goed, dat is waar, maar daar is ze uitstekend mee omgesprongen, en het feit dat ze tot decurio is bevorderd heeft geholpen. Het zou trouwens niet op jou van toepassing zijn.'

'Wat dacht je dan van een situatie waarin ze niet langer kan verbergen dat ze zwanger is, zodat jij haar ergens heen moet sturen en ze er een heel jaar aan kwijt is? Of nog langer, als ze het kind niet te kort wil doen! Allemaal goed en wel voor mensen die dat willen, maar niet voor mij! Ik heb al een heel jaar verloren. Meer wil ik niet verliezen. Nee, ik hou van dit leven. En bovendien heb ik de ambitie om ooit zelf prefect te worden; in geen geval wil ik heerschap zijn.'

'Ik denk trouwens dat jouw ouders een rolberoerte zouden krijgen vanwege mijn lage geboorte.'

'Wat?' Ik staarde hem met knipperende ogen aan. Zijn gezicht was plotseling overgoten met een zilveren glans nu de maan weer zichtbaar werd.

Ik had die uitdrukking al eens eerder gezien, de keer dat hij over het hoofd van zijn paard naar voren was geschoten nadat hij zijn zwaard had laten neerkomen op een Jarn met een uitzonderlijk zachte schedel. 'Dit is belachelijk. Je weet dat ik niet zo denk. Ik wil werkelijk met niemand trouwen, nóóit. Niet met jou, niet met Galba en ook niet met Urdo als hij zo dom zou zijn zich zoiets in het hoofd te halen. Zelfs niet met Elhanan de Veroveraar, als die nog in leven was. Jij bent mijn vriend en heel belangrijk voor mij. Als ik al met iemand zou willen trouwen, zou jij een betere kandidaat zijn dan de meesten.'

'O. Nou ja,' verzuchtte hij. 'Vergeet het maar.'

'Evengoed bedankt voor dit aanbod. Je bedenkt wel iets,' zei ik troostend.

'Een goeie bevelhebber bedenkt altijd wel iets,' citeerde hij Urdo, die eens Dalitius had geciteerd. 'Is Enid werkelijk in verwachting?'

'Dat heb je niet van mij! Ze zou me vermoorden. Trouwens, ze heeft mij niets verteld; ik heb het alleen aan haar gezien. Ze weet echter dat ik het weet.' Ik was bang geweest dat ze de symptomen zelf niet had opgemerkt, maar ze had me uitgelachen. 'Het is nog niet ver genoeg om haar te beletten mee te vechten, anders zou ze niet zijn meegekomen, ook al wilde ze het nog zo graag. Ze is verstandig. Ze zal je op het juiste moment inlichten. Dan kun je haar terugsturen naar Caer Tanaga, of waar Larig zich dan ook mag bevinden.'

'Ik meen dat hij in Caer Segant is, bij vrouwe Rowanna,' zei Osvran afwezig. Meteen vervolgde hij: 'Zelf heb ik nog geen enkel verschil bij Enid opgemerkt. Ik zal doen of mijn neus bloedt, totdat ik moet ingrijpen. Nu ga ik even de schildwachten langs en daarna nog wat slapen. Laat het me weten als je ooit van gedachten mocht veranderen.'

Ik liep heen en weer. Dit was lang niet het eerste aanzoek dat me vanuit de ala was gedaan, maar wel een van de vreemdste. Ik vroeg me af hoelang hij nodig had gehad om deze strategie uit te knobbelen. Ik trok mijn mantel dichter om me heen. Het was bijna tijd om Bran te wekken. Ik moest zoveel mogelijk slaap zien te krijgen voor het geval we morgenochtend werkelijk slaags mochten raken.

De hemel was die ochtend betrokken en we zagen nog steeds geen spoor van de Jarns. Wel vonden we tussen Foreth en Caer Lind twee Jarnse dorpen, allebei verlaten. In beide gevallen wees alles erop dat ze zich gediscip+lineerd hadden teruggetrokken. Even voorbij het tweede gehucht liet een koe ons opschrikken door vlak voor ons het pad over te steken. 'Die moet nodig worden gemolken,' zei Glyn.

'Ze hebben hun vee losgelaten,' zei Osvran. 'Waar denken ze mee bezig te zijn?'

'Zal ik die koe laten melken?' vroeg Glyn. 'Een paar waterzakken met verse melk zullen ons geen kwaad doen en Ap Gavan kan álles melken.'

Osvran keek om zich heen. Uiteraard reden er verspieders voor ons uit. We bevonden ons in tamelijk overzichtelijk terrein. 'We houden hier halt. Leg een vuur aan. Melk gerust die koe en maak pap, als je daar kans voor ziet. Als ze zich daar druk over maken, weten ze toch al waar we zijn. We eten om beurten.' Dit betekende dat de helft van de penoen kon afstijgen om te eten; de anderen bleven in het zadel. Als de eerste helft weer in het zadel zat, kon de andere helft afstijgen. 'Haal water uit de rivier, niet uit dat dorpje.'

'Hoezo?' vroeg Ap Erbin, maar meteen voegde hij eraan toe: 'Bedoel je dat ze de waterputten kunnen hebben vergiftigd?'

'Het zou logisch zijn als ze dat deden,' antwoordde Osvran.

'Welke kleur had die koe?' vroeg Bran aan Garah, toen ze naar ons toe kwam om bij ons te eten.

'Bruin,' zei Garah, op de resolute manier van iemand die dezelfde vraag al dikwijls had moeten beantwoorden. 'En als je een afkeer hebt van het idee om melk te drinken, eet dan die pap maar niet op, want daar is de melk voor gebruikt – twee hele emmers, bijna genoeg voor veertig kommen. Ze was gisteravond ook niet gemolken.'

'Geef maar aan mij,' zei Masarn hoopvol, toen Bran ophield met eten.

'Melk in pap is goed voor je, zo koken ze het ook altijd in Thansethan. Het is vooral goed voor mensen die moeten vechten; het maakt je sterker,' zei ik met gezag. Bran begon weer te eten.

'Toch raar dat ze die koe hebben achtergelaten,' zei Garah, die Talog haar kom voorhield om de inhoud te delen. 'Het was trouwens geen fortuinlijke koe. Ze zal niet lang meer last hebben van volle uiers, want Cadwas maakt een feestmaal van haar.'

Bij dat nieuws veerde Masarn op. Zal er genoeg vlees zijn voor iedereen?' wilde hij weten. Net op dat moment blies Osvran op de trompet, voor de decurio's het sein om zich te verzamelen. Ik werkte haastig de rest van mijn pap naar binnen en liep naar hem toe.

'De eerste verspieders zijn terug uit Caer Lind,' meldde hij zodra we er allemaal waren. 'Ze zeggen dat de stad verlaten is. Vermoedelijk zelfs al jaren. Mijn plan is dat we er zo snel mogelijk heen rijden, de stad innemen en Borthas in Caer Avroc een boodschapper sturen met het advies ons troepen en voorraden te sturen. We kunnen de stad als uitvalsbasis gebruiken door van daaruit penoenen uit te zenden om de Jarns op te sporen.'

Ap Erbin leek niet op zijn gemak. 'De mensen maken zich zorgen over tovenarij,' zei hij. 'De logica van dit hier is ver te zoeken.'

'Zodra we ze hebben gevonden, komt er duidelijkheid,' zei Osvran. 'We kunnen niet met de handen in de schoot afwachten. Bovendien moeten we zorgen dat we een verdedigbare positie vinden óf in beweging blijven. Nog meer problemen?' Zijn blik dwaalde langs de anderen. Zijn gezicht stond volstrekt natuurlijk toen hij mij aankeek, wat voor mij een opluchting was. Niemand noemde nog andere problemen. Zodra we gereed waren om op te stijgen, zetten we koers naar Caer Lind.

Lang kreeg ik die dag niet de tijd om deze vreemde verlaten stad te zien. Osvran zat dringend verlegen om informatie. De versplinterde poort stond wijd open en hier en daar brokkelden de muren al af. De straten in het fort zelf volgden het patroon waarnaar de Vincanen overal hadden gebouwd, vanaf de Woestijn tot aan het IJs. Ze waren echter volgepropt met Jarnse bouwsels van hout en leem, en gedekt met stro, tegen de oude muren van de huizen. Tussen de kasseien van de straten groeide gras.

'Ik vermoed dat ze vertrokken zijn omdat de stank niet meer te harden was,' mompelde Geiran. De stank was inderdaad opmerkelijk hevig, heviger dan een mesthoop in hartje zomer.

Osvran riep ons bijeen in het poortwachtershuis. Hij had de vlag met de gouden boom van de ala gehesen, naast de groen-rode vlag van het koninkrijk Tir Tanagiri. Hij was bezig boodschappers te instrueren die naar Borthas in Caer Avroc moesten, anderhalve dag rijden, en ook naar Urdo in Caer Tanaga, in het gunstigste geval zes of zeven dagen. Hij stippelde op de kaarten duidelijke routes uit voor de penoenen die hij wilde uitzenden. We kregen bevel om telkens na twee uur een bode – een roodmantel, zoals wij ze noemden – terug te sturen en dienden voor zonsondergang terug te zijn. Als we een Jarnse strijdmacht van enige omvang aantroffen, dienden we zonder slag te leveren terug te komen. Bij eventuele boeren die we vonden, moesten we zoveel mogelijk informatie verzamelen.

'Ik weet niet wát ze in hun schild voeren,' zei Osvran, 'maar neem genoeg proviand mee om een nacht over te blijven. Drink alleen water uit de rivier. De bronnen in dit fort zijn vergiftigd, dus is het verstandig ervan uit te gaan dat alle bronnen en waterputten vergiftigd zijn. Hoe je moet patrouilleren hoef ik je niet te vertellen, dat hebben jullie vaak genoeg gedaan. Ga geen gevecht aan. Zie erachter te komen waar ze zijn en kom me dat dan zeggen, zodat we tegen hen kunnen strijden. Als we ze eenmaal hebben gevonden en ze tot vechten kunnen dwingen, zullen we ze verslaan.'

14

ORGANISATIESCHEMA VAN EEN RUITERESKADRON
Een volledige ala, uitgerust met alles wat nodig is voor een
verplaatsing van vijf dagen over 250 mijl, en het leveren van een
veldslag bij aankomst. Een ala is onderverdeeld in zes penoenen, en een penoen bestaat uit:

Combattanten:
- Een bevelhebber: *decurio, tribunus* (tribuun – plaatsvervan-
  gend bevelhebber, samen met de kwartiermeester tevens
  belast met logistieke aangelegenheden – aan- en afvoer)
  of *praefecto* (prefect – bevelhebber, bepaler van de tactiek-
  te-velde; gaat voorop in de strijd)
- Vierentwintig *armigers* (wapendragers te paard)
- Een *sequifer* of vaandrig (voert het penoenvaandel)
- Een *signifier* of wimpeldrager (voert de verzamelwimpel)
- Een *signaler* of seiner (geeft met vlagsignalen de bevelen
  door)
- Een *tubicen* of trompetter (geeft trompetsignalen door)

Wapendragers: 28
Strijdrossen: 60
Rijpaarden: 30

Non-combattanten:
- Een kok
- Twee hulpkoks
- Tien stalknechten
- Dertien helpers van de kwartiermeester (belast met de
  zorg voor de pakpaarden en voorraden)

Rijpaarden: 26
Pakpaarden: 138

Verder beschikt de ala over een Commando Kwartiermeester,
bestaande uit:

- Kwartiermeester, belast met coördinatie, huisvesting en bevoorrading
- Tien boodschappers of bodes
- Twintig verspieders/verkenners
- Een trompetter
- Een seiner
- Een arts
- Twee hulpartsen
- Een paardenarts
- Twee helpers paardenarts
- Een hoefsmid
- Twee hulpsmeden
- Twee schrijvers of klerken

Personeel: 44
Rijpaarden: 74
Pakpaarden: 216

De samenstelling van een volledig ruitereskadron (6 penoenen):

Combattanten: 168
Non-combattanten: 200
Strijdrossen: 360
Rijpaarden: 590
Pakpaarden: 1044

D ie dag vonden we niets. Wel zagen we meer verlaten dorpen, maar geen spoor van leven, waar dan ook. We sliepen in Caer Lind, slecht op ons gemak. De volgende dag bleven wij in het fort, omdat de drie andere penoenen aan de beurt waren om te patrouilleren. Osvran begon zich steeds meer zorgen te maken. Tegen zonsondergang kwam er bericht van Borthas: hij liet weten dat hij nog in Caer Avroc was, nog steeds geen Jarnsman had gezien en met zijn leger naar ons toe zou komen.

'Hij verzwijgt meer dan hij loslaat,' verklaarde Osvran ontevreden. 'Dat flikt-ie nou altijd.'

De derde dag reed ik weer uit om te gaan patrouilleren, al behoorlijk gefrustreerd. Die middag kwam een verspieder melden dat er in een naburig gehucht Jarns waren. Ze had hun bewegingen op afstand kunnen zien.

Ik stuurde dit nieuws meteen door naar Osvran. Ik had dat nog niet gedaan of er kwam een roodmantel van Rhodrens penoen, die ten zuiden van mij patrouilleerde. Hij had hetzelfde nieuws gehoord en wilde de zaak nader onderzoeken. Hij had ook bericht gestuurd aan Enid, die ten westen van mij patrouilleerde. Als we ons samenvoegden, zouden we numeriek sterk genoeg zijn om te zien of we voor Osvran een bevestiging konden vinden en zo nodig in actie te komen. Ik was evenzeer gebrand op strijd als hij. Ik leidde de penoen naar Rhodren, waarna de halve ala optrok tegen de nederzetting. We vonden er niemand. Het gehucht was verlaten.

'Als we deze nederzettingen in de as leggen, iedere keer als we er een vinden, kunnen we ze misschien dwingen zich te vertonen,' zei Rhodren.

Ik schudde het hoofd. 'Hou voor ogen waarvoor we strijden.'

'Jullie verspieders hebben allebei iets gezien,' merkte Enid op.

'Er klopt iets niet,' zei Rhodren plotseling. 'Ik voel het. Laten we zo snel mogelijk terugrijden naar Caer Lind. We hebben er stom aan gedaan om hierheen te gaan. Volgens mij houden ze ons in de smiezen.'

Ik gaf mijn bevelen aan Indeg, die ze meteen doorgaf aan de penoen. Rhodren en Enid deden hetzelfde met hun trompetters.

'Ik voel het ook,' zei Enid. 'Laten we maken dat we hier wegkomen.'

'Laat mij maar voorop rijden,' zei Rhodren. Hij voegde meteen de daad bij het woord, direct gevolgd door Enid. De vierde penoen vormde de achterhoede en volgde hen over het modderige spoor, richting Caer Lind. Ik probeerde te bedenken waarom zij plotseling zo panisch waren geworden. Ik had niets bijzonders bespeurd.

Verderop liep de weg dichter langs de bosrand. Zodra we een bocht om kwamen, zagen we een kleine strijdmacht Jarns die ons de weg wilde versperren. Het waren geen dorpelingen. Het kunnen er niet meer dan een stuk of twintig zijn geweest. Ze beschikten over lange schilden en lange strijdbijlen en maakten een vastberaden indruk. Ik kreeg een gevoel van naderend onheil. Waarom hadden ze zich juist dáár geposteerd? En waar waren ze vandaan gekomen? Rhodren negeerde zijn uitdrukkelijke bevelen; hij liet zijn penoenvlag opsteken en ondernam een stormaanval. Hij wisselde zelfs niet van paard en ik zag zijn wimpeldrager razendsnel opzij uitwijken, mét de reservepaarden en voorraden, in een tempo dat we vaak hadden geoefend, maar nooit te velde in praktijk hadden gebracht. Wij waren er altijd op uit om zelf het terrein te kiezen waar we slag wilden leveren. De zesde penoen volgde dit voorbeeld, stak de aanvalsvlag en verplaatste zich iets naar opzij om ruimte te hebben voor een stormaanval. Ze waren niet goed snik! Nog nooit hadden we zo onbesuisd aangevallen, laat staan in een beperkte ruimte. Het moest veroorzaakt zijn door pure frustratie, die hen plotseling naar het hoofd was gestegen toen ze eindelijk een doelwit voor zich zagen. Zelf voelde ik dezelfde innerlijke aandrang. Hoe het ook zij, ik kon hen onmogelijk aan hun lot overlaten. Trouwens, ik kreeg de tijd niet om erover na te denken.

Ook ik liet de vlag opsteken en zette de aanval in, ter ondersteuning. Bran stak de aanvalsvlag en leidde de aanval. Dit was iets dat we al vele keren hadden geoefend. Geiran galoppeerde naar links, ik reed naast Bran en kon de penoenvlag vrijwel meteen van hem overnemen toen hij door een pijl in de rug werd getroffen en viel.

Ze hadden zich massaal verborgen gehouden tussen de bomen en het was moeilijk vechten hier. Ik liet onmiddellijk het volle verzamelsignaal geven en Indeg stak de trompet naar alle drie de penoenen, maar zelfs in die formatie hadden we de grootste moeite om ons erdoorheen te knokken. De Jarns weken opzij en plotseling zagen we dat er overal touwen tussen de bomen waren gespannen. Hun boogschutters werden beschermd door barricaden van omgehakte bomen en gevlochten takken. Rhodren en zijn voorste penoen waren vrijwel meteen verloren. Het hartverscheurende gegil van paarden met gebroken benen vervulde de lucht.

Als de boogschutters hun pijlen wat langer op de boog hadden gehouden, zouden ze ons op dat eerste moment vrijwel allemaal te pakken hebben genomen. Het is verbazingwekkend hoe vaak een veldslag al in het begin wordt beslist. We konden niet in de aanval gaan, belemmerd als we werden door de touwen en de barricades, maar we konden ons wel hergroeperen en al vechtend terugtrekken. Nu we wisten waar de boogschutters zaten, gebruikten we onze schilden. Ik had maar één gedachte – *blijf in beweging en maak gebruik van wat we nog hebben om weg te komen.* Eindelijk hadden we ons erdoorheen geslagen. We verzamelden ons bij de pakpaarden op een heuveltje, ongeveer een mijl van de plaats des onheils.

Rhodren en Enid waren al in de eerste ogenblikken van de strijd gevallen. Bran was eveneens dood. Van de drie penoenen die in de hinderlaag waren gelopen, had ik nog maar iets meer dan twee volledige penoenen over. Daartoe behoorden maar heel weinig *priori*, wapendragers die hun positie hebben in de voorste gelederen. De meesten waren dood, maar sommigen waren gevangengenomen. Van degenen die ik nog over had, waren er veel gewond geraakt. Garah was bezig een pijl uit Masarns arm te snijden. Ik keek toe.

'Terug naar Caer Lind?' vroeg Geiran. 'Via een andere route?' Ze perste er een bleek lachje uit.

Ik kwam in de verleiding ermee in te stemmen. Maar hoewel de strijd slechts kort had geduurd, begon het al donker te worden. Ik wendde me tot Garah. 'Hebben ze paarden te pakken gekregen?'

'Niet van ons, althans, niet levend,' antwoordde ze. 'Ik heb niet kunnen zien of ze van de andere penoenen paarden hebben buitgemaakt. Ik dacht van niet.'

'Dan kunnen ze zich niet snel verplaatsen, maar wij wel. Ze bevinden zich echter tussen ons en de stad. Ze kunnen ons niet achtervolgen, maar kennen het terrein en kunnen ergens anders heen gaan waar een geschikte plek voor een hinderlaag is. Het lijkt me het beste om te wachten tot het licht wordt.'

'Osvran zal op hete kolen zitten,' zei Masarn met een grimas van pijn toen Garah de pijl uit zijn arm trok. Het projectiel had zich er dwars doorheen geboord.

'Wil je dat ik je help genezen?' vroeg ik.

Hij keek me met opgetrokken wenkbrauwen aan.

'Het hangt er maar vanaf hoelang we hier nog moeten vechten,' merkte Garah op. 'De wond zal beter genezen als hij de tijd krijgt en Masarn kan oefenen, maar met gebeden gaat het vlugger.'

'Ik geef de voorkeur aan de snelle methode,' zei hij.

Ik legde de pijl op de wond en zong de helende zangspreuk met heel mijn hart. Zodra hij weer in orde was, gaf ik hem het bevel over de andere penoen; het restant van mijn vierde penoen hield ik onder mij. De lege plaatsen vulden we aan met de overlevenden. Ik reorganiseerde de gedemoraliseerde wapendragers zodanig dat ze zich weer een strijdmacht konden voelen. Voor de overige gewonden deed ik wat ik kon, wat helaas niet veel was. Weinigen onder hen beschikten over het wapen waarmee hun de verwonding was toegebracht en dat ik bij de zangspreuk nodig had. We maakten het ons op de heuveltop zo gemakkelijk mogelijk, maar het werd werkelijk een afschuwelijke nacht.

We hadden al vaker kameraden verloren, maar we hadden altijd hun lijken kunnen bergen. Nooit eerder hadden we de Jarns de kans gegeven krijgsgevangenen te maken. Wat mij het helderst is bijgebleven, zijn de doodskreten van onze wapendragers en het gegil van de gewonde paarden. Wie ervoor verantwoordelijk waren wist ik niet, maar uit machteloosheid vervloekte ik het hele Jarnse volk. Echte vervloekingen kende ik echter nog steeds niet. We bleven waakzaam en op in ieder geval ikzelf sliep buitengewoon slecht. Ik bleef mezelf verwijten maken en pogingen doen om te bedenken hoe ik het beter had kunnen aanpakken.

We aten wat en stegen op zodra er licht boven de horizon gloorde. Alles was griezelig stil. Nergens een spoor van Jarns te bekennen. Het was alsof ze in de holle heuvels waren verdwenen. We bleven verspieders uitzenden, omdat we er niets voor voelden te lang op één plaats te blijven. Met enige moeite kwamen we tegen het middaguur terug bij Caer Lind – althans, voor zover de regen het toeliet dat te bepalen. Toen zagen we datgene waarnaar we al vier dagen op zoek waren. Er had zich een enorm Jarns leger rond het fort Caer Lind verzameld, vier tot vijf keer zo groot als het detachement dat we samen met Borthas hadden verslagen. Onze vlaggen wapperden nog. Osvran moest er nog zijn. We konden hem echter op geen enkele manier bereiken.

De Jarns hadden zich dusdanig rondom het fort opgesteld dat het voor ons heel moeilijk zou zijn hen aan te vallen. Zij bevonden zich op hoger gelegen grond en ze waren numeriek veel sterker. Bovendien hadden ze langs een vleugel een lange rij karren opgesteld om een zware barricade te vormen, met soldaten in en achter de karren. Langs de andere vleugel stonden hun vermoedelijk beste krijgslieden opgesteld, zwaar geharnast. In het midden bevond zich hun koning. Hij had gouden banden om zijn armen en over zijn schouders hing een korte, rode mantel. De lange strijdbijl in zijn handen hanteerde hij met dodelijk gemak en dito intentie – ik had hem ermee in de weer gezien tijdens die eerste slag. Zijn gezworenen stonden om hem heen. Het was onmogelijk hen in de flanken aan te vallen, want die waren opgesteld langs de bosrand en we hadden daar een bittere les geleerd. Er was geen andere manier om tot Caer Lind door te dringen dan dwars door hen heen.

'Borthas' legermacht zou spoedig hier moeten zijn,' mompelde Geiran.

'Waarom kan mij dat dan niet geruststellen?' antwoordde een andere stem. Het was Edlim, Rhodrens vaandrig. Ik had mijn aanvalsvlag aan hem toevertrouwd, maar was beslist van plan die van hem terug te nemen als we moesten aanvallen. Het zag ernaar uit dat dit nodig was.

Plotseling was het allemaal heel eenvoudig. Of Borthas al dan niet kwam deed er nauwelijks nog toe. Ik ging onder mijn mensen op zoek naar een roodmantel. Alleen Indeg was beschikbaar, en ik had hem nodig om mijn bevelen door te seinen.

'Garah, geen tegenspraak. Rij naar Caer Avroc en zorg dat ook Urdo over de situatie wordt geïnformeerd. Desnoods rijd je naar Caer Tanaga zelf.'

Ze deed haar mond open om te protesteren, maar zag ervan af, draaide zich om en reed weg. Ik zag haar in noordelijke richting verdwijnen terwijl ik met mijn resterende bevelhebbers de situatie doornam. De Jarns stonden ons luidkeels uit te lachen en bonkten op hun schilden.

'Juist,' zei ik zo hard mogelijk. Ik richtte mij in de stijgbeugels hoog op, zodat iedereen mij kon zien. Het was geen goed begin voor een motiverende toespraak, maar toch was dat het waaraan we dringend behoefte hadden – alle gezichten drukten twijfel uit. 'We hebben gisteren zware verliezen geleden en hebben een slechte nacht gehad. Verliezen is iets dat we niet gewoon zijn.' De Jarns stonden nu op het ritme van hun gebonk te joelen. Gelukkig was de regen eindelijk opgehouden. 'Als we dan toch moeten sterven, kunnen we dat maar beter samen doen. Er zijn ergere dingen! Die lui daar zijn barbaren en ze hebben onze kameraden gedood. Zij verdienen Tir Tanagiri niet! Ze verdienen zelfs Tevin niet, hoe afgrijselijk dat oord ook moge zijn. Ze verdienen alleen maar de dood, dus laten we eropaf stormen en ze hun verdiende loon geven! We gaan rechtstreeks op hun koning af. Als we hem niet meteen kunnen vellen, verzamelen we ons hier weer. Geiran, houd je gereed voor het sein tot de aanval, en storm op volle snelheid op ze af, dat zal ze verrassen. Laten we de gevallenen wreken!'

Ik nam de aanvalsvlag terug en overtuigde me ervan dat iedereen klaar was. De Jarns waren ook gereed, uiteraard. Ik stak de vlag op, Indeg liet zijn trompet schallen en we stormden naar voren, op topsnelheid. Appel ging voorop, zo snel als hij heuvelop kon. Ik schreeuwde iets toen mijn lans doel trof – ongetwijfeld iets onzinnigs in andermans oren, maar mij gaf het op dat moment moed. We beukten uit alle macht op hen in, maar ze hadden daarop gerekend en stonden pal als een muur van ijs. Zelf kruiste ik de zwaarden met de koning zelf, een paar korte houwen. Toen keerden we als één man om, verzamelden ons en ondernamen een tweede aanval op dezelfde plaats, voordat ze de tijd hadden gehad om zich te hergroeperen.

Deze keer verbraken ze hun gelederen en waren we er bijna door, ware het niet dat ze ruiters in de bres inzetten. Kerels op pony's, zou ik moeten zeggen. Die hadden zich achter de karren schuilgehouden, Jarns op kleine heuvelpony's, belachelijk klein in vergelijking met onze strijdrossen, maar voldoende om wat verwarring te zaaien en de bres te dichten voordat wij erdoorheen waren. Geiran stak de verzamelwimpel en we hergroepeerden ons. Ik keek omhoog naar de stad. Ik begreep niet waarom Osvran geen uitval deed om ons te helpen, maar nam aan dat hij zo zijn eigen problemen had. De ponyberijders volgden ons en kwamen tot de ontdekking dat het niet eenvoudig is om op een paardenrug in open terrein te strijden als de tegenpartij weet wat hij doet. Niet één van de Jarns die uit hun linies naar voren kwam overleefde het. Zelf velde ik er twee, en Appel stootte een pony omver en vertrapte de berijder onder zijn met ijzer beslagen hoeven, die bebloed waren tot aan de vetlokken.

We hergroepeerden ons opnieuw op de plaats waar we waren begonnen. 'Nog een stormloop?' hijgde Masarn. De paarden waren ook buiten adem.

'Laten we ons iets terugtrekken om ons te bezinnen terwijl de paarden op adem komen,' zei ik.

'Ze sturen afgezanten,' zei Geiran.

Ik keek. Inderdaad! Twee van hun potigste infanteristen, die de koning hadden geflankeerd, waren onderweg naar ons. Ze hielden groene takken omhoog, het symbool voor overleg.

'Neem een tak, ga ze tegemoet en vraag hun wat ze willen,' beval ik Indeg. 'Er wordt niet met ze gepraat, tenzij ze het ernstig menen.'

Hij kwam al snel terug. 'Ze zeggen dat ze namens Sweyn komen, koning van Tevin en keizer van Tir Tanagiri, om over capitulatievoorwaarden te praten.'

'Ha! Zeg hun dat we hun capitulatie aanvaarden, op voorwaarde dat ze al hun aanspraken laten varen en ons eiland voorgoed verlaten.' Mijn hart bonkte me in de oren en het liefst had ik ze allemaal afgemaakt.

'Ik denk niet dat ze dat bedoelen, Sulien,' antwoordde hij heel ernstig. Indeg had geen gevoel voor ironie. Geiran en Bran plaagden hem er altijd mee.

'Ik weet het, maar ga erheen en zeg het ze toch maar. Jij bent slechts de heraut; ze weten dat die woorden in werkelijkheid van mij komen.'

Indeg kwam even later terug. 'Ze zeggen dat als we ons nu overgeven, ze ons als slaven in leven zullen laten; anders doden ze ons allemaal.'

'Zou dat even vervelend zijn?' zei Geiran. 'Sulien, ik weet dat ik het niet zou moeten vragen, maar zou je het heel erg vinden als ik deze keer de aanval leidt? Edlim kan het vaandel nemen, hij is een prima vaandrig en ik heb vandaag mijn lans nog niet kunnen bevochtigen.'

'Deze keer vallen we allemáál aan,' zei ik. 'Zeg hun dat we, als ons echt niets anders overblijft, de dood verkiezen boven capitulatie; dan mogen zij onze erewacht zijn om in de duistere Hal des Doods te getuigen hoeveel onze zwaardarmen waard zijn.'

Indeg vertrok om die boodschap over te brengen, dit keer zonder mijn bevel in twijfel te trekken of over het theologische aspect te debatteren. De Jarnse afgezanten keerden terug naar hun linies.

'Laat iedereen die dat kan van strijdros wisselen. Masarn, neem Bode, hij is aan jou gewend. Appel is nog fit genoeg voor een derde aanval, maar Witvoet bloedt. Iedereen hier is geoefend in de stormaanval, ook al is hij geen prior; daarom neemt iederéén aan de aanval deel. Vaandrigs, seiners, kwartiermeesters, staljongens en -meiden, koks – iederéén. Daarvoor hebben we zo hard geoefend. Neem de beste paarden die er zijn en laat alle bagage liggen. Houd je klaar om op mijn teken te volgen. We zullen opnieuw frontaal op de koning aanstormen, net als de vorige keer, maar op het laatste moment buigen we af en storten ons op die karren. De krijgslieden daar zijn veel minder goed, strijders van het tweede garnituur, zodat we daar gemakkelijker een bres kunnen slaan. Zodra we die hebben, zal de helft van ons – iedereen op een uitgeput paard en iedereen die zelf geen wapendrager is – afstijgen om te voet verder te vechten. De wapendragers zullen rugdekking geven terwijl de anderen een paar van die karren wegtrekken. De rest trekt zich terug om te hergroeperen. Geiran, hou je gereed om de hergroepering te leiden. Iedereen dient *nu* te beslissen tot welke helft hij of zij behoort. De strijders te voet moeten de karren wegtrekken, opdat Geirans groep door die bres heen kan stormen en de Jarns op afstand kan houden terwijl wij het fort naderen. Ik hoef niet uit te leggen hoe belangrijk dit is. Wij móeten die bres slaan. Geiran, zodra de bres breed genoeg is, storm je erdoorheen. Daarna stijgt iedereen weer op en banen we ons een weg naar het fort. Het is nu of nooit. Iedereen gereed? Is er iemand die twijfels heeft?'

Niemand had twijfels. We hadden nooit in het verplaatsen van karren geoefend, maar wel hadden we ons grondig geoefend in afbuigen tijdens een aanval en van wapen veranderen. Ik trok de riemen om mijn polsen aan en overtuigde me ervan dat mijn zwaard los in de schede zat. Ik grijnsde naar hen, en iedereen grijnsde terug, de dapperen, waarna we de stormaanval inzetten.

Deze keer overrompelden we hen. Ik lachte woest bij het zien van hun gezichten toen we op volle snelheid van richting veranderden. Ik lachte nog steeds toen ik me van Appels rug liet glijden om de strijd te voet voort te zetten. Lachend doodde ik iemand, hoewel ik me er niets meer van kan herinneren. Ik hoorde pas later over hem, toen zijn zoons mij drie jaar later de omstandigheden beschreven, dorstend naar wraak. De strijd was bloedig, maar onze zwaarden waren in een dergelijke melée, in het gevecht van man tegen man, beter dan de speren van de Jarns.

Ik hield pas op met lachen toen Appel dodelijk werd getroffen in de hals. Hij bleef echter naast me opdringen, ook al stroomde het bloed uit de wond. Hij vertrapte de man die de speer had geworpen en verbrijzelde de schedel van de man ernaast. Toen ging hij zonder een kik te geven door de knieën, als de moedige vechtersbaas die hij was. Hij was het geweldigste strijdros dat ik ooit heb gekend. Daarna vocht ik in stilte. Ik doodde Jarns zo snel ik maar kon, als bescherming voor de mannen die bezig waren de karren weg te trekken. Niet lang daarna hadden we een bres geslagen en stormden degenen die zich gehergroepeerd hadden erdoorheen. Geiran ging voorop; haar gezicht was betraand terwijl ze 'Bran!' schreeuwde, met een stem die luid genoeg leek om de hemel te bewegen en de kraaien uit de boomtakken te schudden, waar ze wachtten op hun kans.

Kort daarna besteeg ik een ander paard. Wiens paard het was, weet ik niet; het was het strijdros van iemand die deel had uitgemaakt van de vijfde penoen. We sloten ons aan bij de aanvallende groep van Geiran, juist toen de ponyrijders toesloegen. Ze waren naar voren gereden om hun kornuiten te helpen, net als de eerste keer. Een van hen was Ulf Gunnarsson, en in het heetst van de strijd verbaasde het me niet eens hem te zien. Helaas kon ik niet bij hem komen, want telkens als ik dat probeerde, drong zich een groep strijdende mannen zich tussen hem en mij. Later hoorde ik dat ik hem luid had toegeschreeuwd dat ik hem zou doden en zijn wapens op het graf van mijn broer zou leggen. Verscheidene mensen kwamen me later vragen wie deze Ulf toch was. Hoe het ook zij, we demonstreerden die ponyrijders wat het zeggen wil cavalerist te zijn. Nu keerden de kansen in ons voordeel em al spoedig stormden we in galop op de poorten van Caer Lind af.

Ik begreep niet waarom de poorten dicht bleven. Osvran moest ons hebben zien aankomen. Ze gingen echter meteen open toen Masarn er tegen duwde.

De Jarns die ons in de straten opwachtten, stierven te snel om hun grijnslach te verliezen of te beseffen wat hen overkwam. De hinderlaag die ze voor ons hadden gelegd, had geen schijn van kans ons tegen te houden, zodat ze al spoedig als een kudde schapen alle richtingen uit vluchtten. Nu waren we allemaal binnen en bestormden de Jarnse koning en zijn gezworenen de helling, naar óns toe. Ik smeet de poorten dicht. 'Masarn, hou deze poort gesloten!' schreeuwde ik en galoppeerde meteen verder, deze vreemde stad in, op de hielen gevolgd door mijn gemengde troep. We sabelden iedere Jarnsman die we vonden neer, zodat het leek alsof een wolf een schaapskooi binnen was gedrongen. Ik stuurde manschappen de doodlopende stegen in, waar we ze klem konden zetten. De Jarns verkeerden in verwarring, want hadden ons niet hier verwacht. We verplaatsten ons zo snel dat zij geen tijd kregen zich te reorganiseren. Ik had in mijn hart altijd gevonden dat oefenen voor een strijd in de straten van een stad zonde van de tijd was, maar nu, in stilte, zegende ik Thurrig, die erop had gestáán. Masarn slaagde erin de poort te behouden. Niet dat de vijand zich al te zeer inspande om die open te breken, om redenen die ik pas later zou ontdekken. De rest van ons heroverde de stad. Ik deelde mijn bevelen bijna sneller uit dan ik ze kon uitspreken en stond er later versteld van dat anderen ze prezen als helder en samenhangend. Op dat moment leek het alsof ik ze sneller gaf dan ik kon denken. Alles wat we tijdens onze opleiding hadden geleerd, droeg nu vrucht. Mijn afgemeten bevelen werden op de juiste manier uitgevoerd door degenen om mij heen, precies alsof we voor deze noodsituatie langdurig hadden geoefend.

Het fort was door de Jarns ingenomen als gevolg van verraad. Er bleek een geheime ingang te zijn. Ik trof die open aan en liet hem dichtmaken, eenvoudigweg door er steenblokken in te dumpen totdat de doorgang was afgesloten. Ik liet Geiran daar achter met een klein detachement. Inmiddels was alleen al de aanblik van een strijdros en een lans voldoende om iedere Jarnsman in de stad op de vlucht te jagen. Dit waren natuurlijk niet de beste, of zelfs maar tweederangs troepen. In feite waren het niet eens volgelingen van koning Sweyn, maar mensen die zich tientallen jaren eerder in Tevin hadden gevestigd onder hun eigen koning, Cella, die zich door Sweyn had laten dwingen hem te helpen. Dit kwam ik later aan de weet. Edlim dreef de krijgsgevangenen naar de barakken, waar hij het droevige restant van onze ala aantrof. Dat ontdekte ik pas toen Ap Erbin en de zesde penoen naar buiten stormden om mij te helpen. Ze waren bewapend met van alles en nog wat: korte Jarnse zwaarden, dolken, knuppels en zelfs kasseien. Mijn hart maakte een sprongetje, want ik had ze al allemaal doodgewaand, hoewel ik in feite niet eens tijd had gehad om erover na te denken.

De tijd leek schoksgewijs te verstrijken terwijl we de straten schoonveegden. Toen de situatie enigszins was gestabiliseerd, vroeg ik Ap Erbin wat er was gebeurd, en waar Osvran zich bevond.

'Dood,' zei hij. 'De gemalin van Angas en koning Sweyn hebben hem de afgelopen nacht in de toren doodgemarteld.'

Het leek onvoorstelbaar. Waarom was Morwen hier? En waarom zou ze hem hebben moeten martelen? En als ze hier was geweest, waar was ze dan nu? Had ze hem alleen gedood om zijn ziel te kunnen stelen en zich er de kracht van toe te eigenen? Vrouwen had ik te velde niet gezien. 'Weet je zeker dat zij het was, Ap Erbin? Dit is een ernstige aantijging.'

'Ik kende haar van Angas' huwelijk. Mij kende ze niet meer. Ik vermoed dat ze van plan was ons allemaal af te maken, ook al zeiden de cipiers van de Jarns dat we alleen verminkt zouden worden en als slaven zouden worden weggevoerd.' Hij raakte zijn enkel aan, de plaats waar sommige slaven geketend waren met ijzeren ringen om te voorkomen dat ze vluchtten. 'Ik dank de Wijsheidsvrouwe dat je kans hebt gezien hierheen te komen.'

'O, vermoedelijk zullen we allemaal alsnog sterven. Ons overleven is nu volledig afhankelijk van twee dingen: of Borthas geen verrader is, en zo niet, of hij zijn troepen goed heeft georganiseerd. Op geen van beide zou ik mijn leven durven verwedden. Weet je misschien waar die gruwelijke heks, Morwen ap Avren, zich nu bevindt?'

'Hoe komt het dat je haar naam kent?' vroeg hij, met wijd opengesperde ogen.

'Zij is een van de grote koninginnen van dit eiland. Hoe komt het dat jij die naam niet kent? De namen van alle heerschappen dienen bekend te zijn, dat is voorgeschreven in het convenant dat we met het land hebben gesloten.'

Ap Erbin knikte, maar zag er niettemin geschrokken uit. 'Ik heb niemand ooit haar naam horen noemen. Ik kende hem niet, ook al is haar echtgenoot verwant met mijn moeder.'

'Ze heeft de naam geheim gehouden omdat ze een heks is,' zei ik. 'Dat werd me verteld door een god. Waar, in de naam van zeven zilveren vissen, hangt ze uit?'

'Geen idee. Misschien is ze de stad uitgegaan toen Sweyn die verliet. Er zijn hier echter nog massa's Jarns met hun vrouwen en kinderen. Ze worden in het praetorium bewaakt.'

Ze was er niet bij. Zodra ik het praetorium had bereikt, kon Masarn mij met groot leedvermaak vertellen dat de gemalin van koning Sweyn en hun dochtertje, een baby nog, erbij waren. 'Zorg dat ze geen haar wordt gekrenkt!' zei ik. 'Stuur een gezant naar de muur. Laat Indeg daar bekend maken dat ze veilig zijn, zodat Sweyn dat weet. Dit verklaart waarom ze geen frontale aanval dorsten in te zetten. Laat ook meteen de andere poort blokkeren.'

'Galba en een deel van de derde penoen zijn daar al mee bezig,' zei hij. 'Ik kan Indeg echter niet als afgezant sturen; hij is dood. Je was er zelf bij, tijdens dat gevecht rondom de barricade.'

Het was 'gewoon' de zoveelste gesneuvelde. Het verdriet moest wachten. Ik schudde mijn hoofd. 'Goed, ga zelf maar, of stuur iemand anders. Gormant spreekt een mondje Jarns. Laat hem duidelijk maken dat hun mensen veilig zijn en niet zullen worden gedeerd, mits zij niet aanvallen. We moeten tijd zien te winnen. Of misschien kan ik het beter zelf doen?'

'Ik zal Glyn sturen. Jij zit helemaal onder het bloed. Je zou ze de stuipen op het lijf jagen en dan beginnen ze op je te schieten,' grijnsde hij en ging weg. Zelf liep ik door het fort op zoek naar Morwen. Het bloed waarmee ik was bespat was het bloed van Appel, en misschien ook dat van Indeg – hij was tijdens de stormaanval niet van mijn zijde geweken, klaar om mijn bevelen om te zetten in trompetsignalen. Een deel van al dat bloed was trouwens van mezelf; ik was op verscheidene plaatsen licht gewond geraakt en had kneuzingen opgelopen, maar ik was nog te vol van de opwinding van de strijd om er iets van te merken.

15

[...] Verraad nooit een bondgenoot. Als je een eind aan een alliantie wilt, laat je bondgenoot dan weten dat de alliantie vanaf dat moment niet langer bestaat. Als je eenmaal een bondgenoot hebt verraden, krijg je nooit meer de kans een andere alliantie te smeden – niet met hem, noch met anderen, aangezien niemand je nog zal vertrouwen.

Om een bondgenootschap te sluiten is het niet voldoende dat jij en de persoon die jouw bondgenoot wil zijn een gezamenlijke vijand hebben. Alvorens een alliantie te sluiten zul je je grondig moeten bezinnen op het voordeel dat je ermee wilt behalen én hoe je bondgenoot er profijt van zal trekken. Als hij er veel bij wint, en jij weinig, dien je je af te vragen of dat weinige wel de moeite waard is. Misschien wel. Soms is een klein voordeel al genoeg. Als het er echter naar uitziet dat de bondgenoot in spe volgens de voorwaarden van de overeenkomst er niets bij wint, dien je je met zorg af te vragen wat zijn beweegredenen zijn. Het is óf een valstrik óf je hebt iets over het hoofd gezien. En zolang de alliantie in stand blijft, dien je je voortdurend af te vragen wie er wat bij wint, op welke manieren hij dat doet en of je er niet, als de dingen veranderen, beter aan zou doen de alliantie te ontbinden.

Als alles erop wijst dat de partijen er op verschillende manieren baat bij hebben en wel op voet van gelijkwaardigheid, is dat de best mogelijke alliantie. Sluit dat bondgenootschap en houd je eraan. [...]

— Gajus Dalitius in *De betrekkingen van heersers*

Toen ik de toren van het poortwachtershuis voor het eerst had gezien, was het interieur een kale ruimte. Nu waren de stenen muren gedrapeerd met zware, gekreukte tapisserieën die vechtende Jarns uitbeelden, op een primitieve manier, als stokfiguurtjes. Exact in het midden van de ruimte stond een gebeeldhouwde stoel. Als Morwen haar hoofd opzij wendde, kon ze door een van de hoge vensters naar buiten kijken. Ze zat echter met haar gezicht naar de wenteltrap toen ik boven kwam.

Ze was een toonbeeld van kalmte en zag er zelfs koninklijker uit dan ooit, als dat mogelijk was. Haar handen lagen gevouwen op haar schoot. Ze droeg een gouden hoofdband. Haar mantel was bordeauxrood, rijkelijk verfraaid met borduursel in gouddraad dat de doornstruiken van Demedia en het rennende paard van het Huis Emrys uitbeeldde. Het zou voor mij een groot genoegen zijn geweest haar te doden.

'Sulien ap Gwien,' zei ze ter begroeting, met een flauw glimlachje.

'Morwen ap Avren, vrouwe van Angas, koningin van Demedia,' zei ik terwijl ik haar strak bleef aankijken. 'En bij de goden van mijn volk, u zult boeten voor het werk van deze dag. Ik zou u nu met dit bebloede zwaard doden,' – toevallig had ik het nog in de hand – 'ware het niet beter voor het koninkrijk u mee te nemen naar Caer Tanaga, om daar te worden berecht. Er zijn er deze keer te veel die een eed kunnen doen op dit verraad om u nog een kans te geven aan uw gerechte straf te ontkomen!'

'Als Urdo het zou wagen mij te berechten, zal het hele koninkrijk worden verscheurd,' antwoordde Morwen. 'Zelfs al zou – en ik zeg nadrukkelijk *zou* – de jonge Galba ap Galba nog in leven zijn om tegen mij te kunnen getuigen.' Ze glimlachte weer, met dunne lippen. 'Als ik jou was, zou ik mijn adem maar niet verspillen aan iets dat nooit zal gebeuren. Het koninkrijk is voorbij – Sweyn zal Urdo doden, en wel binnenkort.'

'Waarom zou ik u dan nu niet meteen doden?' vroeg ik. Ik hief mijn zwaard dreigend op, zonder de bramen in de snijkanten op te merken. Ze leunde wat achterover in de gebeeldhouwde stoel en keek naar me op.

'Nee, m'n beste. Jij zult mij niet doden, omdat je mij kunt uitspelen in je onderhandelingen met Sweyn. Als zodanig ben ik toevallig belangrijker voor hem dan zijn gemalin en kind. Voor mensen met zulke krachtige goden zijn ze verbazingwekkend onwetend over de kracht. Je zou Sweyn misschien zelfs kunnen overhalen jou toe te staan Caer Lind te verlaten. Niet dat dát enig verschil zou maken. Je bent een dwaas, maar niet zo dwaas dat je mij zult doden, op het gevaar af dat er niemand in dit fort in leven zal worden gelaten.' Ze streek de stof van haar rok glad.

'Borthas zal hier vanavond of morgenochtend aankomen,' zei ik. 'Een held is hij niet, maar met vereende krachten kunnen wij Sweyns leger in de pan hakken.' Ik was daar lang niet zo zeker van als ik het liet klinken. We hadden een massa paarden verloren.

Ze lachte. Het was een bijzonder akelige lach. 'Vertrouwen stellen in Borthas is dit keer nog misplaatster dan anders. Slangsmoel is dood. We hebben zijn leger aangevallen zodra jullie uit het zicht waren. Hij is nooit teruggekeerd naar Caer Avroc. De boodschappen die jullie van hem kregen waren vervalst. Ik heb hem persoonlijk uit de wereld geholpen.'

146

Het moest wel waar zijn, want het verklaarde waarom ze waren weggebleven.

'Dan weet dus niemand dat we hier zijn en zullen we sowieso aan ons eind komen,' zei ik. In dat geval kon ik haar net zo goed meteen doden. Ik tilde mijn zwaard op en het beefde niet. Ik deed een stap naar voren.

'Mijn broer weet het,' zei ze zacht. Ze wendde zelfs geen angst voor. 'Die boodschap is wél overgekomen. Ik wil namelijk graag dat hij hierheen komt. Hij kan onmogelijk genoeg manschappen op de been brengen om zelfs maar een deuk te slaan in de enorme legermacht waarover Sweyn beschikt. Bovendien heeft hij geen flauw idee van Sweyns numerieke sterkte. De boodschappen waren al verstuurd voordat iemand de omvang ervan heeft kunnen zien. Sweyn is vanuit Jarnholme hierheen gekomen om dit land te bestieren. Daar komt bij dat Sweyn allianties heeft met Bereïch en Aylsfa. Zij zullen onder hem koningen zijn. Bereïch valt momenteel Tinala aan, en zodra Urdo uit Caer Tanaga is vertrokken, zal Ayl de Tamer oversteken.'

Het klonk nachtmerrieachtig plausibel. Als ze loog, zou ze ook hebben gezegd dat Sweyn tevens een alliantie had met Cennet. Urdo was geen dwaas en het zou niet zo gaan zoals zij het zich voorstelde, maar het was heel goed mogelijk dat zij de rol die de Jarns in dit alles speelden met zorg had geënsceneerd.

'Wat levert dit alles ú op?' vroeg ik. 'De vorige keer zei u dat u voorzag dat Urdo een groot koning zou worden.'

Ze lachte honend. 'Er zijn vele wegen, en ik heb een betere gevonden. Mijn gemaal is dood. Dacht je soms dat ik machteloos in Dun Idyn zou blijven terwijl die praatzieke priester me geen rust gunde?' Dat de heer van Angas dood was, was nieuws voor mij. Dat bericht had Caer Tanaga niet bereikt voordat ik daar vertrokken was. 'Ik krijg de westelijke helft van Tir Tanagiri, waar ik via mijn zoon Angas over zal heersen. Hij is eraan toe. De mensen zullen hem volgen. Nog iets anders dat je niet begrijpt? Zo, en nu wegwezen om met Sweyn te onderhandelen – hij zal je hier opgesloten houden totdat Urdo is gearriveerd of jij me hebt laten gaan.'

'In geen geval.' Zelfs uitgeput als ik was zag ik onmiddellijk hoe lang ze zo'n overeenkomst zou nakomen zodra ze vrij was. 'Als u een ruilmiddel in de onderhandelingen bent, zal ik eerst eens bedenken waarvoor ik u in zal ruilen.' De enige reden dat ik haar op dat moment niet doodde, was dat ik het té graag wilde. Ik riep Geiran en Ap Erbin, die beneden achtergebleven waren om te wachten, naar boven. 'Bind haar goed vast. Luister naar niets van wat ze zegt. Ze kan echter nuttig voor ons zijn – alleen daarom doden we haar nog niet.' Ik liep naar het venster en keek naar buiten. Het Jarnse leger bedekte de velden daar beneden. Ze hadden zich al gehergroepeerd tegenover Caer Lind.

'Ze heeft Osvran doodgemarteld,' zei Ap Erbin. 'Het hele fort heeft het gehoord.'

'Als we haar niet als ruilmiddel in de onderhandelingen nodig hebben, zullen we haar in Caer Tanaga berechten, ten overstaan van iedereen,' zei ik mistroostig. Mijn linkerbeen, mijn rechterzij en mijn linkerpols begonnen me pijn te bezorgen. Ik zou iedereen het slechte nieuws moeten overbrengen.

Geiran kwam terug met een eind touw en liep op Morwen toe, die geen vin verroerde en flauw bleef glimlachen. 'Waarschijnlijk kunnen we bewijzen dat zij Osvran voor magische doeleinden heeft vermoord en zijn ziel heeft verslonden,' zei ik. Ze had dat bij mij geprobeerd. Geiran bleef staan en keek me met grote ogen aan. Ap Erbin zoog met een sissend geluid lucht in zijn longen. 'Ze zal de kracht nodig hebben gehad om haar zwarte magie te versterken,' vulde ik aan.

Morwen keek me een ogenblik vol haat aan en meteen wist ik dat ik het bij het juiste eind had; ik had haar in een ogenblik van onoplettendheid verrast. Toen ze haar mond opendeed, klonk haar stem echter bedaard en bijna geamuseerd. 'O, nee. Ik heb Osvran gedood omdat hij de bastaard was van mijn gemaal. Het was een belediging voor mij dat hij hem heeft laten leven.'

Dit werd me te veel. Mijn hand omklemde mijn zwaard steviger. Ze was volslagen waanzinnig in haar egocentrische bekrompenheid. Hoe had ze het gewaagd een man, een goede man en een vriend van mij, een van Urdo's beste wapendragers, te vermoorden om iets waaraan hij geen schuld had, alleen omdat hij toevallig geboren was? Ik knarsetandde. Hoe waagde ze het zelfs erover te liegen en zijn nagedachtenis te besmeuren?

Geiran, die naast haar stond, trok haar hand met een ruk naar achteren en sloeg haar recht in het gezicht. Zodra haar hand Morwen aanraakte, voelde ik een golf van hitte. Plotseling stond Geiran in lichterlaaie als een toorts; al het vet in haar lichaam was op hetzelfde moment ontbrand. Ik kon de botten door het vlees heen zien. Het leek in niets op het slaan van een vonk, de methode die iedereen kent om vuur te maken. Het was een boosaardige, onnatuurlijke vlam. Ik deed een stap in Morwens richting, met opgeheven zwaard. Ik denk dat ik haar zou hebben gedood en geloof niet dat haar tovenarij mij had kunnen deren.

Geiran liep verder om Morwen aan te raken, met open armen zelfs. Ze omhelsde haar hoewel het vlees van haar botten viel en de vlammen haar verteerden. Morwen lachte en ik zag hoe ze probeerde Geirans kracht in zich op te zuigen. Ik deed weer een stap. Plotseling bolden de tapisserieën achter Morwen op. Ze stond nu zelf in brand. Ap Erbin schreeuwde en stormde met getrokken zwaard naar voren. Morwen lachte niet meer en ik zag in haar ogen dat ze geen kracht had gevonden en dat wist. Ze had haar eigen ziel verbrand en werd nu zelf geroosterd. Ze probeerde op te staan, en de botten van de arme Geiran werden over de vloer verspreid toen mijn zwaard en dat van Ap Erbin elkaar ontmoetten in Morwens keel. Als ze op dat moment nog niet dood was, stierf ze een genadiger dood dan ze had verdiend.

Een ogenblik bleven we naar haar staan staren, terwijl onze zwaarden elkaar raakten. Toen kwam er een tapisserie naar beneden en rende er een kind naar voren, rechtstreeks naar het brandende ding dat Morwen was geweest. 'Mama!' schreeuwde het jong. Ik griste hem van de grond, vlak voordat hij haar brandende resten had kunnen aanraken. Hij zou anders zelf vlam hebben gevat en in die onnatuurlijke vlam mét haar zijn omgekomen. Hij was pas negen jaar. Later zijn er vele situaties geweest waarin ik wenste dat ik hem had laten verbranden.

Hij verzette zich heftig en probeerde zelfs het korte zwaard aan zijn zijde te trekken en tegelijkertijd mij te bijten. Ik had de grootste moeite om hem in bedwang te houden. Toen slaakte Ap Erbin opnieuw een kreet. Ik volgde zijn wijzende vinger en zag dat de houten vloer rondom Morwens verkoolde lijk in brand was gevlogen en dat de kring van witte vlammen zich snel uitbreidde. We draaiden ons om en stormden de trap af, Ap Erbin als eerste en ik na hem, nog steeds worstelend met de jongen. We kwamen uit op de met kasseien geplaveide binnenhof. De vlammen uit de bovenkant van de toren laaiden hoog op en erboven ontstond een hoge pluim van vettige, zwarte rook. De granietblokken zouden niet branden. Ik gaf het kind over aan Ap Erbin, die zijn zwaard in de schede stak en hem met beide armen omvatte terwijl hij troostende woorden sprak. Het joch beet hem.

Overal vandaan kwamen mensen toestromen om te zien waarom de toren brandde. Ap Erbin riep zijn vaandrig, Celemon ap Gajus, en gaf haar het joch over. 'Zet hem bij de gevangenen,' zei hij. 'Maar laat hem bewaken. Hij is de zoon van een verraadster, maar hij is nog maar een kind en bovendien een wees.' De jongen braakte luidkeels een stroom vloeken en godennamen uit terwijl Celemon hem meenam.

'Zullen we proberen die brand te blussen?' vroeg ik Ap Erbin, omhoog starend naar de zwarte rook, die in de schemering onnatuurlijk kronkelde.

'Nee. Het is Geirans brandstapel. En bovendien die van Osvran.'

Ik bleef staan en zong de *Hymne van de terugkeer*, nam mijn helm af en sneed met mijn zwaard mijn haar af, zoals ik ook voor mijn broer Darien had gedaan. Ap Erbin zong met mij mee. De anderen om ons heen luisterden zwijgend. Ik bad met heel mijn hart dat Osvran, nadat hij in de stille Zaal des Doods van zijn leven had verhaald, zou worden doorgelaten, zodat hij nieuwe keuzes zou kunnen maken. Ik vreesde echter dat hij daartoe niet bij machte zou zijn, omdat Morwen zijn ziel had gestolen en hij voorgoed verloren was. Gelukkig was ze zelf ook verloren. Ze had zo lang haar eigen ziel van kracht beroofd dat ze onverwachts had moeten ontdekken dat die bron was uitgeput.

Na de hymne wendde Ap Erbin zich tot mij. 'Wat gaan we in Coventina's naam Angas vertellen?' vroeg hij zacht.

'Als ik Angas ooit terugzie, zal ik zo blij zijn dat het me niet uitmaakt of hij me doodt of niet,' antwoordde ik. Ze had gezegd dat zij via Angas zou heersen, maar ik wist dat hij Urdo nooit zou verraden. Ik zette mijn helm weer op. Er waren een paar nieuwe deuken in geslagen en ik ontdekte er ook een gemene scheur in; geen wonder dat ik zo'n hoofdpijn had! 'Het eerste probleem is: wat gaan we tegen Sweyn zeggen? Hoe goed is deze stad te verdedigen, denk je?'

'We kunnen de stad wel een paar dagen houden. Ken je misschien een bronzegen? Als we over een schone bron beschikken, kunnen we het langer volhouden.'

Garah kende een bronzegen. Ik had haar echter weggezonden, waarmee ik haar in een onbekend maar groot gevaar had gebracht. Ik had haar zo'n zegen horen uitspreken. Ze zou echter razend op me zijn omdat ik Appel had laten sterven. 'Ik kan iets proberen.'

'We moeten met Glyn over de bevoorrading praten, maar ik denk wel dat we het kunnen houden totdat Borthas is gearriveerd.'

'Borthas is dood.'

Ap Erbin staarde me met open mond aan.

'Trommel Galba op, en Glyn. Vergeet Masarn niet, ik heb hem het bevel gegeven over de andere penoen die we de stad binnen hebben gekregen. Zoek iemand anders die bekwaam genoeg is om decurio te zijn en de eerste penoen – Osvrans penoen – kan leiden. Haal ook...'

Met een schok en een warm gevoel van opluchting herinnerde ik mij dat Galba de leiding zou hebben en zond een oprecht dankgebed op naar alle oorlogsgoden. Galba was de hoogste in rang onder de overlevenden en Urdo had hem het commando over een ala beloofd. Hij kreeg het alleen wat eerder dan hij zelf had verwacht. Hij zou de juiste beslissingen nemen. Dat was maar goed ook, want mijn hoofd voelde aan alsof het met wol was volgepropt. Gelukkig zou het niet aan mij zijn te beslissen wat er nu moest worden gedaan. Per slot van rekening wilde ik geen prefect zijn. Het enige wat ik nu nog wilde, was stomdronken worden en een week lang slapen. En daarna wilde ik iets eenvoudigs doen, zoals dagenlang oefeningen met de lans doen, een situatie waarin mijn grootste zorg eruit bestond Appel op het juiste moment duidelijk te maken dat hij zijn andere been moest voorzetten. Alleen, Appel was dood. Ik wreef met een geschramde hand over mijn ogen. Mijn pantserhandschoenen was ik kwijtgeraakt, waar wist ik niet.

'Wie moet ik nog meer halen en waar moeten ze samenkomen?' wilde

Ap Erbin weten. Hij had staan wachten terwijl ik mijn mond nog open had om een zin af te maken.

'Het praetorium, dacht ik. Ik weet niet meer wat ik verder nog had willen zeggen. Galba kan beslissen wat we tegen Sweyn gaan zeggen. O, en zeg Galba dat hij nu het bevel voert, wil je? Laat trouwens ook het zoeken naar een decurio voor de eerste penoen maar aan Galba over.'

Zodra Galba me in het praetorium zag, knipperde hij met zijn ogen en vroeg: 'Ben je gewond, Sulien?'

'Een paar schrammen, denk ik, meer niet. Ik heb nog niet gekeken. Het is voornamelijk bloed van Appel en een paar Jarns. Er komt nog wel een jaar waarin ik tijd genoeg zal hebben om het allemaal af te wassen. Er zijn een paar dingen die je moet weten.'

Ik wachtte totdat iedereen er was, waarna ik hun alles vertelde wat Morwen had gezegd en gedaan. Ap Erbin bevestigde mijn beschrijving van haar dood. Ik legde hun uit op welke titels Sweyn aanspraak maakte, en wat voor capitulatievoorwaarden hij vóór de slag had genoemd.

'Laat we eerst maar eens aannemen,' zei Galba, 'dat Urdo niet in deze valstrik zal lopen. Als hij komt, zal hij dat met een toereikende strijdmacht doen. Als hij niet komt, heeft hij aangenomen dat we allemaal dood zijn.'

'Als Ap Gavan hem bereikt, zal hij meer weten dan zij denken,' merkte Masarn op. 'Sulien heeft haar via Caer Avroc gestuurd. Ze zal zes tot zeven dagen nodig hebben om Urdo te bereiken.'

'Het dringendste probleem is wat we nu tegen Sweyn gaan zeggen. Wij hebben zijn vrouw en kind, en hij heeft ons in de klem,' zei Galba.

'Is hij een man van eer?' vroeg Ap Erbin.

'Hij was een bondgenootschap aangegaan met Morwen en volgens haar had hij haar nodig,' antwoordde ik. 'Aan de andere kant hebben de leden van zijn hofhouding, zijn gezworenen, tegen wie we vandaag hebben gestreden, niets oneervols gedaan. Ik geloof niet dat hij voor de ogen van zijn volk een overeenkomst zal verbreken die hij publiekelijk is aangegaan.'

'Vragen we hem dus of hij ons in ruil voor zijn vrouw en kind laat gaan?' vroeg Glyn. 'Onze voorraden zijn toereikend voor tien dagen.'

'Het is zes dagen rijden naar Caer Tanaga, en tenminste zes dagen om van daaruit hier te komen,' mompelde Ap Erbin.

'Als het per se moet, kunnen we het twintig dagen uitzingen, maar dat betekent dat we het allemaal heel zwaar krijgen,' zei Glyn.

'Hij zal ons nooit laten gaan – dat zou zijn valstrik nutteloos maken als wij erin slagen Urdo te bereiken en hem in te lichten,' zei Galba. 'Volgens mij moeten we hem om voorraden vragen, in ruil voor het in leven laten van zijn vrouw en kind. Per slot van rekening moeten die ook eten. En als we hem vertellen dat de heks dood is, kunnen we hem duidelijk maken dat dit is wat wij met iedere verrader doen.' We knikten allemaal. 'Hebben we een heraut?'

Glyn begon geschikte namen te noemen van overlevenden die het Jarns meester waren. Het was helaas een korte lijst. Algauw luisterde ik niet meer. Het was nog altijd alleen maar de vraag wannéér we zouden sterven. Ik kon niet eens een mogelijkheid bedenken om te voorkomen dat we het hele koninkrijk in onze val zouden meesleuren. De discussie zweefde om mij heen als een trage nevelsliert terwijl de anderen hardop nadachten. Ik probeerde me te concentreren, maar voelde mijn ogen dichtvallen.

'Wat wij nodig hebben, is een wonder,' vatte Galba zijn conclusies samen. 'We zullen overeind blijven totdat er een mirakel gebeurt.' Hierna wees hij ieder van ons een te verdedigen sector van de stad aan, en gaf ons instructies voor het werk dat gedaan moest worden. 'Maar jij, Sulien, moet eerst je wonden laten verzorgen en wat slapen,' zei hij.

Ik knikte, maar zodra hij weg was, trok Glyn mij mee naar de vergiftigde bron. 'Ik weet dat het regent, maar hoe eerder we een goede waterbron hebben, des te beter,' zei hij.

Ik herinnerde me de woorden van de spreuk. Ik ontsloot mijn hart voor de Moeder en riep haar aan bij de naam die Garah had gebruikt: Coventina, het boomblad dat in de bosvijver drijft – Beschermster der Goede Wateren. We hoorden een gorgelend geluid en uit de bron spoot een straal water hoog op. Pas toen de hele binnenhof nat was, verdween de straal. Glyn liet een emmer zakken.

'Zoet,' zei hij nadat hij voorzichtig had geproefd.

Vreemd genoeg voelde ik me meteen een stuk opgewekter. 'Goed dat er tenminste *iemand* aan onze kant staat,' zei ik.

'Ja, en goed dat sommige mensen hun kinderen de oude gebruiken nog leren,' zei hij. 'Deze zegen is een zaak van vrouwen. Ik heb hem nooit geleerd.'

'Ik heb hem van Garah. Ze zegende vaak modderige sloten als we water nodig hadden, en het werkte altijd. Ze is een wonder. Ik hoop vurig dat ze erdoorheen komt.'

Glyn knikte ernstig. Hoewel we niets zeiden, waren we in stilte bezig met het berekenen van het aantal dagen waarvoor we genoeg voedsel zouden hebben. We hadden het goede nieuws gehoord dat Sweyn ermee had ingestemd ons die dag niet aan te vallen als hij zijn gemalin in leven mocht zien, wat we hadden gedaan.

Ik ging in het praetorium zitten en viel in slaap, in de wetenschap dat Galba zijn schildwachten net zo streng zou controleren alsof we geen wapenstilstand hadden. De beelden van de slag tolden nog rond in mijn hoofd, maar ik bleef bezig met de voedselvoorraad. Om aan die twintig dagen te komen moest Glyn er rekening mee hebben gehouden dat we de paarden zouden moeten opeten. Inderdaad, we hadden een mirakel nodig.

Als je de verhalen die er nu over worden verteld mag geloven, zou dat mirakel de volgende ochtend zijn gebeurd, toen er mannen uit de grond opschoten als koren uit graankorrels. In werkelijkheid duurde het heel wat langer. We hebben nog drie moeilijke dagen moeten doormaken voordat we dat ongelooflijke leger zagen. Die drie dagen voelden we ons onbehaaglijk. Sweyn ondernam schijnaanvallen, probeerde korte wapenstilstanden en deed zelfs een – mislukte – poging de stad met een krijgslist te heroveren door de poorten te bestormen en intussen elders de muren te beklimmen. Op de vierde dag van de belegering kwam Galba me bij het krieken van de dag wekken.

'Kom gauw kijken,' zei hij. Ik ging mee terwijl ik de slaap uit mijn ogen wreef. Ik had in mijn leren harnas geslapen en snakte naar een bad en een warme maaltijd. Op de vlakte, tegenover Sweyns leger, stond een legermacht van een omvang die ik me nooit had kunnen voorstellen. In het midden wapperden de vlaggen van de ala van Caer Gloran, naast Angas' eigen vlag, de dorens van Demedia en de grote purperen, zijden standaard van de Grote Koning van Tir Tanagiri, plus de rood-groene vlag van het koninkrijk. De persoonlijke vlag van Urdo, het galopperende gouden paard op een wit-groen fond, ving het eerste ochtendlicht. Onder die vlag had ik al heel vaak aan aanvallen deelgenomen. Nu ik hem terugzag, prikten de tranen me in de ogen. Hij was gekomen! Die aanblik zelf was al genoeg om mijn hart een sprongetje te laten maken, maar veel vreemder was alles wat zich links en rechts van de ala bevond.

Het was alsof er uit al de krijgslieden die ooit in Tir Tanagiri hadden geleefd voordat de Vincanen kwamen een machtig leger was gevormd. Hoe Urdo de doden had weten te wekken om ons te komen redden, wist ik niet, maar ze waren er in enorme aantallen, met lange baarden, blauw geverfde gezichten en armen vol krullende zwart-witte oorlogsemblemen. Ze hadden kleine, ronde schilden met nog veel meer van dergelijke emblemen. Ze hadden slechts één banier, hoewel ik er veel exemplaren van zag wapperen – een zwarte, naakte man op een blauw fond. Die vlag had ik nooit eerder gezien. Het meest wonderbaarlijke aan hen was echter dat ze met zovelen waren dat ze het totale gebied besloegen waar wij ons vier dagen geleden enkele keren hadden gehergroepeerd voor een nieuwe aanval. In het niemandsland tussen de beide legers voerde Raul een bespreking met de beide gezanten van koning Sweyn.

Die dag werd er door niemand gestreden. Het middaguur brak al aan voordat ze een overeenkomst hadden bereikt zonder dat iemand de moeite nam ons in te lichten. Ik zou al die tijd op de muur zijn gebleven als Glyn me niet was komen halen en me bijna meesleurde. We hadden geen idee van wat er allemaal werd besproken. Galba bracht de vrouw en dochter van

153

Sweyn op de muur, zodat iedereen kon zien dat ze springlevend waren. Ook de jongen werd getoond. Zijn naam kende ik destijds nog niet, maar laat me die hier noemen: Morthu ap Talorgen van Angas. Sweyns gemalin was een dappere, opgewekte vrouw die Gerda heette; ze deed veel om de gevangenen tevreden te houden en stelde het volste vertrouwen in Sweyn. Ik mocht haar wel, hoewel ik haar ervan verdacht dat ze Sweyn meer duidelijk maakte dan alleen het feit dat ze gezond en wel op de muur stond. Ze zag er precies zo uit als de doorsnee-Jarnsvrouw, met lange stroblonde vlechten en een brede boezem. Dat laatste kwam omdat ze haar baby nog zoogde, ook al deed ze dat nooit als iemand het zag, want ze had veel lichaamsschaamte.

Toen het akkoord was bereikt, reden twee herauten naar de stadsmuur. Een van de twee was Angas; de tweede was een van de afgezanten die Sweyn ons eerder had gezonden. Ze legden uit dat we de poorten konden openen om de stad uit te rijden; daarna zouden we Tevin verlaten en het land overlaten aan Sweyn. De gevangenen bleven in de stad, ongedeerd. Sweyns afgezant zou het fort inrijden en erop toezien dat alles volgens de afspraken verliep.

'Waar is mijn moeder?' vroeg Angas.

'Morwen is omgekomen door het zwaard, de dag dat we het fort heroverden,' antwoordde Galba gladjes.

Het is moeilijk te zien als je van bovenaf op een helm neerkijkt, maar ik kreeg de indruk dat dit nieuws voor Angas een opluchting was. 'Neem dan mijn broer mee naar buiten, als jullie komen,' vroeg hij.

We deden ons best er zo krijgshaftig mogelijk uit te zien toen we het fort verlieten, maar het effect werd bedorven door een tekort aan paarden. We moesten Morthu achter Glyn op zijn paard binden, omdat hij weigerde uit zichzelf mee te gaan. De meesten onder ons waren gewond en we waren geen van allen ook maar enigszins schoon.

Galba reed voorop, aan het hoofd van een halve penoen die hij zo goed mogelijk toonbaar had gemaakt. Daarna volgden de gewonden en degenen zonder paard. We hadden onze doden in het fort verbrand. De rest van ons vormde de in penoenformatie marcherende achterhoede. We hadden wel kunnen vechten, als dat beslist nodig was – en het was goed dat de Jarns duidelijk te maken. Ze weken voor ons uiteen toen we in een onbehaaglijk doodse stilte langskwamen. We hoorden elk kraakje van onze uitrusting en iedere voetstap. Het maakte me prikkelbaar. Ik keek recht voor me uit en negeerde hen zo goed mogelijk terwijl ik mijn penoen door hun gelederen leidde.

Toen we het eskadron van Caer Gloran bereikten, maakten ze meteen ruimte voor ons en ontvingen ons met luid gejuich, dat werd overgenomen door de blauw-geverfde krijgslieden aan weerszijden. Toen ik dat hoorde, schoten mijn ogen vol en Bode begon zijn voeten hoog op te tillen, zoals hij altijd deed als hij gejuich hoorde. Ik veronderstel dat Morwen hem dit had bijgebracht.

Urdo kwam naar voren om Galba te omhelzen en verse paarden voor ons allemaal te brengen. Daarna omhelsde hij mij, vóór de andere decurio's. 'Sweyn vertelde me dat je een vrouwelijke demon uit een van hun legenden bent,' zei hij. 'Geweldig gedaan, Sulien ap Gwien! Je hebt je uitstekend geweerd.'

'Hoe bent u zo snel hierheen gekomen?' vroeg ik. 'En hoe hebt u al die geesten opgewekt?'

'Morwen had een brief aan haar zoon Gwyn van Angas geschreven, om hem te zeggen dat zijn vader dood was, en wat haar plannen waren, althans, voor zover ze die kwijt wilde. Ze waarschuwde hem dat hij klaar moest staan om mij aan te vallen. Zodra hij de brief ontvangen had, alarmeerde hij de ala van Caer Gloran en reed naar Caer Tanaga om mij in te lichten. Zoveel trouw verheugt me. Hij heeft ons allemaal gered!'

We stonden te midden van een menigte en Angas was dicht genoeg in onze buurt om het te horen. Hij kreeg een kleur.

'Toevallig had ik die dag een gezant van Isarnagan ontvangen,' vervolgde Urdo. 'Hij drong erop aan dat ik een alliantie met hen zou aangaan, omdat er kortgeleden een eind was gekomen aan een paar van hun oorlogen.' Hij glimlachte. 'We hebben ons snel moeten verplaatsen, maar ik kreeg hen zover om per schip langs de kust troepen aan te voeren, terwijl wij oprukten. Ook stuurde ik Gwair een boodschap om de ala van Caer Thanbard naar Caer Tanaga over te brengen, voor het geval daar problemen dreigden. Nadat Angas' afgezant mij had bereikt hebben we het allemaal binnen acht dagen klaargespeeld.'

'Geweldig,' zei ik trots.

'Nu rijden we naar Tinala,' hernam hij. 'De grote oorlog gaat beginnen en er is een goede kans op vrede als die eenmaal voorbij is.'

'En de Isarnaganen?' vroeg Ap Erbin terwijl Urdo hem op zijn beurt omhelsde.

'Het was een noodsituatie,' zei Urdo glimlachend. 'Trouwen leek me het verstandigst.'

16

Zij die naar Caer Lind reden, waren strijdvaardig;
een legermacht van trotse ruiters in blauwe rusting;
schilden en lansen hoog, speerpunten blinkend in de zon.
Aan maliënkolders geen gebrek, noch aan enig wapen.
Om hen die achterbleven werd lang gerouwd,
maar de herinnering aan hun grootse daden leeft voort.
Zij die naar Caer Lind reden, onder luide strijdkreten,
dronken groene mede met een bittere nasmaak:
honderd ruiters in volle wapenrusting sneuvelden,
en op het triomfgejuich volgde doodse stilte.

– Aneirin ap Erbin in *Caer Lind*

Toen ik wakker werd, was Garah er. Ze waste mijn gezicht met een warme doek en mopperde zacht: 'Je zou wat meer consideratie moeten hebben met andere mensen, werkelijk, Sulien! Als je het zo laat opdrogen, hoe krijg ik het er dan ooit nog af?'

'Dag, Garah,' bracht ik schor uit. Even wist ik niet waar ik was. Ik lag op stro in een tent, maar niet de mijne. Aan het licht te zien moest het al middag zijn. De tent was leeg, afgezien van mijn wapenrusting, opgehoopt op een kruk, en een zware, met ijzer beslagen kist. Toen herinnerde ik me het: Appel dood; Osvran dood. Geiran, en Morwen, en Indeg, en Bran... Ik werd er even misselijk van – er waren zoveel mensen dood. Garah en ik waren echter levend en wel hier. Ik haalde diep adem om wat kalmer te worden. 'Wanneer ben je teruggekomen? Waar zijn we?'

'We legeren buiten Caer Avroc en ik ben vanmorgen met koning Cinon, Ap Meneth en de ala van Caer Rangor gearriveerd.' Ze dompelde de lap in warm water en begon mijn gezicht te boenen. Het prikte een beetje.

'Ben je helemaal tot Caer Rangor gekomen?'

'O, ja. Ik vond daar de restanten van Borthas' leger voordat ik naar hier terugkeerde. Het was al van verre zichtbaar, vanwege de kraaien. Ik begreep meteen dat hij niet zou komen om jullie bij te staan. Ik reed voorzichtig verder en liep bijna dat andere Jarnse leger tegen het lijf, het leger dat vanuit

Bereïch naar Caer Avroc was gekomen. Dus heb ik gedaan wat je had gezegd en ben doorgereden naar Caer Tanaga, al vreesde ik dat de hulp die ik nog zou kunnen halen te laat zou zijn. Om die reden ben ik via Caer Rangor gegaan.' Ze wachtte even om hard over mijn wang te wrijven. Het deed pijn. 'Ik geloof dat je hier een schram hebt; het is niet alleen opgedroogd bloed.'

'Ik herinner me niet dat ik daar pijn heb gehad.'

Garah moest lachen. 'Dat is bij jou altijd zo. Jij voelt pijn niet echt. Toch zijn dit een paar flinke kneuzingen.' Een ervan zat precies onder haar hand. Ik kromp ineen. 'Raul en een arts hebben je onderzocht toen je niet wakker wilde worden. Volgens hen was het niets ernstigs. Er waren zoveel zwaargewonden dat ze geen tijd hadden om jou te wassen. Volgens mij waren ze doodsbang voor je. Je ziet er niet uit. Wat heb je met je haar uitgespookt? Ik hoop maar dat je mij gaat helpen dat harnas te schuren, want dat zal op geen andere manier ooit schoon worden. Glyn wilde niet dat ik het aanraakte; hij zei dat het jou zo beter zou bevallen, maar dat is bespottelijk.'

'Ik heb mijn haar afgesneden met mijn zwaard,' mompelde ik, en toen realiseerde ik me opeens hoe goed het was om nog te leven en haar op mij te horen mopperen. Ik bleef een ogenblik stil liggen en voelde een traan van opluchting over mijn wang biggelen. 'Natuurlijk zal ik je helpen mijn hele wapenrusting schoon te maken,' zei ik met een brok in mijn keel. 'Zodra ik op de been ben. Heb ik de hele dag liggen slapen? Ik zal wel ontzaglijk moe zijn geweest, veronderstel ik.'

'Verbaast me niks. Je hebt bijna twee volle dagen geslapen. Je bent een paar keer net wakker genoeg geweest om naar de latrine te strompelen – daarom wisten we dat je niet echt van de kaart was. Ze hebben je op een van de wagens met gewonden vervoerd, omdat je niet wakker genoeg werd om samenhangend te kunnen praten, zei Glyn.'

Ik herinnerde me er helemaal niets van. Ik kwam overeind en voelde me stijf en onbeholpen, bijna alsof ik hoge koorts had gehad en er net van bij begon te komen. Bij iedere beweging protesteerden mijn schrammen en kneuzingen en ik had pijn in mijn knieën. 'Waar zijn de latrines, trouwens?'

'Dit is een kampement. Je hebt al bewezen dat je ze in je slaap weet te vinden.'

Ik begon te giechelen; ze had gelijk. Een paar minuten later kwam ik geeuwend terug. 'Ik verga van de honger. Zal er iets te eten zijn, denk je? Wat is er trouwens gaande? Overal hoorde ik rennende voetstappen. Waar is de vierde penoen?' Ik zag allerlei gezichten die ik slechts vaag herkende.

'Laat me nou eerst even je gezicht schoonmaken. Ik ben er bijna mee klaar en dan kun je eten. Ga maar weer zitten.' Ik liet me voorzichtig op de baal stro zakken. 'Het is maar één schram, geloof ik. De rest is opgedroogd bloed. Dit is meteen de laatste keer dat ik je alleen laat om slag te leveren.'

'Zo is het niet,' zei ik. 'Je bent mijn slavin niet, Garah, je bent een lid van de ala. Een waardevol lid, zelfs. Je hebt precies gedaan wat je moest doen: je volgde mijn instructies op en hebt hulp gehaald. Misschien heb je ons zelfs het leven gered, ons allemaal. Daarvoor dank ik je.'

'Ik begrijp niet waarom iedereen daar zoveel drukte over maakt.' Ze trok onbehaaglijk met haar schouders. 'Ik heb niks bijzonders gedaan. Tegen de tijd dat ik koning Cinon en Ap Meneth ervan had overtuigd dat ze in actie moesten komen, was Urdo's bode al bijna in Caer Rangor. We waren nog geen dag onderweg of hij kwam ons tegemoet. Maar goed ook, want anders waren we naar Caer Lind gereden.'

Ze zei het zo vanzelfsprekend dat ik enkele ogenblikken nodig had om het tot me door te laten dringen. 'Wat? Jij hebt kans gezien hen ervan te overtuigen dat ze de hele ala moesten mobiliseren? Zijn dat de armigers in wier kamp we nu zijn?'

'De nood was aan de man.'

'Zeg dat wel. Ik zou er niet opgekomen zijn. Het zou zelfs succes hebben gehad.' Ik telde de dagen terug. Als zij hier vanmorgen was aangekomen en ik een vol etmaal had geslapen, zou ze hen gisternacht naar Caer Lind hebben geleid. Dan zouden ze op tijd zijn gekomen. Nog voordat we aan het slachten van onze paarden hadden moeten beginnen. Geen moment had ik eraan gedacht dat Caer Rangor ons uitkomst zou kunnen bieden. Ik had het bestaan ervan zelfs vergeten! 'Nee maar, Garah! Werkelijk, als je onder mijn bevel stond, zou ik je meteen bevorderen.'

'Te laat. Dat heb ík al gedaan.' De deuropening verduisterde toen Urdo binnenkwam. Hij droeg zijn volle rijrusting en had zijn helm op zijn arm. 'Ze maakt niet langer deel uit van Derwen en is geen eigendom meer van jouw familie, Sulien. Garah ap Gavan is nu een gezworen wapendrager. Ze mag misschien niet groot en sterk genoeg zijn om een lans te hanteren, maar ze heeft me nu al zulke geweldige diensten bewezen dat ik dat nooit zal vergeten.'

Garah bloosde, en ik stond op om haar te omhelzen. 'We hadden het geluk dat Ap Cathvan daar was en hij mij kende,' zei ze zacht.

Urdo straalde. Hij keek naar haar alsof ze een zojuist afgericht ros was dat een eerste proeve met succes had afgelegd. 'Eindelijk heb ik mensen om mij heen die doen wat noodzakelijk is,' zei hij, met de nadruk op de laatste vier woorden. 'Dankzij Angas en jullie tweeën is een gebeurtenis die een eind had kunnen maken aan al mijn hoop het begin van een lange weg naar de uiteindelijke triomf geworden.'

Nooit had ik hem zo gelukkig gezien. 'Wat gaan we nu doen?' vroeg ik.

'Ik hoorde dat je wakker was, dus kom ik je nu vragen of je al sterk genoeg bent om te kunnen rijden. Het leger van Bereïch is buiten Caer Avroc samengetrokken. Flavien ap Borthas is in het fort; Angas' ala is bezig zich reisvaardig te maken, en Ap Meneths ala staat al gereed. Ook het geallieerde voetvolk van Isarnagan maakt zich gereed en nu kom ik vragen of je je goed genoeg voelt om als vaandrig met mijn ala te rijden.'

'Zelfs voor de poorten van de hel zou ze daar geen nee op zeggen, en dat weet u,' zei Garah, nog voordat ik mijn mond had kunnen opendoen om te zeggen dat ik het zou doen, zelfs al had ik me dwars door alle gelederen van de Jarns een weg moeten banen. Ik moest lachen. 'Ik ben goed genoeg om te rijden en vind het een eer als vaandrig jouw standaard te voeren,' zei ik. 'Raul heeft me onderzocht en gezien dat mijn verwondingen niet ernstig zijn, zoals je me zelf hebt verteld, Garah. Ik was alleen moe. Ik zou me beter voelen als ik eerst iets had gegeten.'

'Er is misschien nog tijd voor een kom pap, als je snel bent,' zei Urdo.

'Ik haal het wel,' verzuchtte Garah.

Ik bekeek mezelf. Ik droeg een hemd van bruine wol, afkomstig van iemand anders. Het kledingstuk was te kort voor mij. Mijn zwaard stond geleund tegen de kruk waarop de rest van mijn wapenrusting lag, op een hoop gegooid. Zolang ik hem had gedragen, had ik er geen oog voor gehad. Mijn schild zag eruit alsof een of ander groot monster erop had liggen kauwen. En wat de rest betrof... Garah had gelijk, alles moest met zand worden geschuurd. Ik trok het hemd uit en stak met tegenzin mijn hand uit naar mijn rusting.

'Kijk maar of dit je past,' zei Urdo, met dat verlegen trotse lachje van hem waarmee hij iemand aankeek als hij hem of haar iets schonk. Hij maakte de met ijzer beslagen kist open en tilde er een harnas uit. Het was van sterk leer, versterkt met metalen platen, van veel betere kwaliteit dan mijn eigen harnas, of zelfs het geëmailleerde harnas van Angas. Deze platen waren zo glad gepolijst dat ze er in het zonlicht moesten uitzien als de zilverkleurige schubben van een grote vis. In de platen waren haarfijne, gekrulde motieven geciseleerd – draken, slangen en vreemde monsters. Het harnas zag eruit alsof het speciaal voor een vrouw van mijn postuur was vervaardigd.

'Toen mijn grootvader, Emrys, terugkeerde uit het land der reuzen, had hij een van deze reuzen bij zich, en een aantal van de reuzenpaarden wier nakomelingen wij momenteel berijden,' vertelde Urdo. 'Het was een reuzin en ze heette Larr. Dit was haar harnas. Het werd de afgelopen halve eeuw bewaard in een kist in Caer Segant. Mijn moeder, Rowanna, heeft het daar gevonden en naar mij toegestuurd; ze dacht dat het jou wel zou passen. Het leer is uitstekend onderhouden en het model komt dicht bij dat van de wapenrusting die wij tegenwoordig gebruiken voor onze ruiterij, zoals je ziet.'

Ik nam het harnas aan. 'Dank u, heer. Nogmaals, ik voel me vereerd. Ik denk wel dat het zal passen,' stamelde ik, diep onder de indruk. Dit was een harnas dat in de dageraad van de wereld gesmeed zou kunnen zijn op het aambeeld van Govannen, de magische Smid.

'Ik geloof nooit dat Larr werkelijk zo enorm groot is geweest,' zei Urdo.

Ik begon het harnas aan te trekken en haalde de schitterend bewerkte leren riemen door de fraaie koperen gespen, genietend van de geur van het leer en verse olie. 'Misschien is ze daarom met uw grootvader meegegaan. Wellicht was ze een dwerg in het land der reuzen – als ze allemaal zo groot waren dat onze strijdrossen in vergelijking met hen slechts pony's waren.'

Urdo trok een paar riemen in het rugpand aan en ik trok het overblijfsel van mijn haar uit de weg. Het harnas zat me als gegoten. 'Helaas, omstreeks de tijd dat de Vincanen wegtrokken, was het droevig gesteld met de kronieken,' zei hij. 'Het enige wat ik van haar weet, is dat ze Larr heette en na Emrys' beroemde reis mét de paarden is meegekomen. Ze sneuvelde in een van de veldslagen die mijn grootvader heeft uitgevochten voordat hij zichzelf tot Grote Koning kon uitroepen. Ze moet destijds het op een na beste harnas hebben gedragen.'

Garah kwam terug met een kom dampende pap en hield abrupt haar adem in toen ze het harnas zag. Urdo liep achteruit om het effect te bewonderen. 'Ja, het past je uitstekend,' zei hij.

'Nou, schoon is het in elk geval,' zei Garah. Ik nam de kom van haar aan en begon de warme pap gretig op te lepelen.

'We mogen van geluk spreken dat destijds niet alle grote paarden bij die veldslagen zijn omgekomen,' vervolgde Urdo peinzend terwijl hij mijn nieuwe helm in zijn handen om en om draaide. 'Er waren niet al te veel strijdrossen, zie je, in feite niet genoeg voor een behoorlijke stormaanval. Ze hadden allemaal verloren kunnen gaan, ware het niet dat de monniken van Thansethan besloten ze te gaan fokken. Voor Thansethan zend ik mijn dank op naar de Paardenmoeder en de Heer van Matigheid.'

'U doet wat?' Ik keerde me lachend naar hem om en nam de helm van hem over. 'Weten zij dat? Vader Gerthmol zou paars aanlopen en sterven van schaamte.'

Urdo lachte met zijn zware basstem. 'Ik heb het er nooit met hem over gehad. Hij heeft erg zijn best gedaan om mij op te voeden tot een goede volgeling van de Blanke God – en dat bén ik ook, op mijn manier. Het land zal echter tot zijn heer spreken, zoals ze zeggen. Hoe het ook zij, je ziet er schitterend uit in deze rusting – goed genoeg om de Jarns schrik aan te jagen. Zijn we zover?'

Ik verstelde de gespen en zette de helm op mijn hoofd. Daarna boog ik me naar voren om Garah de kans te geven de helmpluim recht te zetten, waarna ze mij met een trotse glimlach de penoenvaan en gouden standaard aanreikte. Urdo zette ook zijn helm op en we liepen naar buiten om de aanval te leiden.

Het werd een zwaar bevochten overwinning, vooral omdat de koning van de Jarns en zijn gezworenen voorop gingen in de strijd. Maar we versloegen hen, en volgens de wapenstilstandsvoorwaarden behield het volk van Bereïch de heerschappij over alle noordelijke heuvels van Tinala.

Na de slag kwam Angas in het badhuis naar me toe. Hij had net als ik zijn haar afgesneden, alleen had hij het in een rechte lijn gedaan. Het centrale verwarmingssysteem voor de thermen van Caer Avroc was allang in verval geraakt, maar het schone, koude water was die dag een weldaad voor mij.

Angas kwam naast me onder het vallende water staan en begon zo zacht tegen mij te spreken dat ik hem nauwelijks kon horen, laat staan dat anderen ons konden afluisteren. 'Sulien, ik moet weten wat mijn moeder overkomen is.' Ik wilde iets zeggen, maar hij stak afwerend een hand op. 'Ik heb met Galba gepraat en daarna met mijn broer, Morthu, maar wat ze mij vertelden klopt van geen kant. Ik ben niet van plan een bloedvete te beginnen. Het lijdt geen twijfel dat zij verdiende te sterven, ongeacht wat jij en Ap Erbin met haar hebben gedaan. Ze was krankzinnig. Ze was een orakel, weet je, en die worden vaak tot waanzin gedreven doordat zij nu eens wel, en dan weer niet in de toekomst kunnen blikken. Ik geloof niet dat ze had verwacht dat mijn vader zou sterven; ik denk dat dit haar gek heeft gemaakt, waardoor ze tot dit hoogverraad is gekomen.'

'Hoe is hij gestorven?' vroeg ik. Ik wilde liever niets zeggen over hoe lang ze krankzinnig en verraderlijk was geweest. Ze was dood. Als er iets over haar gezegd moest worden, was dat de taak van haar broer, Urdo.

'Een everzwijn dat sterker was dan hij ontweek zijn speer,' grimlachte Angas. 'Geen ontoepasselijke dood – hij heeft altijd van de jacht gehouden. Maar mijn moeder... Afgezien van het hoogverraad dat ze pleegde door met Urdo's vijanden te heulen, is het een feit dat zij Osvran, die mijn pleegbroer en haar gastvriend was, heeft doodgemarteld. Ik ben je dankbaar dat je het voor mij een stuk gemakkelijker hebt gemaakt, aangezien ze al dood is. Volgens de wetten van Demedia zou ze daarvoor aan een berk zijn gebonden en doodgegeseld. Ook volgens de Vincaanse wetten had ze de dood verdiend. Nu ben ik echter zelf heer van Angas en koning van Demedia, en moet ik zo snel mogelijk terug naar huis. Je kunt altijd op mijn vriendschap rekenen, hoe dan ook. Ik moet echter weten of het in de ogen van mijn moeder voor mij verkeerd zou zijn om brood met jou te breken.'

'Geen idee,' zei ik schouderophalend. Ik stapte onder het water vandaan en wikkelde een grote handdoek om me heen. Toen ik op de trap naast het vallende water ging zitten, nam Angas naast me plaats. Het koude water kabbelde onder onze voeten en maskeerde mijn woorden voor eventuele toehoorders toen ik zei: 'Ze heeft in mijn bijzijn en dat van Galba erkend dat ze Osvran had vermoord en hoogverraad heeft gepleegd.' Heel even zag ik een grimas van verdriet op Angas' gezicht. 'Geiran sloeg haar met de hand in het gezicht, vanwege een belediging van Osvrans nagedachtenis. Ik zou exact hetzelfde hebben gedaan als ik dichter bij haar had gestaan. Op dat moment liet Morwen door zwarte magie een verterend vuur ontstaan dat Geiran volledig verbrandde, maar waarmee ze ook zichzelf heeft gedood. Zodra Geiran haar aanraakte, begon ze zelf ook te branden. Ik kreeg de indruk dat ze niet over de macht beschikte om het vuur te doven. Tegen de tijd dat ik haar met mijn zwaard aanraakte, was ze al dood, denk ik. Het vuur heeft mijn zwaard en dat van Ap Erbin voorgoed blauw verkleurd. Als het op intentie aankomt, erken ik grif dat ik haar zou hebben gedood als ze nog in leven was geweest. Ik had haar willen meenemen om haar te laten berechten, maar ik was razend op haar. Geiran was mijn vaandrig.'

'Ik haat dit alles,' bekende Angas. 'Als jij haar had gedood, zou dat haar verdiende loon zijn geweest, zoals ik Morthu heb verzekerd. Hij is nog erg jong en dweepte met haar. Voor hem is dit een zware slag. Het zal moeilijk zijn het mijn zussen uit te leggen. Als het echter zo is gegaan, is ze naar mijn mening door eigen toedoen gestorven en hebben jij en Ap Erbin er niet de minste schuld aan. Daarom wil ik jou en Ap Erbin vragen mij en Eirann aan de feestdis vanavond te willen flankeren, als teken dat er niets te vergeven valt.'

'Natuurlijk wil ik dat. Ik ben ontzettend opgelucht dat je het op deze manier kunt bekijken.'

'Anders ik wel,' zei Angas droogjes. 'Als ze krankzinnig was toen ze stierf, lijkt het me verstandig er zoveel mogelijk van te vergeten, denk ik. Dat was de raad die Eirann me gaf.'

'Eirann is dus hier?'

Angas stond op en trok ook mij op de been. 'Ja, met de baby, onze kleine zoon. We zijn op weg naar Dun Idyn.'

We wandelden door de thermen naar de kleedruimte, verwarmd door een ijzeren kachel. 'Dat ik hier en bij Caer Lind halt heb gehouden om te vechten, zou je kunnen zien als eenvoudigweg een paar pauzes in mijn reis. Ik moet de eed als koning afleggen en volgens de oude gebruiken het land huwen. Dat staat Eirann niet aan, maar het is onmogelijk heel Demedia nog tijdens mijn regeringsperiode te bekeren tot de Blanke God – dat soort dingen heeft tijd nodig. Zelfs Custennin heeft het bij zijn bekering lang niet gemakkelijk gehad, terwijl hij al tot koning was gekroond en de meeste goden van zijn land en nagenoeg zijn hele volk ervóór was. O, da's waar ook, heb je al gehoord dat Custennin eindelijk een erfgenaam heeft? Zijn gemalin heeft een tweede kind gekregen, ondanks haar vijfenveertig jaar. Ze zeggen dat het een wonder is en noemen hem Gorai, naar de apostel van de Blanke God.'

'Ik ben blij dat je de tradities in ere houdt,' zei ik.

Angas snoof. Hij stak zijn hand in een zak die onder zijn opgehoopte kleding lag en haalde er een leren wijnzak uit; ik hoorde de inhoud klotsen. 'Wist je dat ze jouw moeder "de laatste der Vincanen" noemen?' vroeg hij. Ik wist het en er zat veel waars in. Hij liet de drank in zijn mond stromen en reikte mij de zak aan. 'Niet dat ze het kwaad bedoelen. Ze mogen haar graag. Ik mag haar ook. Ze deed het geweldig toen ons kind werd geboren. En de stad in Derwen heeft ze voortreffelijk gereorganiseerd. De stad floreert nu.'

'Blij dat te horen. Heeft Galba jou al verteld dat hij het bevel over de hele ala hier in het zuiden gaat krijgen?' Ik nam een slok en knipperde met mijn ogen – het was sterke, zoete mede uit het westen.

'Nu? Dat betwijfel ik. Urdo zal willen dat we ons op zo kort mogelijke termijn kunnen verplaatsen. Er zit een échte oorlog aan te komen; geen plaatselijk geschilletje. We zullen de Isarnaganen niet voor eeuwig hebben en ze moeten worden betaald.' Hij keek somber. Ik gaf hem de zak met mede terug.

'Jij vindt het geen goed idee, van die Isarnaganen?' vroeg ik. Ik was klaar met mezelf afdrogen en begon me aan te kleden.

'Wat had Urdo anders kunnen doen? Hij had hen op dat moment beslist nodig. Ik vrees alleen dat hij er later spijt van zal krijgen. In sommige opzichten was het een meevaller. Hun gezant was toevallig bij hem en bood aan een alliantie te sluiten. Er was zojuist een eind gekomen aan een grote oorlog in Tir Isarnagiri en de verloofde van de prinses was gesneuveld door toedoen van Darag de Zwarte, een van hun maniakale amokmakers. Dus was ze op dat moment ongebonden – en dat kwam heel mooi uit.'

Ik hing mijn mantel om en nam nog een slok mede. 'Krijg ik haar op het feest te zien? Ik had haar eigenlijk op het slagveld verwacht.'

'Ze is nog in Caer Tanaga. Ik geloof trouwens niet dat je haar ooit op een slagveld zult zien.' Angas eiste de wijnzak weer op en nam een forse teug. 'Ze is, te oordelen naar wat ik van haar heb gezien, zuiver het decoratieve soort vrouw. Volgens het lied van een bard moet ze een van de drie mooiste vrouwen van Tir Isarnagiri zijn. Buitengewoon knap gezicht, en ook mooie brede heupen, zoals Thurrig zou zeggen.' Hij hing zijn witte prefectmantel om zijn schouders en legde de gouden eikenbladeren recht.

'Ik dacht dat ze met het zwaard had leren omgaan?' Ik stond beduusd op en we verlieten het badhuis.

'Ik begrijp niet waar je dat vandaan hebt. Ze is pas zestien of zeventien. Toch is het allemaal vreemd met haar gegaan, als je erover nadenkt. Haar verloofde was nog niet gesneuveld of haar moeder bood haar al aan als bruid aan iedereen die kans zag Darag de Zwarte te doden. Het lukte echter niemand. Dan vertrekt ze plotseling in allerijl hierheen en trouwt met Urdo, die alleen de ritueel voorgeschreven nacht met haar doorbrengt en bij het

163

krieken van de dag alweer opstaat om hier te gaan vechten. Het is natuurlijk allemaal hard nodig en het minste wat er kon worden gedaan, en ik neem aan dat ze zo is opgevoed dat ze niet anders verwachtte. Aan de andere kant ben ik des te blijer dat Eirann en ik langer de tijd hebben gekregen om vrienden te worden.'

'Wie is die vrouw dan? Je hebt me net gered van de zoveelste blunder. Ik had min of meer aangenomen dat hij Atha ap Gren had gehuwd. Die werd steeds door iedereen genoemd, in de context van een Isarnagaanse alliantie. En ik weet dat zij een krijgsvrouw is. Er zijn zelfs liederen aan haar gewijd.'

Angas lachte. 'Nou, dan ben je inderdaad op het nippertje ontsnapt aan een enorme blunder, een van de grootste die Sulien ap Gwien ooit heeft begaan – en dat zegt wel wat.' Ik gaf hem een por. 'Ja, dat zou onze beschilderde vrienden beslist tegen de haren in hebben gestreken. Atha ap Gren is namelijk sinds vorig jaar getrouwd met Darag de Zwarte, en wij zijn een alliantie aangegaan met de tegenpartij. De nieuwe Grote Koningin van Tir Tanagiri is Elenn ap Allel – vergeet dat niet.'

Lachend liepen we samen de straat op, en vrijwel onmiddellijk kregen we Rheneth ap Borthas in het oog. Ze droeg een donkere overgooier en haar lange haar hing los om haar hoofd, naar de rouwgebruiken van de Tanaganen. Ze zag er daardoor ouder uit, maar ook waardiger. Ze was per slot van rekening een vrouw van boven de veertig en twee keer weduwe – geen jong meisje meer. Haar ogen waren rood en gezwollen en ik zag sporen van tranen op haar gezicht. Ik had met haar te doen. Hoewel ik een hekel had gehad aan haar broer, wist ik dat ze elkaar na hadden gestaan. Ik moest er niet aan denken dat hij door Morwen was gedood en vrijwel zeker niet was begraven. Zelfs Borthas verdiende niet dat ze zijn ziel had verslonden. Als ik alleen was geweest, was ik wel even blijven staan om haar mijn leedwezen te betuigen. Angas hield alleen even zijn pas in toen hij haar zag, maar ze rende bijna naar ons toe alsof ze vreesde dat we voor haar zouden vluchten.

'Je lacht in je vuistje?' zei ze. 'Verrader! Terwijl jouw eigen moeder de poorten voor ze heeft geopend. Jullie Angariden hebben ons altijd al gehaat. Mijn broer zou er verstandig aan doen jou nooit binnen de muren te laten komen, voor het geval je haar voorbeeld mocht volgen.'

Ik was verbijsterd door deze onverwachte uitbarsting. Angas bleef staan en leek even achteruit te deinzen, alsof iemand hem vol op de kaak had geraakt.

'De Grote Koning weet zeer goed dat Gwyn van Angas hem trouw is gebleven, boven de trouw aan zijn eigen familie,' zei ik.

'Wat kan mij die lafhartige bastaard Urdo schelen,' siste ze me toe. 'O, jullie vinden jezelf zo geweldig, met die paarden van jullie, maar wiens land hebben jullie vandaag weggegeven aan de barbaren? De pest aan het Huis Emrys! Mijn broer heeft Tinala meer dan twintig jaar bijeengehouden – onder drie Grote Koningen. Het maakte niet uit wat anderen deden, hij heeft het land dat altijd in onze familie is geweest bijeengehouden. Altijd was het van ons, zelfs al vóór de komst van de Vincanen. Niemand geeft nog iets om land, behalve wij, in Tinala. Ik haat jullie allemaal! Riganna zij gedankt dat Flavien het heeft overleefd. Ik hoop er getuige van te zijn hoe jullie door de slangen worden verzwolgen, voordat ik een vinger uitsteek om jullie te helpen.' Plotseling spuwde ze in Angas' baard en repte zich de straat uit.

Angas veegde zijn baard schoon en staarde haar na.

'Ze is dronken,' zei ik.

'O, zeker. Dat betekent echter niet dat ze het niet zou menen. Borthas is nooit een vriend van Urdo geweest. Nou, daar heeft-ie voor moeten boeten. Maar wat ze zei, leek me nogal overdreven. Aan de andere kant valt er niets op te zeggen. Borthas bezat dit gebied inderdaad en wij hebben er een deel van weggegeven. En mijn moeder heeft werkelijk verraad gepleegd. Ik kan alleen maar hopen dat niet iedereen in zijn hart zo over mij denkt.' Angas leunde met zijn rug tegen de muur. Hij begon te lachen. 'Nu moeten wij naar een feestdis en doen alsof we redelijke mensen zijn die op goede voet met elkaar staan, terwijl dat alleen maar uiterlijke schijn is. Ik voelde me zojuist precies hetzelfde als toen die brief van mijn moeder kwam – het was alsof me een nest vol slangen in handen was geduwd. Word jij alsjeblieft niet ook kwaad op mij, Sulien, zodat je me gaat beledigen.'

'Natuurlijk niet. Kom, we gaan verder, we hebben geen tijd meer. Zo zal niemand over jou denken, als ze meer hersens hebben dan een garnaal. Als jij een verrader was, zou je je wel bij haar hebben aangesloten. In dat geval zouden de kraaien je nu, in deze mooie nacht, de ogen uitpikken!'

'Het is verschrikkelijk als mensen je niet vertrouwen,' zei hij. 'Ik heb er nooit eerder problemen mee gehad. Voor mij was het altijd zoals Dalitius het omschreef: "Wees betrouwbaar, dan zul je vertrouwd worden; ga om met betrouwbare mensen en je wordt niet verraden." Ik heb altijd geprobeerd dat zo goed mogelijk in praktijk te brengen, vooral toen ik eenmaal wapendrager was geworden. Mijn vader heeft me in zekere zin als gijzelaar afgestaan, en Urdo heeft me altijd uiterst eervol behandeld.'

'Kom mee, Angas.' Het liefst had ik gezegd dat iederéén hem vertrouwde, maar dit was niet het moment voor troost gevende leugens om bestwil. 'Wie jou niet vertrouwt, is niet goed snik. Urdo begrijpt jou en vertrouwt je ten volle. En iedereen in onze alae zal zich achter jou scharen. Iedereen buiten de alae weet wat dát zeggen wil.'

'Ik zal Osvran missen,' zei hij zacht terwijl hij zich afduwde van de muur.

'Ik ook,' zei ik. 'Kom, we gaan.' Samen liepen we verder, de straat in. 'O, en dan nog iets anders. Om nog even terug te komen op mijn meest kapitale blunders... wat Rheneth ap Borthas zo-even tegen je zei, zou voor mij hoog op dat lijstje moeten staan.'

Zijn lach was onverwacht, maar het was een spontane lach.

Het feest duurde lang. Ik ving een paar vreemde blikken op van Flavien ap Borthas, koning Cinon van Nene en nog een paar anderen. Ik hoopte dat dit was vanwege de kleur die mijn kneuzingen aan mijn gezicht gaven. Na afloop gingen we met Urdo, Ap Erbin, Garah, Glyn, Galba en Ap Cathvan naar Urdo's grote tent, waar we alle mede die we in het kamp konden vinden soldaat maakten. We praatten over Osvran en onze andere gesneuvelde vrienden en dronken door totdat we allemaal hadden gelachen en gehuild. Er waren er een paar die hun eten teruggaven aan de Moeder. Ik ging pas naar bed toen de hemel al begon te verbleken, en bleef die hele dag slapen. Toen ik wakker werd, had ik hoofdpijn. Ik wist dat Angas al vertrokken zou zijn naar Dun Idyn. Ik herinnerde me dat Galba het commando over zijn ala zou krijgen. Toen herinnerde ik me dat ik Urdo had beloofd mijn uiterste best te zullen doen om het restant van onze ala te leiden.

17

Jouw vertrouw ik, weet je dat niet?
(Gooit bal naar volgende in de kring)
En jou vertrouw ik evenzeer
(Hij/zij gooit de bal naar volgende persoon in kring)
en jou vertrouw ik ook!
(Hij/zij gooit de bal naar volgende in de kring)
Vertrouw mij maar niet, o nee, nee, nee!
(Hij/zij gooit de bal plotseling naar een nietsvermoedende medespeler en rent weg)
– Balspel uit Tanaga (voor kinderen)

Achter de dikke houten deur kon ik niet alle woorden verstaan, maar Raul schreeuwde iets als 'Volgend jaar!' Urdo bulderde iets over wapenstilstand en dooi. Ik deed een paar passen terug. Als prefect had ik dan misschien het voorrecht de Grote Koning ongevraagd te benaderen, maar dat gaf me nog niet het recht bij hem binnen te vallen als hij en zijn hoofdklerk tegen elkaar stonden te schreeuwen. Iedereen wist dat Urdo en Raul af en toe zo tegen elkaar te keer gingen. Ze waren tenslotte samen opgegroeid. Er zomaar tussen komen, was een ander hoofdstuk. Na twee maanden achtereen overwegend te velde Jarns te hebben achtervolgd, die nooit pal stonden om de strijd aan te binden, was ik nog steeds wat onwennig ten aanzien van mijn nieuwe privileges en status. Galba en ik keken elkaar aan en liepen nog een paar stappen verder de hal in.

'Volgens mij kunnen we beter straks terugkomen,' fluisterde Galba, en ik stemde er dankbaar mee in.

'Als je dat doet, zul je ze straks gras te eten moeten geven. Dan zul jij eens zien hoe ze vechten!' brulde Raul, die de deur uit kwam stormen. Hij liep ons bijna omver. Hij kookte werkelijk van woede en de blik waarmee hij me aankeek, zou genoeg zijn geweest om verse melk te doen stremmen. 'Neem me niet kwalijk,' zei hij, met geforceerde hoffelijkheid. We sprongen opzij en hij rende langs ons heen. We keken elkaar nog eens aan, slecht op ons gemak. Ik voelde me weer twaalf jaar oud.

'Jullie kunnen net zo goed binnenkomen, wie jullie ook zijn,' zei Urdo.

We liepen de kamer in. Urdo's haar piekte naar alle kanten, alsof hij er zijn handen doorheen had gehaald. De stapels schrijftabletten en rollen perkament op zijn bureau leken hoger dan ooit. Bovenop lag een kaart van het noorden, waarop met zwarte inkt nieuwe lijnen waren getrokken. Hij keek naar ons met een uitdrukking alsof hij probeerde de verscheurde snippers van zijn geduld bijeen te schrapen.

'Wel?'

'Dit is geen goed moment,' zei Galba. 'Het is niet dringend. We komen wel terug.'

Urdo slaakte een zucht, haalde nog eens zijn hand door zijn haar en streek het glad. 'Het zal heel lang duren voordat er weer een goed moment komt, dus kun je het me net zo goed nu zeggen.'

Galba schuifelde met zijn voeten en haalde diep adem. 'Ik word geacht naar Derwen te gaan en daar te trouwen. U zei...'

'Wat krijgen we nou?' Urdo verhief zijn stem, maar plotseling begon hij te lachen. 'Aha, zit het zo. Je hebt dit al jaren geleden gepland – en ik ben niet in de positie om me te beklagen als iemand midden in een oorlog wil gaan trouwen. In Derwen. Jazeker.' Hij keek naar de kaart, zag dat hij de verkeerde voor zich had liggen en maakte aanstalten een andere te pakken, onder in de stapel. Ik sprong naar voren om de stapel rollen op te vangen toen die onvermijdelijk van de tafel begon te glijden.

'Het zal een halve maand duren om er te komen, en opnieuw een halve maan om terug te komen,' zei ik terwijl ik het grootste deel van de stapel recht legde, op het tafelblad. Urdo's ogen waren gesloten. Ik nam de juiste kaart en een schraapijzer en legde hem bovenop. Toen bukte ik me om ook de rest op te rapen. Ook raapte ik een lei op, overdekt met de stomvervelende berekeningen die deel uitmaken van de duistere kunst der logistiek. Veel berekeningen waren doorgestreept en overnieuw gemaakt, zodat de lei er spookachtig wit uitzag. Ik legde hem heel voorzichtig terug op tafel.

'Er moet daar hoe dan ook iemand zijn,' zei Urdo terwijl hij zijn ogen een voor een opende en Galba aankeek. 'Neem een rekrutenpenoen. Of nee, neem ze allebei. Neem de route via Caer Gloran. Overtuig je ervan dat daar een penoen is. Zeg Amala en – ik weet niet wie Angas de leiding over de troepen daar heeft toevertrouwd – dat jij daar vanaf dat moment het bevel voert. Trek dan verder zuidwaarts naar Magor en Derwen, trouw er en stuur me drie goede, volledig inzetbare penoenen terug. Stuur ze naar Caer Tanaga – tegen die tijd ben ik daar zelf ook. Op die manier beschik je over een volledige ala, de rekruten meegerekend, en krijg je ruimschoots de kans ze op te leiden.'

'Ik moet dus dáár blijven?' zei Galba zorgelijk.

Ik legde de groen-bruine schrijfstift, die volgens Urdo vervaardigd was van het schild van een of ander beest uit Lossia, op de tafel en deed een stap achteruit. De stapel zag eruit alsof hij bij het minste of geringste ademzuchtje opnieuw naar de grond zou glijden. Ik hield mijn adem in en deed nog een stapje terug.

'Ja, op zijn minst voor dit jaar. Het zal Marchel niet aanstaan, maar je hebt zelf ook een familiekwestie af te handelen. Ze zal trouwens toch hierheen komen. Als je gaat trouwen, behoor je op zijn minst wat tijd bij je vrouw te kunnen doorbrengen. Ik ben in het zuiden en het westen niet helemaal ongedekt, maar die troepen zal ik nodig hebben langs de grens met de Jarns, of het Raul aanstaat of niet. Jij hebt dan daarginds een ala, en in Caer Thanbard nog een. Daar moet je het mee doen. We moeten ons snel kunnen verplaatsen. De Jarns moeten de indruk krijgen dat we letterlijk overal zitten. Als ik werkelijk iedereen nodig heb die rijden kan, laat ik je terughalen.'

Bij die woorden klaarde Galba's gezicht een beetje op. Arme Galba. Ik was blij dat ik niet vast hoefde te roesten in Magor terwijl de oorlog zich op vele mijlen afstand afspeelde. Dat was iets voor armigers die te oud waren om nog dag in dag uit te strijden.

'Met zo'n strijdmacht zou je in staat moeten zijn dat hele gebied te verdedigen tegen iedere bedreiging die er mocht komen,' ging Urdo verder. 'Als je absoluut hulp nodig hebt – dat zou betekenen dat er in je gebied een invasiemacht aanwezig is, wat zou kunnen gebeuren – beperk je je tot het verdedigen van je posities en stuur je mij een boodschap; die zal me op iedere denkbare plaats bereiken. Werk samen met je vader, en met Gwien ap Nuden en de oude Uthbad Eenhand in Talgarth. Zij zullen je zo goed mogelijk bevoorraden. Heb je Uthbad al geschreven, Sulien?' Zijn blik zocht de mijne.

'Hoezo?' vroeg ik, maar meteen wist ik het weer. Uthbad, heer van Tathal, was Enids vader. 'Nee, nog niet. Niet aan gedacht. Ik heb Larig wel geschreven.'

'Goed, kopieer die brief en stuur hem ook naar Uthbad; geef hem aan Galba mee, die kan hem bezorgen. Breng hem ook mijn deelneming over. Zeg hem dat ik zeer gesteld was op Enid, en dat ze eens mijn leven heeft gered. We zullen haar deerlijk missen.'

'Natuurlijk. Zou u het echter erg vinden mijn moeder te schrijven dat ik niet mee kan komen?'

Urdo staarde me aan alsof ik was gaan hinniken in plaats van Tanagaans te spreken.

Ik bracht mijn gewicht over op mijn andere voet, lichtelijk onbehaaglijk. 'Mijn moeder stáát erop dat ik Galba's huwelijk bijwoon. Hij trouwt met mijn zus. Ik had gedacht dat u haar misschien kon uitleggen dat ik in de huidige omstandigheden niet kan komen – niet omdat ik niet *wil* komen omdat Galba en ik verloofd zijn geweest en ik van gedachten ben veranderd, maar omdat we volop in oorlog zijn en ik hier nodig ben. Dan zou ze het wel begrijpen. U hebt haar ontmoet,' voegde ik eraan toe.

Urdo trok een wenkbrauw op. 'Je kunt er wél heen. Blijf er een halve maand, dan kun je daarna in zes tot zeven dagen in Caer Tanaga zijn, bijna even snel als ik. Ik neem de ala mee daarheen, dus daar hoef je niet over in te zitten. In zekere zin maakt het dingen gemakkelijker, omdat jij de penoenen mee terug kunt nemen.'

'Ik vind het niet erg om er niet bij te zijn,' zei ik haastig.

Urdo moest lachen. 'Dat is me duidelijk. Maar als je niet te bang bent uitgevallen om nagenoeg in je eentje de hele legermacht van Jarnholme heuvelopwaarts te bestormen, wordt het toch de hoogste tijd dat je ophoudt bang te zijn voor je moeder. Waarschijnlijk zal het jullie allebei goed doen als ze ziet hoe volwassen je bent geworden. Want volwassen ben je, Sulien, vergeet dat niet. We hebben op dit moment wapenstilstand. Er zal wel weer worden gevochten zodra het gaat dooien. Ik denk dat zelfs de Blanke God zelf niet bij voorbaat weet wanneer dat het geval zal zijn. Ik kan je missen, maar niet te lang. O, en ga via Caer Rangor, om Ap Cathvan daar te zeggen dat het me niet kan schelen of hij een trap van een merrie heeft gehad; hij dient naar Caer Tanaga te komen, zodat hij er is voordat ik daar aankom. Ik heb hem nodig. Zeg hem dat ik niet van hem verwacht dat hij paarden gaat africhten, maar wel dat hij zijn mondje roert. Hij kent de paarden beter dan wie ook. Zorg wel dat hij tegenover je zit voordat je over de Isarnaganen begint. Ik zou het vreselijk vinden te horen dat hij niet meer kan lachen.'

We lachten alle drie, en lachend accepteerde hij Galba's bedankje, voordat hij hem zijn zegen gaf. We lieten Urdo aan zijn werk over.

Het was bitter koud en het vroor toen we Caer Avroc uit reden naar het zuiden, in de mist van onze eigen adem en die van de paarden. De grond was zo hard als steen. We verbleven een nacht in Caer Rangor en een nacht in Caer Gloran. De andere nachten kampeerden we onderweg om de penoenen te oefenen in het opslaan en afbreken van een kamp, een koud kamp, een kamp met vuur en nachtelijke kampen. Galba en ik namen ieder een penoen voor onze rekening en maakten er een wedstrijd van, waarbij we ons tevens oefenden in het volgen van elkaars spoor en het maken van omtrekkende bewegingen ten opzichte van elkaar. Om beurten verlieten we de gebaande wegen. De rekruten hadden al meer dan de helft van hun opleiding achter de rug en hadden feitelijk alleen meer oefening nodig, vooral in het uitvoeren van gecoördineerde stormaanvallen en het daarbij handhaven van een strikte discipline. Nog voor we Talgarth hadden bereikt, hadden ze al veel geleerd, hoewel we niet een keer slaags raakten. Eigenlijk genoot ik van de reis. De rekruten deden dat ook, denk ik, ook al kreunden ze bij het vroege opstaan nog zo luid en al kankerden ze nog zoveel zodra ze dachten dat wij buiten gehoorsafstand waren.

We kwamen aan in Derwen op de dag die voorafgaat aan vollemaan, een dag voor het huwelijk. In perfecte colonneformatie reden we de plaats in, Galba en zijn penoen voorop, met mij en mijn penoen als de achterhoede.

Ik herkende mijn geboorteplaats nauwelijks. Er waren kaden langs de rivier gebouwd, en het geheel was omgeven door een stadsmuur. Er was een smidse en stroomopwaarts stond een vrolijk draaiende molen. Het grote huis was herbouwd, maar zag er groter uit dan eerst, met veel ruimere stallen in twee blokken, groot genoeg voor drie penoenen. Buiten het huis was een geel-wit gestreept zeil uitgespreid en op staken gespannen, zodat er een halve tent was ontstaan. De winterzon scheen er op en doorheen. Het plaatsje zag er bijna uit als een echt Vincaans stadje, hoewel het voor de helft was opgetrokken uit hout in plaats van steen. De inwoners haastten zich naar ons toe toen onze trompetter onze komst aankondigde. Ik herkende niemand.

Voor het huis stegen we af. Meteen schoten er stalknechten toe om onze paarden over te nemen. Ik herkende er slechts een paar van. Ik zou liever zelf Bode hebben verzorgd, maar dat zou onbeleefd lijken. Emlin haastte zich naar me toe om mij te begroeten voordat hij de zorg voor de penoenen op zich nam.

Achter Galba liep ik naar voren om mijn familie te begroeten toen ze naar buiten kwamen. We omhelsden elkaar formeel. Veniva zag er magerder uit dan ooit en ze had geen zwart haartje in haar haar meer over. Ze had het in een strakke knot gewonden, bijeengehouden door de gouden kam die tot de familieschat had behoord. Haar omhelzing was stijfjes. Gwien gebruikte nog steeds een wandelstok, maar zag er voor de rest goed uit. Hij lachte alsof hij heel blij was me terug te zien. Morien had inmiddels zijn volle volwassen lengte bereikt, maar hij was nog altijd kleiner dan ik. Ook was hij nog niet volledig uitgegroeid, zodat hij er wat schriel uitzag. Ik hoopte dat Galba hem binnenkort duchtig onderhanden zou nemen bij zijn opleiding tot armiger, zodat hij spierkracht kon ontwikkelen.

Aurien zag er wondermooi uit. Ze droeg de traditionele oranje overgooier van een bruid, bijeengehouden door haar met paarlen bezette fibula. Eronder droeg ze een lang wit hemd en ze had haar dikke zwarte haar hoog opgestoken. Ze was nog niet helemaal volgroeid, maar het was duidelijk dat ze even lang en slank zou worden als Veniva. Ze had trouwens dezelfde koninklijke uitstraling. Aurien had ik nooit echt goed begrepen. Ze had haar gevechtstraining eraan gegeven zodra haar voldoende techniek was bijgebracht om zichzelf te kunnen verdedigen. Van paarden had ze nooit iets willen weten, zodat ze er niet meer naar om had gekeken vanaf het moment dat ze erop kon blijven zitten. Daarentegen had ze al als klein kind een zwak gehad voor het bijhouden van boeken en het bestieren van het huishouden. Ook kon ze een naad stikken die desnoods over een lengte van een mijl lijnrecht bleef, of een bloem met vier kleuren borduren. Ook was ze goed in tekenen, en had ze Veniva's leerboeken bestudeerd met een enthousiasme dat ik nooit zelfs maar had kunnen voorwenden. Morgen zou ze op de jongst mogelijke leeftijd trouwen met een man die tien jaar ouder was dan zij. Ze had hem pas twee keer ontmoet, maar ze leek er reikhalzend naar uit te zien. Voor mij was dat een gelukkige omstandigheid.

We omhelsden elkaar kort en formeel. Toen deed ik een stap opzij en legde haar hand in die van Galba. Een ogenblik later realiseerde ik me dat ik dat aan zijn vader had moeten overlaten, maar niemand merkte het op. Galba omklemde haar handen en zei een paar formele zinnetjes, waarna hij haar elegant omhelsde en haar iets in het oor fluisterde dat maakte dat ze begon te giechelen. Hij zag er heel tevreden uit, net als de oude hertog, toen hij naar me toestapte om me te begroeten. Vervolgens begroette ik de oude Uthbad Eenhand en zijn gemalin, Idrien. Ze zagen er alle drie stukken ouder uit dan de laatste keer dat ik hen had gezien. Enids dood was een zware slag voor hen geweest. Ze stelden hun twee andere kinderen aan me voor: de erfgenaam, Cinvar, en hun tweede dochter, Kerys. We bogen beleefd voor elkaar. Toen al dat gedoe voorbij was, kondigde Veniva aan dat het huwelijk de volgende ochtend bij het ochtendgloren zou worden ingezegend en dat we allemaal welkom waren om er getuige van te zijn. Toen ging iedereen naar binnen.

De stenen muren van de grote hal gingen schuil achter vrolijk gekleurde tapisserieën. Spijtig stelde ik vast dat de oude, die me zo vertrouwd waren geweest, er niet meer waren. Ik was echter onder de indruk van al het werk dat in zo'n korte tijd was verricht. De timmerman die Urdo mijn vader had gestuurd, moest een meester zijn in zijn ambacht, want alle vensters waren afgewerkt met houten kozijnen, met sterke luiken ervoor. Ik liep naar een van de vensters en keek naar buiten. Beneden lag een kade. Sjouwerlieden waren bezig met het uitladen van een wagen vol balen linnen en sterke jute, die in een pakhuis iets hoger op de helling werden opgeslagen. Er heerste overal grote bedrijvigheid, hoewel het hartje winter was.

Een dienaar kwam naar me toe en gaf me een dampende beker van aardewerk, die ik dankbaar in ontvangst nam. Ook hield hij me gezouten brood voor, waardoor ik me realiseerde dat hij me voor een vreemde aanzag. Ik monsterde hem een ogenblik, waarbij ik notitie nam van zijn groene tuniek, zijn gevlochten haar en de steen die hij om zijn nek droeg. Kennelijk beschouwde hij me als een strijdmakker van Galba die de normale symbolen van gastvrijheid moesten worden aangeboden. Zolang ik thuis had gewoond, hadden we dat gebruik nooit gekend. Als iemand toen het brood brak met de familie, gebeurde dat gewoon aan tafel. Aan de andere kant waren er, toen ik in Derwen opgroeide, zelden vreemdelingen geweest. Ik aarzelde. Ik bevond me in het huis van mijn vader. Vroeger zou ik de man hebben kunnen doden vanwege deze belediging. Als ik niet had gezworen de vrede des konings te handhaven, zou ik hem hebben kunnen uitdagen voor een duel, maar zo'n gevecht zou vrijwel neerkomen op moord. De man kende mij niet. Ik trok mijn witte prefectmantel recht, om ervoor te zorgen dat hij de gouden eikenbladeren zag, maar zijn gezicht veranderde niet, hoewel zijn glimlach nu geforceerd aandeed. Ik kon niet geloven dat mijn ouders mij hadden verstoten. Als ze mij als een vreemde hadden willen begroeten, zouden ze mij niet buiten als lid van de familie hebben begroet. Waar had deze zelfingenomen grijnzende kwast toen uitgehangen? Naar alle waarschijnlijkheid hierbinnen, om de drank warm te maken.

Ik nam het brood van hem aan. Als hij het recht had mij gezouten brood en warme drank aan te bieden, moest ik het aannemen of vertrekken – er was geen tussenweg. En als hij het me eenmaal had aangeboden, kon ik alleen maar de rituele formule uitspreken; elk ander woord zou als een afwijzing worden uitgelegd. Dit alles ging me razendsnel door het hoofd. Ik wilde werkelijk niemand hier leed berokkenen en zou me aan de wetten houden – en dat was de hele betekenis van dit welkomsritueel. Als ik hem niet kende, waarom zou hij mij dan moeten kennen? Als ik de aandacht op mezelf vestigde, zou dat de situatie alleen maar verergeren. En al mijn instincten zeiden me dat ik me diende te schikken.

Ik hapte in het brood. Daarna zei ik: 'Vrede in deze hal.'

'En een welkom aan allen die de vrede erin bewaren,' antwoordde de bediende. Zijn gezicht drukte grote opluchting uit. Hij zal het niet vaak hebben meegemaakt dat iemand aarzelde of hij of zij de gastvrijheid van het huis zou aanvaarden of niet, bedacht ik. Ik moest er bijna om lachen.

'Ik ben de oudste dochter van Gwien van Derwen,' zei ik. Ik wachtte beleefd, om hem de kans te geven mij te zeggen hoe ik hem behoorde aan te spreken. Al het bloed trok weg uit zijn gezicht, zodat het plotseling grauw werd. De uitdrukking op zijn gezicht was een studie waard. Ik nam een teugje van de drank om mijn glimlach te verbergen. Het was lekkere kruidige cider, ideaal voor een koude dag. Juist op dat moment kwam mijn vader naar me toe, tot mijn opluchting.

'Wat doe je nou, Dal?' vroeg hij geschrokken. 'Dit is geen vreemdelinge – dit is Sulien, mijn oudste kind.'

'H-heer,' stamelde hij. Hij probeerde met zijn hand zijn hoofd aan te raken, maar kon dat niet vanwege het dienblad. Toen keek hij me weer aan alsof iemand hem een klap in het gezicht had gegeven. Hij kende me echt niet, óf was een groot toneelspeler. 'Ik smeek u om vergiffenis.'

'Hij bedoelde het niet kwaad, vader,' zei ik. 'Het is tenslotte lang geleden dat ik hier was.' Trouwens, in mijn hart was dit mijn thuis niet meer; mijn thuis waren de alae en ik verheugde me al op de dag dat ik weer op een paard zou kunnen zitten. Ik wist dat toen al, maar sprak het niet uit.

'Veniva zal je de oren afsnijden,' zei Gwien tegen hem. 'Dit is Daldaf ap Wyn, Suliën, de huismeester van je moeder. Jullie zullen elkaar ongetwijfeld weer leren kennen.' Daldaf had nu een kop als vuur. 'Toe maar, deel die cider rond. Klets tegenover niemand over deze blunder.'

Daldaf knikte en haastte zich weg met zijn dienblad.

'Je bent er echt niet kwaad om, Suliën?' vroeg mijn vader.

'Nee,' antwoordde ik naar waarheid.

'Laat het dan maar aan mij over om Veniva erover in te lichten,' stelde hij voor. 'Het moet op de juiste manier worden verteld, anders zal ze nog denken dat ze Dal weg moet sturen, en dat terwijl ze hem met zoveel moeite heeft opgeleid om de dingen op haar manier te doen. Hij komt uit het oosten en is nu haar steun en toeverlaat, nu ons huishouden zo is gegroeid.'

'Ik stond ervan te kijken hoe hard alles is gegaan,' zei ik, met een gebaar dat meer omvatte dan alleen de hal.

'Ik wilde het herbouwen in de stijl van een fort,' zei hij, 'maar Veniva moest daar niets van hebben. Het moest en zou de Vincaanse stijl worden, of helemaal niets. "Onze kracht schuilt niet in stenen, maar in harten," zei ze – je kent haar. De muren zijn echter dik en het zal je niet zijn ontgaan dat een boogschutter vanuit elk venster een prima schootsveld kan bestrijken, nietwaar?'

'Ik heb het gezien, ja,' antwoordde ik. 'Maar op die regel volgt er een die zegt dat de kracht van steen laat zien hoe soliede de kracht van de harten is. Urdo zegt dat we niet alleen sterke harten nodig hebben, maar ook sterke muren.'

Gwien begon te stralen. Hij richtte zich op en omhelsde me opnieuw. 'Ik zie aan je mantel dat je nu een prefect van de Grote Koning bent. Sinds wanneer ben je dat? Je had niet zo lang weg mogen blijven, Suliën, ik heb je hevig gemist. En intussen ben je groter dan ikzelf – wie had dat ooit kunnen denken!' Hij leek er trots op. De waarheid was echter dat zijn rug enigszins krom was geworden als gevolg van zijn verwondingen. Zonder dat hadden we elkaar recht in de ogen kunnen kijken. Ik zei er echter niets over; ik was zelf ook blij hem te zien en te horen dat ik zijn goedkeuring wegdroeg.

'Ik heb u ook gemist, vader,' zei ik. 'Maar ik heb het erg druk gehad in de ala, en ik heb er volop van genoten. Na Caer Lind heeft Urdo mij bevorderd tot prefect, met een eigen ala.'

'Dat is een grote eer, geweldig,' zei Gwien terwijl hij me een stevige schouderklop gaf. 'Ik heb altijd geweten dat jij nog grote daden zou doen; Duncan en ik hebben dat vaak tegen elkaar gezegd toen je nog klein was en in de weer was met een zwaard – jij en Darien.' Zijn gezicht betrok, maar hij perste er meteen weer een glimlach uit. 'Ga even zitten en laat me je eens op mijn gemak bekijken – zo groot en mooi als je bent.'

We gingen naast elkaar op een diepe vensterbank zitten. De schouderplaten van mijn harnas vingen het zonlicht en blonken. Gwien keek er een poosje naar, voordat hij op een heel andere toon zei: 'Waar heb je dit harnas in 's hemelsnaam gevonden, Sulien?'

'Urdo heeft het mij geschonken. Is het niet schitterend?'

'Is er een draak op de andere bovenarm gegraveerd?' Hij keek en knikte toen. 'Weet je, dit is het harnas dat mijn moeder altijd placht te dragen. Ze is gesneuveld toen ik nog een kleine jongen was, maar ik herinner me dat ze dit harnas droeg en me attent maakte op de gravures op de platen. Ik heb altijd gedacht dat het mét haar verloren was gegaan.'

'Volgens Urdo was het opgeborgen in een kist, in Caer Segant. Hij zei dat vrouwe Rowanna het had gevonden; ze dacht dat het mij wel zou passen, dus heeft hij het mij na Caer Lind geschonken, toen ik dringend om een nieuwe wapenrusting verlegen zat. Hij zei dat het afkomstig was van een reuzin, maar ik veronderstel dat het net zo goed van mijn grootmoeder kan zijn geweest. Toch vreemd, vindt u niet?'

'Niet echt, als je afgaat op het formaat. Er zijn niet veel vrouwen die groot genoeg zijn om dit te kunnen dragen. Het is van schitterende makelij en ik ben ervan overtuigd dat het hetzelfde harnas is. Ik denk dat Galba het zich ook wel zal herinneren. Galba! Kom even kijken!'

Hertog Galba maakte zich los uit een groepje waarvan ook zijn zoon, Aurien, Veniva en Idrien deel uitmaakten, en kwam naar ons toe.

'Je herinnert je mijn moeder nog wel, Galba?' zei Gwien.

Hertog Galba neigde het hoofd. 'Ik was pas tien of elf jaar oud toen ze stierf, maar ik herinner me haar heel goed.'

'Bekijk dan dit harnas eens, om te zien of het je bekend voorkomt.'

Ik stond op om het de beide oudere mannen te tonen. In sommige opzichten gaf ik de voorkeur aan het verhaal over de reuzin. Ik probeerde me te herinneren wat ik over mijn grootmoeder had gehoord, behalve dan dat ze tijdens een slag in de burgeroorlog was omgekomen. Ik kon me niet eens haar naam meer herinneren. Daarentegen kende ik mijn stamboom van vaderskant – Gwien ap Nuden ap Iarn – helemaal tot aan de Grote Vloed, met inbegrip van Edwy, die met zijn elf kameraden aan de Vloed was ontsnapt. Hij had schipbreuk geleden op onze kust en was daarna getrouwd met een vrouw die uit elzenhout was gesneden. Ze hadden zich allemáál tevreden moeten stellen met een boom als vrouw; en de bomen waren de enige vrouwennamen die ik had moeten leren.

Langzaam knikte hertog Galba. 'Ik meen me te herinneren dat ik het haar heb zien dragen. Wel heb ik ooit. Hoewel het allemaal lang geleden is. Een jaar of vijftig, al. Ik vraag me af waar Urdo het vandaan heeft gehaald.'

175

'Uit een kist in Caer Segant.' Ik vertelde het verhaal nog maar eens. 'Het vreemde is dat ze het niet hebben teruggestuurd met al haar andere spullen, als het inderdaad van haar was.'

'De situatie was toen buitengewoon verward,' zei hertog Galba, fronsend bij de herinnering. 'Hoe het ook zij, als het een koninklijk geschenk was en voorheen eigendom was geweest van iemand uit het land der reuzen, heeft Emrys het wellicht teruggenomen. Ik heb haar nooit goed gekend, maar was ze niet uit Caer Segant afkomstig? Misschien hebben ze het teruggegeven aan haar familie, in plaats van Nuden.'

'Volgens mij was ze een Vincaanse, maar ze heeft beslist in Caer Segant gewoond; die plaatsnaam staat vermeld als haar woonplaats in het register toen ze met mijn vader trouwde,' zei Gwien. 'De naam van haar vader ken ik niet; ze heeft alleen aangegeven dat hij Laris werd genoemd.'

'Laris?' zei ik. Vermoedelijk had ik die naam ooit horen noemen, want hij kwam mij vaag bekend voor. 'Urdo zei dat de reuzin Larr werd genoemd. Ze was toch geen reuzin, of wel?'

Hertog Galba schoot in de lach en keek ondeugend naar mij op. 'Als vrouw ben jij lang genoeg om zo te worden genoemd, althans door boeren en zeevaarders. Geen gigant, zoals in de Tanagaanse legenden, die groot genoeg waren om de zee tussen hier en Tir Isarnagiri te doorwaden, maar wellicht wel een reuzin van het reuzengeslacht dat door Sextus Aquila wordt vermeld en volgens hem achter de Noordenwind zou leven. Ik geloof grif dat ze dat in Caer Segant zullen hebben gedacht, als keizer Emrys haar inderdaad heeft meegebracht, mét de strijdrossen. Nuden trouwde haar toen ik nog een kind was. Ik herinner me geen verhalen over wie zij was, destijds, maar dat waren dan ook beslist niet het soort verhalen waarnaar ik in die dagen aandachtig luisterde.' De oude man glimlachte.

'Als ze het werkelijk was, heb ík dat nooit geweten,' zei Gwien terwijl hij een plooi in de leren mouw van mijn harnas gladstreek. 'Ik vond je heel veel op mijn moeder lijken toen ik je aan zag komen rijden, en het is goed haar harnas terug te zien.'

'Ook in mijn stamboom komt reuzenbloed voor,' zei hertog Galba, met een hoofdknik naar Galba de Jongere en Aurien, die elkaar diep in de ogen keken. 'Ik vond het harnas al een schitterend geschenk toen ik het voor het eerst zag, maar dit maakt het wel héél bijzonder.'

'O nee...' zei Gwien op heel andere toon. Ik keek hem aan. 'Veniva stuurt de muzikanten nu al naar buiten.' Hij zuchtte. 'Er zal worden gedanst, vrees ik, nog voordat we gaan eten, en dan moet ik bij haar staan.' Hij hinkte weg naar de overkant van de hal. Ik had met hem te doen. Toen hij jong was, was hij dol op dansen geweest.

'Zo, Sulien,' zei hertog Galba, 'kun je me nu vertellen wat Urdo in Tinala gaat doen?'

'Ik ben bang dat u dát aan uw zoon moet vragen,' antwoordde ik. 'Ik zal me nu meteen moeten omkleden, als er gedanst gaat worden.'

Het duurde een uur voordat ik kans zag even met Galba de Jongere te praten, en dan nog alleen midden op de dansvloer. Hij had de wazige blik van iemand die smoorverliefd is en was sinds onze aankomst nauwelijks van Auriens zijde geweken. Inmiddels had ik al een paar dansjes achter de rug. Ik zag tot mijn genoegen dat de mensen nu hun uitnodigingen voor een dans beleefder formuleerden dan de gewoonte was geweest toen ik voor het laatst in mijn ouderlijk huis had gedanst.

'Wat is er zo belangrijk?' siste Galba, toen de rei ons bij elkaar bracht. 'Als er een aanval was, zouden ze wel alarm hebben geslagen.'

'Wat is Urdo van plan met Tinala?' vroeg ik hem.

Hij begon te lachen, liet me rondzwieren en ving me weer op. 'Wie heeft je ernaar gevraagd?' vroeg hij.

'Jouw vader, mijn moeder én Duncan. Ik heb ze naar jou verwezen.'

'Ah.' Hij keek verrast en ik bleef bijna staan. 'Jouw vader, mijn tante en Emlin hebben *mij* ernaar gevraagd.'

'Nou? Wat is het antwoord?' riep ik terwijl ik de handen van Kerys ap Uthbad beetpakte en met haar ronddraaide. Z droeg een schitterende overgooier in de kleuren rood en goud.

'Ik heb ze gezegd het jou te vragen,' zei hij lachend terwijl we weer naar elkaar toe dansten. 'Tegen je vader heb ik gezegd dat Urdo niet op zijn achterhoofd is gevallen, waarop hij zei: "Als dat zo is, gooit hij Flavien ap Borthas eruit om hem te vervangen door een loyalere vazal." Als ik niet beter wist, zou ik hebben gedacht dat ze zich zorgen maakten over de Jarns.'

Die gedachte was ook al bij mij opgekomen. 'Ik heb geen enkele indicatie gezien dat hij hem eruit zou gooien toen we daar waren,' zei ik, van hem weg dansend. 'En trouwens, de man heeft zelf niets verkeerds gedaan.'

'Ik weet het niet.' Hij lachte alweer.

'Ben je dronken, Galba?'

'Na twee bekers warme cider kun je niet van dronkenschap spreken,' zei hij afwerend. Ik had het echter vaker gezien. Zijn gedachten over Aurien bedwelmden hem. Hij was als het ware dronken, vanwege een gearrangeerd huwelijk dat voor de beide families precies goed was. En hij had me nog maar een maand geleden plechtig verzekerd dat hij zich had voorgenomen er het beste van te maken. Ik keek hem onderzoekend aan toen we voor de laatste keer naar elkaar toe dansten en elkaars handen raakten. 'Als Urdo iemand nodig heeft om de mensen daarginds op hoffelijke manier gerust te stellen, had hij Raul moeten sturen,' zei hij met een frons. Toen boog hij voor me – de dans was voorbij en Aurien wachtte op hem.

Hertog Galba en Veniva doken allebei op me af zodra ik alleen was. Mijn moeder bereikte me als eerste, als een schip van kustplunderaars met opgestoken zeilen. 'Gaan we gauw eten, mama?' vroeg ik. Ik begon nu echt honger te krijgen. Bovendien had ik behoefte aan een afleidingsmanoeuvre. Ik zocht mijn vader, maar hij stond ernstig te praten met Idrien van Talgarth. Het licht bescheen Veniva's gezicht van opzij en ik zag dat ze veel op Enid leek, maar dan zonder litteken.

'Het duurt niet lang meer, maar daar gaat het nu niet om,' zei ze. We stonden bij de muzikanten en de klanken van lieren en hoorns beschermden ons tegen luistervinken. 'En ik ben hier niet om jou te vragen wat het te betekenen heeft dat jij je als een Vincaanse senator hebt vermomd – ik veronderstel dat je het recht hebt deze kleding te dragen op grond van je afstamming van mijn overoudoom, maar ik geloof niet dat je daar iets van weet.' Ze grimlachte licht om mijn stola, die ik om mij heen had gedrapeerd op de manier die ik van Amala had geleerd. 'Ik neem aan dat er verder niemand is die deze uitdossing herkent of er iets om maalt. Vlug nu. Gwien zei me zo-even dat Urdo volgens Galba heeft gezegd dat hij Flavien ap Borthas wil afzetten. Is dat waar?'

Hertog Galba had ons al bereikt voordat ik iets had kunnen zeggen; hij benaderde me alsof hij zelf een Vincaanse senator was, hoewel hij ook nu zijn gebruikelijke tuniek en beenkappen droeg. 'Tinala, meisje,' begon hij. 'Mijn zuster Idrien zegt dat mijn zoon de bedoelingen van de Grote Koning niet kent, maar het is van groot belang.'

Ik keek van de een naar de ander, allebei zo aristocratisch naar het voorbeeld van de Vincanen, en ik had geen flauw idee wat ik moest zeggen. 'Urdo is niet op zijn achterhoofd gevallen, mama, heer Galba,' zei ik, in de hoop dat dit afdoende zou zijn.

'Hij zal dus niet alle koningen tegen zich in het harnas jagen door Flavien ap Borthas af te zetten?' vroeg hertog Galba meteen.

'Waarom zou hij?' Ik haalde diep adem. Als Urdo behoefte had gehad aan diplomatie, zou hij Raul hebben afgevaardigd. Allemaal leuk en aardig, maar ik geloofde niet dat Urdo besefte dat er diplomatiek moest worden opgetreden. 'Luister, ik vertel u beiden de naakte waarheid: ook ik heb niet het flauwste idee van Urdo's plannen. Hij heeft Galba de Jongere opgedragen om met u beiden en Uthbad Eenhand samen te werken.' Uthbad danste op dat moment met Kerys. Zijn haar was nog kort, omdat hij nog in de rouw was. Nu ik het tweetal samen zag, merkte ik de grote gelijkenis tussen hen op; ze leek veel meer op hem dan Cinvar of Enid. 'Hij gaat uit van een totale oorlog in het oosten, waarin wij een kans hebben om een definitieve overwinning op de Jarns te behalen en vrede af te dwingen.'

'Ieder van ons wil graag vrede, opdat de handel kan floreren,' zei Veniva. 'Maar moet daar dan per se opnieuw oorlog voor worden gevoerd?'

Achter haar begonnen de dienaren de lampen aan te steken – echte olielampen van de Vincanen, geen kaarsen. In stilte vroeg ik me af waar ze de olie vandaan hadden. In Caer Tanaga pakten we zelden zo groot uit.

'Wat voor nieuws over de gebeurtenissen in het noorden hebt u gehad?' vroeg ik.

'Heel weinig,' antwoordde hertog Galba. 'Alleen dat er een groot leger van Jarnholme binnen was gevallen en dat Urdo een huwelijk heeft moeten sluiten om een alliantie met Isarnagan aan te gaan om ze te verslaan; hij zou hen inderdaad hebben verslagen, maar hebben toegelaten dat Borthas werd gedood. En dat hij nu overal troepen heeft, in en om Caer Avroc.'

'Verslagen is een veel te groot woord,' zei ik spijtig. 'We hebben dan wel gewonnen, maar hun leger is nog grotendeels ongeschonden. Wat Borthas betreft, inderdaad, hij is gedood, maar dat was in geen geval onze schuld, en onze bedoeling al helemaal niet.' Ik begreep hoe gemakkelijk de schijn van het tegendeel kon worden gewekt. 'Wij waren op zoek naar de Jarns en dachten dat Borthas op de terugweg was naar Tinala, waar hij in veiligheid zou zijn. Wij vonden zelf bijna de dood. Onze aanvoerder, Osvran, sneuvelde. Het is een lang verhaal. Als ik terug ben, zal ik erop toezien dat er regelmatig naar alle koninkrijken bodes worden gestuurd om verslag te doen van de stand van zaken in de oorlog.'

'Dat lijkt me een voortreffelijk idee,' zei hertog Galba, onder instemmend geknik van Veniva.

'Deze oorlog zal heviger zijn dan we tot nu toe hebben gezien, maar hij zal voornamelijk in het oosten worden gevoerd, verwacht Urdo. De Jarns zijn nog lang niet verslagen,' vervolgde ik.

'En wat gaat er met Flavien ap Borthas gebeuren?' vroeg hertog Galba.

'Dat weet ik niet zeker, maar ik geloof dat als Urdo overwoog om iets anders te ondernemen ten aanzien van Flavien ap Borthas of Tinala dan dat rijk verdedigen, hij ons dat beslist zou hebben gezegd, opdat wij u gerust konden stellen. Waarom bent u er zo ongerust op?' Ik keek naar Galba de Oudere, maar het was Veniva die antwoordde.

'Flavien ap Borthas heeft ons een verzoek gestuurd om hem te helpen tegen Urdo,' zei ze. 'Dat verzoek stuurde hij aan alle koningen en heerschappen, overal. Hij wil dat we ons gereed houden om hem te helpen.'

De gedachte aan de implicaties hiervan raakte mij als een stomp in de maag. 'Dan zullen ze dat opvatten als een oorlogsverklaring aan Urdo.' Pas toen mijn hand naar mijn lege gordel tastte, merkte ik dat ik mijn zwaard wilde pakken. Was het mogelijk dat Urdo werkelijk overwoog Flavien af te zetten? Zijn vader was een verrader geweest, maar die was dood. Ik dacht aan de tafel in Urdo's werkkamer, overdekt met paperassen over dingen die zo snel mogelijk moesten worden gedaan. Ook dacht ik aan de luide ruzie tussen Urdo en Raul.

'Ik ben ervan overtuigd dat Urdo daar niet over piekert,' zei ik zo gedecideerd mogelijk. 'Ik heb vlak voor ons vertrek nog met Urdo gepraat, en het enige wat hij toen zei was dat onze troepen snel verplaatsbaar en paraat moesten zijn als de wapenstilstand met de Jarns afloopt. Ze vormen nu een bondgenootschap – Sweyn, Ayl en Ohtar Bearsson van Bereïch. Urdo is van plan zo spoedig mogelijk terug te gaan naar Caer Tanaga, zodat hij daar is tegen de tijd dat ik er aankom. Volgens mij heeft Tinala absoluut niets te duchten van Urdo. Maar mogen de goden ons bijstaan, mama! Hij heeft me gevraagd om van hieruit drie penoenen mee te brengen en hij roept penoenen uit andere plaatsen bijeen om zijn alae uit te breiden. Als Flavien aan alle koningen heeft geschreven en zij zien dat Urdo zijn troepen verzamelt, wat zullen ze dan denken? Zullen ze dan niet de wapens tegen ons opnemen?'

'Sommigen wel,' zei Veniva. 'En dan zullen de Jarns ons onder de voet lopen, of Urdo nu wel of niet tegen de koningen moet strijden. Dan zijn we weer in dezelfde situatie als toen Avren stierf.'

'Maar dan erger,' zei hertog Galba grimmig. 'Ik zal iedereen die mij kent en vertrouwt schrijven dat Urdo geen dwaas is en het niet zal doen – bij jouw zwaard, Sulien. Ik zou Flavien in geen geval hulp hebben gezonden, maar er zijn er genoeg die dat wel zouden doen.'

'Wat voor goden willen zij in dit land laten heersen!' zei ik, vergetend mijn stem te dempen. Mensen draaiden zich om en staarden naar ons. Galba en Emlin deden een stap naar mij toe, maar bleven staan toen ik hen wegwuifde. 'Ja, welke goden?' hernam ik, maar nu zachter. 'Wie heeft hier de meeste baat bij? Misschien kwam dat verzoek niet eens van Flavien! Hij mag dan misschien dom en bang zijn, en zijn zuster is beslist woest op Urdo, maar hij zal toch niet zo oerstom zijn om zoiets te doen zonder dat hij werd geprovoceerd? Ik dacht van niet. Misschien komt dat bericht wel uit Sweyns koker. Kende u de bode?'

Hertog Galba schudde het hoofd. 'Het was een vrouw uit het noorden,' zei hij. 'Ze had het uiterlijk van de mensen in Tinala, en ook het accent.'

'Of Tevin, misschien?'

Hij hijgde van schrik.

'Laten we eerst gaan eten, dan kunnen we daarna met elkaar praten om te zien wat we nu eigenlijk weten,' opperde Veniva resoluut. 'Daarna hebben we alle tijd om bodes uit te zenden, maar pas als we precies weten wat we willen zeggen en tegen wie we dat zullen doen. Er moet al ten minste een halve maand verstreken zijn sinds jouw vertrek uit Caer Avroc. Wie kan zeggen wat er in die tijd allemaal is gebeurd?'

'Ik moet terug naar Urdo – en ik zal de ala moeten meenemen. U bent beter dan ik in staat om de vrees van de geallieerde koningen weg te nemen.'

'Zoals je zegt,' zei hertog Galba. Toen legde hij zijn hand op de mijne. Achter hem zag ik Galba de Jongere en Aurien, de hoofden in het lamplicht dicht bij elkaar. 'We zijn bondgenoten, Sulien, en we zijn al één familie. We

180

zullen elkaar bijstaan en jouw woorden aannemen alsof ze van de Grote Koning zelf komen.'

Dit was het eerste echte vertrouwen dat iemand mij als prefect schonk en ik rechtte mijn rug, me voornemend om het niet te beschamen. Plotseling drong het tot mij door hoeveel Urdo's vertrouwen in mij betekende. Niet alleen had ik de bijna driehonderd leden van een ala onder mijn bevel, maar ook kon mijn doen en laten de gebeurtenissen op het eiland beslissend beïnvloeden. Mijn positie maakte mij tot de evenknie van Galba en mijn moeder. Samen konden we deze nieuwe oorlog in de kiem smoren.

'Je kunt direct na de bruiloft vertrekken,' zei Veniva. 'Vanavond nog kunnen we een paar bodes uitzenden. Het maakt niet uit of het Sweyn is geweest of niet – we beweren het eenvoudigweg. Iedereen is beducht voor de Jarns. De meeste mensen zullen twijfelen over wat hen te doen staat, en als we nu doortastend optreden, halen we hen terug in ons kamp. Ik hoop maar dat we nog op tijd zijn.'

Ze ving een teken op van een bediende en stak haar hand op om aan te geven dat de maaltijd kon beginnen. Hertog Galba bood mij zijn arm om mij naar binnen te escorteren. Gwien en Veniva gingen voorop, gevolgd door Galba de Jongere en Aurien, hertog Galba en mij, Uthbad en Idrien, en dan Morien en Kerys ap Uthbad. Cinvar ap Uthbad sloot de rij in zijn eentje, en hij keek me met een zuur gezicht aan. We wandelden naar de familiealkoof, gevolgd door de overige gasten. Daldaf was bedrijvig in de weer om ieder zijn of haar plaats te wijzen in de andere nissen. Ik zag Duncan en Emlin en anderen die ik kende te midden van onbekenden. De eetzaal was luisterrijk versierd, met penoenvlaggen als die in Caer Tanaga. Veniva glimlachte me toe toen ze naast Gwien plaatsnam. Ik begreep dat ze bezig was het hoofd te bieden aan een crisis, zonder te laten blijken dat ze iemand nodig had om haar te helpen. Laat je moeder zien dat je volwassen bent geworden, had Urdo me gezegd. Ik kreeg de stellige indruk dat ze zelf ook een stuk volwassener was geworden.

18

Ik was de beloning in een toernooi;
ik was een koningin op een heuveltop en
ze kwamen mij zien van heinde en verre.

Wit ben ik, te midden der schaduwen.
Mijn huid is vermaard om zijn blankheid; en
de twee besten van de wereld beminden mij.

Mijn kroon is van appeltwijg en appelbloesem; ze
dragen mijn kleuren, maar mijn armen zijn leeg.
Doelloos drijft het schip de duistere stroom af.
— Uit De drie Grote Koninginnen van het eiland
Tir Tanagiri

Toen ik de blinkende citadel van Caer Tanaga naderde, verhief mijn hart zich, zoals altijd bij de aanblik van die glanzende muren en rijzige torens. Ze leken dankbaar en verheven, zelfs in het zieltogende licht van een dag die werd verduisterd door ijskoude regen. We hadden er kort over gedaan. De standaard van de ala van Caer Gloran wapperde onder de vlag van het koninkrijk, maar andere ala-standaarden schitterden door afwezigheid. We waren er eerder dan Urdo! Emlin keek me onderzoekend aan toen ik Bode intoomde en de decurio's wenkte.

'Zoek voor iedereen onderdak in de barakken, maar overleg met Ap Rhun. Het gaat hier heel druk worden en ik betwijfel geen moment dat velen van ons in tenten zullen moeten overnachten, maar vannacht nog niet. Geef ze thermenverlof, ze hebben het verdiend.'

Ze knikten grijnzend. Ze waren vermoeid. We waren de halve breedte van Tir Tanagiri in zes dagen overgestoken. Bij Aberhavren hadden we de veerboot genomen, waarna we zo snel hadden gereden als mogelijk was zonder de paarden te deren. Nu waren we hier. We hadden gedaan wat we konden. Galba de Oudere, Uthbad en mijn vader hadden bodes gezonden naar iedereen van wie ze wisten dat zij vertrouwen in hen stelden of dat zouden kunnen doen, met het doel de rust in het koninkrijk te bewaren. Ikzelf had de bevelhebbers geschreven, hoewel ik hen niet goed kende en geen idee had hoeveel gewicht er door mannen als Ap Mardol en Luth Borstschild aan mijn woord zou worden gehecht. Ik had er zelfs geen idee van of het iets goeds zou kunnen bewerkstelligen.

De decurio's leidden hun troepen weg naar de stallen. Bode leidde ik persoonlijk naar zijn vertrouwde stal. Het verdriet om Appel overmande me bijna toen ik naar binnen liep. Ik had tranen in mijn ogen. Deze stal was zo lang zijn thuis geweest. Het was alsof ik zijn geur er nog kon ruiken. Ik stuurde de stalknechten weg en borstelde Bode eigenhandig, waarna ik hem in zijn box installeerde. Daarna liep ik door om Sterrelicht te begroeten, die in een nabij weiland liep te grazen. Ze was inmiddels gegroeid en ook al afgericht. Ze kwam dadelijk naar me toe en gaf me te verstaan dat ze mij had gemist. Ze maakte een mistroostige indruk, hoewel het overduidelijk was dat er goed voor haar was gezorgd en dat ze regelmatig beweging had gekregen. Binnenkort zou ik moeten beslissen of ik haar zou gaan berijden, óf met haar fokken. Ik was het laatste van plan geweest. Nu ze echter volwassen was, was ze een van de mooiste strijdrossen die ik ooit had gezien, prachtig van kleur en met een duidelijke tekening. Ze leek veel op haar moeder, Schemer, het strijdros van de koning, afgezien van de ster op haar voorhoofd. Nu Appel er niet meer was, zou ik een tweede strijdros nodig hebben als er oorlog kwam. Ik kon maar geen besluit nemen. Ik was nog bezig haar te zeggen dat Garah binnenkort thuis zou komen en haar een dagje uit te beloven, zodra ik me vrij kon maken, toen Marchel naar het weiland kwam, kennelijk op weg naar mij toe. 'Ap Gwien?' riep ze.

'Hier!' antwoordde ik.

'Ik had kunnen weten dat ik je eerst hier moest zoeken,' zei ze. 'Ik bedoel, gegroet en welkom terug in Caer Tanaga, maar kun je alsjeblieft meteen meegaan naar binnen? Je bent daar dringend nodig.'

Ik maakte me los van Sterrelicht en liep naar haar toe. Verbaasd vroeg ik: 'Dringend? Maar Urdo is hier nog niet eens en...'

'Kom nou maar.' Ik volgde haar naar de straten. De nacht begon al in te vallen. 'Inderdaad, Urdo is er nog niet. Maar de koningin wel, en ik ook, en we hebben een bezoeker uit Jarnholme die gevolgd wordt door een halve compagnie voetvolk en een uitgelezen stel volgelingen, met inbegrip van een paar Jarnsvrouwen van hoge geboorte. Een ervan is jong en gesluierd, wat volgens hun gebruiken betekent dat ze ongehuwd is. En de man weigert met vreemden te praten, zoals hij het beleefd onder woorden bracht.' Ze snoof.

'Een bezoeker uit Jarnholme?' Ik volgde haar door de straat. 'Waar hebben we het over? Uit Guthrum, of uit Cennet?'

'Niet iemand die ik ken. Een vreemde. Hij draagt de herautentak, maar weigert zijn naam te noemen en heeft de vrede van de hal afgeslagen. Om welke reden zou Guthrum ons zo iemand sturen? Nog wel met vrouwen erbij? Je weet zelf dat dit vierkant indruist tegen hun zeden en gewoonten.'

'Misschien komt hij ons waarschuwen dat hij heeft gehoord dat er een burgeroorlog tussen de koningen van Tanaga dreigt. Flavien ap Borthas – of misschien Sweyn – doet pogingen om tweedracht onder hen te zaaien. Dat is de reden dat ik in allerijl ben teruggekomen. Of misschien wil hij ons zeggen dat Sweyn hem een bondgenootschap heeft aangeboden.'

'Deze man kwam uit het oosten, niet het zuidoosten, hoewel hij via Aylsfa vanuit Cennet hierheen kan zijn gekomen. Daar had ik nog niet aan gedacht. Hij kwam in elk geval van de andere rivieroever. Het is duidelijk dat hij een man van gewicht is en hij heeft soldaten bij zich. Hun wapens hebben ze afgegeven, in overeenstemming met de herautenvrede. Hij zegt dat hij de koning wil spreken. Dat Urdo niet hier was, was een teleurstelling voor hem. Daarom eist hij nu de hoogste bevelhebber te spreken.' Marchel holde bijna en ik moest mijn pas verlengen om haar bij te houden. 'Toen ik binnenkwam, keek hij heel even naar me en weigerde te praten. Hij heeft met de koningin zitten babbelen over het weer en heeft haar beleefd gevraagd of ze in verwachting is, maar hij eist een gesprek met de koning zelf, of een hoge officier van Tanaga. Hij is hier onder de voorwaarden van de herautenvrede, zodat hij niet mag eten of drinken en zich ook niet als een bevriende gast mag gedragen voor hij heeft gezegd waarvoor hij komt.'

'Bespottelijk,' zei ik. 'Trouwens, hij kan best het brood breken met de koningin en haar zijn boodschap toevertrouwen; de kans is klein dat hij van haar een speer kan verwachten. Ongetwijfeld zijn hier ook een paar strenge priesters?' De priesters van de Blanke God hadden de gelofte afgelegd dat zij de schepselen van deze wereld niet meer leed zouden berokkenen dan voor hen onvermijdelijk was. Er waren verschillende interpretaties over de betekenis van de term "onvermijdelijk". Sommigen gingen zover te beweren dat het hun verboden was dieren te doden om het vlees te eten. Belachelijk! Er waren er zelfs die vonden dat dit hun verbood een wapen op te nemen, behalve als dat absoluut nodig was voor hun zelfverdediging. Dat soort mensen werd vaak in de arm genomen om als heraut te dienen.

'Hij laat geen enkele priester in zijn buurt,' verzuchtte Marchel.

'Dan kan hij onmogelijk van Guthrum afkomstig zijn. Guthrum is een toegewijder volgeling van de Blanke God dan zelfs vader Gerthmol zou kunnen wensen.'

'Dat is hij,' beaamde Marchel kortaf.

Ik zuchtte. Over de godenkwestie zouden we het nooit eens worden, want als volgeling van de Blanke God stelde ze zich er nooit mee tevreden anderen rustig hun eigen goden te laten vereren. 'Toch zou hij met jou moeten willen praten. Het is beledigend dat hij dat niet doet.'

'O, dat weet ik best, maar als hij beducht is voor verraad van de Jarns en mij voor een Jarnsvrouw aanziet, wat moet hij dan? Misschien is z'n geest flink in de war, maar hij is gekleed als een edelman van Jarnholme en zegt dat hij een heraut is, een wapenkoning en afgezant. Als we niet aan de weet kunnen komen wat hij wil, is het heel moeilijk te bepalen wat we met hem moeten doen.'

We bereikten de citadel en wuifden naar de schildwacht, die ons na een kort en plichtmatig aanroepritueel doorliet. Ap Rhun kwam naar buiten en wilde weten hoeveel penoenen ik bij me had, in verband met hun voedselvoorziening. 'Vier,' zei ik terwijl Marchel me haastig meetrok. 'De decurio's zullen voor ze zorgen.' Ap Rhun had donkere kringen onder haar ogen en zag er mistroostig uit. 'Wat mankeert haar?' vroeg ik.

'Te veel werk, zoals altijd. En ik vermoed dat ze de koningin wel zou kunnen vermoorden, omdat die mooier is dan zij,' lachte Marchel.

'Ap Rhun is een prima sleutelbewaarder, en voor Urdo geen avontuurtje,' protesteerde ik.

'Als hij een greintje tact bezit, zal Ap Rhun binnenkort sleutelbewaarder in een ander fort van hem zijn,' zei Marchel. 'De koningin drijft haar tot waanzin met haar eeuwige gevraag – ze wil alles weten. Kom, hij is hier.'

Ze hadden hem in een van de kleinere hallen laten wachten, maar de ruimte leek immens, ongastvrij en tamelijk duister, slechts verlicht door een paar waskaarsen langs de muren. Hij zat in een van de gebeeldhouwde stoelen en zag er inderdaad uit als een Jarnse edelman – goudblond haar en dito baard, en barbaarse kledij van vakkundig geverfd laken en leer. Hij was een jaar of veertig oud en leek een ervaren strijder. Ik had hem nooit eerder gezien, zodat het hoogst onwaarschijnlijk was dat hij een van Ayls mensen was. We hadden al jaren geregeld tegen ze moeten vechten en daardoor kende ik de meesten van hun edelen van gezicht. Hij zou iemand van Sweyn kunnen zijn. Hij richtte zich in zijn stoel op toen Marchel binnenkwam. Hij leek zich onbehaaglijk te voelen, slecht op zijn gemak.

Marchel liep de hal binnen. 'Mag ik u voorstellen, de prefect van Urdo's eigen ala,' begon ze. De Jarnsman stond op, duidelijk opgelucht. Ik volgde haar naar binnen en boog voor hem. Hij beantwoordde mijn buiging, maar de trek van opluchting op zijn gezicht maakte plaats voor ergernis. Hij mompelde iets in zijn eigen taal.

'Ik dacht dat Osvran ap Usteg de prefect van koning Urdo's ala was?' zei hij, op beleefde maar afgemeten toon terwijl hij me argwanend bekeek.

'Dat klopt, maar tot onze grote spijt is hij bij Caer Lind gesneuveld, en nu ben ik met deze verantwoordelijkheid belast. Ik hoop dat we u hier in Caer Tanaga naar behoren welkom hebben geheten?' vroeg ik.

'Hij heeft met mij gesproken, maar niet het brood met mij gebroken,' zei een lage, fluwelen stem in de deuropening. Ze had het in het Tanagaans gezegd, hoewel we Vincaans hadden gesproken, zoals Marchel en ik altijd deden. Ik draaide me om en zag een vrouw die alleen maar Elenn ap Allel kon zijn, de kersverse koningin van Tir Tanagiri. Ze was nog mooier dan Angas had gezegd – voor een vrouw even mooi als Sterrelicht voor een merrie. Zo iemand als zij had ik nog nooit gezien. Ze droeg een eenvoudige leigrijze overgooier, had een hartvormig gezicht en donkere, bijna zwarte ogen. Haar lange haar was zo zwart als de vleugels van een raaf en werd bijeengehouden door een zilveren band, bezet met parels. Waarschijnlijk was het een erfstuk van haar Huis, maar het stond haar beter dan het wie dan ook had kunnen staan. In verhalen schieten bloemen op uit de grond in de voetstappen van uitzonderlijk mooie vrouwen en bijna had ik achter haar gekeken om te zien of dat met koningin Elenn ook zo was. Ze had een brandende kaars in haar hand en begon meer kaarsen langs de muren aan te steken.

'Ik heb geen kwaad in de zin tegen iemand hier,' verklaarde de Jarnsman enigszins klaaglijk. 'Ik wil echter de koning spreken, of anders iemand die zijn vertrouwen geniet.'

'Ik ben de prefect van Urdo's ala,' zei ik. 'Wilt u mij vertellen waarvoor u komt?'

Hij beet op zijn lip. 'Het is me bekend dat u de aanval voor de Grote Koning leidt. Maar vrouwen onderhandelen niet over allianties.'

Marchel snoof van woede, maar hield zich in. Zelf wist ik niet of ik in lachen moest uitbarsten of hem zijn vet geven. Allianties? Ik hield me echter eveneens in en fluisterde Marchel toe: 'Is Ap Cathvan al hier?'

Elenn deed haar mond open voordat ze had kunnen antwoorden. 'Ik ben zelf nog een jonge vrouw en maar een nieuwkomer, hier,' zei ze. Ze hield haar hoofd een tikje schuin en zag er werkelijk koninklijk uit. In een zeker opzicht deed ze me denken aan vrouwe Rowanna, de koningin-moeder. 'Deze twee vrouwen nemen in de kring van vertrouwelingen van mijn echtgenoot voorname plaatsen in en zijn bevelhebbers van zijn troepen. Als u niet met hen kunt praten, kunt u met niemand praten voordat de koning zelf terug is. Dat kan spoedig zijn, maar misschien ook niet. We hebben nu sinds het middaguur beleefdheden uitgewisseld, maar daar heb ik genoeg van. Ik heb gehoord dat de vrouwen in Jarnholme gesluierd moeten gaan en dat ze achter hun kookpotten worden gehouden, maar hier zijn de zeden anders. U bevindt zich nu in óns land. Zal ik een stalknecht of kokshulp laten roepen zodat u uw verklaring kunt afsteken tegenover wat hij in zijn broek heeft? Of wilt u liever vasten totdat mijn gemaal terug is? Misschien kunt u het echter toch over uw hart verkrijgen om te spreken met hen die de Grote Koning zijn vertrouwen waardig acht?' Ze sloeg haar armen over elkaar en wachtte.

Hij bleef haar een ogenblik met open mond en een uiterst komische trek op zijn gezicht aanstaren. Toen draaide hij zich om en boog voor mij en Marchel. 'Mijn naam is Alfwin, zoon van Cella, zoon van Edgar Hondnagel, zoon van Alfwin, zoon van Otha, zoon van Tew,' zei hij formeel. 'Ik ben gekomen om de Grote Koning mijn zwaard aan te bieden. De verrader Sweyn heeft mijn vader, koning van Tevin, vermoord. Ik kan hem behalve mijzelf ook vijftig soldaten van mijn Huis aanbieden. Het enige wat ik ervoor in ruil verlang, is dat hij mijn aanspraken erkent.'

Marchel en ik keken elkaar aan. Haar wenkbrauwen bereikten bijna haar haargrens.

'Wees welkom in Tanaga, Alfwin Cellasson. Ik ben Sulien ap Gwien ap Nuden ap Iarn ap Idris ap Cadwalen.' Na deze zes namen hield ik op, omdat hij dat ook had gedaan en het me beleefd leek. 'Ik ben prefect van de persoonlijke ala van de Grote Koning Urdo ap Avren ap Emrys van Tir Tanagiri, beschermheer van Caer Tanaga, bevelvoerder der Tanaganen.' Ik had Urdo's titels niet alleen voluit genoemd omdat dit een officiële ontvangst was, maar ook omdat ik tijd nodig had om te bedenken wat er moest worden gezegd. 'Alleen de Grote Koning zelf kan dit aanbod ten volle accepteren. Ik weet niet of het hem op grond van de voorwaarden die hij voor de wapenstilstand met Sweyn overeen is gekomen vrij staat dit aanbod te aanvaarden. Ik kan u echter wel beloven dat hij u geen haar zal krenken of toestaan dat er u onder zijn dak een haar zal worden gekrenkt. Ook kan ik u en uw soldaten en medestanders rust en comfort onder zijn dak aanbieden totdat hij terug is.'

Alfwin boog opnieuw, tot mijn opluchting. Elenn wenkte een dienaar, die eten en drinken kwam brengen. We namen rond de lage tafel plaats. De dienaar bracht borden en kommen, een schaal brood, een schaal koud vlees en een kan bier. Elenn wachtte totdat Alfwin zijn eerste hap had genomen, waarna ze de dienaar opdracht gaf zijn metgezellen voedsel te brengen. De dienaar verliet de hal en sloot de deur.

'Het doet ons verdriet te horen dat Sweyn koning Cella heeft gedood,' zei Marchel. Als zij een uur geleden de naam 'Cella' had gehoord, wist ze net zoveel van hem als ikzelf. 'Wilt u ons vertellen hoe dat in zijn werk is gegaan? We hebben niet vernomen dat er tweespalt onder uw volk heerste.'

Alfwin maakte een grimas. Te oordelen naar de gretigheid waarmee hij het brood en het koude vlees naar binnen werkte, moest hij uitgehongerd zijn. 'Dat verbaast me niets, Thurrigsdottar,' zei hij. 'Er was namelijk geen schijn van tweespalt.' Hij nam opnieuw een grote hap en kauwde luidruchtig. 'Na het eten zal ik het u vertellen,' zei hij met volle mond. Zijn tafelmanieren verrieden nauwelijks Vincaanse eruditie. Mijn moeder zou hem ervoor hebben berispt. Ik deed mijn best niet naar zijn mond te kijken.

Elenn schonk het warme bier – eerst voor Alfwin, daarna voor Marchel en vervolgens voor mij. Ze had alleen wat brood genomen en at kennelijk alleen mee uit beleefdheid. Marchel zat langzaam brood en vlees te eten en bleef aandachtig naar Alfwin kijken. Ze zei nauwelijks een woord. Ook ik at in stilte. Ik hou van koud lamsvlees – zowel mager als vet. Het brood was ook heerlijk. Ik had honger. Elenn vroeg me hoe mijn reis was geweest en ik vroeg haar naar haar reis vanaf Tir Isarnagiri. Die was al even oninteressant geweest als de mijne. Daarna deed ze haar best om Alfwin met haar charme in te palmen, waarmee ze veel succes had. Pas toen we goed en wel hadden gegeten, richtte ze zich serieus tot hem.

'Zoudt u ons willen vertellen hoe uw vader de dood heeft gevonden?' vroeg ze. 'En misschien kunt u mij ook vertellen wie Sweyn eigenlijk is, want zoals u weet ben ik nog maar pas in Tir Tanagiri, zodat ik nog niet goed wijs kan uit alle plaatsen en namen.' Ze keek hem heel lief in de ogen en had zich enigszins naar hem toe gebogen. Destijds vroeg ik me af of ze soms een zwak voor hem had, maar later kwam ik erachter dat ze dit altijd deed tegenover hoger geplaatste mannen, maar er niets mee bedoelde.

'Sweyn...' begon Alfwin, waarna hij zich verslikte. Het leek bijna of hij zou stikken, zodat ik hem op de rug klopte. Hij nam zijn kroes voorzichtig op, alsof het iets onbekends voor hem was. Toen nam hij een lange teug en begon opnieuw, zich bedienend van de formele verteltrant van zijn volk, maar sprekend in de taal van Tanaga. Ik had hun barden weleens op deze manier horen vertellen, en hij deed het even goed als de besten onder hen, waarbij hij erin slaagde de woorden van onze taal iets van zijn eigen taal mee te geven. Af en toe gebruikte hij een woord van die taal als hij er geen geschikt Tanagaans woord voor kon vinden.

'Sweyn was de rechtmatige koning van Jarnholme. Jarnholme is nu bezig onder de golven te verdwijnen – elk jaar stijgt het water. Dit gaat nu al gedurende drie generaties zo. Elk jaar is er minder landbouwgrond over, waardoor ons volk minder voedsel heeft. Daarom zijn er velen van ons weggetrokken toen de zee ons riep. Wij beschouwden de grond die we in het zuiden of aan de overzijde van de Smalle Zee gingen bewonen als ons eigendom dat niemand ons kon afnemen. Toch waren wij van mening dat Sweyns heerschappij zich alleen maar uitstrekte tot onze verwanten die achterbleven.' Hij nam weer een lange teug en zette zijn kroes neer. 'Sommigen van mijn volk vertrokken naar de rijke Vincaanse landen in het zuiden; anderen trokken naar het binnenland in het oosten. Daar stuitten zij op de moorddadige rovers die tot de broederschap van de Skath behoren, degenen die kortgeleden de Malms in Vinca hebben overvallen en in de pan gehakt.'

'Ik heb inderdaad heel slechte dingen over de Skath vernomen,' merkte Marchel op. Het was het eerste dat ze had gezegd nadat we waren begonnen te eten, en beleefd wendde Alfwin zich tot haar.

'Het is een gevaarlijk volk. De Jarns die naar het oosten trokken, hadden daar geen baat bij en keerden terug naar hun zinkende gronden, en zij die in de tijd van mijn grootvader naar het zuiden trokken, hebben daar nu spijt van, omdat ze steeds worden aangevallen door Skath. Ik heb gehoord dat ze een god van ratten aanbidden, en ook dat, toen hun leider een Vincaanse prinses trouwde, hij alle geluk van Vinca heeft gestolen. De Vincanen blijven proberen het terug te stelen, maar zonder enig succes.'

Hij wendde zich weer tot Elenn. 'Hoe het ook zij, mijn vader Cella, en mijn twee broers Harald en Edfrith zijn met al onze mensen twintig jaar geleden naar Tevin gekomen om ons daar te vestigen. Toen de wateren verder waren opgedrongen, is Heer Tew in een droom verschenen aan mijn moeder, Hild. Hij zei dat wij overzee moesten gaan om het land te nemen dat hij ons zou schenken. De wind die hij ons stuurde, bracht ons naar de kust van wat destijds Valentia heette. Wij veroverden het land op eerlijke wijze en namen zelfs na vijf jaar oorlog de stad in. Aan de vooravond van de slag waarmee wij Caer Lind innamen, verscheen Heer Gangrader aan mijn slapende moeder. Hij zei tot haar dat het hele land ons zou toevallen en alle Vincanen verdwenen zouden zijn als we de koning spaarden wanneer hij op zijn appelschimmel vluchtte, met zijn zoon voor zich op het paard.'

Ik schrok zo hevig dat ik bier morste, waardoor ze allemaal kort naar mij staarden. Ik had nooit geweten dat Duncan de heer van Caer Lind was, maar wie anders had zo'n strijdros kunnen bezitten? Ik vroeg me af of mijn vader dit wist. Marchel schoof wat op naar Elenn, weg van zowel mij als Alfwin. Ik had in Thansethan het *Boek van de monniken* gelezen en wist uit eigen ervaring dat Gangrader, de Heer der Gevallenen, de god Eenoog was. Ik vroeg me af wat hij van Duncan en Rudwen had gewild.

'Ga verder,' zei ik, de stilte verbrekend.

Alfwin tastte naar een amulet om zijn hals en vervolgde zijn verslag. 'Heer Gangrader beloofde dat wij, als we dit ene ding deden, in dit land welvarend zouden worden, en dat een vorst met het koninklijke bloed van Jarnholme in de aderen de Grote Koning van Tir Tanagiri zou worden. Dit is inderdaad werkelijkheid geworden, want Urdo heeft dat bloed via zijn moeder, Rowanna, ook al spreken wij Jarns pas van een koning als diens bloed afkomstig is van de vader. De rest van wat Heer Gangrader tegen haar zei, werd onmiddellijk werkelijkheid. De heer van Caer Lind vluchtte op een appelschimmel, met een kind voor zich op het paard, en wij hebben hem niet achtervolgd. Toen zij eenmaal waren vertrokken, was het land van ons en ging het ons voor de wind. We noemden het land Tevin, omdat het ons was geschonken door Heer Tew. Er zijn veel van onze volksgenoten naar ons toe gekomen toen de wateren verder stegen. Ze bouwden er dorpen en boerderijen. Hoewel het water ook in Tevin stijgende is, is een groot deel van het gebied in het binnenland hoger gelegen. Wij leefden er grotendeels in vrede met elkaar en er was meer dan genoeg ruimte voor volksgenoten die later uit Jarnholme zijn overgekomen. Het is een land dat wij innig liefhebben, met rivieren en moerassen waar we kunnen vissen en op vogels jagen, en de grond is goede landbouwgrond. Zo nu en dan hebben we met Ayl moeten strijden, of met Cinon van Caer Rangor en het meest met Borthas, maar wij bleven hem de baas, want zelfs als hij een slag van ons won, kon hij ons niet verhinderen het land te bezetten en het te cultiveren. Naarmate de jaren verstreken, ging steeds meer grondgebied van Tinala tot Tevin behoren.' Alfwin haalde diep adem. 'Toen Ohtar Be-arsson en zijn mannen Bereïch veroverden, ten noorden van Tinala, voer-den zij aanvankelijk via de zee oorlog tegen ons, omdat ze een bondgenoot-schap met Borthas hadden gesloten. Zijn zuster werd uitgehuwelijkt aan de zoon van koning Ohtar. In die tijd stierven mijn moeder, Hild Haraldsdot-tar, die vanwege haar rode haar Hild de Rode werd genoemd, en mijn jongere broer, Edfrith Cellasson, aan een koortsende ziekte. Niet lang daar-na doodde Borthas zijn schoonzoon door verraad en probeerde hij in naam van zijn neef Bereïch in te nemen. Daarop sloot Ohtar een wapenstilstand met ons en trouwde ik met een dochter van Ohtar. Samen trokken we op tegen Borthas. Dat is inmiddels negen jaar geleden en het is de reden dat ik nu nog leef.' Hij grimlachte tegen Elenn, die zijn blik in alle ernst beant-woordde.

'Sweyn Rognvaldsson,' vervolgde hij, 'denkt dat hij als koning van Jarn-holme en als erfgenaam van zijn oom Gunnar Arlingsson koning is van alle Jarns, waar ze zich ook in de wereld hebben gevestigd. Hij sloot een bond-genootschap met de heksenkoningin van Angas en schreef naar alle Jarnse koningen in Tir Tanagiri dat ze voortaan zijn onderkoningen waren. Gu-thrum van Cennet stuurde hem een keihard antwoord. Ohtar en Ayl sloten een alliantie met hem. Toen hij dit hoorde, zei mijn vader dat wij hetzelfde moesten doen. Ik drong er echter bij hem op aan liever een bondgenoot-schap met Urdo ap Avren te sluiten, die de reputatie heeft een eerbaar en machtig man te zijn. Mijn vader wilde echter niet onze goden opgeven, die altijd goed voor ons zijn geweest. We misten de wijze raad van mijn moeder, want de goden spreken niet tot mijn vrouw, noch tot de vrouw van mijn broer Harald. Daarentegen heeft de dochter van mijn broer verwarrende dromen; ze is vaak 's nachts wakker geworden terwijl ze de naam Sweyn riep, maar ze kon er nooit helderheid over verschaffen. Om die reden sloten we een alliantie met Sweyn, waarop hij de hele strijdmacht van Jarnholme per schip de Smalle Zee overbracht en in Tevin landde. Zodra zijn voet de kust van Tir Tanagiri raakte, bracht hij het grote bloedplengoffer aan de goden. Hij zette eigenhandig het mes in zijn dochter, een meisje van acht lentes. Toen haar bloed de grond doordrenkte, zei hij dat dit land van hem zou zijn en dat het eiland voortaan Jarnland zou worden genoemd.'

Ik hijgde van schrik. Marchel gromde iets, diep in haar keel, en ging met grote ogen rechtop zitten, haar rechterhand om de steen geklemd die voor haar borst hing. Elenn zat er zwijgend en roerloos bij, mooi en beheerst, de handen op schoot. Ik veronderstel dat zij, zelf een Isarnagaanse, zich er niet zo intens bij betrokken voelde als wij.

'Daarna beval hij – op aanraden van de heksenkoningin – onze boeren hun dorpen te verlaten, waarna we streden tegen de troepen van Urdo in Tevin en Tinala, ons snel terugtrokken en opnieuw de strijd met hem aanbonden. Ik meen dat u dit alles al weet. U nam zelf deel aan de hevige slag om onze stad Linder, door u Caer Lind genoemd. Ik streed zij aan zij met mijn schoonvader Ohtar in Tinala, want mijn vrouw was zwanger en wilde bij haar moeder zijn. Ohtar begunstigde mij met een commando. Ik heb zelfs op het veld tegen u gestreden, naar ik meen, voor Avroc?' Dit laatste was tot mij gericht, en ik knikte.

'Ik heb u niet gezien, maar ik was erbij. Uw kamp vocht dapper.' Het was meer dan een beleefdheid, want ze hadden zich inderdaad goed geweerd.

'Sweyn denkt dat u een walkurja bent, een van de uitverkorenen van Gangrader. Hij vreest u, dochter van Gwien.' Hij lachte een tikje nerveus, en ik grijnsde terug. Ik had me niet gerealiseerd dat ik onder de Jarns deze reputatie had verworven, maar het was me niet onwelgevallig dat de vijand beducht voor mij was. Het zou hun vastberaden tegenstand tegen een van mijn stormaanvallen ondermijnen.

'Wel, Ohtar en ik streden ook daarna nog tegen uw troepen, totdat de winter ons overviel en Sweyn een wapenstilstand met Urdo overeenkwam, tot de komende lente. Mijn pasgeboren zoon was een maand oud. Ik liet mijn vrouw en kinderen achter bij haar ouders en ging voor een paar dagen naar Linder, met de bedoeling met mijn vader en broers te overleggen. Tijdens mijn reis door Tevin werd ik benaderd door een lid van het huishouden van mijn broer. Hij vertelde mij dat de verrader Sweyn mijn vader, Cella Edgarsson, en mijn broer Harold Cellasson, lafhartig had vermoord omdat zij hem het recht hadden betwist om over de landerijen in Tevin te beschikken. Hij had het "hoogverraad" genoemd, maar weigerde hen in het openbaar te berechten, iets waarop zelfs de minste boer recht heeft. Hij had dit al gedaan zodra hij vaste voet aan wal had gekregen, nog voor er slag was geleverd en niet lang nadat ik naar Ohtars kamp was vertrokken. Als ik daar was gebleven, zou hij ongetwijfeld ook mij hebben vermoord, want ook ik zou niet lijdzaam toezien hoe de landerijen van Tevin naar pure willekeur werden weggegeven, evenmin als mijn vader. Dat land is van óns. Niemand van mijn vaders leenmannen durfde zijn stem te verheffen, want Sweyn had massa's gezworen om zich heen. Zodra mijn nicht, Haralds dochter, dit hoorde, verloor ze geen tijd met een beroep om gerechtigheid op Sweyn of zijn vrouw, maar verzamelde alle leden van de huishoudens van mijn broer en mijn vader van wier loyaliteit ze zeker kon zijn, en nam de vlucht, op zoek naar mij.'

Hij nam een nieuwe lange teug uit zijn kroes. Ik deed hetzelfde. Toen hernam hij: 'Het ergste van alles is nog dat ik Sweyn in die tijd nog gesproken had, tijdens een bezoek van hem aan Ohtars kamp, maar tegen mij heeft hij geen woord gezegd over de moord op mijn vader en mijn broer. Ik dank mijn leven aan het feit dat Sweyn mijn schoonvader nodig heeft. Toen ik echter met de mensen van mijn vader en mijn broer terugkwam bij Ohtar, merkte ik dat hij bang was voor Sweyn. Hij zei dat mijn vader werkelijk een verrader moest zijn geweest, als Sweyn dat zei. Hij kamde mijn vader zelfs af door te zeggen dat hij in Jarnholme geen hoog heerschap was geweest en zelfs niet de oudste zoon van zijn vader. Dat is waar, maar het strekt hem tot des te grotere eer dat hij uitgestrekte gebieden in Tevin met eigen macht en man heeft veroverd. Ohtar weigerde naar mij te luisteren. Hij zei dat hij wel wist dat ik geen verrader was, en dat hij mij aan zijn hof altijd een plaats zou geven, ter wille van mijn vrouw en onze kinderen. Ik kon het echter niet over mijn hart verkrijgen bij hem te blijven, tenzij hij me zou helpen wraak te nemen. Ik ben in vrede weggegaan, maar mijn vrouw en kinderen zijn nog bij hem. Ze was nog niet sterk genoeg voor een lange reis.' Hij kuchte en nam nog een slok. 'Ohtar had mij een schip gegeven om naar het zuiden te reizen. Op die manier kwam ik naar Aylsfa. Daar sprak ik met Ayl, die mij zijn leedwezen betuigde en beloofde mij te zullen helpen een alliantie met Urdo aan te gaan. Toch zijn we gisteravond van hem weggevlucht, want mijn nicht had een droom waarin ze werd gewaarschuwd dat hij van plan was ons uit te leveren aan Sweyn zodra hij daar de kans voor kreeg, om bij Sweyn in de gunst te komen.'

'Gisteravond?' zei ik terwijl ik Marchel aankeek. Ik zag dat ook zij al druk bezig was de afstanden tussen de plaatsen die Alfwin de afgelopen nacht kon hebben gepasseerd te berekenen.

'Jij kent dit land beter dan ik,' zei ze tegen mij. Tegelijkertijd maakte ze het handgebaar dat wij in de ala gebruiken om mij duidelijk te maken dat ik de teugels in handen diende te nemen om te doen wat juist was.

'Ik ben hier in het middaguur aangekomen,' hernam Alfwin, die beleefd deed alsof hij onze blik van verstandhouding niet had opgemerkt. Hij deed zijn best om zoveel mogelijk te zeggen zonder direct te zondigen tegen de gastvriendschap van Ayl. Ayl had hem geen haar gekrenkt, ongeacht wat hij van plan kon zijn geweest. 'De rest weet u. Ik denk dat er in Tevin – en ook in Aylsfa en Bereïch – velen zijn die zich onder mijn vlag zouden scharen, als ik die naast de Grote Koning Urdo liet wapperen. Er zijn er veel die niets van Sweyn moeten hebben.'

'Ik denk dat Urdo met dit nieuws ingenomen zal zijn,' zei ik, me er in vele opzichten van bewust dat dit werkelijk uitstekend nieuws voor ons was.

'En ik twijfel geen moment dat hij u zal verwelkomen. Ik voor mij zou trots zijn naast u te mogen strijden.'

'Net als ik,' zei Marchel na een korte aarzeling. 'Bent u echter bereid bij de Blanke God te zweren als u Urdo trouw zweert, Alfwin?'

'Ik ben bereid hem getuige te laten zijn van mijn eed, zoals hij zal doen voor die van iedere andere man,' antwoordde Alfwin beminnelijk.

'Meer is niet nodig. Of eigenlijk zelfs dat niet. Tenslotte heb ik hem bij de goden van mijn volk trouw gezworen, net als veel andere hooggeborenen in de ala,' zei ik.

Marchel keek me woedend aan. 'Maar niemand heeft gezworen bij de heidense goden van Jarnholme,' zei ze, met het vuur van de bekeerling, hoewel ik wist dat haar broer dan wel een vrome monnik mocht zijn, maar dat de favoriete verwensing van haar vader was: 'Een oorvijg van de Donderaar!' Ik moest lachen.

'Waar het op aankomt, is de oprechtheid van de eed en degene die hem zweert,' kaatste ik terug.

'Er zijn Jarnse piraten geweest die bij andere goden dan de hunne zwoeren en daarna hun woord braken. Sindsdien is het de gewoonte om de Blanke God als getuige aan te roepen. Heer Alfwin is daartoe bereid – en dat is voldoende.'

Marchel staarde me nog steeds woedend aan, maar de geest van ondeugd maakte zich meester van mijn tong na dat lange Jarnse verhaal van Alfwin. 'Als hij liever zweert bij zijn Heer Tew, zie ik niet in waarom dat nadelig zou zijn voor ons.'

'Ik wens mijn goden niet de rug toe te keren, evenmin als mijn vader,' zei Alfwin verstandig.

'Dat zal niet nodig zijn,' zei Elenn, die het al die tijd zwijgend had zitten aanhoren, een lichte glimlach om de mond. 'Maar, Marchel, je moet me toch eens wat meer vertellen over die Blanke God van je. Ik weet nog heel weinig van hem, want zijn priesters hebben Tir Isarnagiri zelden bezocht.'

Een poosje later kon ik de vlucht nemen, terwijl zij in beslag werden genomen door verhalen over het doen en laten van de Blanke God. Ik nam Alfwin mee en verzocht Ap Rhun huisvesting te zoeken voor Alfwin en zijn mensen. Daarna liep ik naar de barakken en gaf bevel dat drie penoenen van Marchels eskadron langs de rivier moesten patrouilleren, omdat Ayl wellicht in de nabijheid was en van plan kon zijn de rivier over te steken. Toen ging ik naar mijn bed en sliep een gezonde slaap tot in de ochtenduren.

19

Nieuwe lussen in het warnet, overal in 't land;
welk nieuws brengt gij uit het westen?
Staat het land in vlammen, het koninkrijk in brand?
Moeten wij uit onze nesten?

De grauwe ochtendnevel ziet de roden rijden;
welk nieuws brengt gij uit het zuiden?
Zeg ons, zijn ze er veilig, in deez' woel'ge tijden?
Hoe kunt gij dat nieuws ons duiden?

De lage hemel is zo zwart als donk're meren;
welk nieuws brengt gij uit het noorden?
Komt gij ons hier alarmeren?
Moeten wij bliksems naar de boorden?

Het baken vlamt; belagers brallen;
welk nieuws brengt gij uit het oosten?
Te paard en wapen! Hoefslagen vallen
en de kraaien zullen oogsten.

– Aneurin ap Erbin in *De boodschappers*

Emlin kwam mij kort na het krieken van de dag wekken, met de boodschap dat Urdo terug was. O, zo ging het tijdens de oorlog ook altijd. Je wist nooit waar en tegen wie we gingen strijden. Altijd goed nieuws, en slecht nieuws, en bevelen, plans de campagne en moeilijkheden. We beleefden er zes wilde, overbezette jaren van, en al die vroege ochtenden bestormen nu mijn geest. Die ochtend ontbeet ik met Urdo in zijn kamer en legde hem de situatie uit. Af en toe trok hij zijn wenkbrauwen op, maar zei daarna dat hij tevreden was over wat ik had gedaan. Hij accepteerde Alfwin Cellasson in zijn dienst, zoals ik bij voorbaat had geweten. Alfwin zwoer Urdo trouw met de Blanke God als zijn getuige, zonder dat dit opzien baarde. Daarna liet hij zijn standaard steken. Het was zoals hij had gezegd: er schaarden zich veel Jarns aan zijn zijde en gedurende de volgende vijf oorlogsjaren hadden we de beschikking over het voetvolk van onze geallieerden – Jarns en Isarnaganen. Al spoedig leerden we hoe we hen het beste konden inzetten. Vaak wenste ik echter dat ze beter waren georganiseerd en gedisciplineerder konden manoeuvreren. Niets is zo frustrerend als moeten wachten op de komst van de infanterie voordat je de strijd aanbindt.

Die eerste lente konden we ternauwernood een burgeroorlog voorkomen. Hertog Mardol de Kraai schreef Urdo dat hij niet tegen hem in opstand zou zijn gekomen. Hij voegde eraan toe dat hij er na het bericht van hertog Galba geruster op was geworden. Ook sommige koningen hadden zich door dit tijdige schrijven gerust laten stellen. Penda van Bregheda, Borthas' oudste en felste vijand, bracht zijn troepen helemaal naar de heuvelrug tussen Bregheda en Tinala. Zodra hij ervan hoorde, stuurde Urdo mij daarheen. Raul en ik brachten onze ala tegenover zijn troepen, klaar voor de strijd als het zover mocht komen. Hij deed het echter allemaal af als een misverstand, nadat Raul hem ervan had overtuigd dat Flavien ap Borthas veilig en wel in Caer Avroc was en dat de vermeende brief van hem een vervalsing was. Tijdens die expeditie leerde ik Raul meer waarderen dan alleen vanwege zijn vaardigheid in het rekenen, en ging ik begrijpen waarom Urdo hem zo graag afvaardigde om moeilijke diplomatieke situaties op te lossen. Hij verstond als geen ander de kunst om dingen aan te horen zonder er aanstoot aan te nemen, en er daarna op te reageren met informatie die de ander stof tot nadenken gaf. Zelden verloor hij zijn geduld met anderen, behalve met Urdo.

Ik moest met Penda zelf spreken, want Bran – Emrys – was zijn zoon geweest en mijn wimpeldrager. Aanvankelijk deed hij kortaf tegen mij, maar ter wille van Bran tolereerde ik het totdat hij hoffelijker werd en mij de gelegenheid gaf hem te zeggen hoe dapper zijn zoon was gestorven. Ik mocht deze man met zijn haviksgezicht wel, ook al was hij heel anders dan Bran, die altijd graag had gelachen. Hij glimlachte toen ik hem zei dat Bran mij over deze heuvels had verteld en erbij had gezegd dat hij er vaak had gevochten. Penda was zo vriendelijk mij te zeggen dat Bran in zijn brieven naar huis vaak lovend over mij had gesproken. Later vertelde ik hem een paar van de grappen die Bran en Geiran met elkaar hadden uitgehaald, en algauw zaten we samen te lachen en te huilen. Die avond braken we samen het brood, beter dan ik had durven hopen. Raul kreeg zelfs wat voorraden van hem los voordat we terugreden, met de belofte dat er meer zou volgen. Gedurende de hele Lange Oorlog bleef de bevoorrading immers hét grote probleem. Zolang de alae op plaatsen verbleven waar de heerschappen zowel de wapendragers als hun paarden van voedsel konden voorzien, pakte Urdo's strategie goed uit. Als de Jarns ons echter in het nauw dreven of dwongen tot snelle verplaatsingen, werd voedsel een probleem. Zelfs als de heerschappen en koningen bereid waren ons voedsel te verstrekken als we niet op hun grondgebied legerden om hen rechtstreeks te beschermen – wat lang niet altijd het geval was – was het een groot probleem om grote hoeveelheden voedsel over land aan te voeren. De zeeën werden onveilig gemaakt door piraten en kustplunderaars, en met uitzondering van alle heirwegen waren de wegen slecht, terwijl we altijd rekening moesten houden met het gevaar van een Jarnse hinderlaag. De gevaren op zee en langs de wegen maakten de handel erg riskant. Veel van onze patrouilles waren dan ook gewijd aan het opsporen en elimineren van allerlei rovers die het op onze aanvoer hadden voorzien. Bij de grenzen moesten de aangevoerde goederen altijd worden geëscorteerd door een detachement wapendragers of moest de lading zo snel mogelijk worden getransporteerd. Ik herinner me dat ik in de loop van de volgende winter een brief ontving van mijn moeder: één lange klaagzang over de problemen te land en ter zee waarmee ze daar kampten. Op het tweede kantje meldde ze mij de geboorte van Auriens eerste zoon, opnieuw een Galba – ze noemden hem Galbian, kleine Galba, om hem te onderscheiden van zijn vader en grootvader.

We streden van het ene eind van de grens naar het andere en weer terug. We leden geen verpletterende nederlagen, maar behaalde evenmin klinkende overwinningen. Het was moeilijk hen te dwingen stand te houden en tegen ons te vechten als we numeriek sterk genoeg waren om hen te kunnen verslaan. Als ze langs ons heen konden glippen, konden ze onze landerijen verwoesten en zich terugtrekken. We vochten aan één stuk door, slechts met af en toe een korte wapenstilstand om te oogsten, of in hartje winter. Zelf verbouwden we graan en groenten waar dat maar even mogelijk was. Zo plantten we knolrapen rondom de palissadenforten die we bouwden. Sommige wapendragers keken neer op dergelijk werk – en niet alleen degenen van hoge geboorte. Als ik hen hoorde praten, zou ik bijna de indruk krijgen dat zij de eed van trouw alleen maar hadden afgelegd om geen landbouw te hoeven bedrijven. Ik kon het ze niet kwalijk nemen als dat zo was, maar de paarden moesten te eten krijgen, anders zouden ze niet sterk genoeg zijn om de strijd aan te kunnen of langdurig te worden bereden. Waar mogelijk gebruikten we Jarnse gevangenen om dit werk te doen, maar zelfs daarover klaagden sommigen. Volgens hen mochten we de Jarns niet de aarde laten aanraken.

Urdo verplaatste de alae naar de plaatsen waar ze het hardst nodig waren en reed zelf zo vaak mogelijk mee. De persoonlijke ala van de koning trok met hem mee en vocht altijd in het heetst van het strijdgewoel. We deden invallen, patrouilleerden en vochten zij aan zij met Angas helemaal tot aan de grenzen van Bereïch. Nagenoeg altijd voerden we strijd in Tinala en in beide richtingen langs de grenzen van Aylsfa. Zo nu en dan brachten we een nacht door in Caer Rangor, waar Marchel en Ap Meneth permanent waren gelegerd, zodat er voor ons nauwelijks ruimte genoeg was. We vochten zelfs in Cennet, in het zuidoosten, waar Sweyn veel strijders aanvoerde per schip, in een poging de hele kust bij verrassing te bezetten. Voor mij was het bijna een vrije dag als ik vanuit Caer Tanaga kon patrouilleren, met warm stromend water en een kans om bij te praten met Garah. Het was de enige plaats waar ik me veilig genoeg kon voelen om mijn rijlaarzen uit te trekken. In Caer Tanaga waren permanent twee alae gelegerd, zolang de Lange Oorlog duurde.

Ook Garah was daar permanent gelegerd. Zij en Glyn werkten hard om de distributie van voedsel en eskadrons door het hele land te organiseren. Garah werkte ook samen met Dalmer om de roodmantels van de alae zo goed mogelijk te coördineren, geruchten en informatie te verzamelen en op basis daarvan een overzicht te creëren van wat er in het land gaande was. Deze overzichtsrapporten stuurden ze geregeld naar Urdo, die ze op hoge prijs stelde. Officiële nieuwsberichten over overwinningen en nederlagen en het verdere verloop van de Oorlog stuurden ze ook regelmatig naar de alae en de geallieerde koningen. Ze deden uitstekend werk. We moesten soms flink de gordel aanhalen, maar noch onze mensen noch onze paarden verhongerden. Het nieuws en begeleidende verspiedersberichten kwamen meestal daar aan waar ze het dringendst nodig waren. We bouwden zelfs in vijandelijk gebied forten met voorraaddepots, bemand door voetvolk en ijlbodes.

Het commanderen van een heel eskadron was andere koek dan het bevel voeren over een penoen. Het was een eenzamer bestaan. Er waren veel meer mensen om voor te zorgen en ook was het moeilijk hen allemaal persoonlijk te kennen. Ik deed wat ik kon. Ap Erbin was mijn tribuun en plaatsvervangend bevelhebber. Elidir ap Nodol was mijn vaandrig. Ze was nooit ver van mij vandaan, en hoewel ik haar vertrouwde en op haar rekende, bleef ze altijd wat te veel ontzag voor me hebben, zodat ik me bijna nooit met haar kon ontspannen. Twee jaar na het begin van de Oorlog trouwde ze met mijn trompetter, Grugin ap Drust, waarna ze een tent met elkaar deelden. Ook waren er altijd bodes in mijn buurt, hoewel zij te vaak te snel kwamen en weer vertrokken om een sterke band met hen te krijgen.

Als ik wapendragers in de strijd verloor, raakte me dat altijd diep. We bleven oefenen als we maar even de kans schoon zagen, maar het gebeurde nu allemaal met veel meer ernst. Ik maakte me zorgen omdat ik dacht dat ik nooit een goede prefect zou worden, totdat ik er met Angas over praatte. Hij verklapte me dat hij hetzelfde gevoel had en van Osvran wist dat die er ook mee had gekampt. Hij voegde eraan toe dat ik eens moest proberen een koning te zijn, als ik wilde weten wat het zeggen wilde om eenzaam te zijn te midden van een mensenmassa. Gelukkig had ik weinig tijd om te piekeren en waren er ook goede momenten. Een goed verlopen stormaanval vrolijkte me altijd op. Ook waren er gesprekken met oude vrienden als Masarn en Ap Erbin, of met Galba, Angas of Thurrig, al naargelang de wisselvalligheden van de krijg ons samenbrachten, waarbij stevig werd gedronken. Af en toe zat ik met Urdo rond een kampvuur om over het landsbestuur te praten, of over het wetboek dat hij wilde schrijven als het vrede was. Hoewel hij de hele Oorlog leidde en zich met al zijn krachten aan die taak wijdde, verloor Urdo zijn verheven doel, de vrede die hij wilde stichten als hij de Oorlog had gewonnen, geen moment uit het oog. Uiteindelijk sloot ik vriendschap met Alfwin, toen hij eenmaal ophield mij voor een halve demon aan te zien. Na ongeveer een jaar vroeg hij me op de man af of ik de Heer der Gevallenen aanbad. Ik vermoed dat hij opgelucht was toen hij hoorde dat ik het geloof van mijn voorouders aanhing. Dat neemt niet weg dat ik, als de Heer der Gevallen zich verheugt als hij ziet hoe dappere strijders in de slag sneuvelen, uitstekend moet hebben gediend. Dat gold echter voor ons allemaal, met inbegrip van Alfwin, ook al richtte hij zijn gebeden vooral aan Heer Tew.

Er zijn zo ontzaglijk veel dingen uit die tijd die me zijn bijgebleven. Zoals die keer dat Garah in Caer Tanaga een gat in de lucht sprong omdat Ninian en Guthrum onverwacht hun volledige jaarbelasting hadden afgedragen, zodat er voedsel kon worden aangekocht. Toen Elenn ervan hoorde, zei de koningin dat ze hun een geschenk moest sturen. In de schatkamer vond ze een zwaan van geblazen glas en zilversmeedwerk, werk uit het verre Lossia, vervaardigd in lang vervlogen tijden. Of de keer dat Thurrig me verslag deed van de zeeslag waarbij hij zes schepen had vernietigd, waarbij hij zich van pret op de dijen sloeg. 'Alle landrotten! Ik had geen idee dat ze er waren voordat we ze tegenkwamen! Nou, onze bijlen hebben bloed geproefd!' Of de keer dat Alfwin bijna uit zijn vel sprong toen hij hoorde dat zijn nicht Alswith de opleiding tot wapendrager wilde volgen, waarna Elenn hem met zachte stem wist te overtuigen. Of de hele nacht rijden als de Verschrikkelijke Jager, alleen om de *Midwinterhymne* bij het ochtendgloren te zingen voor de poort van Ayls Grote Hal, om dan meteen weer weg te rijden, zingend en wel, met brandende toortsen en onder het schallen van de oorlogshoorns. Nu nog bezingen de barden hoe dapper dat was. Ze vertellen er nooit bij hoe dwaas die onderneming was, of hoe stervenskoud. Of de keer dat Urdo het in Caer Rangor met koning Cinon aan de stok kreeg, na de belegering waarmee de Jarns bijna de stad in handen hadden gekregen. Cinon had zich erover beklaagd dat Urdo de Jarnse dorpen belastingen oplegde, in plaats van ze in de as te leggen. 'Je behandelt ze alsof ze het recht hebben daar te zijn. Ze stelen mijn land!' Waarop Urdo met de vlakke hand hard op tafel had geslagen en met schallende stem had geroepen: 'Ons probleem is niet dat we niet genoeg grond bezitten!' Hij had gelijk: als je er dag in dag uit doorheen reed, kreeg je soms de indruk dat we er zelfs te veel van hadden.

Iedere avond gingen we uitgeput slapen en werden we 's morgens veel te vroeg wakker. De oorlog duurde voort en nam nu eens een gunstige, dan weer een ongunstige wending voor ons. De vreugden en het verdriet van iedere oorlog vulde mijn dagen totdat ik bijna was vergeten dat zulke dingen er ooit waren geweest of ooit nog zouden komen. Beide kampen waren nagenoeg even sterk en we konden geen manier vinden om de ander een beslissende slag toe te brengen om een blijvende vrede te stichten.

In het vijfde jaar van de Oorlog raakte Urdo door een ongelukkige manoeuvre gewond in een schermutseling toen we op een strijdmacht stuitten die groter was dan we hadden verwacht. Een geworpen bijl vloog op de koning af toen we op topsnelheid aanvielen. Als zoiets gebeurt kun je weinig anders doen dan gewoon doorstormen, in de hoop dat het ding je zal missen. Deze bijl raakte hem echter en drong door zijn dijpantser. We waren op dat moment niet ver van Thansethan. Die nacht trokken we ons in het klooster terug om weer op krachten te komen. Het was de eerste keer dat ik het terugzag sinds de avond waarop ik met Bode en Garah was gevlucht. Het modderige karrenspoor van de heirbaan naar de stallenpoort was dieper dan ooit. Voor het overige leek er weinig veranderd, en ik voelde me opeens moedeloos worden toen we de klok de vespers hoorden luiden, net toen wij door de poort reden. Urdo had om toelating moeten verzoeken, omdat niemand enig gezag kon laten gelden over de monniken in hun sterkte. De poorten zwaaiden echter open en we konden naar binnen.

De ontvangst was stroef. Vader Gerthmol wilde niets tegen mij zeggen, maar tastte naar zijn halssteen, telkens als hij mij zag. Urdo was niet ernstig gewond, maar had veel bloed verloren. Hij zag ijselijk wit en het baarde me zorgen hem zo te zien.

Hij had rust nodig, en eten en drinken – ik wist dat er alleen pap zou zijn, maar warm voedsel zou beter zijn dan zangspreuken. Bovendien was er in het klooster prima drinkwater in voldoende hoeveelheden – precies wat hij nodig had. Wat hij in geen geval nodig had, waren de overdreven zorgen van de priesters, maar dat was onvermijdelijk, zoals ik wist. Toen hij zich eenmaal in een kamer van het hospitium had geïnstalleerd, stuurde hij mij weg. Volgens hem kon hij vader Gerthmol wel in zijn eentje aan en hij wist dat ik hier nog oude bekenden had die ik wel zou willen zien.

Ik verliet de kamer, enigszins verlegen, en ging op zoek naar mijn zoon, Darien. Het was zomer. Ik moest het op mijn vingers natellen. Hij moest nu negen jaar zijn. Het leek me het beste om eerst met Arvlid te praten. Daarna dacht ik eraan dat ik naar de paarden moest omzien. Ik wist wel dat het laf was, maar ik hoopte dat ik, als ik eenmaal had gezien dat Sterrelicht goed was verzorgd en het naar de zin had, ik wel genoeg moed zou hebben verzameld om hem te zien. Ik wist volstrekt niet wat ik tegen hem moest zeggen. In de stallen was het vol en stil – de meeste paarden waren al geroskamd, gedrenkt en gevoerd. Aan voedsel geen gebrek. Thansethan was een van de sterkten waar voedsel voor ons werd verzameld en opgeslagen, en vanuit hier ging het naar de plaatsen waar het nodig was. Er waren een paar monniken in de weer, en hier en daar zag ik een armiger bezig met zijn paard. Grugin, mijn trompetter, stak een hand naar mij op toen ik langs hem liep terwijl hij zijn paard roskamde. Sterrelicht stond helemaal aan het einde, waar het rustig was. Darien was bij haar in de box.

Ik vroeg me af hoe hij wist dat dit mijn paard was en dat ik naar de stallen zou komen om te zien of ze het goed maakte. Zelf twijfelde ik geen moment over wie hij was, ook al was hij pas twee maanden oud geweest toen ik hem voor het laatst had gezien. Hij had het uiterlijk van mijn broer Darien, maar zijn huidkleur leek meer op die van een Jarnsman. Hij was lang, voor een jongen van negen. Op zijn vader leek hij nauwelijks, afgezien van de kleur van de ogen, het grijs van de winterse zee. Hij droeg kleding van bruine, zelfgesponnen wol, zoals alle kinderen in het klooster – en ook droeg hij een halssteen. Hij praatte zacht tegen Sterrelicht, die haar hoofd naar zijn hand neeg – hij gaf haar een appel. Hij scheen haar te bevallen. Ze was goedgehumeurd en kon met de meeste mensen goed overweg. Ik was blij te zien dat hij met paarden om wist te gaan.

Ik liep van achteren naar hem toe, bleef staan en schraapte mijn keel. 'Je hebt mijn paard gevonden,' zei ik.

'Ja, prefect,' antwoordde hij. Hij draaide zich om en nam mij kalmpjes op, totdat hij me in de ogen keek. Even vroeg ik me af of ik hem door hem de naam Darien te geven, ook Dariens ziel had geschonken. Dat soort dingen komt voor. 'Ze is werkelijk uw paard? Ik dacht dat ze het strijdros van de Grote Koning zou zijn, want een mooier paard heb ik nooit gezien.' Toen hij dit zei, kreeg ik een vreemd gevoel vanbinnen. Hij was alleen naar Sterrelicht gegaan omdat ze zo'n mooi strijdros was. Dus wist hij tóch niet wie ik was, zodat ik het hem zou moeten vertellen.

'Ze is een dochter van een van de paarden van de Grote Koning,' zei ik. Mijn stem klonk gelukkig vast, ook al bonkte mijn hart zo luid dat ik bang was dat hij het zou horen. 'Ze heet Sterrelicht, en de naam van haar moeder is Schemer. Schemer is niet hier; ze is in Caer Tanaga en zal dit jaar opnieuw een veulen werpen. Urdo berijdt Danser, dat is dat paard daar, in de box tegenover deze.' Ik wees, en hij wurmde zich Sterrelichts box uit om te kijken.

'Ook een mooi paard, maar niet zo mooi als uw Sterrelicht.'

Danser was Urdo's favoriete strijdros, dat jaar. Ze was een dochter van Appel bij Schemer, inmiddels zeven jaar oud. Ze was bijna even donker als Appel was geweest, maar haar borst was minder breed en ze was al even lief van karakter als haar zuster. Hoewel Urdo het altijd tegensprak, vond ik dat ze niet echt de elegantie had van Sterrelicht.

'Vind ik ook,' zei ik. 'Zo te horen heb je kijk op paarden?'

Hij bloosde, door zijn lichte huidkleur duidelijk zichtbaar. 'Ik ben gek op paarden,' zei hij enigszins afwerend. 'Ze zijn het beste van alles, hier.'

'Ik hou ook van paarden,' knikte ik. 'Wil je graag met paarden werken als je groot bent?'

Hij schudde langzaam het hoofd en keek me aan alsof hij me monsterde. Nu leek zijn gezicht in niets meer op dat van mijn broer. 'O nee, ik wil wapendrager worden en voor de Grote Koning rijden. Waarom bent u nooit eerder hierheen gekomen?'

Mijn tong leek als verlamd. 'Je weet wie ik ben?' vroeg ik stompzinnig.

'U draagt de mantel van een prefect, met de gouden eikenbladeren. De enige vrouwelijke prefecten zijn Marchel ap Thurrig en Sulien ap Gwien, en Marchel ken ik. Zij komt hier af en toe. Dus moet u Sulien ap Gwien zijn. Aangezien ik Suliensson heet, moet u mijn moeder zijn.' Hij boog. Ik wist dat ik hem moest omhelzen, maar zijn houding nodigde daar niet toe uit. Hij was buitengewoon zelfbewust, heel anders dan ik en mijn broer toen we nog kinderen waren. Ik veronderstel dat het kwam doordat hij onder monniken opgroeide.

'Ja,' zei ik, en hield me in, want ik was geneigd een stap naar hem toe te doen. Sterrelicht hinnikte zacht en kreeg antwoord van een ander paard. 'Ik ben niet gekomen omdat ik niet zeker wist of vader Gerthmol me binnen zou laten. We zijn hier alleen omdat Urdo gewond is geraakt en...'

'Zal hij beter worden?' Zijn bezorgdheid kwam spontaan en was oprecht en persoonlijk. Nu zag hij er precies zo uit als mijn broer Darien toen we Morien uit de rivier hadden gevist nadat we hadden geprobeerd hem te leren zwemmen.

'Ja. Hij heeft bloed verloren, maar hij zal spoedig weer de oude zijn.'

'De genadige Blanke God zij gedankt,' zei hij in alle oprechtheid. In zijn stem klonk opluchting door. Het deed me vreemd aan te horen dat hij tot de Blanke God bad, maar als ik niet had gewild dat hij in dat geloof opgroeide, had ik hem daar niet moeten achterlaten.

'Je kent de Grote Koning dus?' vroeg ik nieuwsgierig.

'O, zeker.' Darien wipte wat op zijn voeten. 'Hij komt altijd even met me praten als hij hier is. Vaak neemt hij iets voor me mee. Hij heeft me ooit een speelgoedzwaard gegeven, maar dat ben ik ontgroeid. Ook heeft hij me een stel gewichten gegeven om mee te oefenen, en geoefend héb ik, iedere dag. Zal ik het u laten zien?' Hij zag eruit alsof hij weg wilde rennen om ze te halen.

Ik schudde het hoofd. 'Ik heb niets voor je meegenomen,' zei ik. 'Ik wist niet dat ik hierheen zou gaan.'

'Geeft niet,' zei hij. 'Er is niets dat ik zou willen hebben.'

Ik wist dat ik iets voor hem had moeten meenemen. En ook dat ik hem eerder had moeten bezoeken, ook al deed vader Gerthmol nog zo misprijzend. Nu was de jongen een vreemde voor mij.

'Hebt u werkelijk een demon opgeroepen?' vroeg hij, waarbij hij zich iets naar me toe boog, duidelijk geïnteresseerd.

'Nee,' zei ik. 'Het was Morwen van Angas die aanroepingen deed. Ze heeft geprobeerd mij te doden, en toen dat niet lukte strooide ze leugens over mij rond.'

'Dat is hetzelfde als wat zuster Arvlid me heeft verteld,' zei hij. 'Ik wist wel dat ze gelijk had.' Aan zijn schouders was te zien dat hij gewend was de andere kinderen over dit punt uit de droom te helpen. Ik had moeite mijn tranen te bedwingen.

'Het waren allemaal leugens,' herhaalde ik. 'Arvlid zegt de waarheid.'

'Maar dan...' Hij aarzelde. 'Waarom mag u mij dan niet?' vroeg hij, zijn onderlip naar voren stekend.

Ik had mijn armen naar hem willen uitsteken, maar iets in de manier waarop hij stond zei me dat hij weg zou rennen als ik hem benaderde. Het was moeilijk er antwoord op te geven. Ik hurkte neer, zodat mijn hoofd bijna op dezelfde hoogte was als het zijne.

'Ik hou wel van je. Ik ken je nog niet, maar ik weet zeker dat ik je graag zou mogen als we elkaar beter leerden kennen. Jij hebt helemaal niets misdaan!' Hij keek me weer aan, heel onzeker nu. 'Het is... ik kan je niet...' Hij trok een wenkbrauw op, iets dat hij vast van Urdo had geleerd. 'Ik ben prefect, zodat ik feitelijk geen thuis heb waar je bij me zou kunnen zijn. Als het je hier niet bevalt, zou ik je naar mijn ouders in Derwen kunnen sturen, of naar het huis van mijn zuster in Magor, ook al weet alleen de Moeder wat ze daarop zouden zeggen.'

'Ik vind het hier niet erg.' Hij leunde tegen de touwen die Sterrelichts box aan de achterzijde afsloten. 'Ik ben nooit ergens anders geweest. Volgens de Grote Koning is dit in heel Tir Tanagiri een van de beste plekken om op te groeien.'

Dat verraste me zo dat ik in de lach schoot. 'Hij is zelf ook nergens anders opgegroeid,' zei ik. 'Het is iets wat je maar eens in je leven doet.'

'Komt u nog eens terug om mij te bezoeken?' vroeg hij.

Het liefst had ik het hem beloofd, maar als ik dat deed en die belofte niet kon nakomen, zou dat alles voorgoed bederven. 'Ik weet niet of ik spoedig in de gelegenheid zal zijn hierheen te komen. Ik heb zelfs geen idee waar ik zal zijn of wat er zal gaan gebeuren. Ik kom als ik kan. Je bent negen. Je kunt niet tot wapendrager worden opgeleid voordat je zestien bent. Dat zal nog zeven jaar duren. Kom naar mij toe in Caer Tanaga, tegen die tijd. Als ik er dan niet zelf ben, vraag je naar Ap Gavan; dan zeg je haar wie je bent en dat je op mij wilt wachten; ik kom daar namelijk zo nu en dan. Dan geef ik je een plaats in mijn eigen ala.'

Hij boog opnieuw. 'Dank u, prefect.'

'Darien...' zei ik. Hij schrok en hield zijn adem in – hij had me zijn naam niet gegeven. Kennelijk verbaasde het hem dat ik die kende. 'Er is geen excuus voor het feit dat ik niet eerder ben gekomen. Ik was bang voor de afkeuring van vader Gerthmol. Bovendien had ik het razenddruk en vloog de tijd om. Jij was bezig groot te worden, maar ik kende je niet eens. Het kwam niet omdat jij me niets kon schelen. Ik wou maar dat ik iets voor je had meegebracht. Is er misschien iets dat ik je toe kan sturen?'

'Er is niets wat ik wil,' zei hij, maar ik zag de blik in zijn ogen toen hij naar Sterrelicht keek. Haar kon ik hem niet geven; zij was Urdo's geschenk. Wel was er nog Glimmer, het veulen dat ze in het eerste oorlogsjaar had geworpen. Sindsdien had ik haar bereden, ondanks Ap Cathvans raad om mindere paarden te berijden en met haar door te fokken.

'Als ik Sterrelicht hier achterliet,' zei ik, 'en jij haar kon kruisen met een goede hengst, te kiezen door Ap Cathvan als hij hier in het seizoen is, zou ze een veulen voor je kunnen werpen. Dat paard zou je dan kunnen trainen en, als je eenmaal wapendrager bent, berijden.' Even leek hij opgewonden, alsof hij op het punt stond zich voor mij open te stellen. 'In dat geval,' voegde ik eraan toe, 'zou ik beslist het volgende jaar moeten terugkomen om Sterrelicht op te halen.' Zijn gezicht betrok weer, en pas op dat moment realiseerde ik me dat ik wel bereid was te beloven terug te komen voor mijn paard, maar niet voor hem.

'Dank u, prefect,' zei hij kil en stijfjes. 'Dat zou heel vriendelijk van u zijn. Ik zou heel goed voor haar zorgen.'

Toen hij naar Sterrelicht keek, zag ik zijn gezicht opnieuw veranderen. Hij was verliefd op mijn paard. Ik was heel slecht begonnen. Ik had werkelijk eerder moeten komen. Ik haalde adem om iets te zeggen, in een poging het recht te zetten, maar op dat moment werd er luid op de staldeuren gebonkt. We verstarden. Een van de monniken liep naar voren om open te doen. Buiten stond een bode, gehuld in een rode mantel – een van de ijlbodes van Garah. 'Dringend nieuws vanuit Caer Tanaga voor de Grote Koning,' zei hij. 'Weet u waar hij is?' Ik herkende zijn stem: het was Senach Roodoog, die vroeger tot mijn penoen had behoord.

'Ik ben er,' zei ik terwijl ik overeind kwam en Darien met een gebaar te kennen gaf dat hij moest wachten. 'De Grote Koning is gewond. Gaat het om nieuws waarvoor ik hem moet storen?'

Darien trok zich terug tegen Sterrelicht, die zacht naar hem brieste. De monnik stapte opzij en liet Senach binnen. Hij steeg af en drupte regenwater op de grond. Hij gaf me een droge rol perkament uit zijn tas. De rol droeg Elenns zegel en was gericht aan Urdo.

'Van de koningin?' zei ik, me afvragend of ze eindelijk in verwachting was. 'Ben je op de hoogte van de inhoud? Is het persoonlijk?' Alle nieuws – behalve strikt persoonlijk of uiterst gevaarlijk nieuws – diende ook aan de bode zelf bekend te worden gemaakt en niet alleen schriftelijk te worden verstuurd – voor het geval er iets gebeurde. Bodes werden met de grootst mogelijke zorg gekozen uit mensen die bekend stonden om hun loyaliteit en discretie. Meestal waren het wapendragers die gehandicapt waren, zoals het geval was met Senach, wiens ene oog hem ongeschikt had gemaakt voor de krijg.

'Het is geen goed nieuws,' antwoordde Senach, die zijn drijfnatte mantel afdeed en naar de monnik knikte, die zijn paard wegleidde.

'Vertel het maar.' De monnik was buiten gehoorsafstand als hij zacht genoeg praatte.

Senach keek onderzoekend naar Darien.

'Ik zie u morgen wel, prefect,' zei Darien. Hij boog en repte zich door de stallen langs mij heen naar de binnenhof.

Ik beet op mijn lip en wendde me weer tot Senach. 'Nou?' snauwde ik.

'Een sluipmoordenaar van Darag de Zwarte heeft Maga, de moeder van de koning van Connat in Tir Isarnagiri, vermoord. Nu is het daar oorlog. Allel heeft ons om bijstand gevraagd.'

'Ze willen hun troepen terug?' Van schrik deed ik een stap naar achteren. Ze aten veel en weigerden ander werk te doen dan vechten. Bovendien moesten we vaak op hen wachten, maar de Isarnagaanse infanterie was van grote waarde in iedere belangrijke slag.

'Ze willen meer dan dat. Ze willen dat wij hen in hun oorlog helpen.'

Onwillekeurig knarsetandde ik. 'Dit lijkt me belangrijk genoeg om er Urdo voor te storen, zelfs als hij ligt te slapen,' zei ik met een zucht. Van Darien geen spoor toen ik Senach en de ongeopende rol naar Urdo's kamer in het hospitium vergezelde.

20

Het is hogelijk gepast, terecht en voor ons een dure plicht om U altijd en overal dank te zeggen, O Heer, heilige en almachtige Vader, die in Sinea te midden van ons heeft geleefd, voor ons is gestorven en opgevaren is ten hemel in herstelde en hernieuwde kracht.

Hoort! Kinderen, vruchten van de moederschoot, zijn een geschenk en erfgoed dat van de Heer is gegeven. Zelfs jonge kinderen zijn als pijlen in de hand van de reus. Gelukkig is de man die zijn koker vol van hen heeft; zij zullen niet beschaamd zijn als zij tot hun vijanden in de poort spreken.

O God, de Kracht van allen die op U bouwen, neem onze gebeden in genade aan! Door de zwakheid van onze sterfelijke natuur kunnen wij zonder U niets goeds uitrichten. Schenk ons de hulp van Uw genade, opdat wij U in wil en daad welgevallig zijn en kinderen mogen verwekken die U loven en Uw liefde ontvangen.

Daarom, met alle engelen en aartsengelen, en met alle schepselen, levend of dood, zichtbaar of onzichtbaar, ja met de luisterrijke bijstand van Uw hoge hemelen, loven en prijzen wij Uw goddelijke naam tot in alle eeuwigheid, zeggende: Heilig, heilig, heilig, zijt Gij, O God van alle hemelse heerscharen, hemel en aarde zijn vervuld van Uw heerlijkheid. Aan U zij alle glorie, O allerhoogste Heer.

– *Gebed om vruchtbaarheid*, gebeden in Thansethan, vroege vertaling

Ik ging naar de ochtendmis in de kloosterkerk, waar ik de verbaasde blikken van vaandrig Elidir en veel andere wapendragers trotseerde. Masarn was gekomen om de Blanke God te bedanken voor het feit dat zijn vrouw in welzijn was bevallen van opnieuw een zoon. Senach had dus in ieder geval voor *iemand* goed nieuws meegebracht. Ik was geduldig getuige van de gebeden, voorlezingen en lofprijzingen. Ik was er niet voor de

Blanke God, maar voor Darien. Onder de groep kinderen in bruine wollen stof kon ik hem niet onderscheiden, maar ik hoopte hem op te vangen als hij naar buiten kwam. De kerkdienst verliep rustig en vredig, ook al bedacht ik voor de zoveelste keer dat dit voor respectabele mensen geen manier was om zich tot de goden te richten. Er werd ook gebeden voor Urdo's voorspoedige herstel. In dat gebed werd hij 'onze aardse beschermheer' genoemd.

Toen de kinderen in de rij naar buiten kwamen, bleek Darien er niet bij te zijn. Het hart zonk me in de schoenen. Wilde hij me uit de weg blijven? Ik haalde Masarn in toen we de binnenhof opliepen.

'Ik ben op weg naar Urdo. Ik denk dat we hier vandaag zullen blijven, maar waarschijnlijk zullen er boodschappen moeten worden verstuurd. Zeg de andere penoencommandanten dat ze het met de exercities rustig aan kunnen doen, maar er rekening mee moeten houden dat we misschien plotseling zullen opbreken.'

Grijnzend zei Masarn: 'Voor de verandering? Is er misschien een kansje dat we teruggaan naar Caer Tanaga, denk je? Het zou voor mijn vrouw veel betekenen als ik haar bezoek voordat de baby tandjes heeft.'

Schouderophalend antwoordde ik: 'Dat is aan de Grote Koning.' Opeens was ik afgunstig op Masarns ongecompliceerde gezinsleven. De Oorlog hield ons echter allemáál weg van onze families. Het was op zijn minst voor een deel mijn keuze geweest om niet eerder hierheen te gaan. Ik slaakte een zucht en klopte Masarn op de schouder. 'Het zal vandaag wel niet gebeuren, maar ongetwijfeld gaan we er spoedig heen. Als ik er iemand heen stuur, zul jij dat zijn. Zo, nu moet ik naar Urdo. Ik laat het je nog weten.' Na mijn onderhoud met Urdo wilde ik Arvlid opzoeken om haar te vragen hoe ik Darien het beste kon benaderen.

Ik liep de bordestrap van het hospitium op. Urdo had een van de kleine ziekenkamers voor zichzelf. Aan het eind van de gang stond Haleth op wacht. Ze wuifde me door met een gebaar dat betekende: 'Alles in orde'. Ik liep verder naar Urdo's kamer en hoorde zijn stem al op de gang. 'Ik heb nog heel wat werk te verzetten voordat alle koningen ermee akkoord zullen gaan,' zei hij.

Ik dacht dat hij met Raul praatte, maar tot mijn verbazing hoorde ik Dariens stem antwoorden. 'Maar u bent de Grote Koning! Kunt u ze niet eenvoudigweg een kopje kleiner maken als ze niet doen wat u wilt?'

Ik hoorde Urdo grinniken en bleef even staan.

'Dacht je soms dat als ik vader Gerthmol een kopje kleiner maakte, alle monniken voortaan zouden doen wat ík wil? Het Grootkoningschap wil niet zeggen dat je voortdurend mensen moet bedreigen om ze zover te krijgen dat ze doen wat jij wilt. Anders zou ik binnen de kortste keren een leeg rijk en een berg hoofden hebben.'

Darien lachte nu ook. 'Misschien zou u met hen op jacht kunnen gaan om ze, als ze in een goeie stemming zijn, te vragen of ze u al hun alae willen afstaan?'

'Kijk, dat lijkt me een veel beter idee.'

Ik kon niet geloven hoe blij en ontspannen die twee klonken. Daar wilde ik ook zijn! Ik liep verder en trok het gordijn opzij. Darien zat op een hoek van Urdo's bed. Heel even zag ik hen als vanzelfsprekend een blik van verstandhouding wisselen voordat ze naar mij opkeken. Urdo trok een wenkbrauw op en Darien sprong op en stond kaarsrecht voor me. 'Goedemorgen, prefect,' zei hij.

Dit keer was ik vastbesloten het goed te doen. Ik bukte me en omhelsde hem als een familielid. Hij stond er stil en stug bij en verduurde het totdat ik ermee ophield. Ik deed een stap terug. 'Het was niet mijn bedoeling jullie te storen,' zei ik verlegen.

'Darien zei dat je van plan bent Sterrelicht hier te laten voor de fok?' zei Urdo, met een slimme blik.

'Klopt,' zei ik. 'Het wordt tijd dat ze weer werpt en hij heeft binnenkort een paard nodig.' Het kostte me moeite in het ochtendlicht naar Darien te kijken. Hij leek enerzijds te veel en anderzijds te weinig op mijn broer, en soms was hij helemaal zichzelf.

'Goed bekeken,' zei Urdo vriendelijk. 'Tien is een prima leeftijd om een begin te maken met het africhten van een veulen, en je zult inderdaad tien zijn als het veulen er is, is het niet, Darien?'

'Ja, heer,' zei Darien, met een gezicht alsof hij strafcorvee verwachtte als hij er tegenin ging. 'Kan ik gaan, heer? Het is bijna tijd voor mijn taalles.' Hij leek wel een jonge hengst die elk moment op hol kon slaan. Urdo knikte en Darien zette een stap naar de deur. Om de kamer te verlaten zou hij langs me heen moeten. Hij staarde naar een punt op de muur, boven mijn schouder. 'Goedemorgen, prefect,' zei hij opnieuw. Ik stapte opzij om hem door te laten, een brandend gevoel achter mijn ogen.

'Wel, wel,' zei Urdo toen hij weg was.

'Nou, hij mag jou graag,' flapte ik eruit.

Urdo moest even lachen. 'Inderdaad, hij mag mij wel, en hij is helemaal wég van Sterrelicht. En als je je niet al te veel opdringt, zal hij het ook wel met jou kunnen vinden, dacht ik. Hij heeft me uitgehoord over jou en ik heb hem verzekerd dat je als prefect hogelijk op prijs wordt gesteld. Gun hem de tijd om de kloof te dichten. Je mag niet verwachten dat je negen jaar in één dag kunt goedmaken. Als je hier blijft komen om hem te bezoeken, zal hij je vanzelf leren kennen en waarderen.'

'Hij jaagt me angst aan,' zei ik, met mijn voeten schuifelend alsof ik zelf nog een kind was. 'Ik weet niet hoe ik me tegenover hem als een moeder moet voelen. Ik heb hem zomaar hier achtergelaten.'

'Als de goden ons tijd gunnen, slijt die angst vanzelf,' zei Urdo. 'Maar misschien ben ik niet de geschiktste persoon om dit aan te vragen.'

Ik kreeg een kleur. Ik was glad vergeten dat ook zíjn moeder hem hier achter had gelaten.

'Gelukkig hebben Rowanna en ik een soort vriendschap ontwikkeld, hoewel dat niet bepaald het soort relatie is dat de meeste mannen met hun moeder hebben. Ik ben van mening dat het voor mij een groot voordeel is geweest om hier op te groeien, en vermoedelijk zal dat ook voor Darien het geval zijn. Ik was trouwens vier toen ze mij hier achterliet, oud genoeg om het te beseffen, maar niet om het te kunnen begrijpen. Darien heeft nooit anders gekend.'

'Hij vertelde me dat je had gezegd dat dit een prima plaats was om op te groeien,' beaamde ik.

'Dat was het. En hij zal je leren kennen. Per slot van rekening is hij jouw zoon.'

Ik keek scherp op; ik meende wat afgunst in zijn stem te horen. 'Ik weet zeker dat jij – en de koningin – binnenkort zelf een zoon zullen hebben,' hakkelde ik.

Urdo haalde zijn schouders op en vertrok zijn gezicht van pijn toen hij zijn wond betastte. 'Dat is aan de Moeder,' zei hij. 'En de laatste paar jaar zijn er geen goeie tijd voor geweest. Ik was trouwens niet in de positie een kind de aandacht te schenken die het nodig heeft. Als de Oorlog voorbij is, zal ik tijd hebben voor dat soort dingen. En jij en Darien zullen dan ook tijd genoeg hebben om vrienden te worden.'

Ik moest hard op mijn lip bijten om mijn tranen te bedwingen. Tranen van zelfmeelij zijn de slechtste soort tranen; de goden verfoeien ze. Ik slikte, maar kon niet voorkomen dat mijn stem een beetje beefde. 'Hij dacht dat ik hem niet mocht.'

'Dan zul je hem het tegendeel moeten bewijzen,' zei Urdo kalm. 'En probeer de dingen niet te overhaasten. Dat je Sterrelicht hier achterlaat, is werkelijk een goed idee, ook al kom je daardoor een ros te kort. Is Glimmer er al aan toe haar te vervangen?'

'Volgend jaar,' zei ik, nu weer meester over mijn stem.

'Ah, volgend jaar...' zei Urdo peinzend. 'Alles staat of valt met wat we volgend jaar kunnen doen. Ik zal de Isarnaganen terug moeten sturen. In feite zou ik een of twee penoenen mee moeten sturen. Voor ons wordt het een stuk moeilijker als ze weg zijn. We willen echter niet op deze manier door blijven gaan, uiteraard. Er ziet niets anders op dan de Jarnse koningen die zich tegen mijn bewind verzetten of dat van Sweyn steunen op de knieën te dwingen. Dat kan ik alleen door hun koninkrijken een voor een onder de voet te lopen óf ze allemaal tegelijk in één veldslag te verslaan.'

'Het zal de koningen niet bevallen als u alle alae op één plaats verzamelt.'

'Zeg dat wel! Het zal ze niet aanstaan, maar ik vraag ze deze herfst naar Caer Tanaga te komen om hun duidelijk te maken dat we nu een reële kans hebben om een beslissende verandering te bewerkstelligen en zo te voorkomen dat deze oorlog zich maar blijft voortslepen. De meesten zijn het zat.'

'Zelfs als u dat lukt, zullen ze u niet al hun troepen sturen.' Ik stelde me al de reactie van hertog Galba voor. 'Ze mogen dan nog zo loyaal zijn, maar voor hen komen hun landerijen en boeren op de eerste plaats. Zoals geldt voor iedereen.'

'Ik zal niet om álle troepen vragen. Alleen zullen ze misschien nog slechts over een penoen kunnen beschikken, in plaats van een complete ala. Net genoeg om de kustplunderaars op afstand te houden. Toch kunnen we het doen, denk ik. We hebben nooit meer dan drie alae tegelijk getraind, maar volgens mij zouden we het met zeven ook kunnen doen. Stel je voor, *zeven* eskadrons! Dertienhonderd wapendragers! Kun je je dat voorstellen? Met zo'n strijdmacht kunnen we alles wat zij tegen ons in het veld kunnen brengen voorgoed breken.'

'Mits we de Jarns zover krijgen dat ze stand houden en de strijd aangaan,' zei ik zacht. Dat was steeds opnieuw het probleem als we numeriek sterk genoeg waren. Sweyn was geen stommeling. Hij zou niet openlijk de strijd met ons aanbinden zolang hij niet dacht dat hij een goede kans had om te winnen.

'Zo is het, ja. Dat betekent echter dat we hun een reden moeten geven om te denken dat ze kúnnen winnen.' Urdo glimlachte nu.

'Waar?' zei ik. Maar ik had het nog niet gezegd of ik wist het al. Als we het verzet van alle Jarns wilden breken, zou dat slechts op één grondgebied kunnen: Tevin.

'Tevin, ja. Juist.' Hij grinnikte. 'Vraag Raul hierheen te komen. We zullen vandaag nog een paar boodschappen versturen. Morgen denk ik weer goed genoeg te zijn om te kunnen rijden; dan gaan we terug naar Caer Tanaga.'

Ik stuurde Raul naar hem toe en praatte daarna een uur lang met Arvlid. Ze had alleen maar lof voor de vooruitgang die Darien met zijn lessen maakte. Ze was uitgegroeid tot een tamelijk dikke vrouw, hoewel dat mij een raadsel was, gelet op het eten in Thansethan. Ik kon me nu nauwelijks nog voorstellen dat zij ooit tien mijlen hard had kunnen lopen om de monniken te alarmeren. Algauw waren we weer heel vertrouwd met elkaar, als oude vriendinnen, maar om een of andere reden kon ik haar de situatie met Darien niet uitleggen. Ze kende hem veel beter dan ik, uiteraard. Bij ons vertrek uit Thansethan wenste hij me formeel goede reis en omhelsde mij stijfjes.

Die eerste dag reed Raul uit om een oogstwapenstilstand te regelen. Er was niet veel tijd meer voordat het nieuws dat wij de Isarnaganen hadden moeten terugsturen Sweyn zou hebben bereikt. We wisten dat hij onder Alfwins mannen spionnen had. Vaak kwamen er rekruten die alleen voor dat jaar of zelfs dat seizoen trouw zwoeren, maar als die tijd om was, gingen ze naar huis. Sommigen onder hen verbraken hun eed en verrieden Sweyn ons hele doen en laten. Anderen praatten hun mond voorbij, hoewel ze het niet kwaad bedoelden. Het was ondenkbaar dat we zo'n belangrijke tegenslag geheim konden houden. We konden hen niet verhinderen naar huis te gaan. Zolang zij met ons kamp meevochten, en niet tegen ons, was er, zolang ze bij ons waren, niets wat wij konden doen tegen al te losse tongen. Het zou hun numerieke sterkte te zeer hebben ondermijnd als we van al die strijders eisten dat ze bij hun eigen leven Urdo trouw zwoeren, zoals onze eigen wapendragers deden. Trouwens, geen enkele koning had een dergelijk leger kunnen onderhouden. Nu al had Urdo meer gezworen volgelingen dan iedere andere koning sinds de tijd voordat de Vincanen hier waren opgedoken.

Het kostte Raul weinig moeite die wapenstilstand te bereiken. Hij zou voortduren tot de volgende lentedooi. Gerda was zwanger en Sweyn wilde thuis zijn als ze zou bevallen. Tegen de lente hoopten wij weer gereed voor de krijg te zijn.

Onze bondgenoten uit Tir Isarnagiri gingen met Thurrig, diens zoon Larig en twee penoenen van Caer Thanbard terug naar hun eigen land. We konden hen slecht missen, maar moesten de overeenkomst nakomen. Larig nam zijn broer Chanerig mee, iets dat later veel problemen veroorzaakte. Laat me voorlopig volstaan met te zeggen dat de dood van Elenns moeder ons had beroofd van alle voordelen die we ooit van de alliantie met de Isarnaganen hadden genoten.

Nog geen halve maand na onze terugkeer in Caer Tanaga begonnen de koningen te arriveren. Custennin was de eerste, in gezelschap van zijn priester Dewin. Urdo en Elenn praatten tot 's avonds laat met elkaar over de Blanke God. De volgende ochtend stond het gezicht van Dewin nog zelfvoldaner dan anders. Al spoedig hoorde ik de roddel dat hij de koningin tijdens de avondmaaltijd zou hebben bekeerd. Voor mij was dat geen verrassing. Elenn had al lang belangstelling getoond voor de Blanke God. Ze had een tijdlang in Thansethan gezeten en stond op zeer goede voet met Chanerig ap Thurrig. Ik had al geruime tijd verwacht dat ze de halssteen zou aannemen. Het leek echt iets voor haar. Ze was een vrouw die het liefst zou zien dat de hele wereld en alle goden de Ene God loofden. Dewin had niet tevredener kunnen zijn als hij de goden zelf zou hebben bekeerd. Ik moest lachen toen ik erover hoorde van een norse Ap Cathvan. Hij behoorde nota bene tot degenen die hadden gepleit voor een Isarnagaanse als koningin, juist om deze situatie te vermijden.

Die avond laat arriveerde Angas. De volgende dag reden Mardol de

Kraai en Penda van Bregheda zij aan zij de poort binnen. Urdo volgde Dariens raad op en nam het hele gezelschap mee uit jagen. Angas en ik gingen mee en vonden een everzwijn dat hun veel te doen gaf, tot hun grote genoegen. We deden er onze maaltijd mee toen Guthrum en Ninian arriveerden, samen met Rowanna, die onmiddellijk op Angas begon te mopperen omdat hij Eirann en Teilo niet had meegenomen. Hij verraste haar door haar heel rustig aan te horen totdat ze was uitgesproken, waarna hij haar vertelde dat Eilann twee dagen voor zijn vertrek een tweede kleindochter ter wereld had gebracht. Het hele gezelschap dronk op haar gezondheid. Daarna maakte Custennin iedereen aan het lachen door te vragen of het meisje al verloofd was. Zijn zoon was vijf jaar oud en hij begon nu al om te zien naar allianties. Hij keek hoopvol naar de koningin toen hij dat zei, alsof hij haar om haar schoot had gevraagd, maar ze zei niets en schonk alleen gladjes zijn bokaal weer vol, alsof dat alles was wat hij van haar mocht verwachten.

Daarna arriveerde Flavien ap Borthas. Masarn was diep teleurgesteld toen hij me dit nieuws kwam melden. Het scheen dat hij met Gredol om twee nachten wachtlopen had gewed dat Flavien zou wegblijven. Dit was voor zijn penoen een tegenvaller, maar het zou hem leren in de toekomst wat voorzichtiger te zijn. Die dag was ik op de muren om de wacht te inspecteren toen Haleth me toeschreeuwde dat ze Galba had zien naderen. Ik liep naar een plek vanwaar ik hem duidelijk zou kunnen zien. Het was al een maand geleden sinds ik nieuws van thuis had gehad en Auriens tweede baby had elk moment kunnen komen toen Veniva mij haar laatste brief had geschreven.

Ik zag het onmiddellijk toen ik ze in het oog kreeg. Hertog Galba was erbij, en Galba ap Galba in zijn witte prefectmantel. Tussen hen in reed Morien. Ze werden direct gevolgd door hun armigers en lijfwachten. Ik vermoedde dat de oude verwondingen van mijn vader het hem te lastig maakten om zo'n lange reis aan te kunnen. Het was het soort geruststellende leugentje waar we in de alae een grote hekel hadden. Ik wist echter beter. Ik verliet de stadsmuur zonder iets te zeggen en liep naar de stadspoort om hen te begroeten. Toen ze dichterbij waren, zag ik dat ze alle drie hun haar hadden afgesneden. Toen had ik zekerheid. Morien droeg de kleuren van een decurio. Hij meed mijn blik. Hertog Galba steeg als eerste af en omhelsde mij.

'Mijn leedwezen, Sulien,' zei hij, waarmee hij alle valse hoop verjoeg, voor zover die er nog was geweest. Nu was er geen ontkennen meer aan.

'Mijn vader,' zei ik. Hij knikte.

Morien kwam naar voren. 'Het was een koorts,' zei hij. Ik herinnerde me nu pas dat Veniva in haar brief melding had gemaakt van een koortsepidemie in de stad. Volgens haar was de ziekte meegebracht door een paar

Malmse kooplieden. 'Hij begaf zich onder de zieken, op zoek naar een remedie. Die vond hij, maar voor hemzelf was het toen al te laat.'

'Een nobele dood,' zei ik. Het was feitelijk een bijna even nobele dood als het geval zou zijn geweest als hij op het slagveld was gevallen. Ik was buitengewoon trots op hem, hoewel mijn hart schrijnde bij het besef dat ik hem nooit meer zou zien. Ik wenste dat ik de afgelopen winter de tijd had gehad om naar huis te gaan en nog eens met hem te praten. Nu zou ik naar Derwen moeten om mijn moeder te bezoeken, zodra ik me vrij kon maken. Ik staarde Morien aan.

'Gwien was mijn vriend en ik breng hem eer,' baste hertog Galba. Hij gaf me een schouderklopje.

'We hebben onze tweede zoon naar hem genoemd,' zei Galba de Jongere. Toen kon ik mijn tranen niet meer bedwingen.

'Ik moet naar de Grote Koning om hem mijn respect te betuigen,' zei Morien. 'En jij zult de erfeed moeten afleggen, want jij bent mijn erfgenaam totdat ik een kind heb.'

Ik rimpelde mijn voorhoofd. Morien was een jaar geleden getrouwd met Kerys ap Uthbad, de jongere zus van Enid. Met een beetje geluk zou ze spoedig genoeg een kind baren. Ik voelde er weinig voor om erfgenaam van Derwen te zijn.

'Dat zal dan niet lang duren, mag ik hopen,' zei ik, mijn tranen wissend. 'Het lijkt wel alsof iedereén kinderen krijgt, momenteel.'

'Is er nog nieuws?' vroeg Galba de Jongere.

'Eirann Zwanenhals heeft Angas een tweede dochter geschonken,' meldde ik. 'En de commandant van een van mijn penoenen, Ap Sifax, heeft er een zoon bij. En de koningin heeft Sweyn eindelijk een zoon geschonken. Dit nieuws is kakelvers, want het bereikte ons pas gisteren.'

'Ik dacht even dat je het over *onze* koningin had,' zei hertog Galba met zichtbare teleurstelling. 'Al bijna zes jaar getrouwd en nog geen spoor van een erfgenaam voor het koninkrijk?'

Ik schudde het hoofd. 'Als we eenmaal vrede hebben en Urdo een paar maanden achtereen in Caer Tanaga kan blijven, zal daar ongetwijfeld verandering in komen,' zei ik optimistisch. 'Kom, laten we de stad ingaan. De Grote Koning zal jullie willen zien, en dan kunnen we naar behoren om mijn vader Gwien rouwen.'

Wat Urdo tegen de koningen heeft gezegd, weet ik niet; ik was er niet bij. Galba de Jongere en ik stonden op wacht voor de Grote Hal toen de koningen naar binnen gingen, schitterend uitgedost in de kleuren rood en groen en glanzend goud. Guthrum en Ninian van Cennet droegen mantels waarop met gouddraad een zwaan was geborduurd; de zomen waren bezet met zwanendons. Ze hadden de zwaan in hun huiswapen opgenomen, ter ere van Elenns geschenk, de zwaan van geblazen glas, gevat in zilver. Flavien ap Borthas van Tinala droeg een met edelstenen bezette gordel. Hertog Galba van Magor droeg een Vincaanse toga en had een klein staafje onder de arm dat het ambtsteken van zijn grootvader was geweest. Angas van Demedia droeg zijn witte prefectmantel boven een tuniek van donkerrood fluweel. Hij gaf me een knipoog toen hij naar binnen ging. Rowanna van Segantia droeg een zilveren haarnetje en haar met borduursels verfraaide en met bont afgezette mantel sleepte over de grond. Ze gunde ons nauwelijks een blik toen onze speren voor haar uiteen weken. Mijn broer, Morien van Derwen, glimlachte verlegen naar ons. Hij droeg kostbaar rood en groen linnen en de gouden ring uit de familieschat. Cinon van Nene keek ons lusteloos aan; hij leek doodmoe. Custennin van Munew leek zoals altijd besluiteloos, maar dat deed hij die dag in zware groene zijde, met een rode halve mantel. Zijn halssteen hing aan een gouden ketting. Uthbal van Tathal knikte ons toe: wij waren aanverwant sinds zijn dochter met Morien was getrouwd. Ik miste Enid nog altijd. Penda van Bregheda marcheerde met grote passen de hal in, een hoge kroon op zijn hoofd. Mardol de Kraai van Wenlad volgde hem, maar in een rustiger tempo. Hij wierp mij en Galba een korte blik toe, maar hij vertrok geen spier. Hij droeg donkerrood, verfraaid met groene en gouden borduursels en ook hij droeg een stokje onder de arm, net als hertog Galba. Dit waren de voltallige koningen van het eiland. Ze waren er allemaal.

Als laatsten wandelden Urdo en Elenn naar binnen, of beter gezegd, ze schreden naar binnen. Ze droegen maagdelijk wit, maar hun mantels waren afgezet met purperen randen met een brede gouden bies erin. Deze mantels waren in een kist in Caer Segant aangetroffen. Ze hadden toebehoord aan Emrys, en vóór die tijd aan een of andere Vincaanse keizer. Elenn droeg haar met parels bestikte haarband, gecombineerd met alle sieraden die ze bezat, met een ring aan iedere vinger, zodat ze aan alle kanten leek te sprankelen en te glanzen. Urdo droeg alleen de platte gouden hoofdband waarmee hij zichzelf onder de eik tot Grote Koning had gekroond. De blik in zijn ogen was genoeg om hem een koninklijke uitstraling te geven. Ik had hem ook gezien in een met modder bespat, gehavend harnas, en toen had hij er even koninklijk uitgezien. In vergelijking met hem leken de overige koningen gewoontjes. Ik duwde de zware deuren met een hand dicht en zette mijn speer rechtop toen ik me weer omdraaide. Het mocht dan wel een ceremoniële handeling zijn, maar er ging iets van uit.

Galba keek mij aan. 'Denk je dat ze ermee in zullen stemmen?' vroeg hij zacht. De haag van toeschouwers die de koningen naar binnen hadden zien gaan was grotendeels uiteen gevallen. Hier en daar, buiten gehoorsafstand, waren nog wat groepjes mensen aan het praten.

'Ik zou niet weten hoe wie dan ook zou kunnen weigeren hem alles te geven wat hij verlangt, als hij er zo uitziet,' zei ik.

Galba lachte. 'Maar goed dat Glyn je dat niet heeft horen zeggen,' zei hij droogjes. 'Maar ik weet wat je bedoelt. Hij weet wat hij wil en zal het krijgen ook. Mooi. Het is allemaal heel aardig om thuis te zitten, de plunderaars op afstand te houden en 's nachts in een droog bed te liggen, maar ik voor mij zit liever daar waar wat te beleven valt.' Zijn stem klonk weemoedig.

'Zeg dat wel,' zei ik opgewekt. 'Geef ons maar een stormaanval om de Jarns te verpletteren, dat houdt de dingen simpel.' Toen dacht ik aan Aurien en hun kinderen. 'Toch gebeurt het niet voor de lol. Ik bedoel, het is niet altijd roem en eer. Jij was erbij, toen bij Caer Lind. Je ziet je kameraden vallen, en we kunnen zelf ook sneuvelen...'

'Sterven doen we allemaal een keer,' zei Galba, voor zich uit starend naar de binnenhof.

'En Urdo's grote vrede is het waard om voor te sterven.'

'Ja, maar beslist ook om voor te leven en te zorgen dat mijn kinderen kunnen opgroeien zonder beducht te hoeven zijn voor de Jarns. Alleen wil ík niet veilig thuis werkeloos toe zitten kijken terwijl jij en de anderen die vrede bevechten. Morien kan de troepen die we daar achterlaten heel goed zelf commanderen.'

Ik keek van opzij naar zijn gezicht. Het stond vastberaden. Jammer dan, Aurien. 'Ik denk dat Urdo, als ze hem al hun steun toezeggen en hem de alae ter beschikking stellen, jou wel wil laten meevechten. Ik zal hem erop wijzen dat je daar recht op hebt.'

Binnen ontstond luid rumoer. Gejuich? Of een kreet van afschuw? Ik kon het niet bepalen.

'*Als* ze hem hun alae geven,' herhaalde ik. 'Wat ben ik blij dat ik geen koning ben.'

We hoorden opnieuw luide stemmen – en deze keer was het beslist bijval.

'Zo te horen gaat het gebeuren,' zei Galba glimlachend.

Ik kon zijn glimlach alleen maar beantwoorden.

21

Wat koop je nu voor zilver?
Dingen op de drukke markt —
brood, zaad, of wijn van verre,
speelgoed, sieraden, ambachtswerk.
Maar nooit een echt goed paard
en nimmer liefde en vertrouwen,
of meer grond dan voor je graf.
    — Kinderrijmpje uit Tanaga

Dat hele jaar voerden we schijnmanoeuvres uit om Sweyn in verwarring te brengen. Als ik 's nachts mijn ogen dichtdeed, zag ik de kaart van het grensgebied uitgespreid voor me, als een groot raperbord waarop de legerdetachementen voortdurend werden verschoven naar andere vierkanten. We probeerden hem te misleiden en hij probeerde hetzelfde. Het duurde zelfs bijna tot aan de volgende oogst voordat we elkaar zoveel zand in de ogen hadden gestrooid dat we wel slag moesten leveren.

Het koren stond hoog op de stengel en begon al door te buigen toen wij Tevin binnenvielen. Ik had bevel om vooruit te gaan naar een Jarns dorp waarvan we de ligging kenden teneinde daar onze aanwezigheid kenbaar te maken. Hoe ik dat wilde doen, mocht ik zelf bepalen. Ik had natuurlijk het koren en de huizen in brand kunnen steken, om vervolgens de vluchtende boeren in de pan te hakken. Er deden zich ogenblikken voor waarop de gedachte om alles tussen ons en de zee in de as te leggen of te doden me wel aansprak. Maar niet in deze situatie. Ik wilde niet dat we ons als nietsontziende kustplunderaars zouden gedragen en we waren niet uit op wraak, ongeacht wat de mensen zeiden. Het waren niet deze boeren die ons schade en leed berokkenden, maar door hen te bedreigen konden we Sweyn hopelijk verleiden tot de strijd.

Tijdens de rit naar het kleine dorp brandde de zon ongenadig op mijn hoofd. Ik herinnerde me het verhaal van Elhanen de Veroveraar, die zijn krijgsgevangenen altijd eervol behandelde, ook al waren zij clangenoten van de vijand. De Vincanen hadden zoveel bewondering voor hem gekregen dat hij voor Sinea een vrede had bewerkstelligd die twee generaties duurde. Nee, valstrikken en leugens spraken mij niet aan. Ik beduidde Elidir dat hij de decurio's bij mij moest verzamelen toen we het dorpje in het zicht kregen, knus in een bocht van de rivier.

'We gaan belasting innen,' zei ik. 'Iemand commentaar?'

Het bleef stil. Masarn verbrak de stilte. 'Is dit niet de plek waar Ap Gavan die koe heeft gemolken?'

Ik moest lachen. 'Je hebt helemaal gelijk. Ik hoop echter dat er deze keer wat meer mensen thuis zijn dan op die dag. Val hen niet aan tenzij we zelf worden aangevallen. Er wordt niet geplunderd; we gaan het met overreding proberen. Wie spreekt goed Jarns?'

'Ik heb er een mondje van opgestoken,' zei Gwigon Roodzwaard. De anderen mompelden instemmend.

'Vergeet niet dat ik Haraldsdottar in mijn penoen heb,' zei Masarn.

'Mooi. Zodra de verspieders terug zijn, rijden we dat dorp daar in en proberen met ze te praten,' zei ik. 'Jouw penoen komt met de mijne mee. Denk erom, niemand begint te vechten zolang het signaal uitblijft. Gwigon en Gormant, jullie maken met je penoenen een omtrekkende beweging rond het dorp, voor het geval dát. Rigol en Ap Erbin blijven hier in reserve, maar zorg dat je scherp blijft.'

Masarn had gelijk. Het was beslist het dorp waar Garah de koe gemolken had. Ik herkende de manier waarop de lange, rechte akkers achter de hutten afdaalden naar de rivier, en ook herkende ik de wegversmalling voor het dorp.

Sommige Jarns vluchtten zodra ze ons zagen naderen. Anderen hielden zich schuil in hun hutten. In het dorp kwam een oude man naar buiten. Hij maakte een buiging voor mij. De man zag er arm en doodsbang uit, zoals de meeste Jarnse boeren. Hij begon rad praten, met een zwaar accent, zodat hij moeilijk te volgen was. Voor zover ik er wijs uit kon worden, zei hij dat deze mensen arm en eerlijk waren en smeekte hij me hen te sparen. Intussen waren Masarn en Alswith Haraldsdottar afgestegen om de deuren van de hutten te openen. De rest van de beide penoenen die ik had meegenomen bleef waakzaam in het zadel, waardoor het erg vol was in het kleine dorp.

Een loensende oude vrouw kwam uit de hut die Masarn zojuist had geopend. Ze liep naar de oude man en porde hem in zijn zij. Hij schrok op, draaide zich om, zag wie het was en ontspande zich. Kennelijk was ze zijn vrouw. 'Uw man zeggen u zilver betalen?' zei ze tegen mij. Ik kende de woorden voor man en betalen en ze had het Tanagaanse woord voor zilver gebruikt.

'Wij zijn dienaren van de Grote Koning Urdo,' antwoordde ik. 'Wij willen niemand een haar krenken. We hebben voorraden nodig. Wortels, knollen, vlees en graan. Wat u maar kunt missen. We betalen er zilver voor.' Ik wist drommels goed dat zilver nagenoeg nutteloos voor hen was, zo ver van de markten van de koning. Ze konden de munten gebruiken om er sieraden van te maken, maar ze konden ze niet eten of er iets voor kopen. Desondanks keek de oude man verheugd op. De oude vrouw staarde me achterdochtig aan.

'Waarom jij kopen?' vroeg ze.

'Omdat de paarden voer nodig hebben,' antwoordde ik eerlijk genoeg, hoewel we ons ook zonder hen konden redden – we waren twee dagen eerder met proviand voor vijf dagen uit Caer Rangor vertrokken. Bovendien hadden we een opslagplaats niet ver van hier, in Foreth, een gebied dat door de Jarns werd gemeden omdat zij dachten dat het er spookte. Wij wilden dat Sweyn aan de weet kwam waar wij zaten. Ook wilden we dat hij dacht dat we met minder troepen waren dan het geval was, in de hoop dat hij zich dichterbij zou laten lokken. We wisten dat Ayl naar het noorden was gekomen om hem te helpen.

'Waarom jij niet nemen?' wilde ze weten. De oude man wilde zijn hand op haar mond leggen, maar ze weerde hem nijdig af en staarde me aan. Haar bleke, loensende blik gaf me een onbehaaglijk gevoel.

'Wij houden ons aan de wet,' zei ik. Ik durfde niet op mijn kennis van hun taal te vertrouwen en wenkte Masarn, die meteen met Alswith naar me toekwam. Ze droeg haar wapenrusting, zoals wij allemaal, maar had de helm afgezet, zodat haar vlammende rode haar los over haar schouders golfde. Die haarkleur en dat bleke gezicht van haar maakten het hun onmiddellijk duidelijk dat zij een Jarnsvrouw was. Ze namen haar argwanend op. De oude man deed een halve pas naar achteren, met hangende schouders. 'Leg ze uit dat we dit dorp graag in goede staat terug willen zien, de volgende keer dat we hier komen. En vergeet niet erbij te zeggen dat iedereen die in Tir Tanagiri woont onder de bescherming van Urdo staat. Vertel hun ook van de marktrechten, zodat ze zelf markten kunnen openen. Zeg hun dat we betalen voor wat we nemen, maar dat we meer nemen dan ons zilver waard is, bij wijze van belasting.'

Masarn stond naast Bodes hoofd, roerloos als een standbeeld, terwijl Alswith mijn woorden vertaalde. De anderen hadden hun wapens klaar.

'En als Sweyn hiervan hoort en ons allemaal vermoordt?' vroeg de oude vrouw.

Alswith haalde haar schouders op.

'Waarom ben jij bij hén, vrouw van ons volk?' vroeg de oude man. 'Waarom rijd jij blootshoofds in een oorlog, als een bruinhuid?'

Alswith streek haar dikke haar met beide handen naar achteren en haalde diep adem. 'Mijn vader was Harald Cellasson, die door de usurpator Sweyn is vermoord. Hij en zijn zoon stierven, zodat wij ongewroken achterbleven.'

De twee oudjes legden hun hand op hun hart en maakten een diepe buiging voor haar. Dit was iets dat ze konden begrijpen, zelfs als ze geen leden van Cella's clan zouden zijn geweest, hoewel ik denk dat ze dat waren. Dit was ook de reden die haar oom Alfwin ertoe had gebracht zich bij ons aan te sluiten en als wapendrager de eed van trouw te zweren.

De oude man boog zich naar voren en zei, heel duidelijk verstaanbaar: 'Ohtar Bearsson is de rivier overgestoken, niet ver van Caer Avroc.'

Alswith draaide zich met een ruk naar mij om.

'Ik heb het begrepen,' zei ik. 'Wanneer was dat?'

'Drie nachten geleden,' antwoordde de oude vrouw.

'Drie dagen terug,' vertaalde Alswith. Volgens ons laatste nieuws had Angas Ohtar flink bezig gehouden in Demedia. Onze plannen waren erop gericht Ohtar weg te houden van Sweyn tot het laatste moment, dat nog drie tot vier manoeuvres zou uitblijven. Bovendien hielden we Ohtar weg van Alfwin. Hij had ons verzekerd dat hij tegen de troepen van zijn schoonvader zou vechten, maar we wilden daar niet al te veel op vertrouwen.

'Hoeveel manschappen had hij bij zich?' vroeg ik.

'Vijftig schepen?' zei de man, kennelijk twijfelend. 'Ze in de nacht voorbij glippen; jongen de walrus gezien.' De witte walrus was het embleem op de vlag van Bereïch, een beest dat er merkwaardig vrolijk uitzag.

'Vijftig?' herhaalde Elidir, die vlak achter mij wachtte. Er klonk ongeloof in haar stem door. Vijftig schepen leek me wel erg veel. Ik vroeg me af of hij soms vijf bedoelde.

'Weet u zeker dat het er vijftig waren?' vroeg ik langzaam.

'Veertig, vijftig of zestig misschien?' Het klonk oprecht. Alswith keek me aan en perste haar lippen opeen. Dan moesten er meer dan tweeduizend strijders zijn, als de schepen vol beladen waren. Waar was hij mee bezig? Dit moest in Bereïch zo ongeveer alles zijn dat kon drijven.

'We moeten terug met dit nieuws,' zei ik. 'Elidir, Grugin, zeg iedereen zich gereed te maken.'

'Hoeveel voedsel kunt u missen?' vroeg Masarn, nog voor Grugin de trompet aan zijn mond had kunnen zetten.

'Jij denkt ook altijd aan je maag,' zei ik, terwijl Grugin luid de signalen voor het herstel van de formatie blies. Ik deed mijn best niet te veel van mijn verbazing te laten blijken. Vijftig schepen! Tegen zo'n overmacht hadden we geen schijn van kans. De oude man keek even verbaasd als ik zelf was; hij begon adem te halen om iets te zeggen.

'Dank u,' zei ik, met een buiginkje naar de oude vrouw. 'Masarn, ga met Haraldsdottar met haar mee om in Urdo's naam het voedsel te vergaren; neem zoveel als we nodig hebben.' Zij gingen weg, en ik gaf de oude man vijf zilveren munten. Dit was heel royaal, als we inderdaad belasting kwamen innen, maar in feite niet meer dan redelijk. Zij hadden ons zeer belangrijke informatie gegeven. Zodra we alles hadden opgeladen, reden we zo snel we konden terug naar de anderen.

Toen ik terug was met dit nieuws, belegde Urdo ogenblikkelijk een bijeenkomst van alle prefecten. In zijn tent namen we in een kring plaats op de grond. Het was snikheet, zo heet dat ik drie schapen over zou hebben gehad voor een uur in de thermen.

'Ik geloof er geen woord van,' zei Glyn. '*Vijftig* schepen? Kennelijk wil Sweyn ons dat laten denken.'

'Vijftig schepen? Dat zou neerkomen op tweeëneenhalfduizend man,' zei Raul peinzend. 'Of zelfs vijfduizend, als hij een keer extra heeft gevaren. Dat zou nagenoeg zijn hele strijdmacht zijn.'

Ik had niet aan de mogelijkheid gedacht dat ze heen en weer konden zijn gevaren. 'De boeren daar wilden ons het eigenlijk niet zeggen. Ze kwamen er pas mee toen Haraldsdottar hun had verteld wie zij was,' herhaalde ik.

Urdo keek nadenkend.

'Toch kan het een krijgslist zijn,' hield Glyn vol. 'Sweyn heeft vast en zeker een reden om ons naar het noorden te lokken.'

'Het leek me niet dat ze zo goed konden toneelspelen,' zei ik.

'Jarns zijn over het algemeen slechte leugenaars,' viel Raul me bij.

'Is het mogelijk dat hij daar is?' vroeg Marchel.

'Het zóu kunnen,' erkende Glyn. 'Op het nippertje. Als Ohtar, vlak na het laatste nieuws van Angas, al zijn mensen heeft laten inschepen om regelrecht hierheen te komen, kán hij daar drie dagen geleden aangekomen zijn. Alleen, waarom zou hij?'

'Om ons te overrompelen?' opperde ik.

'Of om een poging Caer Avroc in te nemen terwijl we daar geen flauw vermoeden van hebben?' bracht Luth Borstschild in het midden.

Er kwam een afschuwelijke gedachte bij me op. 'Deze boeren hebben niet gezegd dat ze soldaten aan boord hebben gezien. Misschien is Ohtar er leeg heen gevaren om Sweyns troepen in te schepen om ze terug te brengen teneinde Angas te overvallen.'

'In dat geval zouden we het hele noorden kunnen verliezen,' zei Ap Meneth grimmig. 'Als hij hier is en die schepen bij zich heeft, moeten we voorkomen dat hij ze kan gebruiken om weer weg te komen.'

'Precies,' zei Urdo. 'Met zoveel schepen onder handbereik kan hij zich bijna even snel verplaatsen als wij, zolang er bevaarbaar water is. Als we die schepen kunnen buitmaken of vernietigen, slaan we een geweldige slag – ongeacht wat hij van plan mag zijn. Het moet heel moeilijk zijn om zoveel troepen bijeen te brengen.'

'Misschien kan het Sweyn geen bal schelen of Ohtar zijn schepen verliest of niet,' merkte Cadraith ap Mardol peinzend op. Hij zag er vermoeid uit. Hij was helemaal uit het zuiden gekomen en was die ochtend gearriveerd. 'Best mogelijk dat hij ons ertoe wil verleiden ze te vernietigen. En als ons dat lukt, is dat voor hem geen al te groot verlies.'

'Het zou ook kunnen dat hij ze allemaal bijeen heeft voordat wij ons erop hebben kunnen voorbereiden,' zei Luth.

'Moet hij vooral doen,' zei Urdo. 'We zijn al zover.' Hij draaide zich om en greep naar een kaart. In zijn tent waren al zijn kaarten en schrijftabletten opgeborgen in een houten kist met een schuin aflopend deksel. De kaart van Tevin was al zo vaak gebruikt dat het linnen in de vouwen doorgesleten was geraakt. Ik was ervan overtuigd dat hij de kaart uit het hoofd kende, net zoals ikzelf hem uit het hoofd had kunnen natekenen. 'Marchel ap Meneth, jij kent dit land het beste. Trek met je alae naar het noorden, richting Caer Avroc. Raul, zou je met haar mee willen gaan? Rij via de dorpen.' Zijn wijsvinger raakte ze een voor een aan terwijl Raul instemmend knikte. 'Doe de boeren geen kwaad, maar zorg dat je wordt gezien. De rest van ons zal je volgen, maar op een afstand van ongeveer een uur en ver genoeg van de dorpen. We zullen ieder uur bodes uitwisselen, of zo vaak dat nodig mocht zijn. Gebruik de wachtwoorden. Als Ohtar daar alleen is, sluiten we ons bij jullie aan en gaan met hem in de slag. Zelfs als hij vijftig volbeladen schepen heeft, zijn wij qua gevechtskracht ver in de meerderheid, al zijn we dat dan misschien niet numeriek. Als hij daar is met Sweyn en Ayl, benaderen we hen geruisloos. Val de schepen aan, als dat even mogelijk is. Stuur aan op schermutselingen en vorm dan een linie – twee alae lijkt me voldoende voor dat doel. Kies het slagveld zorgvuldig. Zorg dat je niet klem komt te zitten tussen twee strijdmachten. Zodra zij klaar staan om aan te vallen, bestormen wij hun flanken. Bind je bodes op het hart zo voorzichtig mogelijk te zijn.'

Marchel rolde met haar ogen. 'Je wil dat we ze ergens heen lokken waar ze wel een flank móeten hebben?'

Urdo nam een slok uit zijn waterzak. 'Zelf het gevechtsterrein kiezen is een bekwaamheid waarin we ons allemaal grondig hebben geoefend.'

'U denkt dus dat hij daar is?' vroeg Galba.

Urdo begon te grinniken. 'Ik wil niet beweren dat ik iedereen die graan afstaat zomaar geloof, maar het is er wel bevorderlijk voor. Trouwens, het doet er weinig toe. Ofwel hij is daar, óf Sweyn probeert ons ertoe te verleiden ons op te splitsen. Als we willen dat hij dat gaat geloven, is het noodzakelijk dat het eruitziet alsóf we dat doen. Hij zal proberen ons in het nauw te drijven. Daarom sturen we verspieders uit tot ver van de hoofdmacht en in alle richtingen; we willen niet dat Sweyn ons kan overrompelen. Als we hem te pakken kunnen krijgen, hebben we hooguit een uur nodig om ons weer aaneen te sluiten.'

'Het is mogelijk dat Sweyn ons naar het noorden probeert te lokken zodat hij een nieuwe poging kan ondernemen tegen Caer Rangor,' opperde Luth. Ik slikte moeizaam. Luth dacht altijd uitsluitend in termen van forten en grondgebieden.

'Het maakt geen verschil op welke verkeerde plaats we ons bevinden als hij dat probeert,' zei Urdo. 'Ik heb echter zo'n vermoeden dat dit nieuws over Ohtar waar is en geloof niet dat Sweyn wil dat wij dat weten. Steek die schepen in brand. Als de kans zich echter ook maar even voordoet, probeer dan Ohtar zelf levend in handen te krijgen.'

'Waarom?' vroeg Cadraith.

'Alleen een koning kan namens een koninkrijk capituleren,' zei Urdo. 'En zonder Ohtar wordt Bereïch een levensgroot probleem. Borthas heeft zijn zoon vermoord, zoals je weet, en zijn kleinzoon is grootgebracht in Caer Avroc. Als die de kroon opeist, komt dat overeen met de overdracht van het rijk aan Tinala. Zijn dochter is gehuwd met Alfwin en hun zoons zijn nog niet oud genoeg om te kunnen regeren. Alfwin is te goed met ons bevriend om twee Jarnse rijken tegelijk te kunnen regeren zonder dat de Jarnse heerschappen in opstand komen. Ohtar is echter een man van eer, en hij heeft geen erfgenamen buiten die twee kleinzoons, die als volwassenen straks met ons bevriend zullen zijn.'

Fronsend vroeg Luth: 'Weet je zeker dat we ons geen zorgen zullen hoeven te maken over hun politieke positie als we hebben gewonnen? Zeker, Alfwin en Guthrum zijn onze bondgenoten, maar kunnen we de anderen zonder meer terugsturen naar waar ze thuishoren, zodat ze het land weer in bezit kunnen nemen?'

Urdo trok een wenkbrauw op en Raul kreunde hoorbaar. 'Heb je wel enig idee hoeveel inwoners Bereïch heeft?' vroeg Urdo. 'We hebben nu al te weinig boeren om alle grond waarover we beschikken te bewerken. Wilde je soms iedere Jarnse boer eigenhandig de zee in drijven? We zouden alle heerschappen daar kunnen doden, de akkers in brand zetten en de boeren dwingen ons trouw te zweren of te verhongeren. Misschien moeten we dat, maar ik hoop het vurig te kunnen vermijden. En als we Ohtar of Ayl doden, zullen we misschien merken dat er daar een nieuwe koning komt met wie we kunnen onderhandelen. Wie echter hoopt dat ze vanzelf wel weg zullen gaan is niet goed snik.'

Luth staarde naar zijn voeten. Hij was een toonbeeld van dapperheid en zijn troepen zouden hem volgen tot in de muil van de draak, zoals het gezegde luidt, maar hij wilde altijd duidelijkheid over alles.

'Velen van hen zijn broeders in het geloof,' vulde Raul zacht aan terwijl hij Luth aankeek. 'Zelfs in Bereïch, waar Ohtar iedere priester die hij kan vinden terechtstelt, hebben veel van zijn burgers de halssteen aangenomen.'

'Jullie hebben allebei gelijk,' verzuchtte Luth. 'Ik had er niet genoeg over nagedacht.'

Urdo glimlachte. 'Zelf heb ik er jaren over nagedacht, steeds als er tijd was om te denken.'

'Als Ohtar echter sneuvelt,' zei Glyn, 'zou Alfwin dan niet namens zijn zoons Bereïch kunnen regeren, terwijl hij Tevin toevertrouwt aan een regent?'

Raul knikte goedkeurend, en Urdo zei: 'Desnoods. Ik hou de dingen echter het liefst zo eenvoudig mogelijk. Als hij in de slag mocht sneuvelen, verandert dat het hele beeld, maar ik kan mijn wapendragers niet bevelen zich met hun speren op hem te concentreren.'

We betuigden onze instemming. 'Welnu, zullen we dan maar?' zei Urdo. We stonden allemaal op.

Na twee uur kwamen de eerste verspieders ons melden dat zij Jarns onder de bomen hadden gezien. Marchel rapporteerde hetzelfde. In de dorpen was de situatie normaal, zonder een spoor van een leger, maar er waren veel mensen op de been. Algauw leek het alsof het er in de bossen en kloven van wemelde, overal waar we niet te paard konden komen. Af en toe suisde er zelfs een pijl langs ons heen. Ze waren echter nooit groot genoeg in aantal om een aanval voor ons lonend te maken. Trouwens, we hadden onze bekomst van vechten in bossen.

Waar de rivier zich verbreedde, hielden we kort halt om de paarden te drenken. 'Of het Ohtar is weet ik niet, maar er ís iemand hier,' zei Galba droefgeestig.

'Zolang ze zo van hot naar her gaan is het buitengewoon moeilijk om je een beeld te vormen van hun numerieke sterkte,' merkte Cadraith op. 'Het lijken er meer te zijn dan ik zou hebben verwacht als het alleen Ohtars strijders zijn. Bovendien zijn ze gekleed als de mensen in Tevin, niet als noorderlingen. Toen ik nog bij Angas was, droegen de Bereïchers fellere kleuren, meen ik me te herinneren.' Van felle kleuren was bij deze troepen niets te zien.

'We kunnen ons snel terugtrekken,' zei ik.

'Willen we dat dan?' vroeg Gwair Aderyn. 'We willen ze toch bij elkaar brengen?'

'En waarheen zouden we ons terug kunnen trekken?' zei Urdo peinzend. 'Als we hard rijden, kunnen we Caer Avroc of Caer Rangor bereiken, dat wil zeggen, vannacht, maar niet voor zonsondergang. Als een van deze sterkten echter wordt belegerd, zullen we er misschien niet snel genoeg in kunnen.'

'En dan zijn we buitengewoon kwetsbaar,' zei Cadraith droogjes.

'We zullen vannacht ergens moeten rusten waar we de paarden kunnen beschermen,' zei Urdo resoluut.

'We hebben die opslagplaats in Foreth,' zei Luth. 'Ik heb er voorraden heengebracht. Het fort is niet bewaakt – de streekbewoners mijden het omdat ze denken dat het er spookt. We hebben al eerder dankbaar gebruik van gemaakt. Het ligt op een heuveltop en er zijn rond het fort niet genoeg mogelijkheden voor hen om dekking te zoeken om ons te besluipen en de pezen van de paarden door te snijden.'

'Er is daar geen water,' zei Gwair.

'Aan de voet van de heuvel stroomt de rivier,' zei Luth. 'Als we de paarden drenken voordat we ons in het fort verschansen, is er niets aan de hand. En als ze ons willen afsnijden van de rivier, stormen we er de volgende ochtend dwars doorheen.'

In die brandende middagzon leek het zo'n verstandig idee. Zelfs toen we die avond Foreth bereikten, terwijl er van de rivier dichte nevels opstegen, leek het nog verstandig. De brede heuveltop bood ons meer dan genoeg ruimte voor al onze mensen en paarden. En aan de westzijde was de heuvel buitengewoon steil, bijna te steil om er tegenop te lopen. De andere hellingen waren minder steil en dus berijdbaar. We reden naar de top. Er was daar tussen de ruïnes van het oude fort genoeg voedsel opgeslagen, in nieuwe houten voorraadschuren. Hier konden we uitrusten en van hieruit uitvallen naar het noorden of het zuiden doen, als de verspieders op een concentratie Jarns stuitten die groot genoeg was. We sloegen ons kamp op in de resten van het oude fort, dicht bij de bergplaatsen van de voorraden en op ruime afstand van de tafelsteen op de heuveltop zelf.

De verspieders bleven ons melden dat het in de bossen en kloven en op de waterwegen wemelde van de Jarns. Urdo stuurde Marchel erop uit met twee penoenen, plus de gebruikelijke verspieders. We móesten weten waar hun hoofdmacht zich bevond. Er kwamen rapporten dat er meer groepen Jarns onze kant uit kwamen, maar in de loop van de nacht kwamen de verspieders plotseling niet meer terug. Ze konden de binnenste periferie van schildwachten rondom de heuveltop niet meer bereiken.

Toen Elidir me tegen het ochtendgloren kwam wekken om te zeggen dat Urdo me wilde spreken, bleken ze ons aan alle kanten in te sluiten, met op de plaatsen waar we uitvallen konden doen dichte troepenconcentraties – voor het merendeel aan de voet van de zuidelijke hellingen. De hoofdmacht bevond zich op enige afstand langs de bosrand, en dichter bij de voet van de heuvel waren piketpalen in de grond gedreven, in een lange, lange rij.

'Nu kunnen we aanvallen,' zei Luth met een breed gebaar, juist toen ik naderde. Hij droeg zijn beroemde blauwe borstschild en zag er schitterend uit. 'Nu meteen. Zodra we opgestegen zijn.'

'Het wemelt van de Jarns onder de bomen,' zei Galba, die naar het bos tuurde. 'Hoeveel zullen het er zijn, daarginds bij Sweyn – vijfduizend man?

En dat zijn ze vast niet allemaal. Waarschijnlijk houden er zich nog eens vijfduizend schuil in de bossen. Dat kan haast niet anders, als Sweyn niet van plan is zich door ons onder de voet te laten lopen.'

'Er klopt nog iets anders niet.' Het was alsof Urdo naar iets had staan luisteren. 'Is er nog iemand die helling af geweest?'

We schudden nee. Het dichtstbijzijnde deel van de helling was begroeid met heide en varens, verre van ideaal om doorheen te breken. Daaronder strekte zich een begraasd deel uit dat geleidelijk afdaalde naar de Jarns.

'Sweyn kan onmogelijk zo stom zijn daar af te wachten en ons te provoceren. Volgens mij deugt er iets niet aan die helling.'

'Als ze daar een hindernis hebben aangelegd, moet dat gebeurd zijn voordat we hier aankwamen,' zei Luth met omfloerste stem.

'Daar kun jij niets aan doen,' zei Urdo en gaf hem een schouderklopje. 'Het ziet er waarschijnlijk erger uit dan het is. We kunnen de boel daar onderzoeken op valkuilen en loopgraven. Die gooien we vol als zij een andere kant op kijken. Dan kunnen wij hén verrassen.'

'Wanneer?' vroeg ik. 'Vannacht nog? En dan morgenochtend aanvallen?'

'Vannacht nog, ja,' zei Urdo. 'Hoeveel water is er?'

Glyn slaakte een zucht. 'Ik heb alle emmers laten vullen, maar dat is niet echt voldoende; in geen geval als het vandaag net zo heet wordt als gisteren.'

'Het zou misschien kunnen gaan regenen,' zei Luth. De mist trok zichtbaar op terwijl hij het zei. 'Het regent altijd in Tevin,' liet hij erop volgen, maar zonder veel overtuiging.

'Als hij weet dat we geen water hebben, zal hij wachten op Ohtar, áls Ohtar werkelijk hier ergens is,' zei Galba.

'Of tot we zo zijn verzwakt dat we hem niet veel schade meer kunnen berokkenen,' beaamde Urdo. 'Suliens idee over aanvallen tegen het ochtendgloren is prima. Als we het klaarspelen, tenminste.'

'Ze beschikken over wat boogschutters,' zei Ap Meneth. Hij wees naar de rij staken. 'Moet je zien hoeveel kerels daar in het midden zijn uitgerust met pijl en boog. Veel hebben ze er meestal niet, maar daar staan er genoeg om ons lelijk te schaden als we daar aanvallen.'

'Laten we de zaak aan alle kanten onderzoeken, zodat we precies weten waar ze zitten. Stuur wat mensen stilletjes naar beneden om te controleren of we gelijk hebben, wat die valkuilen of geulen betreft.'

'Moeten we niet proberen te onderhandelen?' vroeg Cadraith.

'Wil je dat ik Raul omlaag stuur om te horen wat ze te zeggen hebben? Ik vraag me overigens af wat Marchel in haar schild voert.' Dat vroeg ik me ook af. Ze verkeerde in een uiterst ongunstige positie, zo afgesneden van ons, nauwelijks toegerust met voldoende voorraden en geen hulp in de buurt.

Urdo ging Raul wekken. Ik stuurde Elidir eropuit om mijn decurio's te verzamelen. Ik praatte een tijdje met hen, maar was op tijd terug bij de rand om te zien hoe Raul een paar twijgen afsneed van een van de lijsterbessen die tussen twee rotsen boven aan de helling groeiden, waarna hij op zijn gemak afdaalde naar de Jarns.

Het werd een lange, lange dag. Mijn wapendragers waren rusteloos en slecht op hun gemak. Ze wilden vechten óf wegwezen. Ze waren het niet gewend klem te zitten. Niemand van ons, trouwens. Ik kon er maar niet opkomen waar deze afschuwelijke wachtperiode mij aan deed denken. Het was niet Caer Lind, toen ik te moe en lamlendig was geweest om er iets van te merken. Raul ging verscheidene keren de helling af en op. Terwijl ik hem over het slingerende pad zag lopen, waarbij de halssteen aan zijn nek heen en weer zwaaide, herinnerde ik me dat ik ditzelfde gevoel had gekend in Thansethan, wachtend op de geboorte van Darien. Ik wenste dat Garah er was; haar had ik deelgenoot kunnen maken van mijn gevoel dat deze dag zwanger was van strijd. Ik kende niemand anders die daar niet om zou hebben gelachen. We gaven het water dat we hadden aan de paarden. Zelf kregen we het steeds heter en werden steeds dorstiger.

Tegen het eind van de middag viel Marchel hen van achteren aan. Ze moest iedere verspieder tussen Foreth en Caer Lind hebben verzameld en had zelfs een vlag. Het leek wel alsof ze over een complete ala beschikte. Ze richtte haar stormaanval regelrecht op Sweyn, met het oogmerk hem te doden en zijn gezworenen te dwingen de gelederen te verbreken om haar te gaan achtervolgen, om hun eer te wreken. Als het was gelukt, zou het een goed plan zijn geweest. Helaas hielden ze stand en kon ze zelfs niet in zijn buurt komen. Het was voorbij voordat wij konden opstijgen om haar te hulp te snellen; ze zwenkte af naar het westen, even snel als ze was gekomen.

'Mooi zo,' zei Urdo, op de plek waar we het hadden gevolgd. 'Kijk, ze heeft hem van zijn stuk gebracht.' Sweyn verplaatste zijn hoofdmacht nu zo dat ze met hun rug naar de rivier stonden, hoewel er nog honderden Jarns onder de bomen waren. 'Nu kan ze hem niet in de flank aanvallen, maar voor ons is dit veel gunstiger. Ze kunnen nergens heen. En ze blijven daar op een kluitje bij elkaar zitten.'

Terwijl de Jarns hun gelederen verplaatsten, wenkte Sweyn een stel van zijn ponyrijders uit de bomen en stuurde hen Marchel achterna.

'Hopelijk halen ze haar in,' zei ik. 'Waarschijnlijk zal ze zich een stuk beter gaan voelen als ze iets heeft dat ze kan elimineren.'

'Ongetwijfeld zal ze iedereen buiten de hoofdmacht doden,' zei Urdo. 'Ik heb echter zo'n idee dat Sweyn hen alleen heeft gestuurd om te waken tegen haar terugkeer – niet om de strijd met haar aan te gaan. Ze hebben daar veel te weinig ponyrijders voor.'

'Ik heb wel eens tegen ze gevochten,' zei Luth op sombere toon. 'Ze zijn vrijwel nutteloos. Onze strijdrossen zouden ze in hun eentje aan kunnen.'

'Zo ging het ook bij Caer Lind,' grinnikte ik. De beteuterde uitdrukking op zijn gezicht bleef. 'Waardeloos. Veel te klein om het ons lastig te maken. Hoewel ik moet zeggen dat ze wat beter hebben leren rijden, zie ik.'

'Sweyn of wie dan ook probeert de tactieken waarmee wij succes hebben na te volgen,' zei Urdo, die zijn hoofd draaide om hen te volgen.

Kort voor zonsondergang riep Urdo de prefecten weer bij zich in zijn tent. 'Sweyn is niet de enige die een spelletje kan spelen met de mist,' zei hij. 'Als het donker is en de mist vannacht opkomt, sturen we de stalknechten en kwartiermeesters omlaag om alle sleuven en valkuilen in de zuidhelling dicht te gooien. Ze kunnen er ook de houten daken van de voorraadschuren voor gebruiken. Gwair, een van jouw penoenen kan ze dekking geven. Snij takken af van de hazelaars en doornstruiken, laat ze gedeeltelijk schillen zodat we ze kunnen zien, en druk ze in de grond langs routes die voor ons veilig zijn. Zodra we bij het krieken van de dag genoeg licht hebben, vallen we aan.'

Het zou buitengewoon gevaarlijk werk zijn om in stilte te verrichten. Er moesten de nodige schildwachten worden gedood voordat het mogelijk was kuilen te vullen en veilige routes uit te zetten. Gwair knikte. Urdo vroeg niet om suggesties en hij maakte niet de indruk dat hij er behoefte aan had. Het mocht echter niet ongezegd blijven. Mijn mond was zo droog dat ik even piepte voordat ik iets kon zeggen.

'En het water dan? Zou het niet beter zijn nu aan te vallen, nu we er nog de kracht voor hebben?'

'Dit is ooit een heilige plaats geweest,' zei Urdo. 'Ze gaven de Moeder hier namen waarin het woord water voorkwam. Ik zal een poging doen haar hier aan te roepen. Het land bewaart de herinnering nog.' Galba hapte hoorbaar naar adem. 'Wek geen valse hoop onder de wapendragers, dat zou overijld zijn, maar zeg hun dat ze zich gereed moeten houden om de paarden te drenken zodra dat mogelijk is.'

'Water? Op een heuveltop?' zei Gwair Aderyn. Het klonk echter niet sceptisch, eerder verheugd. De prefecten wisselden tevreden blikken uit, blij met het feit dat wij een truc kenden waarvan Sweyn geen flauw idee had.

Ik fronste mijn voorhoofd. 'Ik zal doen wat ik kan. Luth, posteer de schildwachten. Zorg dat ze de hoofdmacht van de Jarns zo goed mogelijk in het oog blijven houden. Als die erachter mochten komen waarmee wij bezig zijn, moeten we dat onmiddellijk weten. Gwair, organiseer jij het plempen van eventuele sleuven.'

Op dat moment kwam een schildwacht binnenvallen – een lid van Galba's ala.

'Wat is er aan de hand?' vroeg Urdo.

'Er zijn nog meer Jarns in aantocht.'

'De heuvel op?' Urdo was opgesprongen.

'Nee, heer. Over de rivier, in schepen. Massa's. Ze voeren de walrusvlag.' De schildwacht was nog piepjong; hij beefde zichtbaar.

'O, dat is alleen maar Ohtar die in aantocht is. Dank je.' Het leek wel alsof Urdo met het nieuws in zijn nopjes was. Ik zag in gedachten het raperbord voor me. Onze koning stond schaak in Foreth, omgeven door cordons van Sweyns strijders.

'Ohtar?' herhaalde Galba toen de schildwacht weg was.

'We wisten dat hij die schepen had,' zei Urdo. 'Het maakt geen enkel verschil. Eigenlijk is het zelfs gunstiger voor ons. Ohtar is een doortastend man, die een hekel heeft aan wachten. Ik denk echter dat ze morgen stand willen houden. Dus ga nu en doe wat ik heb gezegd. Iedereen moet zoveel mogelijk rust nemen. Verdeel het graan onder de paarden, vannacht, met het laatste water. Sulien, jij blijft hier.'

Ik keek hem aan. Hij leek opgewekt en vol zelfvertrouwen. Ik herinnerde mij hoe ik me had gevoeld in Caer Lind, toen ik er zeker van was geweest dat we gingen sterven. Ik vroeg me af of hij datzelfde gevoel nu zou hebben. Zelf voelde ik me alleen maar moe, vuil en dorstig. Hij keek me echter grijnzend aan en die aanblik beurde me op.

'Kop op,' zei hij. 'En nu water. Het maakt niet uit wat het ons in de komende tijd gaat kosten, maar wat weet jij over de ouden, hun goden en water?'

'Alleen wat Dalitius erover heeft geschreven,' zei ik.

'Wat dan?' Hij boog zich gretig naar me toe.

'Beschuldig nooit een hogere officier ervan dat hij bluft.'

Urdo staarde me enkele ogenblikken aan, voordat hij zijn hoofd in de nek legde en het uitschaterde. Toen hij weer op adem was, stak hij zijn armen naar me uit en omhelsde me. Ik trok mijn wenkbrauwen op. 'Lachen is gezond,' zei hij, afstand nemend. 'Ga je me helpen?'

'Vanzelfsprekend, heer,' antwoordde ik.

22

Het veen is dooraderd met sleuven,
watervallen slijpen zandsteen uit, over
zwarte lei vloeit een stroom, koppig als wijn,
een koel-bijtende genieting voor de tong.
Onder hoge bomen glanzen vennen en
in de uitgeholde rots liggen diepe meren.
Rietkragen rijzen golvend op uit het veen,
natte wortels, groene stengels, bruine koppen.
Otters dartelen in de bruine, koele plas,
ochtenddauw doet spinnenwebben blinken,
frisse regen daalt uit grauwe wolken neer.
De trage rivier overstroomt de uiterwaarden
en voert het zoetwater naar de zilte zee.
Water stroomt, en daalt en slingert – een
heilig goed is water, opspuitend uit de diepten
van de aarde of vallend uit de hoge hemel, een
geschenk voor de dorstigen, Coventina's gave.
Het blad drijft-draait traag op het watervlak.
– Tanagaanse bezwering om water te zuiveren

De zon was ondergegaan en de maan kwam op, waardoor de mist die de dalen vulde veranderde in een zilverkleurig waas. Overal rond de heuvel brandden de kampvuren van de Jarns, die een doffe gloed uitstraalden. Wij hadden geen vuren. In de verte tekenden de contouren van de donkere heuveltoppen van Bregheda zich scherp af tegen de sterrenhemel. Het leek doodstil in ons kampement, alsof iedereen zich stilhield toen we erdoorheen wandelden. Gwair Aderyn neuriede zacht. Ik herkende een van de nieuwe liederen van Ap Erbins broer. We lieten iedereen achter ons op weg naar het hoogste punt van de heuvel, de tafelsteen. Niemand had er in de buurt willen komen. Het gaf de mensen een onrustig gevoel. Ik verlangde naar Garah. Zij had zo'n bijzondere liefde voor de Moeder. Breda, zo noemde zij haar, Coventina. Ik zag voor me hoe het water in Caer Lind was opgespoten toen ik Garahs bezwering had gezongen. Ik herinnerde me hoe Garahs moeder mij een kom melk met honing had gegeven, in Coventina's naam.

Onder het lopen was het alsof ik andere gestalten met ons mee zag komen, oude koningen uit vergeten tijden, priesteressen met krommessen, een kind dat door de varens rende, schildwachten met staalgrijze ogen die muren bewaakten die allang waren ingestort en vergaan. Steeds als ik een poging deed die gedaanten beter te zien, verdwenen ze, om even later weer in de periferie van mijn blikveld terug te keren als ik mijn blik afwendde. Toen we de offersteen bereikten, zag ik daar Osvran staan, een toonbeeld van hoop, in gesprek met een schim van mijzelf, waarvan het gezicht echter gruwelijk was verwrongen.

Urdo zei niets en hield zijn pas geen moment in, zodat ik niet wist of hij het ook had gezien. Hij was de koning. Misschien zag hij hen altijd. Toen we de steen hadden bereikt, bleef hij staan en vervluchtigden de schimmen.

'Dit is de plaats en ik ben hier,' zei hij op normale gesprektoon.

Ik stroopte mijn mouwen op en stak mijn armen uit, de handpalmen naar de aarde. Met luide stem zong ik weer Garahs hymne aan het water, die ik al in mijn hoofd had gehad zodra we het kampement hadden verlaten.

Er deed zich geen plotselinge verandering voor. Het duurde zelfs even voordat ik merkte dat er iets veranderd was. Urdo gaf me een duwtje. De heuveltop was niet langer het hoogste punt van de heuvel; er was nu een andere top ten noorden van de steen, voorbij een inzinking in het terrein. Een rotsachtig pad slingerde zich erheen, tussen steile wanden. Het was alsof de heuvel daar altijd al was geweest, maar dat wij hem niet hadden opgemerkt. Urdo begon erheen te lopen. Ik volgde hem, zo goed mogelijk mijn weg zoekend over de rotsen en het stof. Een deel van de rotsen bestond uit materiaal van de heuvel zelf, de rest was een rulle massa onder mijn voeten. Het pad liep steil omhoog, te steil om het gemakkelijk te kunnen berijden, maar niet zo steil dat je er geen paard overheen kon leiden. De maan bescheen ons en het pad met haar koele licht en gaf aan alle schaduwen scherp gestoken contouren. Aan weerszijden van het pad groeiden hoge varens op de steile hellingen. Ik keek niet om. De helling werd nog steiler, totdat we aan een rand kwamen en uitzicht kregen over een grote, bladvormige plas water, dat zich in een kom tussen de heuvels had verzameld. Welke heuvels? Ik keek op en om ons heen en zag dat de heuvels van Bregheda nu niet meer in de verte waren gelegen, maar direct om ons heen!

Ik rook haar voordat ik haar zag. In de plas was veel donker wier dat zich in alle richtingen kronkelde en een verwarde massa vormde. Ik had de indruk dat een deel ervan wegrotte. De geur was die van overrijpe planten, als in het hart van een diep gemengd woud – vochtige, vruchtbare bosgrond. Zelfs toen ik haar zag, dacht ik heel even dat ze een zeeleeuw was, liggend op een stuk rots. Urdo herkende haar ogenblikkelijk. Hij waadde recht door het water naar haar toe. Ik volgde hem, maar voorzichtiger. Het water was ondiep en reikte nauwelijks tot aan mijn knieën. Toen we dichterbij kwamen, ging ze overeind zitten en zag ik dat het wier haar hoofdhaar was. De hele plas moest deel uitmaken van haar wezen. Misschien zelfs de heuvels ook. Ze lachte en haar stem klonk vrolijk en geamuseerd, maar veroorzaakte rondom de kom in de heuvels echo's als rollende donder.

'Wel, mijn gemaal, gij komt mij bezoeken?' zei ze tegen Urdo. Ze sprak Tanagaans. Haar ogen waren groot en peilloos zwart, en haar huid was zwarter dan ik ooit bij een mens had gezien. Haar borsten zagen eruit als de borsten van een vrouw die meerdere kinderen heeft gezoogd. Ze was opmerkelijk mooi, maar ontembaar en wild. Ik vreesde haar.

'Ik ben gekomen,' beaamde Urdo. Zijn stem klonk even verheugd en wild als de hare. 'Ik ben koning van Tir Tanagiri en heb het recht hier te zijn.'

'Ja, geliefde, maar wat brengt u hier? Verlangt ge naar een zoonprins, een opvolger?' Haar stem liet er geen twijfel over bestaan dat zij zich als vrouw aanbood aan een man, in plaats van alleen de zegen van een godin uit te spreken voor de schoot van zijn vrouw. Het wateroppervlak rimpelde licht, in kringen die uitgingen van de rots, en ik zag Urdo lichtelijk wankelen toen ze hem passeerden. Ik voelde hoe mijn wangen verhit raakten en was blij dat het donker was. Waarschijnlijk zag ze het toch, want ze lachte opnieuw.

'Dat is niet waarvoor ik ben gekomen,' antwoordde Urdo, waarmee hij diplomatiek de mogelijkheid van een weigering omzeilde. 'Ik ben op zoek naar water voor mijn paarden.'

'Gij vraagt geen kleinigheid, geliefde,' zei ze.

Urdo neigde het hoofd. 'Ik weet het. En het is voor mij geen kleinigheid hierheen te komen en erom te vragen. Nooit eerder heb ik erom verzocht. Tot nu toe heb ik het allemaal op eigen kracht gedaan.'

'Schoon gij mij huwdet bij de eik – en al die tijd hebt ge niets verlangd! Als gij bent overgegaan, zal ik u dan koesteren, want ik weet dat gij mij liefhebt?' Haar stem klonk nu een beetje klaaglijk, maar wat ze precies verlangde ontging mij.

'Mijn land of mijn volk, of allebei. Ik weet niet of dat verschil maakt. Ik doe wat in mijn vermogen ligt, vrouwe.'

'Gij geeft mij geen blaam voor uw zuster?'

Urdo hijgde van schrik, maar schudde het hoofd. Ik had nooit kunnen bevroeden dat Morwen zoveel godheden om de tuin had geleid. 'Spreek niet van blaam! Haar zoon zal nooit mijn kroon beërven.'

Nee, dat zeker niet. Angas had zijn trouw op dat punt allang bewezen. Ik was de jonge Morthu glad vergeten.

'Haar achterkleinzoon wel, vermoed ik, als de weg duidelijk voor u ligt.'

'Dat is mij te ver vooruit, vrouwe. Ik weet dat u ver vooruit ziet, maar de Jarns zullen zich van de kroon meester maken als ik vannacht mijn paarden niet kan drenken.'

Ze lachte opnieuw en het klonk meer dan ooit als het rommelen van de donder. Haar buik rimpelde en er ging een schok door de plas, zodat het water langs mijn benen golfde. Voor het eerst leek ze mij op te merken. Ze glimlachte droefgeestig.

'Ik was bij u, daar bij de eik,' zei ze tegen mij. 'En het kind was het waard te worden verwekt.'

Ik knikte.

'Ah, gij strenge krijgsvrouw, heb de moed hem lief te hebben!' zei ze, nu duidelijk treurig.

Ik kon geen woorden vinden; ik betwijfelde of mijn liefde nog tijdig genoeg was om voor Darien iets te kunnen betekenen.

Ze wendde haar blik af en richtte zich weer tot Urdo. 'Gij hebt altijd geweten dat ik u liet begaan. De gunst is gering genoeg om haar u te geven; er is zo weinig dat we kunnen veranderen, hoewel we het verlangen en van u houden. Neem mijn water, met mijn zegen. Leid uw paarden omhoog en laat ze naar hartenlust drinken. Nergens zullen ze beter water vinden – ik schenk u gaven die uw kennis te boven gaan en Riganna zelf zal mij zegenen.'

Nu lachte Urdo breed. 'Ik dank u, vrouwe, uit de grond van mijn hart.'

'Er is nog iets dat ik u kan schenken; het is reeds lang bij mij in bewaring.' Ze stak haar hand in het water en diepte er een zwaard uit op. Het water dat er afdroop, sprankelde in het maanlicht. Het metaal had zo'n zilveren glans dat het bijna blauw leek. 'Gij hebt reeds de kroon en de steen,' zei ze. 'Draag dit in den strijd aan uwen gordel. Word er een mee; dit wapen heeft het zonlicht gezien. Kom en neem deze gave, laat mij u kussen.' Het water golfde opnieuw.

Toen Urdo zich naar mij omdraaide en sprak, lag er een vreemde klank in zijn stem. 'Sulien, haal de paarden. Laat ze in groepen van dertig tegelijk naar boven leiden. Wijs wat mensen aan om dat te doen. Dan nog zullen we er de hele nacht voor nodig hebben. Ik blijf zolang hier.'

Ik waadde door de plas terug naar de rand en daalde het pad af, intuïtief wetend dat ik niet moest omkijken.

Ik was bang dat als ik ook maar één stap naast het pad zette, het zou verdwijnen, waardoor Urdo ver weg en onbereikbaar zou zijn. Maar toen ik aan het eind van het pad de offersteen bereikte, had ik geen keuze. Het pad bleef echter waar het was. Vlug wekte ik Glyn, Masarn en Rigol. Binnen de kortste keren begon Glyn het omhoog leiden van de paarden te organiseren. De eerste groep leidde ik persoonlijk naar boven. Het was vreemd zo in het donker voor de paarden uit te lopen, te wachten tot ze allemaal hadden gedronken en ze dan omlaag te leiden. Ik zag geen spoor van Urdo of de godin bij het meer. Ik leidde niet iedere groep omhoog, maar ik was er wel met de laatste groep, de paarden van mijn eigen penoen. Zodra ze klaar waren met drinken, dook Urdo op als uit het niets. Hij stond op de oever, het zwaard aan zijn gordel. We zeiden geen van beiden iets. Hij nam Danser bij haar hoofdstel en we begonnen het pad af te dalen.

'Het is bijna ochtend, aan de sterren te zien,' zei ik toen we terug waren bij de offersteen. Het leek ons alsof deze nacht heel lang had geduurd. Later hoorden we van Marchel en de Jarns dat er voor de rest van de wereld drie dagen voorbij waren gegaan. 'Glyn heeft de haver aan de paarden gevoerd. En hij heeft me emmers meegegeven om drinkwater mee te nemen voor de mensen. Hopelijk is daar niets op tegen. Ze zei tenslotte dat we het water konden nemen, mét haar zegen.'

'Zo is het,' zei Urdo, en ik kon zien dat hij glimlachte. 'We zullen allemaal eten en drinken en als straks de ochtend aanbreekt, zijn we gereed.'

Het was allemaal als een droom. Dat had het kunnen zijn, als ik die nacht geslapen had. Nagenoeg alle andere wapendragers waren goed uitgerust. Ze zagen er fris en monter uit. We sloten ons aaneen tot penoenen en alae om het voedsel dat de koks ons bij het krieken van de dag kwamen brengen te verorberen: warme havermoutpap, overgebleven nadat de paarden waren gevoederd, met wat gedroogde vruchten erdoorheen. De pap dampte in de koele ochtendlucht en smaakte heerlijk. Ik had Glimmers zadelriem al op de tast aangehaald, voordat er genoeg licht was om iets te kunnen zien. Urdo liep door de gelederen terwijl we aten en ons gereed maakten. Hij maakte met nagenoeg iedereen een kort praatje om hen moed in te spreken en zich ervan te overtuigen dat zijn instructies goed waren begrepen. Hij moest met zekerheid weten dat iedere prefect en elke penoencommandant zijn rol en zijn juiste positie in de aanval kende. Hij omhelsde hen voordat hij verder liep, en deed dat ook met veel wapendragers. Ik at staande, leunend tegen Glimmers stevige, als zilver glanzende flank. Ik pikte de stukjes gedroogde appel uit de pap en gaf ze aan hem terwijl ik de rest van de pap opat. Ik veegde net zijn gretige speeksel van mijn handen toen Urdo naar me toe kwam, met zijn grote standaard, opgerold op de stok. Het was een erfstuk van zijn Huis, een enorm doek van donker purperrood, zonder embleem. Niemand wist hoe oud de standaard was of wanneer hij uit Vinca was meegebracht. Sommigen zeiden dat het de standaard was geweest van keizer Adren, toen deze vierhonderd jaar eerder Dun Idyn had bestormd. In elk geval had Emrys zich ervan bediend om zijn aanspraken op de keizerstitel kracht bij te zetten. In het licht van de dageraad leek de vlag bijna zwart.

'Wil je naast mij rijden en mijn vlag voeren?' vroeg Urdo.

Ik kon nauwelijks iets zeggen. Ik richtte me op, stamelde een bedankje en nam de standaard van hem over om het gewicht te voelen. De stok was heel stevig, maar de vlag zelf was even licht als de vlaggen van onze alae; hij was alleen veel groter. Het doek was gemaakt van zijde, een stof die bijna een jaar lang door verre, vreemde landen moest zijn vervoerd voordat ze de grenzen van het Vincaanse imperium had bereikt, bij Caer Custenn aan de uiterste tip van Lossia. Ik zette de stok in de leren koker aan mijn stijgbeugel. Dit was de eerste maal dat ik de standaardkoker aan dit zadel had bevestigd, behalve tijdens exercities. Ik gaf een bode mijn schild en lans, om ze naar de pakpaarden te brengen. Als vaandrig kon ik ze toch niet gebruiken.

Urdo wenkte de andere prefecten naderbij. Galba keek afgunstig naar de standaard. 'Galba, jij en Ap Meneth vallen Sweyn en zijn linkervleugel aan. Luth, jij en Cadraith bestormen de linkervleugel onder Ohtar. Gwair en mijn ala nemen het midden voor onze rekening, tegenover Ayl. Het moeilijkste is de doortocht door die hoge varens. Ik heb iedereen verzocht het er trager uit te laten zien dan we kunnen. Ze zullen niet verwachten dat we zo uitgerust en fris zijn als nu. Bovendien hebben we enig voordeel van de mist. Volg alleen de door de staken gemerkte paden. Zodra we erdoorheen zijn, vormen we zo snel mogelijk linies tegenover die van de vijand. Feitelijk is het allemaal precies zoals we al duizend keer hebben gerepeteerd, afgezien van die gemerkte paden. Houd je gereed om aan te vallen zodra je mijn standaard omhoog ziet gaan.'

'Jij hebt de drie penoenen van Marchel bij je, Sulien?' vroeg Galba.

Ik schudde het hoofd. 'Die zijn bij Gwair. Ik heb vijf van mijn penoenen vooraan, en mijn eigen penoen achter de koning, voor het geval we halt moeten houden.' Mijn penoen was niet blij geweest met dit nieuws; ze waren gewend altijd de aanval te leiden.

'We zullen ons best doen om niet te stoppen,' zei Urdo. 'Ze hebben nog nooit eerder tegenover zes eskadrons gestaan en we weten dat twee alae veel meer kunnen dan één.'

'En Marchel?' vroeg Gwair.

'Ze zal ons misschien zien aanvallen. Dan komt ze vanzelf te voorschijn om ons te helpen. Ik reken er echter niet op. Ze heeft achter hun linies niet zo gek veel keus,' antwoordde Urdo.

'Wat doe ik als Ohtar zich verandert in een beer?' vroeg Luth.

'Verhinderen dat je paard op hol slaat,' grijnsde Urdo.

Ik moest lachen om Luths beteuterde gezicht. 'Zolang niet het hele leger van Bereïch in beren verandert, heb je niets te vrezen,' zei ik.

Het werd al lichter. Het was bijna tijd; de ochtendnevels zouden zo zijn opgetrokken. Urdo omhelsde ieder van ons nog eens en stuurde de anderen naar hun posities. De Jarns waren druk in de weer, maar ik kon niet precies bepalen wat ze in hun schild voerden. Hun linies leken tamelijk onsamenhangend, maar op de linkervleugel, Ohtars vleugel, stonden ze dicht opeen. Ik overtuigde me ervan dat al mijn decurio's wisten wat we gingen doen. Naar het gezicht van Ap Erbin te oordelen zou je haast denken dat hij een jongen van veertien was die op Midzomerdag een echt zwaard cadeau had gekregen. Ik veronderstel dat ik hem meer kansen had moeten geven om een troep te leiden.

Ik zwaaide mezelf in het zadel, Urdo op Danser naast mij en Glimmer. In mijn hoofd hoorde ik muziek, een lied in een taal die ik niet eens kende. Het had een krachtig, obsederend ritme en leek me vleugels te geven. Er zijn veel liederen over die stormloop bij Foreth geschreven, maar dit lied hoorde er niet bij. Zelf geloof ik dat de godin het mij had gezonden om mij voort te dragen. Steeds als ik aan die dag terugdenk, hoor ik dat lied opnieuw.

De stalknechten hadden de diepe geulen overbrugd. Het was niet moeilijk geweest, zeiden ze. Onder het wachten hoopte ik maar dat ze hun werk grondig hadden gedaan, helemaal tot aan de voet van de heuvel. Zelfs als er maar enkele paarden vielen, zou dat onze stormloop vertragen, hetgeen kon uitdraaien op een ramp. We zouden Sweyn moeten overrompelen, nog voordat hij besefte dat we lang niet zo zwak waren als we deden voorkomen en hij kans zag ons een halt toe te roepen. Vijftienduizend brullende Jarns was geen strijdmacht waarmee we vanuit stilstand de strijd aan wilden binden.

Glimmer was klaar voor de strijd, meer dan klaar. Ik beklopte zijn hals, blij met zijn gretigheid, maar ik miste Appel. Appel was werkelijk dol geweest op een gevecht.

Nu waren de Jarns bezig een gevechtslinie te formeren, op ongeveer driehonderd meter van de voet van de heuvel. De drie koningen waren er, omringd door hun gezworenen, hun lijfwachten en, in een nog wat wijdere kring om hen heen, hun elite-troepen. In feite waren het drie verschillende legers. Later werd gezegd dat we tegenover vijftienduizend man hadden gestaan, en volgens sommigen zelfs nog meer. Op het moment zelf waren het er in onze ogen alleen maar heel veel; de grond zag er zwart van.

We drongen op ons gemak door de varens, via de duidelijk gemarkeerde doorgangen die Gwairs mannen en de stalknechten hadden gecreëerd. Toen kwamen de signalen dat iedereen gereed stond – eerst de penoenvanen, daarna de trompetsignalen van de eskadrons. De minuut tussen het eerste trompetsignaal, afkomstig van Luth, en het laatste van Galba, leek een eeuwigheid te duren. Het was inmiddels licht genoeg om de hele linie van gewapende en geharnaste wapendragers – bij elkaar zes alae en meer dan duizend paarden – te kunnen overzien, in een gedisciplineerde rij, uitgespreid over de helling, over een lengte van ruim een mijl.

Beneden ons hoorde ik de verwoede trommelsignalen van de Jarns toen ze onze formatie zagen ontstaan. Ze moesten stomverbaasd zijn geweest dat we in het ochtendlicht plotseling opdoken, dwars door hun obstakels heen. Ik kon hen niet duidelijk onderscheiden voorbij de twee linies die ik recht voor me had, maar zo te zien trokken ze zich haastig samen en brachten zich in gereedheid. Toen stak Urdo zijn zwaard op. Het omhoogstekende blad ving het licht van de zon toen het boven de ochtendnevel uitstak en blonk zo fel dat het een stralend blauwwit licht leek. Ik rolde de standaard uit. Het doek was groter dan een deken. Waarom de Vincanen een dergelijk formaat nodig hadden gehad, was me een raadsel, maar indrukwekkend was het zeker. Toen, terwijl de voorste linie al in beweging kwam, blies Grugin het signaal voor de algehele aanval, namelijk het vijftonige 'Ik kom je ha-len!' dat zegt dat iedereen op topsnelheid naar voren moet stormen. De voorste twee linies verwijderden zich razendsnel en meteen was het ook voor ons tijd om in beweging te komen. Bij de eerste hoefslagen trok ik mijn zwaard, voordat we begonnen te draven. Het wapen zag er donker en gehavend uit in vergelijking met het blinkende zwaard van Urdo.

Toen stormden we naar voren. De muziek in mijn hoofd werd luider en luider, zich verwevend met de signalen van onze trompetters. We reden dicht opeen. Ik rook de echte stormloopgeur, die onmiskenbare mengeling van menselijke transpiratie en het zweet van opgewonden strijdrossen. Het was een fantastische aanblik om alle penoenvaantjes en aanvalsvlaggen tegelijkertijd naar voren te zien razen, zodat het wit-en-goud strak wapperde in de ochtendbries. Ook de purperen standaard ving de wind en wapperde strak naar achteren – de enige donkere kleur te midden van al dat goud en wit. Het deed me denken aan Caer Lind, maar deze keer waren we met genoeg ruiters.

Het moment waarop je met hangende lanspunt aanstormt op een linie van geoefende strijders die hun best zullen doen om stand te houden en jou te doden is in een oogwenk voorbij, maar lijkt een eeuwigheid te duren. Zelfs nu ik door de muziek gedragen werd, had ik de tijd om na te denken en me vroegere stormaanvallen te herinneren, de eindeloze trainingsuren die noodzakelijk zijn om paard en ruiter zover te brengen dat zij dit kunnen doen, zo dicht aaneengesloten. Ik herinnerde me hoe Duncan mij vaak op het hart bond dat cavalerie altijd in beweging moet blijven en geen moment mag aarzelen, of hoe Angas mij toeschreeuwde dat ik me wat meer moest ontspannen, opdat mijn strijdros zijn eigen aandeel kon leveren. Elke donderende hoefslag bracht ons dichterbij, de lansen omlaag, als invallend maanlicht, even trefzeker en dodelijk als de Heer der Doden zelf. Tegenover ons stonden de Jarns, met strakke, grimmige of zelfs grijnzende gezichten. Sommige gezichten leken bijna verveeld, andere bezorgd of verbaasd, maar van angst was weinig te zien. Ik herinnerde me Caer Lind, toen we hun muur van schilden twee keer hadden doorbroken. Ze wierpen kleine bijlen en speren, maar we verplaatsten ons veel te snel om hun de kans te geven velen van ons te raken. Onze linie vormde een lichte boog om hen aan te vallen zoals we wilden. Het speet mij dat ik deze keer geen lans in de frontlinie kon dragen om ze als eerste te treffen. Ik voerde echter de standaard en nam de ereplaats in, naast mijn koning – te midden van mijn vrienden, op mijn vertrouwde ros. Mijn mond was open, want ik zong, of schreeuwde ik onze strijdkreet? De anderen verzekerden me vaak dat ik soms tijdens een slag luide kreten slaak, hoewel ik er zelf niets van merk.

Op de linkervleugel van de Jarns steeg luid gebrul op. Het waren de Bereïchers, die allemaal tegelijk brulden, in de hoop Luth te verlammen van schrik. Toen was er geen tijd meer om te denken. We bereikten de schilden-muur van de Jarns met een geweldige schok, maar zonder te worden tegen-gehouden. Het was vreemd om te zien hoe we over hen heen walsten – twee lange linies van mannen met zware, in elkaar gehaakte schilden die eenvoudig bezweken onder het geweld van de lansen en het volle gewicht van de paarden. Als het besef bij hen niet was gaan dagen dat wij niet dorstig en uitgeput waren toen we in volle galop op hen toestormden, kwam dat omdat ze er eenvoudigweg niet de tijd voor kregen. De linies werden doorbroken en ze weken terug. Het was bij lange na het einde niet, want ze sloegen niet op de vlucht, maar hergroepeerden zich en stonden een tijdlang gedisciplineerd maar wanhopig pal. Ze waren een waardige tegenstander en allesbehalve lafaards, al deze mannen van koning Ohtar. Hun schilden boden nauwelijks enige bescherming tegen het bereik van een lans of cavaleriezwaard, maar desondanks hielden ze stand. 'Vannacht mogen jullie feesten met de goden!' hoorde ik mezelf brullen terwijl ik met mijn zwaard de ene houw na de andere uitdeelde. De meeste wapendragers die vóór mij aanvielen, gebruikten nog hun lans. Totdat een paar Jarns het hazenpad kozen. Ze vielen vóór mij alsof ik koren maaide, en ik bleef voortdurend in beweging, zij aan zij met Urdo, waarbij ik Glimmers ge-wicht tegen hen gebruikte.

Alles was heel overzichtelijk. We hadden onze linie iets gespreid. Voor ons stond een kleine drom Jarns, gegroepeerd rond Ayl. Ik zag de rode ogen van de verstrengelde slangen in de gouden armband die hij droeg. Ik had het brood met hem gebroken, zodat ik mijn zwaard richtte op de man naast hem, die prompt neerging. Urdo sloeg Ayl met de platte kant van zijn blinkende zwaard toen Danser zich tegen hem aan wierp. Ayl belandde met zijn achterwerk in de modder en ik stormde lachend verder.

Ze weken voor ons uiteen als golven voor de boeg van een schip. Glim-mer steigerde om een speerwerper tegen het hoofd te schoppen. Om een of andere reden werden de details van zijn harnas diep in mijn geest gegrift terwijl Glimmer die beweging maakte – het patroon van de gaatjes in het leer dat de platen van het harnas bijeenhield.

Plotseling raakten Urdo en ik van de rest afgesneden te midden van een dichte drom Jarns die waren toegesneld om hun koning te beschermen. Alswith leidde Masarns penoen onder donderende hoefslagen naar ons om ons te ontzetten. Later hoorde ik dat ze zelfs de vlag van de vaandrig van de grond had gegrist toen hij viel. Masarn grijnsde me toe, waarbij zijn gebit wit afstak tegen de huid toen hij langs me heen schoot.

Er was geen tijd om hen te bedanken, want nu kwamen de ponyrijders van de Jarns ons in de rug aanvallen. Ze waren dapper, want ze hadden de slag al verloren en moeten dat hebben beseft. Ze vochten niet alsof ze het inderdaad beseften. Ze bleven woest aanvallen, hoewel ze niet echt wisten hoe je te paard moest vechten. Toch deden ze het beter dan bij Caer Lind. Ze doodden verscheidenen van ons, zelfs nadat ik mijn penoen weer rondom de koning had verzameld. Ik zag hoe een van hen Gwair Aderyn van zijn paard deed tuimelen. Zodra hij versuft op de grond lag werd hij gedood door een speerwerper. Ik bleef nog een tijdje tegen hen vechten, wensend dat ik mijn schild had, in plaats van de stok van de standaard. Ik betwijfel of de man die ik met het uiteinde ervan ramde die uitzonderlijke eer echt op prijs stelde. Ik had al mijn rijkunst nodig om me zonder schild te kunnen weren. Het was een vreemd gevoel om een bereden opponent te bevechten. De gedachte bekroop me dat ze, als zij de beschikking hadden gehad over strijdrossen, ons zelfs nagenoeg op voet van gelijkheid partij hadden kunnen geven. Het deel van mijn geest dat van vechten geniet, wilde dat ik en mijn vrienden ons hierin zouden kunnen oefenen om er vaardiger in te worden.

Plotseling was het voorbij. Ze draaiden zich om en begonnen te rennen, maar er waren er maar weinig die de bomen konden bereiken – de rivier lag achter hen. Plotseling dook Marchel op uit de bosrand achter de rivier, waarmee ze hun terugweg naar de schepen afgrendelde. Ik knipperde met mijn ogen en wiste het zilte zweet weg. Ik had geen idee waar zij zo opeens vandaan was gekomen, maar later hoorde ik dat ze door de bomen stilletjes naar voren was gekomen en daar met haar geïmproviseerde ala was blijven wachten totdat ze kon zien waar ze het effectiefst kon optreden. Rondom de schepen ontbrandde onmiddellijk een verwoede strijd. Er konden echter niet genoeg Jarns wegkomen om zich te hergroeperen. Ze vochten in kleine groepjes rondom karren en groepjes bomen – plaatsen die soliede genoeg waren om ze in hun rug te beschermen. Als ze in het open veld stonden, konden we ze eenvoudigweg platwalsen. Degenen die rugdekking hadden konden doorvechten totdat we ze met twee penoenen – een aan weerszijden – konden aanvallen. De enige grotere groep Jarns die stand kon houden, bestond uit Ohtar en diens mannen. Zij hadden zich langzaam achterwaarts teruggetrokken naar de rivier en konden nergens meer heen zonder natte voeten te halen. Desondanks hadden ze zich gehergroepeerd tot iets dat op een linie leek. Ik zag Ohtar onder zijn walrusstandaard verwoed vechten.

Urdo beval Grugin het trompetsignaal te geven dat betekende dat de reservepaarden moesten worden ingezet. Ik was blij dat ik weer op Bodes rug kon zitten en de arme, vermoeide Glimmer door de stalknechten kon laten wegleiden. Ik wipte van het ene zadel in het andere, want ik wilde niet afstijgen, zodat de standaard op de grond kwam. We herstelden onze aanvalsformatie en ik keek naar de plaats waar Marchel streed. Ap Meneth was in aantocht om haar bij te staan. Van Galba geen spoor. Luth en Cadraith streden nog op leven en dood met Ohtar. Ik keek opzij naar Urdo. Het bloed droop van zijn nieuwe zwaard. Er waren geen levende Jarns meer in onze naaste omgeving.

'Geef Luth en Cadraith het signaal om zich te verzamelen,' zei hij tegen Grugin. 'Zodra de formatie compleet is, bestormen we hen opnieuw, maar nu van hieruit en met vijf alae.'

Grugin blies het signaal. Ik stuurde drie penoenen naar achteren om de mensen die van paard verwisselden dekking te geven, voor het geval Ohtar een uitval wilde doen om hen bij verrassing te overrompelen. Overal lagen gevallen vijanden en de stank van bloed en ingewanden hing dik in de lucht. Het leek totaal onmogelijk dat we vijf- tot zesduizend man hadden gedood, maar dat was wat er later over werd gemeld. Er zouden al bij die eerste stormloop negenhonderdzestig Jarns zijn gesneuveld. Zelf hadden we vijftig man verloren, met inbegrip van twee prefecten – de Jarns hadden geleerd op onze witte mantels te mikken. Daarnaast hadden we honderdtweeëntachtig paarden verloren, en meer dan twee keer zoveel paarden waren gewond. Ook veel wapendragers hadden verwondingen opgelopen, maar nog veel meer Jarns. Er was die dag nauwelijks nog een Jarnsman die het veld kon verlaten zonder wat bloed te hebben verloren, als aandenken aan de Slag bij Foreth.

Terwijl Luth en Cadraith zich gereed maakten, bereikte een bode van Galba's ala ons. Haar gezicht was nat van tranen. 'Galba ap Galba is dood,' meldde ze. 'We zullen zijn lichaam in veiligheid brengen. Hij heeft Sweyn gedood.'

'We komen zelf,' zei Urdo.

Ik volgde hem en mijn penoen volgde mij. Ver was het niet. De hele ala zou ons zijn gevolgd, maar ik realiseerde me dat net tijdig genoeg en beduidde Ap Erbin hen gereed te houden tussen ons en de Jarns.

Galba had Sweyn gedood op een manier die weliswaar vaak in liederen wordt bezongen, maar zelden wordt gezien. Zijn lans was regelrecht door Sweyns gebit gedrongen en had zijn hoofd via de achterkant weer verlaten.

De lans stond rechtop in de grond, zodat Sweyn als het ware was gespietst. Galba zelf lag niet ver van hem vandaan, omringd door een deel van zijn wapenbroeders. Ze hadden allemaal tranen in de ogen; Galba was bijzonder gezien onder zijn mensen. Een van de wapendragers hield zijn merrie aan de teugel. Het was Arend, een halfzuster van mijn geliefde Banner, die al jaren geleden was gestorven. Een geworpen speer had Galba in de borst getroffen en was dwars door het hart gegaan. Ik betwijfel of hij nog meer dan een paar minuten had geleefd nadat hij Sweyn had gedood. Hopelijk lang genoeg om te beseffen wat hij had gepresteerd.

Het was absurd, maar toen ze zijn lichaam op een schild legden en het begonnen weg te dragen, een arm bungelend over de rand, moest ik eraan denken hoe ik op zijn bruiloft met hem had gedanst. De uitdrukking op zijn gezicht was net zo als toen – tolerant, maar een tikje ongeduldig, alsof hij veel liever iets anders had willen doen. Als hij had kunnen spreken, had hij me ook nu gevraagd wat er zo dringend was dat het niet kon wachten. Zelfs in dat krijgsgedruis wist ik dat er een moment zou komen waarop ik diep om Galba zou rouwen, maar dat mijn verdriet slechts een magere afspiegeling zou zijn van het verdriet dat mijn zus Aurien zou ervaren, of zijn vader, de oude hertog, of zijn jonge zoons.

Urdo nam zijn helm af en liet zijn haar los hangen, als een teken van respect. Mijn eigen haar was nog kort vanwege de rouw om mijn vader; het reikte nu, een jaar later, nauwelijks tot mijn schouders. Ik maakte aanstalten mijn helm weer op te zetten zodra ze Galba wegdroegen. Er was nog geen tijd om te rouwen. Ik keek naar de plaats waar Ohtar nog altijd standhield. Hij had twee- tot drieduizend man om zich heen. Na vanmorgen leken het er niet veel.

Er kwam een bode van Marchel. Ze had de Jarns die pogingen hadden gedaan om de schepen te bereiken gedood of in de rivier gedreven en zou nu met Ap Meneth terugkomen om van paard te wisselen en haar ala te hergroeperen. Vóór ons hadden de andere vijf alae hun aanvalsformatie hersteld, gereed voor een nieuwe stormloop.

De meeste wapendragers dronken uit hun waterzakken en zagen er alweer een stuk opgewekter en frisser uit. Ik volgde hun voorbeeld. 'Zullen we op Marchel wachten?' vroeg ik toen Urdo en ik terug begonnen te rijden naar mijn ala. Sweyns lijk bleef achter ons op de grond liggen.

'Nee,' zei hij. 'Ze kunnen achter onze linie van paard wisselen, maar ik denk dat we ze beter in reserve kunnen houden. Ze moeten doodop zijn.'

'We doen het dus met de vijf eskadrons die nu klaar staan? Volgens mij is het voldoende. Heeft Galba's ala, of die van Gwair, een nieuwe prefect nodig? Ik kan Ap Erbin afstaan als het moet.'

'Vandaag niet.' Urdo keek naar de Jarnse linies. 'Ap Amren heeft Gwairs ala prima in de hand, terwijl Emlin ap Trivan Galba's ala leidt. Ik zal Ap

Erbin echter spoedig bevorderen; hij is bekwaam en is eraan toe. Zijn oom zal ermee in zijn schik zijn.'

'Vallen we ze frontaal aan?' wilde ik weten.

'Ja – of nee, kijk. Ik geloof dat ze zich willen overgeven,' zei Urdo. Hij wees met zijn zwaard, dat nu schoon was en weer blonk in de zon. Ayl en Ohtar hadden zich voor hun linies geposteerd en praatten met een klein groepje anderen. Nog terwijl Urdo sprak, namen ze hun helmen af, gaven hun wapens over aan de mannen die bij hen stonden en begonnen aan de lange wandeling over het terrein tussen hun linies en onze aanvalsformatie, waar geen levende ziel meer te bekennen was, alleen de lichamen van hun wapenbroeders. De beide koningen liepen voorop, aan het hoofd van een kleine groep volgelingen, minder dan twaalf man, op eerbiedige afstand. Er waren erbij die hinkten.

We wachtten een ogenblik, maar toen keek Urdo me van opzij aan en trok een wenkbrauw op. 'Ik zou eigenlijk Raul moeten laten roepen, maar hij is te ver weg, bij de bevoorradingscolonne. Zullen we maar naar voren rijden om ze te begroeten?'

Ik grijnsde verheugd en langzaam reden we naar voren. Onze rijen weken voor ons uiteen totdat we tegenover de beide koningen stonden, op het van bloed doordrenkte, vertrapte gras. Toen Urdo zijn ros intoomde, deed ik hetzelfde, nam mijn zwaard over in mijn andere hand en concentreerde me op de Jarnse koningen. Ik was klaar om mijn heer en gebieder te verdedigen als ze soms iets verraderlijks in de zin hadden. Mijn zwaard vertoonde, anders dan dat van Urdo, nog duidelijk de sporen van het zware werk dat ermee was verricht.

'Wapenstilstand!' riep Ayl toen ze ons bijna hadden bereikt. Zijn rusting zat onder de modder en het bloed en hij had een buil zo groot als een kippenei op zijn slaap. In het schouderpand van Ohtars zware mantel, vervaardigd van de vacht van een beer, was een lange snede te zien, veroorzaakt door de houw van een zwaard. Telkens als hij zich bewoog, zag ik de wond eronder.

'Nee,' zei Urdo, in hun eigen taal. Ayl werd lijkbleek. Ohtar keek op naar de hemel en zijn hand tastte naar de berenkop aan zijn mantel. Toen sprak Urdo verder: 'Ik voor mij wens vrede, vrede voor het hele land. Ik voel er niets voor om met u beiden een wapenstilstand van een jaar te sluiten en dan opnieuw oorlog te moeten voeren. Ik weet dat u eerbare mannen bent die zich aan hun woord plegen te houden. Als u mij zou zweren dat u voor de oogst van volgend jaar niet meer tegen mij zult vechten, zult u zich daaraan houden, maar de winter erna zouden we opnieuw invallen van uw mensen zien en het gekraak van versplinterende schilden horen. Daarom verlang ik niet dat u op een wapenstilstand zweert. Ik vraag van u te zweren op vrede. Vrede onder ons en vrede tussen uw volken en het onze. U behoudt uw grondgebieden, maar dient dan wel in mijn vrede de wet te gehoorzamen, als deel uitmakend van mijn eiland. Ik vraag dit niet voor een jaar en niet voor altijd, maar voor onze tijd van leven, het leven waarop we kunnen zweren. Al die tijd zal er vrede zijn tussen uw volken en het mijne voor de duur van het leven van een generatie. Zolang wij leven, zullen we onder de wet leven.'

'Wiens wet?' Ayl keek fronsend op naar het gezicht van mijn gebieder en zijn stem had hard geklonken. De zon liet het goud van zijn kolossale barbaarse armbanden glanzen.

Toen Urdo het woord hernam, was aan zijn woordkeus te horen dat hij wist dat zijn strijd gewonnen was. Zijn stem klonk krachtig en vast, maar er klonk hoop in door, en een welhaast ontembare vreugde.

'U behoudt uw eigen wetten en grenzen en wij de onze. Als er echter een dispuut ontstaat tussen uw volken en het onze, of tussen uw wetten en de onze, zal de raad van koningen van onze volken er een oordeel over vellen. Uw burgers zullen de vrede in het land bewaren en in vrede hun marktrecht uitoefenen.'

De twee koningen keken elkaar aan en de muziek in mijn hoofd werd langzamer. Ohtar schraapte zijn keel. 'En wat gebeurt er met Sweyn?' vroeg hij.

'Sweyn Rognvaldsson ligt op het veld; hij is gevallen,' zei Urdo. 'Galba ap Galba heeft hem gedood, maar is zelf ook gevallen.'

'Wat gebeurt er met zijn territorium?' vroeg Ayl. 'En zijn clan?'

'Ik geef Tevin terug aan zijn rechtmatige koning, Alfwin Cellasson,' antwoordde Urdo. 'Degenen onder Sweyns mannen die Alfwin vergiffenis schenkt, zullen tot zijn manschappen toetreden. Alle leden van Sweyns clan die volwassen zijn en nog leven, zullen mij trouw zweren, alsmede op de vrede die zich ook uitstrekt tot hen: hun alae zullen op gelijke voet met mijn wapendragers worden behandeld. De gezamenlijke alae zullen iedereen tegen de kustplunderaars beschermen. Zo krijgen wij gelegenheid te ervaren wat vrede betekent.'

'Aylsfa zal uw vrede handhaven, als we onze grenzen mogen behouden,' zei Ayl.

'Bereïch zal uw vrede handhaven,' zei Ohtar. 'Op voorwaarde dat u zich aan uw woord houdt ten aanzien van Sweyns neef.'

'Ik heb al gezegd dat wij geen bloedvete met Sweyns clan willen,' zei Urdo langzaam. 'Echter, voordat hij door mijn wapendragers als broeder kan worden geaccepteerd, dient hij terecht te staan voor zijn betrokkenheid bij hekserij en het feit dat hij zich niet aan de gebruiken van de krijg heeft willen houden. Dat geldt niet alleen voor hem, maar ook voor iedere man of vrouw die dit heeft gedaan.'

Ayl keek mij aan. Ik knikte instemmend. Ik haatte niet alle Jarns, alleen de kustplunderaars. Sweyns clan mocht niet de kans krijgen opnieuw een leger samen te stellen en tegen ons op te trekken. Ze opnemen in onze eigen alae leek een prima oplossing.

Urdo stak zijn zwaard in de schede en steeg af om beide mannen te omhelzen, eerst Ohtar, daarna Ayl. De muziek in mijn hoofd werd nu nog langzamer en de wereld leek opeens vaster, alsof ik nu niet meer op het punt stond opnieuw in de aanval te gaan.

Daar en op dat moment begon de koningsvrede, op dat veld bij Foreth. Dat was waarvan wij later altijd uitgingen. Maar toen draaide Ohtar zich om en bracht uit de groep de man naar voren over wie hij zich zoveel zorgen had gemaakt, de man wiens naam ik, zoals iedereen wist, bij Caer Lind in het heetst van de strijd had geroepen – de kustplunderaar en verkrachter Ulf Gunnarsson.

DEEL TWEE

De koningswetten

23

Uit eigen land verdreven, naamloos gevallen;
zo eindigde de afvallige broedermoordenaar
uiteindelijk onder een zware, platte steen,
met krachtige vervloekingen uitgehouwen.
Een harde dood onder paardenhoeven
op een verre heuvel, alleen en zonder koning,
slechts omringd door louter vreemden.

    — Uit *De verworpeling*

Voordat hij naar voren werd gehaald, had ik wel negen manieren bedacht om Ulf Gunnarsson te doden. Vier ervan waren niet eens oneerbaar.

Langs de rivier stonden de Jarnse troepen nog steeds in slagorde, gereed voor het voortzetten van de strijd, schild gehaakt in schild. Ik keek even achterom. Onze vijf alae stonden eveneens gereed, de wapendragers op hun gemak, met een vers paard onder zich. Ap Erbin had zich aan het hoofd van mijn ala geposteerd, wachtend op mijn teken. Iets voor hem uit bevond zich een kleine, nerveuze groep bodes, met Raul, Glyn en Ap Meneth in hun midden. Het nieuws dat de oorlog voorbij was en dat we een blijvende vrede hadden gesloten, was nog niet afgekondigd. Ze hadden allemaal gezien hoe Urdo de Jarnse koningen had omhelsd, maar er was nog geen trompet gestoken. Als ik het woord verbrak dat ik, na door Ayl te zijn misleid, had gegeven, zou de strijd opnieuw ontbranden. Ik zat stil op Bodes brede rug en hield mijn getrokken zwaard op mijn schouder om ogenblikkelijk toe te slaan als er ook maar enig verzet mocht komen. Ik had er niet de minste behoefte aan om af te stijgen en me bij de anderen te voegen.

Ulf kwam langzaam naar voren. Er was geen eervolle manier om hem te doden die hem niet onmiddellijk in de modder onder Bodes hoeven zou hebben gebracht. Hij was niet veel veranderd. Zijn stroblonde haar was aan de slapen wat teruggeweken, maar voor het overige zag hij er nog exact zo uit als ik me hem herinnerde. Hij hinkte licht, hoewel hij geen zichtbare verwondingen had. Ik glimlachte wrang bij de gedachte dat hij de wond die ik hem niet alleen had toegebracht, maar voor hem had geheeld, nog altijd voelde. Hij droeg een enkele gouden armband om zijn linkerarm. Ik zag hem vluchtig naar Ohtar en daarna Ayl kijken. Toen deed hij een stap in Urdo's richting en begon zijn stijve knie te buigen, alsof hij wilde knielen. Urdo stak afwerend een hand op.

'Ik heb gezegd dat jij je voor mij moet verantwoorden voor je aandeel in hekserij,' zei hij. 'Dat zal eerst moeten gebeuren.'

Nu, voor het eerst, keek hij naar mij op. Ik bleef zo stil als ik maar kon en staarde hem strak aan, zonder mijn zwaard te laten bewegen. Hij sloot zijn ogen even, haalde toen adem en keek Urdo weer aan.

'Heer koning,' zei hij, 'ik ben bereid u trouw te zweren en zal mij daaraan houden, maar uw prefect daar zit met getrokken zwaard te paard. Zij haat mij en is van plan mij te doden.'

'En jij hebt haar geen reden gegeven jou te haten?' zei Urdo opgewekt. 'Ik zeg nogmaals: als jij mij wilt dienen, zul je je eerst tegenover mij moeten verantwoorden voor wat jij en de verdorven Morwen ap Avren hebben gedaan.'

Bij het horen van de naam Morwen deed Ohtar een pas weg van Ulf, zodat hij opeens erg alleen leek. Ik glimlachte naar hem. Toevallig keek Ayl op dat moment naar mij op. Hij huiverde zichtbaar en wendde zich tot Urdo.

'U zegt dat u vergiffenis schenkt voor wat in de krijg is geschied. Bent u echter gebonden aan de wil van een vrouw? Of zult u haar dwingen uw wil te gehoorzamen?' Van alle Jarnse koningen had Ayl de meeste contacten gehad met Urdo en ik denk dat ik hem het minste kende.

'Haar dwingen tot gehoorzaamheid? Niet voordat ik ieder van jullie heb gedood!' zei Urdo, met die vaste maar toch zo opgewekte stem, de stem van een koning die zegt 'dit-is-beslist-een-mogelijkheid'. Ayl kroop in zijn schulp. Hij werd zo bleek dat het leek alsof hij twee blauwe ogen had opgelopen. Op dat moment dacht ik dat Urdo hem alleen het zwijgen wilde opleggen. Jaren later hoorde ik echter dat hij had gemeend wat hij zei.

'Ik begrijp niet welke reden ik u heb gegeven om mijn woord in twijfel te trekken, heer koning Ayl,' zei ik. Ayl schudde het hoofd, alsof hij er geen moment aan twijfelde. Ik gunde hem niet de tijd om iets te zeggen. 'Maar als dit hier' – ik liet de punt van mijn laars naar Ulf wijzen – 'zich onderwerpt aan de gerechtigheid van mijn gebieder, zal ik beslist woord houden.' Ik was in geen geval van plan om Ulf in tweeën te klieven waar hij stond, tenzij hij zich tegen Urdo of de andere koningen dreigde te keren. Ik heb het wellicht gehoopt, maar wilde geen smet werpen op Urdo's zojuist gewonnen vrede.

Voor de wet had Ulf zijn leven al driemaal verbeurd. Hij had mijn broer vermoord, mijn ouderlijk huis in de as gelegd en mij tegen mijn wil genomen en uitgeleverd aan een god die ik niet zelf had gekozen.

'Ook ik leg mij neer bij uw gerechtigheid,' zei Ulf. 'En ik zal elk onheil dat mij overkomt accepteren,' liet hij erop volgen. Plotseling stond zijn gezicht een stuk vrolijker, alsof de dingen er opeens veel eenvoudiger op waren geworden.

Urdo draaide zich om en maakte een handgebaar naar Ap Meneth. Die begon naar ons toe te rijden, gevolgd door zijn kleine groep. 'Eerst wil ik deze duurzame vrede afkondigen,' verklaarde hij. 'Daarna kunt u samen met mijn prefecten wachten terwijl ik deze kwestie afhandel. Omdat mijn verwanten en goden erbij betrokken zijn, wil ik daarbij alleen zijn, op de heilige plaats.'

Ayl knikte tevreden, maar Ohtar staarde nors naar Urdo, blikte kort naar Ulf en keek vervolgens naar mij. 'U hebt gezegd dat als er een dispuut ontstond tussen uw volk en het onze, zo'n conflict aan de raad van koningen van beide volken zou worden voorgelegd,' zei hij. 'Het lijkt me dat dit zo'n geval is. En aangezien er goden bij betrokken zijn, en ik trek uw woord niet in twijfel, moeten dat eerder de goden van mijn volk zijn dan de uwe.'

Urdo's gezicht zag eruit alsof hij in lachen wilde uitbarsten. 'U bent een moedig en eerbaar man, Ohtar Bearsson. Ik heb u veel liever aan mijn kant dan tegen mij. Wilt u mij vergezellen naar de heilige plaats en mij helpen in deze zaak vonnis te vellen?'

Ohtar glimlachte. 'Zeker, heer koning. En dit zal meteen de eerste proeve voor uw vrede zijn.'

Ayl greep de mouw van Ohtars grote, bruine berenmantel en fluisterde hem dringend iets in het oor. Ik ving het woord *walkurja* op. Ohtar schudde hem af terwijl Ap Meneth en de anderen ons bereikten. De andere mannen, die tot Sweyns clan behoorden, kwamen ook naar voren. Ze knielden voor Urdo neer en zwoeren hem trouw. Ulf wachtte op enige afstand. Hij leek niet nerveus, eerder bijna ontspannen.

'Blaas het sein dat de oorlog voorbij is,' zei Urdo tot mijn trompetter toen de laatste Jarns zich hadden opgericht. 'Doe dat drie keer, opdat iedereen weet dat er vrede is gesloten.'

'Vrede?' vroeg Raul, die Urdo aanstaarde. Ik had verwacht dat hij ermee in zijn nopjes zou zijn. Per slot van rekening had hij er net zo lang voor gewerkt als Urdo zelf. Zijn stem klonk echter alsof hij zijn woede nauwelijks kon bedwingen, net als de keer dat Galba en ik hem voor de deur van Urdo's kamer hadden getroffen na die hooglopende ruzie over logistieke kwesties.

'Het is overeengekomen,' zei Urdo op een toon die geen tegenspraak duldde.

Ap Meneth straalde. Glyn keek verheugd. De trompetter liet zijn instrument drie keer schallen in de stilte na de strijd; nu wist iedereen dat het een waarachtige en duurzame vrede was, en geen korte wapenstilstand. Uit de alae steeg luid gejuich op, beantwoord door gejuich uit de gelederen van de Jarns. Ik zag Ohtar grinniken toen hij het hoorde. Toen kwam Luth naar voren, op de voet gevolgd door de andere prefecten. De wapendragers begonnen af te stijgen.

'We zouden het brood moeten breken,' zei Glyn. 'Echter, we beschikken weliswaar over wat voedsel, maar er is helaas geen brood...'

'Ik nodig iedereen uit voor een groot feest ter viering van de vrede in Caer Tanaga, als de oogst veilig en wel binnen is,' zei Urdo. 'We hebben trouwens toch veel te bespreken. Op dit moment zullen we het moeten doen met wat je hebt, Glyn.'

Met een beschaamd gezicht haalde Glyn een ronde, koude koek van eikelmeel voor de dag, gebakken op een steen in een kampvuur en aan alle kanten zwartgeblakerd. Het geval zag er allesbehalve appetijtelijk uit. Urdo nam de koek en brak hem in drie stukken en gaf de Jarnse koningen ieder een stuk. Toen wenkte hij mij. Even verkeerde ik in verwarring, voor ik me realiseerde dat hij wilde dat ik mijn zwaard in de schede stak. Ik aarzelde kort. Het wapen zat nog onder een korst van geronnen bloed. Als ik mijn zwaard in deze toestand in de leren schede stak, zou ik het er nooit meer uit kunnen krijgen. Ik greep naar een hoek van mijn mantel, maar bedacht me. Het was tenslotte mijn witte prefectenmantel, met de gouden eikenbladeren erop geborduurd. Aan de andere kant wilde ik niet afstijgen om het schoon te vegen aan het gras. Verlegen, omdat iedereen naar mij keek, nam ik mijn waterzak en goot de inhoud over het zwaardblad. Ik hoopte dat ik het ergste er zo af kon krijgen. Waarschijnlijk zou ik later een nieuwe schede moeten aanschaffen, maar ik zou het zwaard er niet uit behoeven te snijden. Tot mijn grote verbazing droop al het bloed mét het water van het blad en begon het te glanzen. Het mengsel van water en bloed werd geabsorbeerd door de grond. Dit was het laatste water uit de plas. Ik droogde het blad af aan mijn mantel en stak het zwaard haastig in de schede.

Ohtar keek naar zijn punt van de koek en maakte een grimas. Zulk spul was zelfs warm al niet te pruimen. 'Nou ja, een nederlaag wordt geacht bitter te smaken,' zei hij dapper, en nam een grote hap. Urdo kauwde en grinnikte tegelijk, enigszins verbaasd.

Ayl verorberde zijn stuk met een stoïcijns gezicht. 'Ik heb weleens slechter gegeten,' zei hij. 'Maar ik verheug me op weer een van uw feesten in Caer Tanaga. Het verbaast me trouwens dat u nog iets eetbaars over had. Ik heb geen idee hoe u het zo lang op die heuveltop hebt kunnen uithouden.'

'We hadden daar voedsel opgeslagen,' legde Glyn uit.

'Genoeg om tweeduizend paarden en zoveel manschappen drie dagen lang eten en drinken te geven?' vroeg Ohtar vol ongeloof. 'Zeg me eens, hoe hebt u dat klaargespeeld? Telkens als iemand van ons naar boven probeerde te gaan, raakte hij in de mist de weg kwijt. Als hij dan uren later terugkwam, dacht hij dat hij maar enkele minuten weg was geweest. Vrijwel iedere man uit Tevin of wie ook die boven is geweest, was zo bang dat hij het niet meer durfde. Er werd gemompeld over spoken. Ik dacht dat ze bang waren van hun eigen angst. Ik deed echter dezelfde ervaring op toen ik aan het hoofd van een paar van mijn beste mensen zelf naar boven ging. We verdwaalden, zagen vreemde gedaanten en kwamen enkele minuten later terug, om te ontdekken dat we urenlang weg waren geweest. Ik heb me toen afgevraagd of jullie kans hadden gezien er in stilte vandoor te gaan. Aangezien de heuvel totaal omsingeld was, was dat echter onmogelijk, en telkens als de mist een beetje optrok, zagen we paarden en beweging, dus wisten we zeker dat jullie er nog waren. Sweyn dacht dat jullie er misschien op wachtten dat wij weg zouden gaan. Wij beschikten echter over water en voedsel, ook al werden we steeds weer belaagd door Ap Thurrig, zodat we het veel langer dan drie dagen hadden kunnen volhouden.'

'Drie dagen?' vroeg ik dom, in de korte stilte die erop volgde.

'Drie dagen,' bevestigde Marchel, die net op dat moment arriveerde en zich over de hals van haar paard naar de grond liet glijden, op haar bekende manier. Ulf stond haar bewonderend aan te gapen en Ohtar tastte naar de neus van de berenkop, rollend over zijn linkerschouder. 'Ik heb Alfwin bericht gestuurd en verwacht hem later op de dag hier. Ik heb ook bodes naar Caer Tanaga en Dun Idyn gestuurd, maar het zal wel even duren voor die hier zijn.'

'We hebben het er later nog wel over,' zei Urdo. Ik zag hem fronsen. In stilte bedankte ik de Uilogige Wijsheidsvrouwe dat Marchel geen bodes naar alle geallieerde koningen en haar vader en diens vloot had gestuurd. Er was in de citadel van Caer Tanaga niemand behalve Elenn, Garah en genoeg mensen die een zwaard konden hanteren om hen in staat te stellen een eventuele aanval af te slaan. Ik kon me niet voorstellen dat Angas zoiets doms zou hebben gedaan. Aan de andere kant was het een goed idee Alfwin in te lichten – dat zou ik ook hebben gedaan. Toch kon ik het nauwelijks bevatten. Als ons verblijf daarboven drie dagen had geduurd, had er van alles en nog wat kunnen gebeuren. Toch hadden we gezegevierd. We hadden de triomf én de vrede bewerkstelligd. Ik keek van al die vrolijke gezichten naar Ulf Gunnarsson, die zich minachtend afzijdig hield. Pas als hij uit de weg was, zou ik me kunnen bezinnen op wat er daarna kwam.

'Jullie wisten niet dat het drie dagen had geduurd?' vroeg Ayl terwijl hij wat kruimels uit zijn baard schudde. Hij staarde mij aan.

'Het leek één nacht,' zei ik.

Er ontstond opnieuw een verlegen stilte, tot Urdo bevelen ging uitdelen en regelingen trof.

Ik staarde Ulf woest na, helemaal tot op de heuveltop. Glyn had hem een rijdier ter beschikking gesteld, een halfpaard. Hij kon rijden. Dat gold niet voor Ohtar. Hij klampte zich vast aan het zadel van zijn geleende rijdier als een driejarig kind dat nog nooit een stal heeft gezien. Hij hield zich helemaal stil, afgezien van de hoeken van zijn mantel, die loom fladderden in de lichte bries. Gelukkig was het paard dat Glyn voor hem had opgedoken een jonge en heel makke ruin – een van Ap Mardols reservepaarden. Hij sjokte achter Urdo aan zonder aandacht voor het feit dat niemand hem stuurde. Ik had weleens gehoord dat ze in Jarnholme nauwelijks paarden gebruikten, voor wat dan ook, maar ik had me nooit gerealiseerd wat dat moest betekenen. Urdo's stalknecht, Ap Caw, reed vlak achter hem, klaar om hem zo nodig bij te staan.

Het vijftal reed in stilte de helling op die het drietal van ons die ochtend was afgedaald. Het was vroeg in de middag. Het is altijd moeilijk te bepalen hoeveel tijd er gedurende een veldslag is verstreken en Urdo had niet veel tijd nodig gehad om zijn boodschappen te schrijven en roodmantels uit te zenden. Raul had met ons mee willen komen, de helling op, maar Urdo had rustig maar resoluut met hem gesproken. Hij was achtergebleven bij Ayl en Ap Erbin.

Toen we de top waren genaderd, stegen we af. Ap Caw nam de paarden onder zijn hoede en kluisterde ze op een plaats waar ze konden grazen. Zo te zien was Ohtar blij dat hij weer op eigen benen stond.

'Ik heb nooit geweten dat die beesten hun berijders even erg kwellen als de vijand,' kreunde hij terwijl hij zijn benen strekte.

Urdo glimlachte. 'Het is een verworven vaardigheid en je kunt er niet vroeg genoeg mee beginnen,' zei hij. 'Ik neem echter aan dat u over water terug wilt naar Bereïch?'

'Dat is voor een man de beste manier om te reizen,' zei hij terwijl hij met zijn mouw het zweet van zijn gezicht veegde.

'Dat zegt Thurrig ook altijd,' knikte Urdo. 'Binnenkort zullen u en Ayl moeten praten over uw vloten en wat we tegen de kustplunderaars kunnen ondernemen. Nu gaan we eerst naar de heilige plaats.'

We lieten de wapens achter bij de paarden. Het was voor mij een hele worsteling om mijn zwaardgordel af te doen. Mijn vingers bleven maar uitglijden op de gesp. Ik wilde het zwaard niet achterlaten, had er een hekel aan zonder wapen rond te lopen. Urdo liet zijn nieuwe zwaard achter, bijna zonder ernaar om te kijken. Ohtar liet twee grote messen achter, en zijn zware strijdbijl – zijn speren had hij al aan de hoede van een van zijn commandanten aan de voet van de heuvel toevertrouwd. Ulf leek welhaast blij dat hij zich van zijn twee zwaarden kon ontdoen. Een ervan was een steekwapen. Het tweede was geen Jarns zwaard, maar had veel weg van een cavaleriezwaard. Hij had op een pony gevochten toen ik hem zag bij Caer

Lind. Ik vroeg me af of zijn knieblessure hem ongeschikt had gemaakt om strijd te leveren in een schildenmuur.

We liepen naar de offersteen. Zelfs in deze hitte en zonneschijn leek er een vreemde stilte omheen te hangen, alsof hier iets wachtte. Om ons heen tjirpten krekels. Hoog boven ons hoorde ik een veldleeuwerik, die echter niet te zien was. Er waren ook geen wolken: de hemel was dat hoge en verbleekte blauw dat de oogst aankondigt.

'Laat dit worden vernomen,' zei Urdo in het Tanagaans, op dezelfde effen toon als die hij in de nacht voor het aanroepen van de godin had gebruikt. 'Hoort, alle goden van hemel en aarde, en alle goden van huis en haard, en van alle clans van mensen. Laten allen die belang hebben bij deze kwestie naderbij komen en getuige zijn. En moge de Blanke God die getuige is van alle eden van alle volken erop toezien dat alles wat wij hier vandaag zeggen waarachtig is, op deze plaats waar alle verdraaiingen en leugens duidelijk aan het licht komen als meinedig. Ik die spreek, ben Urdo ap Avren ap Emrys, bevelhebber van alle Tanaganen en – op grond van mijn geboorte, triomfen en verkiezing door alle heerschappen – de rechtmatige Grote Koning van het eiland Tir Tanagiri.' Voor het eerst hoorde ik hem dit zeggen. Het was dan ook de eerste keer dat hij dit met recht en reden kon zeggen. Zijn stem bleef ernstig en kalm. 'Ik zal zo rechtvaardig en evenwichtig mogelijk oordelen, ten overstaan van alle machtigen.'

'Ik zweer dat ik de waarheid zal spreken,' zei Ohtar. 'Ik ben Ohtar, zoon van Walbern de Beer, koning van het land Bereïch en bevelhebber van het volk van Bereïch. Ook ik zal zo rechtvaardig en evenwichtig mogelijk oordelen, ten overstaan van alle machtigen.'

'Ik zal de waarheid spreken ten overstaan van de goden,' zei ik terwijl ik mijn handen eerst omhoog en daarna omlaag liet wijzen. 'En mijn naam is Sulien ap Gwien, prefect van Urdo's persoonlijke ala.' Op dat moment herinnerde ik mij iets waarvan ik geen moment geloofde dat ik er ooit aanspraak op zou maken, omdat het me uiterst tijdelijk toescheen. Toch liet ik erop volgen: 'En erfgenaam van het heerschap over Derwen.'

Daarna keken we allemaal naar Ulf. Tot mijn verbazing grijnsde hij sluw naar ons. 'Wat kan ik zweren wat jullie zouden geloven?' vroeg hij. 'Het is jullie bekend dat ik mijzelf aan de Vader der Leugenaars heb gewijd. Jullie weten ook dat ik geacht word iedere eed te verdraaien; en bovendien weten jullie dat ik dat al vaker heb gedaan.' Heel langzaam en voorzichtig liep hij een paar passen van ons vandaan en trok toen zijn kleine jachtmes. Ik stond tussen hem en de koning, maar richtte me in mijn volle lengte op, klaar om in actie te komen als hij een aanval mocht inzetten. Hij maakte echter alleen een sneetje in de huid van zijn pols en plengde het bloed op de aarde. 'Moge ik voor eeuwig verdoemd zijn, moge mijn lichaam rotten en moge mijn naam nooit meer worden uitgesproken, als ik vandaag en op deze plaats niet de waarheid spreek. Mijn naam is Ulf Gunnarsson; ik maak geen aanspraken op een titel en ben niemands erfgenaam.' Toen stak hij het jachtmes langzaam terug in de schede en kwam weer dichterbij.

Ohtar stond heel bevreemd naar hem te kijken. 'Welnu,' zei hij toen, 'wie legt welke grieven voor?'

'Ten aanzien van de aanklacht die tegen mij is ingebracht,' begon Ulf. 'Ik ben volmaakt onschuldig aan hekserij. Het enige is, zoals heer Urdo ongetwijfeld heeft vernomen, dat ik erbij was toen Morwen ap Avren koning Borthas ap Borthas van Tinala door de zwartst mogelijke magie doodde. Het was mijn oom, Sweyn Rognvaldsson, die mij erheen had gezonden om ervan getuige te zijn. Hij zei me dat hij mij onder zijn gezworenen had uitgekozen voor die taak omdat ik verwant aan hem was en zijn vertrouwen genoot. Ook denk ik dat hij aan mij de voorkeur gaf boven mijn jongere broer omdat ik zijn erfgenaam niet was.' Glimlachend keek hij naar mij. 'Een koning der Jarns moet ongedeerd en heel zijn als hij het koningschap aanvaardt. Jij hebt mij lelijk geraakt, Sulien ap Gwien. Gelukkig ken ik je nu als een kampioen: ik zou het niet hebben kunnen verdragen de rest van mijn leven te horen dat ik verminkt ben door een hoer.'

Het bloed steeg me naar de wangen. Hij had me echter niet beledigd, strikt genomen.

'Het was Ap Gwien die jou verwondde?' vroeg Ohtar met opgetrokken wenkbrauwen.

'Ja,' beaamde Ulf glimlachend. 'Het gebeurde echter volgens de normale oorlogsgebruiken en ik verwijt het haar daarom niet.'

'We hadden het over hekserij,' zei Urdo droogjes.

Ulf boog voor hem en vervolgde: 'Zoals ik al zei, ik was erbij toen Morwen Borthas om het leven bracht. Ik had er echter part noch deel aan. In feite werd ik er misselijk van, misselijker dan ik ooit van iets ben geweest. Het was de zwartst mogelijke magie. Ze riep niet eens goden aan; ze ontnam hem eenvoudigweg zijn ziel om de kracht ervan voor haar bezweringen te kunnen gebruiken. Ze was krankzinnig en afschrikwekkend; ze raasde en tierde en zei vreselijke dingen. Ik heb Sweyn gezegd dat ik nooit meer een dergelijke moord wilde meemaken, maar hij voer tegen mij uit en noemde me een lafbek. En toen zij zich opmaakte om Osvran ap Usteg te vermoorden, zond hij me er opnieuw heen.'

Ik beet op mijn onderlip. Osvran... Deze heuveltop herinnerde me aan hem, zelfs op deze hete zomerse middag.

'Hij was een moedig man en heeft veel doorstaan. Niemand verdient een dergelijke marteldood, laat staan een groot krijgsman die veel tegenstanders naar de Hemelse Feestzaal heeft gezonden. Toen hij bijna dood was, heb ik een beroep gedaan op de Heer der Gevallenen om hem het einde te schenken dat hij verdiende, waarop ik hem doodde. Voordat Morwen mij kon tegenhouden, stierf hij met mijn zwaard in zijn keel. Hoewel ze hem van zijn ziel diende te beroven om er kracht uit te putten voor mijn oom en onze legers, kon ik het niet over mijn hart verkrijgen om haar te laten begaan.' Zijn gezicht was vertrokken bij de herinnering. Ik geloofde hem.

'Dit is voor het eerst dat ik blij ben van een man te horen dat hij een vriend van mij heeft gedood,' zei Urdo tamelijk vriendelijk.

Een golf van opluchting overspoelde mij. Caer Lind was al zeven jaar geleden. Ik had niet geloofd in de werkzaamheid van de *Hymne van de Terugkeer* toen ik die voor Osvran zong, maar nu kon ik er wel in geloven: zijn ziel had haar eigen weg kunnen gaan. Nu kon ik om hem rouwen als om iedere andere vriend die in de strijd was gebleven, in plaats van als iemand die verloren is gegaan voor de wereld.

'Wat deed de heksenkoningin?' vroeg Ohtar, een geïnteresseerde klank in zijn stem.

'Ze raasde en tierde langdurig tegen mij. Ook Sweyn was woest op me. Een dag later zag ik Ap Gwien hier op het slagveld bij Caer Lind: ze zat onder het bloed en schreeuwde mijn naam. Ik dacht toen werkelijk dat ze een walkurja was, mijn verdoemenis, gekomen om mij te halen. Ik sneuvelde echter niet en de koningin van Angas stierf wel – door eigen toedoen. Ik had part noch deel aan haar hekserijen.'

'Goed,' zei Urdo. 'Men had mij verkeerd ingelicht, want ik wist dat je erbij was geweest en dacht dat jij haar leerling was.'

'Het is heel erg zoiets over mij te beweren,' zei Ulf. 'Ook al verdien ik te sterven, dan nog zou ik graag de terechte reputatie die ik heb behouden. Mijn broer Arling Gunnarsson kan, als hij in leven is, getuigen van Sweyns woede op mij, net als mijn aangetrouwde tante, Gerda Odulfsdottar.'

'Niemand hier heeft je woorden in twijfel getrokken,' zei Ohtar met een vage glimlach.

Ulf klemde zijn kaken op elkaar, tamelijk schaapachtig. Plotseling werd ik me ervan bewust dat Urdo hem werkelijk van hekserij had verdacht en had gevonden dat hij de dood verdiende. Ik haalde adem om te spreken en hoorde opnieuw de veldleeuwerik boven mij. Toen ik opkeek, leek de hemel opnieuw leeg. Als de Heer der Gevallenen een boodschapper had gezonden om mij te leiden bij mijn keuze, begreep ik die boodschap niet. Iedereen stond nu naar mij te kijken.

'Ulf Gunnarsson heeft mij voor de wet groot onrecht aangedaan,' zei ik.

'Wiens wet?' vroeg Ohtar. 'Hij zei dat u hem volgens de gebruiken van de krijg hebt verwond.'

'Nee,' zei Ulf. Zijn gezicht stond nu doodernstig en hij zei tegen Urdo: 'Ze viel binnen de krijgsgebruiken en ik was destijds pas zeventien en mee op mijn eerste strooptocht. Ik heb op vele manieren verkeerd gehandeld. Ik wil er een tegemoetkoming voor...'

'Volgens de wetten van de Tanaganen én de Vincanen,' antwoordde ik Ohtar verhit. 'Het is nooit aanvaardbaar geweest om...'

Urdo stak een hand op. Ik zweeg, en hij zei heel rustig: 'Ulf is als lid van een bende kustplunderaars Derwen binnengevallen, waar ze het huis van de heer van Derwen in de as legden. Bovendien heeft hij Darien ap Gwien gedood, de erfgenaam en de broer van Sulien.'

'Eigenhandig?' vroeg Ohtar.

'Absoluut,' zei ik. 'Ik was erbij.'

Ulf sloot heel even zijn ogen. 'Ik wist niet dat hij je broer was,' zei hij rechtstreeks tegen mij.

'Dit is een zaak voor een bloedvete, dat zeker, maar het valt niet buiten de krijgsgebruiken.'

'Voorts,' hernam Urdo, 'heeft hij, toen hij Sulien alleen en ongewapend in het bos te pakken kreeg, samen met een stel anderen... hoeveel?' vroeg hij, mij aankijkend.

'Zes,' zei ik. Ik verfoeide alleen al de gedachte eraan, laat staan dat ik erover wilde praten. Zodra hij de vraag stelde, herinnerde ik me het tot in alle bijzonderheden: het gevecht, de nederlaag, de verkrachtingen, de geur van rottende bladeren en het patroon van licht en schaduw van de bladeren boven mijn hoofd. Ik haalde diep adem en rook opnieuw de door de zon verwarmde klaver en het rijpe gras. 'Vijf, plus Ulf Gunnarsson. Moeten we er werkelijk over praten?'

Ohtar zag er ontsteld uit. Urdo keek me triest aan en schudde zijn hoofd, voordat hij Ulf weer aankeek. Zijn stem klonk nu minder vriendelijk. 'Jij hebt samen met vijf anderen Sulien ap Gwien overweldigd toen ze alleen was, en ongewapend. Toen hebben jullie haar verkracht. Waarna ze op slag het vermogen om van de liefdesdaad te genieten voorgoed heeft verloren.'

Zelfs nu mijn maag zich wilde omkeren leek dat onbillijk. Ik staarde naar de hoge grasstengels rond mijn laarzen, me ervan bewust dat de anderen naar mij keken. 'Het zou nog erger zijn geweest als ik dat pas had gemerkt nadat ik was getrouwd. Dan zou het te laat zijn geweest,' zei ik zacht, zonder op te kijken.

'Heider!' hijgde Ohtar, maar het klonk niet als een vloek, eerder alsof hij een beroep op de godin deed om getuige te zijn. 'Ze is een koningsdochter!' zei hij, luider. 'Onder onze wet zou je dat de kop hebben gekost!'

'Bedoelt u dat verkrachting aanvaardbaar zou zijn als mijn vader een boer was geweest?' vroeg ik, geschrokken en vol afschuw. Ik keek op, recht in zijn ogen. Hij kreeg een kleur en stamelde: 'Ik wil niet beweren dat dergelijke dingen nooit gebeuren, tijdens invallen of in een oorlog, als mannen bijeen zijn met de vrouwen van de overwonnenen. Ik zeg echter nogmaals dat dít nooit had mogen gebeuren.'

'Niet in onze alae!' zei ik woedend.

Ohtar trok zijn wenkbrauwen op, een en al ongeloof.

'De vrouwen in de alae willen niet dat zulke dingen gebeuren – en zelfs de stomste wapendrager heeft dat goed begrepen nadat ik er twee had laten ophangen,' zei Urdo afgemeten. 'Het was nooit in een ala gebeurd waarin ik diende en ik zou dat soort dingen onder mijn commando nooit toestaan.'

'Ulf Gunnarsson?' hernam Urdo, op hardere toon.

'Ik héb het gedaan.' Vlug keek ik naar hem op, nu ik het leed in zijn stem hoorde doorklinken. Hij staarde over de hoofden van beide koningen heen, de handen op de rug. Zijn gezicht was betraand. Hij spreidde zijn armen. 'Wat wilt u dat ik zeg? Ik wilde het doen en héb het gedaan, ook al zijn dat twee verschillende dingen. Ik had geen idee van wat het betekende. In Ragnalds troep spraken we over vrouwen alsof het om buit ging. Dat was ook zo toen we haar zagen. Nadat mijn vrienden gedood waren, kwam er een soort waanzin over mij, geloof ik. Maar inderdaad, ik heb het gedaan en wist dat ik het deed. En ik beleefde er genoegen aan, moge Heider mij bijstaan.'

'Dat je nu spijt hebt, telt niet,' zei Ohtar. 'De minste straf die we je kunnen opleggen is een zware boete. Kun je die betalen?'

Schouderophalend zei Ulf: 'Ik bezit zelf geen grond. Ik was een van Sweyns commandanten, maar Sweyn is dood en zijn beloften rotten mét hem weg. Het land dat eigendom was van mijn vader, Gunnar, is overstroomd door de zee. Wel heb ik in Caer Lind nog een bescheiden schat; als die nog van mij is, ben ik graag bereid die te geven. Het enige echter waarvan ik met zekerheid weet dat ik het bezit, is mijn naam – en mijn leven.'

'Laten we eerst eens het relaas van al je wandaden voltooien voordat we over een straf gaan praten,' zei Urdo. 'Nadat jij Sulien had gedwongen om de wond die ze jou had toegebracht te helen, beloofde je haar niet te doden, maar je liet haar achter, vastgebonden aan een boom – waar ze zou omkomen van de dorst, zoals je wist.' Urdo liet zijn stem weer neutraal klinken. Ohtars gezicht vertrok.

'En toen heeft hij me gewijd aan een god die niet mijn keuze was, naar geest en lichaam,' voegde ik eraan toe.

'En heeft die god jou niet goed geholpen?' vroeg Ulf.

Ik klemde mijn kaken op elkaar. Ik kon onmogelijk zeggen dat het waar was dat die god was gekomen om mij te redden van Morwen, en misschien ook in de krijg. Maar tot mijn opluchting hoefde ik niets te zeggen.

Ohtar staarde Ulf aan, een en al walging. 'Idioot die je bent! Jij...' Zijn gezicht liep bijna paars aan en er kwam een toornige stroom Jarns uit zijn mond, ongetwijfeld een reeks vervloekingen. Het merendeel van de woorden kende ik niet, maar de paar die ik wel kende waren ongeschikt om in beschaafd gezelschap te herhalen, zoals me was verzekerd. Langzaam kreeg

Ohtar zichzelf weer in de hand. Hij haalde diep adem en hernam met enige moeite in het Tanagaans: 'Jij hebt een eed verdraaid en een offer geplengd waarvan je geen snars had begrepen. Je deed het verkeerd en zette Gangrader op tegen ons Jarns! Geen wonder dat hij vandaag zo gretig zoveel van ons bloed heeft gedronken! Waar zat je verstand? Zo'n ritueel maakt deel uit van de proeven voor het koningschap; het is niet bedoeld om gevangenen te offeren! Zelfs niet als jij gerechtigd zou zijn geweest om gevangenen te offeren – en dat ben je niet. Dat kan alleen een koning doen, maar jij bent geen koning en zult het nooit zijn ook!'

Hij spuwde op het gras en haalde weer diep adem. 'Je had werkelijk geen idee van wat je deed, nietwaar? Als een koning in de krijg een offer voor de zege brengt, moet dat ten overstaan van alle goden en mensen gebeuren, zodat het hele volk er getuige van is. Zelfs dan is iemand opdragen aan een god een moeilijke daad met ernstige consequenties. Niemand doet zoiets tijdens een inval en niemand doet zoiets alleen voor zichzelf. Geen wonder dat het onheil over je is gekomen; je hebt het zelf opgeroepen! Jij nam de dochter van een koning en gaf haar meer dan genoeg redenen om jou te haten. Je hebt haar een hel laten doormaken en haar bovendien in leven gelaten, zodat ze zich op jou kon wreken. Het enige wonder is dat je nog zo lang in leven bent gebleven.' Hij keek me aan en zei op rustiger toon: 'Ik ben het ermee eens dat deze overeenkomst met de Heer der Gevallenen niet al te slecht voor je is uitgepakt, Sulien ap Gwien, maar dat is in geen geval aan Ulf hier te danken. Hij had er niet het minste recht toe. Het was geen magie, het was schurkachtig en bovendien prutswerk.'

Ulf staarde naar de grond.

Ik scheurde mijn blik los van de uitdrukking van walging op Ohtars gezicht. Ik zag Urdo fronsen. Hij beantwoordde mijn blik. 'Wat stel je voor, Sulien?'

'Mag ik hem in een eerlijk gevecht verslaan?' vroeg ik. 'Ik heb gezworen dat ik zijn wapens op het graf van mijn broer zou leggen. Ik heb hem jaren en jaren gehaat. Hij heeft echter Osvrans ziel gered en alleen daarom wil ik hem een eerlijke kans geven. Hij mag zelf de wapens kiezen.'

'Billijke kans? En als jij valt?' vroeg Urdo met opgetrokken wenkbrauwen. 'Ik wil jou niet kwijt. Ik heb je voor de vrede even hard nodig als voor de krijg.'

Mijn wangen brandden weer, zo hevig dat ik vreesde dat Ohtar het zou zien, en er welden tranen in mijn ogen op. Haastig wendde ik mijn blik af, al betwijfelde ik geen moment dat ik Ulf in een eerlijk gevecht zou verslaan. 'En jij, Ulf – wat stel jij voor?' vroeg Urdo.

Hij deed een stap naar voren en knielde voor Urdo neer. De zon liet zijn armband glanzen. 'Heer, ik zou uw gezworene willen zijn, niet vanwege het feit dat het lot mij op het veld aan u heeft uitgeleverd, maar vanuit mijn hart.

Sweyn is dood, dus heb ik geen verplichtingen meer en ben een vrij man. In u zie ik de belichaming van de wet en de hoop op gerechtigheid voor ons allemaal.'

Ohtars wenkbrauwen gingen omhoog en hij boog zich naar voren om Ulf verbijsterd aan te staren.

'Of als u het mij beveelt, zal ik teruggaan naar Jarnholme, als ze me daar nog willen hebben. Zo nodig leg ik me neer bij ballingschap in een ver oord. Ik zal sterven als de Heer der Gevallenen mij uitverkiest; hij heeft mij echter nog niet geroepen en ook vandaag hoor ik zijn stem niet. Wat dit alles betreft, erken ik volmondig dat ik haar groot onrecht heb aangedaan. Ik zal haar vergoeden wat ik kan. Het is al tien jaar geleden en ik ben het eens met alle harde woorden die koning Ohtar over mij heeft uitgestort. Ik was een stomkop. Ik ben uit vrije wil bereid mijn wapens af te staan, zodat Ap Gwien ze op het graf van haar broer kan leggen. Ik zal met haar strijden, als u dat beveelt, maar alleen dan.' Hij keek weg.

'Van ballingschap kan geen sprake zijn,' zei Urdo.

Ik keek van de een naar de ander, in verwarring. Ik had al die jaren de wens gekoesterd Ulf te doden. Op dat moment zag ik een uitweg. 'Zelfs als ik dat aanbod van jou om jouw wapens te nemen acceptabel zou vinden, is dat niet aan mij,' zei ik. 'Het is niet aan mij om de bloedvete te beslechten, maar aan mijn broer, Morien. Hij is heer van Derwen.'

'Derwen ligt een halve maand rijden van hier,' zei Ohtar. 'Deze kwestie moet nu worden geregeld. Jij bent zijn erfgenaam. Jij kunt het doen, want jouw wet staat dat toe als je dat wilt.' Hij had gelijk. 'En anders mag je hem voor mijn part in een eerlijk gevecht doden.' Hij keek Urdo aan. 'Heer koning?'

'Het is niet de vrede die ik graag zou zien als een van jullie tweeën ervoor moet sterven, maar het is beter om nu een eerlijk en openbaar gevecht te voeren dan dat de zaak later op een andere manier wordt beslecht. Ik kan je niet beletten te vechten, Sulien, als dat is wat je wilt. En ik kan en mag jou niet bevelen af te zien van wraak. Laat me echter zeggen dat – wat er ook gebeurt – niets van alles wat hier op deze heuveltop is gezegd aan anderen bekend zal worden. We zullen alleen verklaren dat alles tot tevredenheid is uitgesproken.'

Ik keek hem aan, drie volle ademteugen lang. Hij wilde de vrede zo graag. Dit was waarvoor hij al die tijd had gewerkt. Maar mijn broer Darien was dood en zijn as was door de wind verwaaid. Al die uren dat ik had moeten zagen om mijn pols vrij te krijgen..., de maanden die ik had moeten doorbrengen in Thansethan. 'Ik wil hem bestrijden,' zei ik. 'Kies je wapens maar.' Ik keek Ulf aan.

'Ik vecht met blote handen,' zei hij.

Ik knipperde met mijn ogen. Toch was het een slimme keus. Hij was even groot als ikzelf, of bijna. Hij had dan wel die onwillige knie, maar hij was niet ongeoefend en hij had in zijn lijf en armen de kracht van een sterke kerel, waarschijnlijk zelfs meer kracht dan ik. Ik zou me heel snel moeten bewegen of er snel een eind aan moeten maken, om te voorkomen dat hij in het voordeel kwam. Thurrig had altijd gezegd dat ik, als het uitdraaide op een worstelpartij, al bij voorbaat verloren zou zijn.

Ulf liet zijn jachtmes in het gras vallen, voor de voeten van de beide koningen. Ik deed hetzelfde.

'Zo zij het,' zei Urdo triest. Ik keek hem verontschuldigend aan. 'En laat wat hier op deze heuveltop geschiedt er definitief een eind aan maken.' Ik knikte instemmend, net als Ulf. Ohtars gezicht stond belangstellend en niet in het minst bezorgd.

Toen liep ik naar Ulf en posteerde me tegenover hem. Hij stond stil. Ik zwaaide een beetje, maar hij verroerde zich niet. Ik probeerde de woede die ik zo lang had gevoeld op te roepen, maar zonder succes. Evenmin ervoer ik de woede die mij in een gevecht altijd dreef. Ik bespeurde alleen schrijnende verbittering.

Ik liet mijn vuist in een schijnbeweging uitschieten naar zijn hoofd, maar zo dat hij de vuist gemakkelijk kon ontwijken. Ik zette er echter genoeg kracht achter om het de moeite waard te maken de vuist te ontwijken, omdat hij hard in zijn gezicht zou worden geraakt als ik doel trof.

Hij ontweek de stoot niet. Ik voelde dat ik hem raakte en beschermde direct mijn hoofd. Hij maakte echter geen aanstalten om terug te vechten; hij bleef alleen maar staan, licht wankelend onder het geweld van de stoot.

'Was je niet van plan terug te vechten?' vroeg ik voorzichtig, klaar om een uitval te doen en me meteen om mijn as te draaien als hij het deed.

'Nee,' grijnsde hij, en spuwde een gebroken tand uit. 'De Grote Koning heeft het mij niet opgedragen. Ik blijf hier staan, maar meer ook niet. Als jouw eer vereist dat je mij doodt, dan moet je dat maar doen.'

Als ik mijn zwaard in mijn hand had gehad, zou ik hem onmiddellijk hebben doorstoken. Bij gebrek aan beter trof ik hem met mijn vuist vol op de kaak, waardoor hij neerging. Dat was echter meteen ook het eind van die woede-impuls. Hoe kun je een man doden die niet terugvecht, maar op de grond ligt en je min of meer hoopvol toegrijnst? Ik had hem uit pure frustratie willen schoppen, maar het was niet het soort woede dat me in staat zou stellen hem te doden. Ik had die dag al zoveel mannen gedood, dappere kerels die mij niet meer hadden aangedaan dan me op het slagveld voor de voeten te lopen. Nu lag Ulf echter voor me, maar toen ik vanbinnen op zoek ging naar de haat die ik hem toedroeg, bespeurde ik alleen verwarring.

Ik stond naast hem en staarde op hem neer. Hoog boven me zong de veldleeuwerik weer, maar nu kwam er antwoord van een tweede. Ik wist niet wat ik voelde of wat me nu te doen stond. Ik wenste dat ik in een warme, schemerige stal was, met een paard dat nodig geroskamd moest worden. Er waren die dag al zesduizend Jarns gevallen. Hij bleef maar liggen en staarde glimlachend naar de hemel. Hij had Osvran een eervolle dood geschonken. De plek in mijn hart waar de woede had gezeten was nu hol en leeg. Waar die is gebleven, heb ik nooit kunnen ontdekken. Ik bleef zo staan, heel lang. Het zou zo gemakkelijk zijn geweest hem de nek te breken. Hij had staan grienen toen hij nadacht over wat hij had gedaan. Zou mij blaam treffen als ik mijn wraak liet varen en hem liet leven? Het zou niet zo beschamend zijn als hem doden, alleen om die blaam te vermijden. Ik keek naar Urdo. Zijn gezicht was heel stil. Hij zag eruit als het stenen beeld van een koning op een heuveltop dat er al even lang stond als de offersteen waartegen hij leunde. Zelf had ik ook het gevoel alsof ik er bijna eeuwig had gestaan, voordat ik weer neerkeek op Ulf. Ik schopte hem tegen de ribben.

'Opstaan jij,' zei ik knarsetandend. 'Je bent de moeite van het doden niet eens waard. Sta op en geef me je wapens. We zullen inderdaad zeggen dat dit voorbij is, meer dan voorbij. Daarna kun je de Grote Koning trouw zweren en neem ik je op in mijn ala – dan zul je *wensen* dat je dood was.'

24

Strijd in de ochtend,
vlees in de middag,
rust in de nacht.
– Isarnagaans spreekwoord

Het regende toen we Galba ap Galba naar huis brachten. Het was niet die malse, lichte regen die vaak het eind van de zomer markeert, maar een zware regen uit een dik grijs wolkendek die dag in dag uit aanhield en de bomen ontbladerde. Het rijden was één grote ellende. De wind kwam uit het westen en was koud en gestaag. Al vanaf ons vertrek uit Tevin regende het, en die regen hield tijdens onze tocht door Nene en Tathal en tot diep in Magor aan. De heirwegen werden overspoeld door water en alle karrensporen en rijpaden buiten de doorgaande wegen waren één grote modderbrij. Op sommige plaatsen was de modder donker en kleverig. Soms zakten Bodes hoeven er tot aan de vetlokken in weg. Ik vond het dan ook geen wonder dat we zo weinig andere reizigers ontmoetten.

Urdo had overwogen Galba bij de andere gevallenen te begraven. Het waren er te veel om ze te verbranden. Met onze tweeënvijftig doden hadden we het nog wel aan gekund, maar niet met zesduizend Jarns. Daarom waren ze op een nieuwe manier aan de aarde teruggegeven. Er werden grote grafheuvels aangelegd aan de voet van de heuvel Foreth, waaronder zij met alle eer werden begraven, hun wapens onder de voeten. Galba werd als enige gevallene naar huis gedragen om daar op de traditionele Tanagaanse-wijze te worden overgedragen aan vuur en lucht.

Het was Emlin geweest die de Grote Koning van gedachten had doen veranderen, bijna zodra ons kleine gezelschap terug was aan de voet van de heuvel en nog voordat we waren afgestegen. Ohtar had besloten te voet de heuvel af te dalen. Urdo had Ulf eenvoudig weggestuurd en streek juist zijn haar naar achteren en haalde adem om iets tegen mij te zeggen, toen Emlin ons naderde. Hij zag er nerveus maar vastbesloten uit en zijn haar was zo kort dat ik van bovenaf bijna zijn nek kon zien.

'Heer koning,' zei hij tegen Urdo, waarna hij er tegen mij aan toevoegde:

'Prefect', plichtmatig maar beleefd, zodat meteen duidelijk was dat dit een formeel gesprek was en geen vriendschappelijk babbeltje. 'Heer koning, ze zeggen dat ze van plan zijn de kapitein – ik bedoel, mijn prefect Galba ap Galba – te begraven. Als ik geen wacht rond zijn lichaam had geposteerd, zouden ze hem al hebben weggehaald.'

Urdo kwam met een zwaai uit het zadel en wenkte zijn stalknecht met een korte hoofdbeweging. Hij wekte niet de indruk behoefte te hebben aan formeel gedoe. 'Glyns mensen deden alleen wat ik hun had opgedragen,' zei hij toen Ap Caw de rode hengst wegleidde. 'Vóór zonsondergang moest alles in gereedheid zijn gebracht. Wat scheelt eraan?'

'Heer koning, hij was erfgenaam van het land van zijn vader en drie van zijn voorouders hadden dezelfde naam en zijn in dat land, waarvan hij heel veel hield, begraven. De oude hertog zou ongetwijfeld wensen dat we hem thuisbrachten, en al degenen die tot zijn ala behoorden willen dat ook.'

Ik keek om me heen. Er stonden inderdaad flink wat mensen van Galba in onze buurt en ze hielden ons angstvallig in het oog. En allemaal hadden ze hun haar afgesneden. Ik realiseerde me bij die aanblik dat ze dat niet hadden gedaan omdat ze persoonlijk een kameraad hadden verloren, maar omdat ze rouwden om hun aanvoerder, Galba. Zij hadden sinds Caer Lind onder hem gediend, maar toch was dit iets wat ik nog nooit had gezien. De Vincaanse legioenen hadden dit ook voor hun grote keizers gedaan, zoals Adren en Aulius, en de zeer geliefde Drusan. Cornelien meldt dat de legioenen aan de noordgrenzen bij de dood van Tovran weigerden het bevel om hun haar af te snijden op te volgen. Zij zeiden dat rouw in het hart begint en niet kan worden bevolen. Het bevel was ingetrokken. Ik had dit altijd verstandig gevonden, maar Cornelien beschouwde het als een ernstig precedent. Dit alles ging me door het hoofd toen ik van Galba's wapendragers terugkeek naar Emlin. Hij had Urdo's strategiefeesten bijgewoond en moest dit alles even goed weten als ik. Hij zou nóóit een dergelijk bevel hebben gegeven. Toch moest íemand het hebben voorgesteld. Onder deze wapendragers konden er niet veel zijn die thuis de Vincaanse gebruiken in ere hielden.

'Het is bijna een halve maand rijden naar Magor, als we geen enkel risico met de paarden nemen,' zei Urdo. 'Bovendien is het zomer.' Ver in het westen, achter de heuvel, hing een lage wolkenbank – een voorbode van de regen die in aantocht was, maar dit was een snikhete middag. 'Het zou beter zijn om zijn as naar zijn familie te brengen.'

'Tien dagen, vanaf hier,' zei ik. Toen ik dit zei, voelde ik hoe mijn stem beefde, zodat ik afsteeg om mezelf houvast te geven. Terwijl mijn voeten de grond raakten, voegde ik eraan toe: 'Volgens mij heeft Emlin gelijk als hij zegt dat zijn vader en volk dit zouden willen. We kunnen een kist maken.'

Emlin keek me dankbaar aan.

Urdo wendde zijn hoofd af en leek een ogenblik naar iets te luisteren. Ik vroeg me af of de wind uit het verre Magor hem iets influisterde. Toen ik naar het zuidwesten keek, zag ik alleen de rivier en de bossen erachter. Zuchtend zei Urdo: 'Dit zou ik niet voor alle gevallenen kunnen doen. Hier is echter geen andere gevallen koning of erfgenaam van een heerschap bij. Ben je bereid zijn lichaam naar huis te brengen, Sulien, mét zijn ala?'

Ik keek hem aan. 'Als u mij zo lang kunt missen, heer,' antwoordde ik. 'Het is niet alleen mijn plicht als familie van Galba, maar het is ook wat ik wil. Hoewel het me hard zal vallen om dit nieuws aan mijn zus en zijn jonge zoons over te brengen.'

'Dat nieuws zal je vooruit zijn gesneld, zo snel als paarden het kunnen dragen: de roodmantels rijden al naar alle windstreken om de vrede af te kondigen en het nieuws te brengen over hen die voor de totstandkoming ervan hun leven hebben gegeven. Als jij Galba's lichaam thuisbrengt, zul je hun misschien wat troost kunnen schenken. Welnu, Emlin, ben je er al aan toe om het bevel over de ala op je te nemen?'

Emlin schudde het hoofd. 'Nee, heer koning.'

'Dat dacht ik al,' zei Urdo. En met een glimlach liet hij erop volgen: 'Het leiden van een ala verlangt heel andere bekwaamheden dan de positie van tribuun en jij bent een uitstekende tribuun.' Hij wendde zich weer tot mij. 'Sulien, heb je er behoefte aan een poosje in Derwen en Magor te wonen, nabij je familie?' Nog voor ik mijn mond goed en wel kon opendoen, legde Urdo zijn hand op mijn arm. 'Het was maar een vraag, geen bevel.'

'Liever niet,' zei ik. Er moest veel opluchting in mijn stem te horen zijn geweest, maar het leek alsof mijn gevoelens ergens heel ver weg gebeurden, zodat ik er niet bij kon en er alleen berichten over door kreeg, bovendien overgebracht door onbetrouwbare roodmantels. Ik deed mijn best om mijn stem vast te laten klinken. 'Ik zal het lichaam van mijn strijdmakker Galba naar huis brengen, waarna ik terugkom. Naar Caer Tanaga?'

'Naar Caer Tanaga, ja, naar het feest van de vrede als de oogst binnen is. Ik zal jouw ala meenemen, net als die van Gwair.' Bij die laatste woorden zag ik hem fronsen. 'Ik zal Gwair Aderyn missen. Hij was de meest gelijkmoedige prefect die ik had en bovendien de eerste die zich achter mij schaarde. Als jongen in Thansethan waren er weinig dingen die ik me kon herinneren uit de tijd die aan mijn verblijf daar vooraf waren gegaan. In mijn geest is het een verwarde galerij van beelden. Ik herinner me de zijden kleren die mijn moeder droeg, en hoe heerlijk ze altijd rook. Ook weet ik nog hoe ik door de modder rende en helemaal smerig werd, waarop mijn min op me mopperde terwijl de modder van mijn vingers droop. Ik weet ook hoe ik voor een venster een bij ving, die luid zoemend probeerde naar buiten te komen. Dat kan echter al iets uit Thansethan zijn geweest, want ze houden daar bijen en maken er uitstekende honing. Ook herinner ik me dat ik vóór iemand in het zadel zat – ik zie de oren van dat paard nog helder voor me, maar wiens paard het was weet ik niet. Ook heb ik destijds een geit gezien – dat was direct na mijn aankomst in Thansethan, zo'n goudgeel geitenoog met langgerekte pupil. Kinderen nemen dieren goed in zich op, veronderstel ik. Ik weet nog goed dat ik niet wist hoe je met andere kinderen speelde; maar zij kenden elkaar allemaal, want zij waren er óf al heel jong gekomen óf er zelfs geboren. Dat was een vreemde, eenzame ervaring. Ja, ik herinner me hoe ik daar aankwam, nadat ik de hele nacht bij Gwair voor op zijn zadel had gezeten, terwijl mijn moeder, vrouwe Rowanna, naast ons reed. Gwair is mij trouw eens per jaar komen bezoeken zolang ik daar opgroeide, zodat hij mijn moeder kon melden dat ik het goed maakte, neem ik aan. Ik verheugde me altijd op zijn bezoek. Hij bracht vaak een cadeau mee. In mijn fantasie moest hij mijn vader zijn. Mijn echte vader herinner ik me niet in het minst.' Hij slaakte een zucht en staarde voor zich uit, met nietsziende ogen. Emlin en ik keken elkaar aan, want we vroegen ons af of we hem uit zijn mijmeringen moesten wekken, maar we durfden niet goed. 'Ja, Gwair was een goede man. Hij was dan wel niet van hoge geboorte, en al te bekwaam in de nieuwe strijdmethoden was hij evenmin, maar niemand die onder hem diende heeft zich ooit beklaagd.'

'Ik heb hem nooit goed gekend. Had hij kinderen?' vroeg ik, zo voorzichtig mogelijk.

Urdo kneep even zijn ogen dicht en keek me toen aan, zijn blik weer in het moment. 'Ja. Hij heeft twee dochters. Een van hen is decurio in Angas' ala, en de tweede is getrouwd, woont in Segantia en heeft zelf kinderen die al bijna volwassen zijn. Wel – ze zullen geen van allen zijn ala erven. Als jij terug bent, stel ik Ap Erbin aan tot hun prefect, waarna ze in Caer Segant worden gelegerd. Tegen die tijd kunnen we het erover hebben wie jij als je nieuwe plaatsvervanger wenst.'

'Masarn,' zei ik zonder aarzelen. 'Hij heeft datzelfde gelijkmoedige over zich.'

'Daar zullen we over praten als je over een maand terug bent in Caer Tanaga,' zei Urdo. Het benoemen van een tribuun was normaal gesproken de verantwoordelijkheid van een prefect. Mijn eskadron was een uitzondering, omdat we zo nauw samenwerkten met Urdo zelf. Daarom had ik er al lang geleden mee ingestemd dat hij een stem zou hebben in mijn benoemingen. 'Jij hebt het bevel over Galba's ala tijdens de reis en je verblijf daar. Daarna kun jij ze onder je hoede nemen, Emlin, voor een tijdje. O, en als je terugkomt naar Caer Tanaga, Sulien, neem dan je broer Morien mee. Galba heeft hem opgeleid en hij voert het bevel over een penoen. Ik wil hem eens bekijken, om te zien of hij toe is aan een promotie. Hij is de voor de hand liggende kandidaat, als hij zover is. Mogen de wapendragers hem, Emlin?'

'Hij is erg zwijgzaam,' zei Emlin zonder mij aan te kijken, kennelijk omdat hij zijn woorden met zorg wilde kiezen.

Urdo nam hem scherp op, maar juist op dat moment kwam Raul naar ons toe gereden, gevolgd door Alfwin, wiens gezicht verbijstering uitdrukte. 'Je kunt morgenochtend vertrekken,' zei Urdo. 'Marchels ala rijdt terug naar Caer Gloran; tot daar kunnen jullie samen rijden.'

Emlin liep weg om de andere wapendragers het goede nieuws over te brengen. Urdo haalde een paar keer diep adem en zei: 'Gegroet, Alfwin Cellasson, koning van Tevin! Je hebt al gehoord dat er vrede is?'

Alfwin zag eruit alsof hij over de rand van een klif was gestapt en toch stevige, maar onzichtbare grond onder zijn voeten voelde. 'Ik heb de slag gemist,' zei hij. 'Sinds we de boodschap van Thurrigs dochter kregen hebben we als gekken gereden, maar we waren te laat.'

'Je hebt voor en naast mij gevochten, de afgelopen zeven jaar,' zei Urdo. 'En iedereen weet dat tweevoeters langzamer vooruitkomen dan viervoeters. Het is niet zo dat ik jou Tevin overdraag als een soort huwelijksgeschenk: Sweyn is dood en ik heb zijn oudste neef, maar de jongste, hun erfgenaam, is spoorloos. Er zal misschien nog wat verzet zijn, hier en daar. Dat is echter jouw probleem; jij bent hier nu koning, en wel rechtmatig, als opvolger van je vader.'

'Zo eenvoudig is het niet helemaal, onder ons Jarns,' zei Alfwin, maar de trek van verbijstering had nu plaatsgemaakt voor een grijns. 'Maar geloof me, ik zal koning zijn tegen de tijd dat we elkaar weer ontmoeten, ik twijfel er geen moment aan.'

'Als je wilt, als je de wens hebt om net als je gemalin toe te treden tot de kerk, zou ik je nog vandaag hier kunnen kronen, in naam van de Blanke God,' mompelde Raul. Ik kon nauwelijks geloven dat hij zo vrijpostig kon zijn, ook al was iemand er kennelijk in geslaagd Alfwins echtgenote te bekeren. Daar moest nogal wat voor nodig zijn geweest, gelet op het feit dat zij al die tijd in Bereïch had gezeten. Het was algemeen bekend dat Ohtar fel gekant was tegen de Blanke God. Een ogenblik vroeg ik me af of Alfwin dit voorstel zou aannemen. Net als Raul wist ik heel goed dat Alfwin veel tijd had doorgebracht met Marchel, die buitengewoon overtuigend kon zijn. Niettemin, zelfs als hij zoiets wenste, zou hij dat onmogelijk kunnen doen zonder de landgoden van Tevin te raadplegen. Urdo's gezicht werd neutraal, alsof hij zijn best deed niets van zijn gevoelens of gedachten te verraden. Ik dacht aan de platte offersteen op de heuveltop.

De trek van verbijstering op Alfwins gezicht werd sterker dan ooit. 'Dit is niet de voorwaarde waarop je het land aan mij laat?' vroeg hij Urdo.

'In geen geval,' antwoordde Urdo. 'Ik heb zelfs degenen die tegen ons hebben gevochten die voorwaarde niet gesteld.' Zijn gezicht zag er onbewogen uit, maar in Rauls voorhoofd was een rimpel verschenen. 'Hier is een grote kans verloren gegaan,' zei hij, waarop Urdo gedecideerd antwoordde: 'We spreken er later nog wel over. Je bent vrij in de keuzes die je maakt, Alfwin.'

'Zo is het,' beaamde Raul. 'Ik vroeg je alleen of dat was wat je wilde.'

Alfwin lachte, maar ik beluisterde er duidelijk woede in. 'Ik ben niet beducht om deze beproeving aan te gaan, heer monnik,' zei hij. 'Heer Tew, die ons dit land heeft geschonken, zal niet teleurgesteld in mij zijn.' Hij richtte zich tot mij: 'Ap Gwien, wees zo vriendelijk – is alles goed met de dochter van mijn broer?'

'Ze maakt het goed, of meer nog, ze heeft zich geweldig geweerd in de strijd,' antwoordde ik, blij dat ik iets positiefs te melden had en zo het gesprek op iets anders kon brengen. 'Ik ben er trots op Haraldsdottar onder mijn bevel te hebben. Ze is dapper, ridderlijk en bekwaam. In feite heeft zij vandaag troepen aangevoerd en waarschijnlijk mijn leven en dat van de Grote Koning zelf gered.'

Alfwin leek niet gewend te zijn aan verrassingen. Zijn bleke huid werd zichtbaar rood en ik zag hem slikken. Ik was moe en was glad vergeten dat hij in verlegenheid kon worden gebracht als hij hoorde dat een vrouw uit zijn familie in het openbaar werd geprezen om haar strijdvaardigheid.

'De Cellingas hebben mij uitstekend gediend, ook tijdens je afwezigheid,' zei Urdo. Hij glimlachte, maar maakte nog steeds de indruk ergens anders te zijn met zijn gedachten.

'Goed,' prevelde Alfwin. 'Het is tegen onze zeden, maar 's lands wijs, 's lands eer – en we zijn nu in dit land.' Alfwin was geen dwaas. Hij haalde adem en voegde er op krachtiger toon aan toe: 'Goed, ik ben blij dat wij ons aandeel in deze overwinning hebben geleverd, ook al was ik zelf te laat. Ik zal haar echter de volgende paar dagen nodig hebben, met jouw toestemming, uiteraard?'

'Natuurlijk,' zei ik. 'Als jullie naar Caer Tanaga komen voor het vredesfeest, kan ze zich weer bij de ala voegen.'

'Ohtar Bearsson zal zo dadelijk beneden zijn,' zei Urdo voordat Alfwin kon antwoorden. 'Het zou goed zijn als je vandaag nog met hem ging praten. Bovendien zullen we zo spoedig mogelijk moeten overleggen wat we zullen doen om Ayl te helpen bij de verdediging van Aylsfa, deze winter. Dat land is lang niet meer zo sterk als het vanmorgen nog was.'

'Ik dacht dat Luth en zijn ala een prima keuze zou zijn,' bracht Raul in het midden.

'Ja,' zei Urdo. 'Dat zou goed kunnen zijn.' Hij zag er plotseling erg moe uit. Ik vroeg me af of we vier nachten slaap hadden gemist, in plaats van één. 'Morgen hebben we een volledige raadsvergadering, met de geallieerde koningen. Wees zo goed dat te organiseren, Raul. We moeten echter eerst nog met elkaar praten.'

Raul kraste een notitie in het wastablet dat hij altijd aan zijn gordel droeg. Het was al bijna vol. Ik ging weg om me te wassen en nog wat te slapen, voordat de zon boven de horizon hing en het tijd werd voor de plechtigheid. Ik denk dat Urdo ook nauwelijks tijd voor zichzelf had gehad. Hij bewoog zich stijf, en toen ik hem zag kon ik me even voorstellen hoe hij eruit zou zien als hij oud was.

Iedereen die niet gewond of te uitgeput was, hielp een deel van die dag mee aan het opwerpen van de grote grafheuvels. Glyn, Ayl en Raul hadden de zaak zo georganiseerd dat Jarns en armigers met elkaar konden samenwerken. Algauw vormden de grafheuvels een lange rechte lijn over de hele lengte van de heuvel. De grafheuvels zouden begroeid raken met gras en daardoor nog hoger worden, en het slagveld zou veranderen in een stille rustplaats. De doden werden bij hun kameraden begraven en daarna overdekt met aarde. Ik heb ze niet gezien voordat de heuvels werden opgeworpen. Het was de enige manier, gelet op de omstandigheden, hoewel het inmiddels natuurlijk de gewoonte is geworden. Dertig jaar geleden, toen ik de brandstapel ontstak voor Veniva, was het nog iets waarover alleen maar werd gefluisterd. En als mijn achterneef mijn wensen inwilligt en mij straks zal verbranden, als mijn tijd gekomen is, zal dat beslist een groot schandaal verwekken.

Vóór de grafheuvels was een brandstapel aangelegd, ééntje maar, en zelfs te klein om ook maar één dode te verbranden. We verzamelden ons nog voor zonsondergang en stelden ons op in formatie, eskadron naast eskadron. Van de Jarns was niemand aanwezig, zelfs niet Alfwin en zijn mannen, want zij hadden hun eigen ceremonieën. Iedere wapendrager die nog in leven was en aan de slag had deelgenomen, was echter in het veld. Hun dode kameraden uiteraard ook.

Urdo liep naar voren. Hoewel hij uitgeput was, zag hij er op een of andere manier nog koninklijker uit dan anders. Hij droeg nog altijd zijn harnas en zijn lange haar golfde los over zijn schouders. Hij ontstak het vuur en gooide er zoete kruiden en wierook op terwijl de zon zich in de glorierijke kleuren van de wolken in het westen verborg. Ik stond vrijwel vooraan, maar later zei iedereen dat hij of zij elk woord dat hij had gesproken had verstaan, zelfs in de achterste gelederen. De verzamelde troepen waren muisstil – je hoorde geen ander geluid dat hun ademhaling en af en toe het kraken van harnasleer.

'Wie en wat zijt gij allen, die ik nu voor mij heb?' begon Urdo, toen de stapel vlam vatte. Hij sprak niet luid, zelfs niet luider dan zijn normale spreekstem. Het klonk bijna alsof hij in zichzelf praatte. 'Mijn wapendragers, jawel, dood en levend, maar wat zijt ge nog meer? Geen Vincanen, strijdend voor een afgelegen hoofdstad, en ook geen wanhopigen die hun eigen huis en haard verdedigen. Wij zijn tot elkaar gekomen, hebben onze les geleerd en iets nieuws tot stand gebracht. Misschien is er op heel de uitgestrekte aarde nog nooit iets dergelijks vertoond.'

Hij haalde adem, richtte zich op en liet zijn blik over de alae dwalen. 'Vrienden, jullie zijn hierheen gekomen om te strijden. Welnu, jullie hebben gestreden en sommigen onder u zijn gesneuveld en anderen hebben hun adem nog, maar tezamen hebben we via deze oorlog de weg naar vrede gevonden.'

Hij draaide zich om naar de grafheuvels en hief beide armen op, niet met de handpalmen omhoog om de goden aan te roepen, maar naar voren, naar de gevallenen. Daarna draaide hij zich weer om naar ons en herhaalde dat gebaar, totdat hij zijn armen langzaam liet zakken en verder sprak: 'Ik dank u allen, want dit is wat eer verdient! En allen die vandaag naar dit veld zijn gekomen, levend of dood, zullen voor altijd worden geëerd omdat zij deze vrede tot stand hebben gebracht.'

Hij zweeg even. Het was zo stil dat ik de vogels in de bomen kon horen zingen. 'Hoeveel eer de doden zal worden bewezen, net als hen die na vandaag nog verder leven, zal afhankelijk zijn van de keuzen die wij vanaf deze dag zullen maken, iedere dag opnieuw. Onze eer wordt afgemeten naar de mate waarin deze vrede wordt bewaard. Zij die nog leven zullen rouwen om degenen onder ons die gevallen zijn. We zullen onze wapenbroeders die niet meer in leven zijn niet meer vergeten, evenmin als degenen die al eerder voor deze vrede zijn gevallen, in deze lange jaren van oorlog. Deze vrede zal hun monument zijn. Vrede in stand houden zal niet gemakkelijk zijn. We weten nauwelijks nog wat vrede kan betekenen, want niemand onder ons heeft het ervaren.' Op dat moment leek het alsof hij over onze hoofden heen naar iets in de verte keek dat wij niet konden zien. 'Dit betekent echter niet dat wij onze speren aan de wilgen hangen, want we hebben deze vrede afgedwongen door de kracht van onze wapenen en wil, en alleen zo zullen we haar kunnen handhaven. Wij zullen niet langer vechten om de heerschappij over dit eiland, maar om onrecht te bestrijden of invallen af te weren. Zij die tot vanmorgen onze vijanden waren, hebben met deze vrede ingestemd. Wat ons rest, is om de wil die we hadden om de vrede te bewerkstelligen, ook op te brengen om haar te handhaven. Zo kunnen we verder gaan met wat we zijn begonnen, door de vrede te doen spreken uit heel ons doen en laten, ademtocht na ademtocht, alle dagen van ons leven.'

Ik had hem al eens eerder zo horen spreken als we 's avonds in zijn tent zaten. Het waren toen echter niet meer geweest dan hoopvolle verwachtingen, en het was vreemd om hem erover te horen spreken als over iets dat al begonnen was.

'Wij hebben ervoor gekozen te zijn zoals we zijn, zonder enig voorbehoud en zonder angst. Met díe kracht hebben wij deze vrede bewerkstelligd. En zij die er niet aan bijgedragen hebben, omdat zij tijdens de lange oorlogsjaren geen andere keuze hadden dan de wapens op te nemen óf de legers uit de weg te blijven, zullen onder deze vrede kunnen verkiezen dit voorbeeld te volgen: ook zij zullen voortaan hun grootste vaardigheden, vermogens en verlangens kunnen ontplooien.'

Toen keek hij weer naar onze gezichten en zei glimlachend: 'Niemand zal op grond van zijn of haar geboorte onvrij zijn. Voor allen zal er slechts één wetboek zijn. Waar mét koninklijke macht onrecht wordt gedaan, zal hetzelfde recht gelden als voor onrecht dat tégen koninklijke macht wordt begaan. Alleen een algemeen geldende wet kan hiervoor de basis zijn; niet de gril of willekeur van één man of één vrouw.'

Inmiddels laaiden de vlammen van de brandstapel hoog op. Urdo strooide er nog wat wierook over uit en meteen steeg er een grote witte rookpluim op, die werd meegenomen door de wind. 'Dit is de vrede die wij hebben gewonnen, hoewel we er nog aan voort moeten bouwen en veel te leren hebben. Wij die vandaag hier zijn, hebben deze vrede ook gewonnen voor allen die er niet bij zijn, en voor het hele land. Wat wij hier vandaag tot stand hebben gebracht zou zonder hen die er vandaag en op vele andere dagen voor gevallen zijn nooit mogelijk zijn geweest. Nooit zullen wij hen vergeten, want zonder hen zou deze vrede nooit gewonnen zijn.'

Daarna noemde hij de namen van allen die deze dag bij Foreth waren gesneuveld. Veel wapendragers om mij heen huilden en ook ik voelde de tranen over mijn wangen rollen.

Daarna zongen we de *Hymne van de terugkeer*, terwijl de rook hun geesten opwaarts droeg, hoewel hun lichaam aardgebonden bleef.

De hele lange, natte reis naar Magor zijn deze woorden mij door het hoofd blijven spoken. Het enige wat ik in mijn leven had gekend, was oorlog. Vrede was slechts een woord geweest. Ik zou moeten leren wat het betekende.

We reden voort door de regen, en iedere nacht zetten we wachtposten uit. Ook hielden de penoenen om beurten de nachtwake rond de arme Galba. Als ik vermoeid ging slapen, dacht ik aan de nieuwe stadsmuren rond Derwen, aan feestgelagen en drinkliederen, aan Darien die opgroeide tot een sterke man die veilig kon leven – maar dan hielden mijn gedachten opeens op. Ik kon me niet voorstellen hoe we zouden leven, zonder oorlogen. Ik deed mijn best geen troost te putten uit de gedachte dat Urdo de alae nog heel lang nodig zou hebben.

Tien dagen na ons vertrek van de heuvel Foreth, tegen het vallen van de nacht, bereikten we Magor. De regen was nu fijner dan eerst en ik begon te hopen dat er een eind aan zou komen voordat het hele eiland onder water stond. Magor zag er goed uit. Ik zag dat iemand er na mijn laatste bezoek, kort nadat ik me bij Urdo had aangesloten, muren, stallen en barakken bij had gebouwd. Magor was niet zo groot als Derwen geworden. Het geheel zag eruit als het huis van een heerschap met ruimte voor het legeren van een ala, maar niet als een stadje. De hal was in Vincaanse trant gebouwd, met een overdekte zuilengalerij langs de voorgevel. Ik had bij onze nadering een boodschapper vooruit gestuurd, zodat iedereen daar naar buiten was gekomen en ons onder het dak van de galerij stonden op te wachten. Ik liet de ala voor de hal in formatie opstellen, zo correct als mogelijk was in dit miserabele weer, maar onze vlaggen en lichte mantels waren modderig en doordrenkt.

Hertog Galba was er, en mijn moeder, vrouwe Veniva, stond naast hem. Ze had een baby van ongeveer een jaar oud op de arm, en naast hen stond een klein joch van een jaar of drie – met achter hen allen die tot het huishouden behoorden. Ze hadden allemaal het hoofdhaar afgesneden. We stegen gelijktijdig af en ik liep naar voren, langs de houten kist waarin we het lichaam van Galba de Jongere hadden vervoerd.

Veniva stapte de regen in, naar de kist. Ze keek me daarbij een ogenblik aan, en pas toen haar zwarte ogen de mijne ontmoetten, realiseerde ik me dat ze niet mijn moeder was, maar mijn zus Aurien. Ze was nu even groot als Veniva en het restant van haar hoofdhaar, dat zo glanzend ravenzwart was geweest, was vrijwel wit geworden. Haar donkere overgooier werd bijeengehouden door de met parels bezette gouden fibula uit de familie-schat. Ze zag er oud en gekweld uit. Zodra haar blik de mijne kruiste, wist ik dat Urdo het bij het verkeerde eind had gehad en dat ik hier geen troost zou kunnen brengen. Het zou de oude hertog misschien goed doen te horen hoe dapper zijn zoon gestorven was, maar de jongens waren nog te jong om dat te kunnen begrijpen. Aurien daarentegen zou, zo wist ik op dat moment, van mij alleen maar begrijpen dat ik haar een lijk bracht, in plaats van een jonge aristocraat.

Er was geen tijd te verspillen als we niet tot de volgende dag wilden wachten. Een flink eind van het huis hadden ze een massa kurkdroog hout opgestapeld, onder een provisorisch afdak van gevlochten wilgentakken. Op de wandeling erheen passeerden we de rij gebeeldhouwde zerken die de plaatsen markeerden waar de hertogen van Magor waren verbrand. Iedere zerk had een pendant, behalve de laatste. Dat was de plaats waar Galba's moeder lag, en ernaast was ruimte vrijgehouden voor hertog Galba zelf. Bij het natte stukje grond dat later zijn graf zou zijn bleef hij even staan, maar liep toen verder.

Het is triest om je kinderen te overleven.

Ik betwijfel of het hout onder het afdak in deze regen vlam zou hebben gevat als er niet zoveel haar op was gegooid. De wapendragers hadden zelfs de manen en staart van hun paarden getrimd. Er was zelfs zoveel haar, dat er later werd gezegd dat het hout niet eens nodig was en dat het haar voldoende was om zijn lijk tot as te verbranden, zo geliefd was Galba geweest. Emlin en vijf andere wapendragers zetten de kist stevig op de houtstapel. Ik legde Sweyns wapens en de speer die we uit Galba's lichaam hadden getrokken onder het voeteneinde van de kist. Terwijl ik dit deed, herinnerde ik me dat ik in mijn zadeltassen Ulfs zwaarden bij me had, klaar om ze op het graf van mijn broer Darien in het bos te leggen, ter vervulling van mijn eed. De ala stond blootshoofds en zwijgend in het gelid, het korte haar sluik van de regen. Ik kon hun tranen niet onderscheiden van het regenwater.

Het oudste kind, Galbian, erfgenaam van zijn vader, nam de brandende flambouw, stak hem in de stapel en stapte terug. Hij moest hebben geoefend, want hij deed het keurig. Het schijnsel van het vuur werd vaag weerspiegeld door het natte leer van de harnassen. Hertog Galba sprak, en daarna sprak Emlin. Daarna zongen we gezamenlijk, maar Aurien bleef stil totdat we waren uitgezongen. Toen barstte ze uit in luid gehuil en drukte de baby zo dicht tegen zich aan dat hij ook begon te huilen. Ik deed een stap naar voren om de baby van haar over te nemen, maar hertog Galba legde zijn hand op mijn arm en schudde het hoofd. Hij begreep haar beter dan ik. De kleine Gwien was toen een goede herinnering voor Aurien. Er zijn oude liederen waarin treurende weduwen zichzelf op de brandstapel van hun gemaal werpen. Terwijl hertog Galba wierook op de brandstapel strooide, schalde er plotseling een trompet vanuit de hal. Met een ruk draaide ik me om, evenals de helft van de ala. Het was een bodesignaal voor dringend en wanhopig nieuws. Ik wist dat ik had moeten blijven staan totdat de stapel was uitgebrand, maar hoewel de vrede was afgekondigd kon ik dit signaal niet negeren. Ik maakte een gebaar naar twee decurio's en begon door de regen terug te lopen naar de hal, gevolgd door de twee penoenen. De blik waarmee Aurien me aankeek, had het bloed in mijn aderen kunnen bevriezen.

Het eerste wat me aan de roodmantel opviel, was hoe uitgeput zijn merrie was. Het arme dier zag eruit alsof het door haar hoeven kon zakken van uitputting. Ik gruwde ervan dat iemand een paard op deze manier kon behandelen. Toen pas werd ik me ervan bewust dat de ruiter op haar rug Senach Roodoog was.

'Sulien ap Gwien met troepen, gedankt zij de Blanke God en alle hemelse heerscharen!' riep hij uit. Hij wankelde in het zadel.

'Wat is er gebeurd?' vroeg ik, mijn armen omhoog stekend om hem van zijn paard te helpen. Hij gleed naar de grond en belandde in mijn armen. Hij zou gevallen zijn als ik achteruit was gestapt.

'De Isarnaganen zijn geland!' zei hij, zijn gezicht onaangenaam dicht bij het mijne.

'Welke Isarnaganen?' vroeg ik. 'Die van Darag de Zwarte?'

270

'Dat zeiden ze er niet bij,' zei Senach verbitterd. 'Ik heb niet gewacht om ernaar te vragen, maar ik vermoed van wel. We hebben tenslotte een alliantie met Allel.'

'Laat iemand iets halen waarop deze bode kan zitten,' zei ik. 'Zeg ons, waar zijn ze?'

'Ze zijn aan de uiterste westerse uitloper van Derwen aan wal gegaan, waar maar weinig mensen wonen. En ze trekken het land in, een groot leger, te voet. Duizenden!'

Een van Galba's wapendragers kwam een grote, gebeeldhouwde stoel uit de hal brengen en Senach liet zich er dankbaar in vallen. Zijn handen wreven nerveus over de arendskoppen van de leuningen. Ik liet me op een knie naast hem in de modder zakken, zodat hij geen adem hoefde te verspillen aan luid spreken.

'Ik bracht het nieuws over de vrede naar Derwen, toen we bij geruchte over de inval hoorden. Ik ben erheen gegaan om zelf te kijken. Ze zijn niet ver van de stad Derwen, ik schat een dagmars. Er is daar maar één penoen binnen de muren, onder bevel van uw broer.'

'Ik heb hier Galba's complete ala,' zei ik terwijl ik afstanden berekende. Ik wendde me tot de decurio aan mijn linkerhand. Ook al was dit rampzalig nieuws, op een of andere manier luchtte het me op om bevelen te geven en iets te doen waarvan ik verstand had. 'Govien, stuur je snelste roodmantel onmiddellijk naar Caer Gloran om dit nieuws over te brengen. Stuur de op een na snelste naar Derwen, om Morien ap Gwien te zeggen dat we in aantocht zijn. En laat een derde zich gereedmaken om naar Urdo in Caer Tanaga te rijden zodra ik een bericht heb geschreven. Laat Emlin meteen hier komen, mét de kwartiermeester en ieder ander die ervaring heeft met logistiek en is opgeleid door Dalmer of Glyn. Ga daarna naar hertog Galba en zeg hem – na mijn diepste verontschuldigingen – dat dit een noodsituatie is, zodat we vannacht nog moeten opbreken.'

25

Aan het vlees zaten zij, in onbehaaglijke vrede
gedwongen door de invitatie voor des konings feest.
't Gesprek kwam weer op strijd, de bitt're oorlog
om de lang betwiste territoriumgrenzen.

Emer gaf hoog op, tellend op haar slanke vingers
het aantal afgehakte hoofden, de dood van Oriel.
Getergd tot 't alleruiterste, betaalde Conal Cernach
haar met gelijke munt: de gevallenen van Connat.

Overtroefd koos Emer hoon tot toevlucht, en sprak:
'Hoog is de borst die gij mij hier toonde, doch
als ge eerst maar eens mijn moeder Maga trof,
zou dat de telling plots heel anders maken.

Conal sprong op en kegelde een vers mensenhoofd,
over de ritselende biezen, pas gestuit door Emers voet,
en sprak: 'Zoals gij zegt, maar zie, ik kén haar; we
hebben elkander reeds ontmoet – en hier is uw Maga!'
– Uit *Lew Rossons Hal*, de Jarnse versie van een
Isarnagaans verhaal

D it alles, het overhaaste vertrek, de nachtelijke rit, de rapporten van
onze verspieders, verbleekte tot niets toen ik bij zonsondergang
Derwen zag liggen in het rode zonlicht, omsingeld.
De ala had de hele nacht gereden en was vermoeid tot op het bot. Het
leek me verstandig hun rust te gunnen terwijl ik me een beeld vormde van
de situatie. Ik liet Emlin de tenten opslaan nabij een boerderij, een mijl of
vijf ten noorden van de stad. Het was dezelfde boerderij als die ik had
bezocht op de dag dat de Jarns Derwen hadden overvallen. We arriveerden
er kort voor de dageraad, maar de boeren waren al op en druk in de weer
met het melken van de koeien. De vrouw die ik had geholpen te genezen

was er nog, met haar dochter en de dochter van haar echtgenoot. Ze herkende me meteen. Ik vroeg haar naar haar zoon die zo graag had gezongen en hoorde tot mijn spijt dat hij aan dezelfde koorts was gestorven als die welke mijn vader een jaar geleden fataal was geworden. Van de binnenvallende Isarnaganen had ze nog niet gehoord; ze was sinds midzomer niet meer van de boerderij geweest. Ze was van plan weer naar Derwen te gaan als de oogst binnen was, als die tenminste niet op het veld wegrotte van de regen. Het was vreemd om weer eens met iemand van Derwen te praten, slechts vijf mijlen verwijderd, stapvoets slechts een uur, maar toch leek het stadje me verder weg dan Caer Tanaga. Haar enige zorgen waren het weer, de oogst en de beesten – als de wereld zo plat als een pannekoek was geweest, zou dat voor haar leven weinig verschil hebben gemaakt. Toen ik haar zei dat ik in de nacht uit Magor was gekomen, maakte ze een zegenend gebaar naar de oude stenen schildwacht bij poort van de boerderij. Ze zei dat de paarden dan wel erg moe moesten zijn en bood ons wat voer aan. Ik viel haar niet lastig met een verklaring over de veel grotere afstand die we de afgelopen tien dagen hadden afgelegd en nam het aanbod dankbaar aan, namens de hele ala.

Daarna ging ik naar voren met de verspieders. We kropen langzaam door de hei naar de top van een heuveltje vanwaar we een goed uitzicht zouden hebben over de stad. De regen was in de loop van de nacht opgehouden, maar alles was nog drijfnat. Ik was blij met de bescherming die mijn leren rijtuniek me gaf tegen al dat klamme vocht, maar het bleef onaangenaam. Ik was bang dat mijn huid zou gaan beschimmelen als ik niet spoedig een warm bad kon nemen en me daarna grondig afdrogen. Eenmaal boven kon ik de zee zien, voordat ik de stad en de velden eromheen kon bekijken. Het water strekte zich zo ver uit dat het bijna een werd met de hemel. De zee was zilverachtig blauw en leeg, helemaal tot aan de kust van Munew. Geen spoor van Isarnagaanse schepen. Dat kon kloppen, als ze inderdaad ten westen van Kaap Tapit waren geland, zoals Senach had gemeld. Als kind had ik met Darien om het hardst naar deze heuveltop gerend, om mezelf daarna languit in de droge paarse hei te laten vallen en naar de zomerse hemel te staren. Ik had sinds mijn vertrek van huis geen reden meer gehad om hier te komen.

Ik drukte me op mijn ellebogen omhoog en keek. De velden en bossen strekten zich uit als altijd, en in de heggen schemerde al het diepe rood van frambozen en veenbessen door. Boven de rivier steeg damp traag op. De kleine stad zag er vrijwel hetzelfde uit als de laatste keer dat ik haar had gezien. Alleen waren er binnen de muren nu meer huizen, pakhuizen en werkplaatsen. Het zachte roze van de Vincaanse bakstenen van ons huis contrasteerde met het goudgeel van de gladgeschuurde zandsteenblokken waaruit de nieuwe stadsmuur, de barakken en het nieuwe stallencomplex waren opgetrokken. In de stad heerste bedrijvigheid, maar ik was nog te ver van de stad om gezichten te kunnen onderscheiden. Ik bad tot de Heer van het Licht dat Veniva en Morien veilig mochten zijn. Meer kon ik niet voor hen doen, niet voordat ik hen had bereikt. De kaden waren leeg, en de beide straten naar het water waren gebarricadeerd met op hun kant gelegde karren. Langs de stadsmuur werd gepatrouilleerd en er waren houten afweertorens naast de gebarricadeerde stadspoort opgesteld. Het was heel geruststellend, te weten dat iemand behoorlijke voorzorgen had genomen.

Alle Isarnaganen bevonden zich nog buiten de stad. Senach had werkelijk niet overdreven – ze waren met duizenden. Het waren er zelfs zoveel dat je je kon voorstellen dat ze de stadsmuur konden slechten door er alleen maar tegenaan te leunen. De grond zag er zwart van. Ze voerden zwartwitte vlaggen met het raafembleem.

Ik begon de kleine rookpluimen te tellen die in het eerste ochtendlicht opstegen. Als elk kookvuur werd gedeeld door dertig kustplunderaars... Op dat moment stootte Flerian ap Cado me aan en wees naar iets aan de verste kant van de stad, het punt waar ze vermoedelijk vandaan waren gekomen.

'Huifkarren,' zei ze. Ik zag ze ogenblikkelijk. Vijftig tot zestig huifkarren, getrokken door kleine paarden, en opgesteld in een vierkant. Eromheen zag ik Isarnagaanse vrouwen die lange sjaals droegen. Ook waren er kinderen van alle leeftijden, zelfs baby's. Dit waren geen ordinaire kustplunderaars. Dit was een invasie. Ze waren hierheen gekomen en niet van plan om ooit nog weg te gaan.

Ik had de halve nacht onder het rijden Emlin aangehoord, die me inlichtte over de verdedigingswerken binnen de muren van Derwen. Het was echter onmogelijk met de verdedigers te communiceren zolang we de belegering niet hadden verbroken. Ze moesten doodsbang zijn. Ze zouden echter voorlopig nog veilig zijn, tenzij ze een stommiteit begingen. Ik beschikte over een ala. Een uitgeputte ala. Honderdachtenzestig ruiters. Wat konden die uitrichten tegenover die mensenmassa rond de stadsmuren – Isarnaganen die zo ongeveer de hele bevolking van Tir Isarnagiri moesten uitmaken? Wel kon ik het hun moeilijk maken de stad in te nemen. Ik zou ze veel schade kunnen berokkenen. Zij konden echter meer schade incasseren dan wij. Misschien zou het mogelijk zijn ze zoveel angst aan te jagen dat ze zich zouden verspreiden. Als ik hun leider kon ontdekken, zou ik hem waarschijnlijk kunnen doden, hoewel dat riskant was. Maar als ze vluchtten, waar zouden ze dan heengaan? En wat konden ze niet allemaal doen? Er zouden zich kleine groepen vormen die het hele land konden verwoesten. Ik kon niet overal tegelijk zijn. De boeren rondom de stad hadden ook recht op bescherming. De Isarnaganen hadden hun gezinnen meegebracht. Het zou buitengewoon moeilijk worden hen terug te jagen naar waar ze vandaan waren gekomen.

Ik legde mijn hoofd een ogenblik op mijn armen en keek toen weer op. Ik had een inzicht gehad, maar was nog geen stap verder als het erom ging te weten wat me te doen stond. Als ze wisten hoe ze tegen ons konden vechten zouden ze zich terugtrekken in de bossen, of aan de overkant van de rivier. Die konden we weliswaar oversteken, maar dat zou ons traag maken. Zij konden ons op afstand heel wat schade berokkenen met hun dodelijke kleine slingers, waarmee ze zelfs een paard de benen konden breken. Ik had geen idee wat ze wilden of wie hun leider was. Ik wenste dat het Jarns waren, wier tactieken en verlangens ik beter kende.

Ik keek opzij naar Flerian. Zij was het meisje dat het slagveld bij Foreth was overgestoken om ons te berichten dat Galba gevallen was. Haar grootvader, Berth al Panon, Galba's trompetter, diende eveneens in de ala. Hij was jarenlang bij Galba geweest en had vóór die tijd de oude hertog gediend. Hoewel ik het betreurde dat ik mijn eigen ala niet bij me had – die mij door en door kenden – wist ik dat Galba's ala uit prima wapendragers bestond. Trouwens, ik zou die nachtelijke rit onmogelijk heelhuids hebben kunnen maken met troepen die het land niet kenden. Dat nam niet weg dat ik hier grote behoefte had aan een vriend, iemand die me kon begrijpen en met me lachen als ik zei dat dit niet de manier was waarop ik mijn ouderlijk huis had willen bezoeken.

Flerian was bezig met het tellen van de kookvuren, een en al concentratie. Ze zag dat ik naar haar keek en keek me aan. 'Vijfduizend, schat ik, hoewel dat lang niet allemaal krijgslieden zijn. En misschien zijn die daar niet eens de enigen.' Ze keek me aan alsof ze bevelen verwachtte die de hele kwestie op slag zouden vereenvoudigen. Ze was nog erg jong, maar had toch beter moeten weten.

Ik bedwong de impuls om te kreunen. Ze had gelijk en het was onzinnig haar geloof in mij te vernietigen. Ik had gedacht aan het probleem dat zou ontstaan als we ze dwongen zich te verspreiden, maar vermoedelijk was het zelfs daar al te laat voor. 'We zullen er eerst achter moeten zien te komen wat ze eigenlijk van plan zijn,' zei ik. Ik keek naar Ap Teregid, links van mij. Hij was in slaap gevallen. Ik porde hem wakker. Zelf was ik te moe om nog helder te kunnen denken. De verspieders waren het land al in – ik zou gauw genoeg weten of ze zich al hadden verspreid. Ik begon achterwaarts terug te kruipen tot ik de helling ver genoeg was afgedaald om te kunnen opstaan en terug te lopen naar de plaats waar de stalknecht geduldig Bode aan de teugels hield.

Met twee alae zou het misschien mogelijk zijn hen in te sluiten, als we ze goed genoeg bijeen konden drijven. Ik betwijfelde echter dat ze zo stom zouden zijn. Ik vroeg me af of ik kans zou zien hen hier bijeen te houden tot er versterkingen arriveerden. Drie alae zouden ertoe in staat zijn: met drie eskadrons konden we ze tegen de stadsmuur klem zetten, als het ware tussen aambeeld en hamer. Het waren Isarnaganen en geen Jarns. Zij hadden nooit ervaring opgedaan in gevechten tegen ons, en lange strijdbijlen hadden ze al evenmin. Ik begon opnieuw in mijn hoofd berekeningen te maken van de snelheid waarmee de afstand naar Caer Gloran te overbruggen was, maar het hing er maar vanaf hoeveel haast mijn roodmantels en Marchel zouden maken. Ze kon hier nooit eerder zijn dan binnen vier dagen, maar vermoedelijk vijf. Als Urdo mijn ala hierheen voerde zodra dit nieuws hem in Caer Tanaga bereikte – hoewel het waarschijnlijker was dat hij dit aan Ap Erbin zou overlaten – konden zij hier op zijn vroegst over tien dagen zijn. Hij had daarginds ook de beschikking over Gwairs ala. Met vier alae zou het niet moeilijk zijn. Eerst echter moest ik, zodra ik terug was, overleggen met kwartiermeester Nodol Zwijnsbaard om hem te vragen tot hoever onze voorraden reikten. Zonder toegang tot de voorraden binnen de muren van Derwen kon ik niet bepalen hoe lang we het zouden kunnen volhouden. Vermoedelijk zouden we voorraden uit Magor moeten aanvoeren.

Al dit gereken was des te onaangenamer omdat ik wist dat de stad kon vallen voordat de anderen hier waren. En mijn familie was daar. De muren waren sterk, maar ze waren door mensenhanden opgetrokken en konden door mensenhanden worden geslecht. Ik dacht aan mijn moeder, Veniva, mijn broer Morien en mijn oude wapenmeester, Duncan – de mensen bij wie ik was opgegroeid. Het was waar dat de ala in mijn hart mijn thuis was. Mijn praatje met de boerin in de ochtendschemering had me er echter aan helpen herinneren hoe groot mijn verantwoordelijkheid voor dit land was. Ik had de erfeed tegenover Morien nogal lichtvaardig afgelegd, in de veronderstelling dat het niet meer dan een formaliteit was. Hij moest tenslotte een erfgenaam voor Derwen hebben aangewezen totdat hij zelf een zoon had. Ik had echter ten overstaan van Ohtar en Urdo aanspraak op de titel laten gelden. Het was niet zo dat ik me gedurende de Lange Oorlog niet druk had gemaakt over huizen, dorpen en steden die in gevaar waren. Toen Ayl op een haar na Caer Rangor had ingenomen, had ik wanhopig tegen hem gevochten. Toch was het deze keer anders. Dit waren immers mijn eigen mensen; dit was dezelfde verantwoordelijkheid als die welke ik ten opzichte van mijn troepen had. Dat had ik me nooit zo gerealiseerd.

Onder druipende bomen reed ik terug naar de open plek waar de ala nog rustte en aan het ontbijt was. Hoewel we klaar waren om op te breken zodra dat noodzakelijk was, had de ala niets van de vorm en atmosfeer van een kampement toen ik langs de schildwachten reed. De wapendragers sliepen in groepjes van halve penoenen; de vermoeide paarden graasden in het malse gras; de latrines en de kookplaatsen bevonden zich op de juiste plaatsen. Wie niet wacht hoefde te lopen, lag te slapen of verzorgde zijn paarden. Een van de koks gaf me een kleine gerookte makreel in een opgerold plat broodje toen ik hem passeerde. Ik riep hem een zegen toe en ging al etende verder, zonder halt te houden.

Emlin sprong op en kwam mij tegemoet zodra hij me ontwaarde. Haastig slikte hij de laatste hap door van de kaas die hij uit Magor had meegebracht. 'Hoe luidt het goede nieuws?' vroeg ik, toen ik bij hem was.

Hij grinnikte, wat hem goed deed, want het nam iets van de vermoeidheid rond zijn ogen weg. 'Twee gevangen Isarnaganen. Geen verspieders, niemand heeft iets van verspieders van ze gezien. Ik weet echter niet goed wat ik moet denken van degenen die we hebben gevangen. Ze zaten in een boom onder een deken, ongeveer twee mijl van hier en een mijl of drie van de stad. Ap Madog en zijn halve penoen waren ze bijna voorbij gereden voordat ze hen opmerkten. Ze verzetten zich woest tegen gevangenname. De vrouw raakte erbij gewond en wordt momenteel opgelapt. De man heeft nog nauwelijks een woord gezegd, tegen wie dan ook. Hij droeg een waard, dus moet hij iemand van enig aanzien zijn. Ik heb zelf nog niet met ze gepraat, alleen met Ap Madog. Ik heb wel even een kijkje bij ze genomen, voordat ik ze doorstuurde naar Ap Darel. Niemand heeft nog iets gemeld over sporen van andere Isarnaganen buiten hun hoofdmacht. Ik ben blij dat je terug bent. Kom mee, dan gaan we naar ze toe. Ik wilde Ap Darel alleen wat tijd gunnen om zich met hen te bemoeien voordat ik er zelf heen zou gaan.'

'Goed,' zei ik. 'Verstandig gedaan.' Emlin glimlachte. Samen met hem liep ik naar het midden van het provisorische kampement, waar de beide gevangenen werden vastgehouden. Het zou nuttig zijn als we er enig idee van hadden wat de Isarnaganen wilden. 'Die vrouw... is ze een krijger?' vroeg ik hem onder het lopen.

'Ze had een lang mes en een speer, volgens Ap Madog. Ik denk van wel, dus. Waarom anders zou iemand hier zijn als hij of zij geen strijder is?'

'Roodoog had gelijk wat de aantallen betrof,' zei ik, nadat ik de laatste hap van mijn ontbijt had doorgeslikt. 'Bovendien zagen we kampvolgers en kinderen. Ik vraag me werkelijk af wat dat te betekenen heeft.'

Emlin maakte een grimas. 'Wat moeten we met hen aan als we met de rest hebben afgerekend? Als wezen terugsturen naar de overkant?'

Ap Darel was zojuist klaar met het reciteren van een helende zangspreuk en het verbinden van de arm van de vrouw toen we hen bereikten. Het leed geen twijfel: dit waren Isarnaganen, met hun kleren van geweven wol met kleurrijke vlekpatronen en hun haar, dat vooral opviel in een kampement waar iedereen het haar had afgesneden om te rouwen. Hun hoofdhaar lag in gladde vlechten opgerold op het hoofd en zou gemakkelijk onder een helm passen. Ze stonden in het zonlicht, vrijwel in het middelpunt van ons kamp. Om hen heen was een ruimte vrijgehouden. Vier wapendragers stonden om hen heen op wacht, maar buiten gehoorsafstand voor zachte stemmen. De schildwacht die ik passeerde reageerde slechts met het even dichtknijpen van zijn ogen. Ze hadden dringend slaap nodig. Ik zag nog steeds geen enkele mogelijkheid om een veldslag vandaag te vermijden. Ik moest de Isarnaganen weglokken van de stad en de inwoners onze aanwezigheid kenbaar maken. Bovendien liepen we het risico op deze open plek te worden overvallen. Maar de wapendragers hadden evenveel behoefte aan rust als de paarden.

Emlin en ik bereikten Ap Darel. Op de grond lag een speer, die Ap Darel kennelijk zojuist had gebruikt om de vrouw te helpen genezen. Ze moest tamelijk ernstig gewond zijn. De andere Isarnagaan stond met zijn arm om haar heen, zoals iemand zou doen om een gewonde strijdmakker te ondersteunen. Voor het moment besteedde ik niet veel aandacht aan hem. De vrouw leek me een krijgsvrouw, maar ze zag eruit alsof ze veel bloed had verloren en hevig geschokt was. Ze was nog jong, net in de twintig, schatte ik. Ze had een litteken op haar wang dat eruitzag alsof het enkele jaren geleden van binnenuit was veroorzaakt door een lang mes, nog voor ze was uitgegroeid tot volwassene.

'Houd de arm een paar dagen goed verbonden en begin er daarna mee te oefenen, maar langzaam, totdat hij weer sterk is – dan is hij weer zo goed als nieuw,' zei Ap Darel tegen haar. 'Pas op dat je niet te vroeg zware dingen tilt, anders blijft deze arm altijd een zwak punt.'

'Als jullie ons de komende dag niet doden, zal ik je raad beslist ter harte nemen,' hoorde ik haar zeggen. Het klonk duidelijk geamuseerd.

'Wij doden nooit gevangenen,' kwam ik tussenbeide. Ze schrokken op en draaiden zich naar mij om. Ap Darel klakte verwijtend met zijn tong en stopte het laatste eindje zwachtel onder het verband voordat hij zich weer omdraaide om zijn spullen op te rapen.

'Dat is me wel duidelijk,' zei de man nu. 'Doen jullie altijd je best om iets dat je zelf hebt beschadigd te helpen genezen?' Ook hij klonk geamuseerd, maar ook verbaasd. Toen hij zich naar mij omdraaide en zich iets losmaakte van de vrouw, zag ik dat hij een opvallend knappe man was. Bovendien was hij lang, zodat zijn ogen zich bijna op gelijke hoogte bevonden met de mijne. Hij was op zijn minst een handbreedte groter dan de vrouw. Hij knikte me glimlachend toe, vol zelfvertrouwen. Onmiddellijk wist ik dat dit beslist mensen van aanzien moesten zijn en geen verspieders of gewone Isarnagaanse strijders. Hij leek even gewend aan het uitdelen van bevelen als ik. Nu vroeg ik me nog intensiever af wat ze in het bos te zoeken hadden gehad. Een officier zou in zijn kamp toch wel een tent hebben waarin hij zich met een vriendin kon terugtrekken als ze behoefte hadden aan privacy?

'Wij zouden er de voorkeur aan geven niemand schade te berokkenen, maar als het niet anders kan, tja...' antwoordde ik op afgemeten toon, zonder zijn glimlach te beantwoorden. 'Het stemt me niet verheugd te horen dat de dingen in Tir Isarnagiri anders worden gedaan.' In feite had ik het al heel lang geweten, uit de mond van de Isarnaganen waarmee wij zij aan zij hadden gestreden, na Caer Lind. Gevangenen waren bij hen nooit veilig. Zelf traden we altijd hoffelijk op in zulke situaties: we vroegen losgeld voor gevangenen of lieten hen voor ons werken. Thurrig had het me tijdens de exercities grondig ingeprent, met zijn grommende stem. 'Treed eerst beleefd op. Je kunt mensen later altijd nog vingers afhakken als je informatie nodig hebt, maar ze weer aanzetten als blijkt dat het belangrijke personages zijn is minder eenvoudig. Trouwens, doden mogen dan misschien akkers bemesten, maar je hebt levende mensen nodig om te ploegen, te planten en te oogsten.'

'Wie bent u?' vervolgde ik, zonder hem de kans te geven iets te zeggen. Zijn gezicht werd plotseling somber, met een diepe rimpel in zijn voorhoofd.

'Mijn naam is de genezer al bekend, dus is het nu te laat voor geheimen,' zei de vrouw zacht terwijl ze haar goede hand op zijn arm legde. Ik zag dat ze bijzonder lange vingers had en een zware bronzen armband droeg, met een patroon van om elkaar heen kronkelende slangen erop. 'Ik ben Emer ap Allel,' zei ze. Ze raakte met haar goede hand haar borst aan en neigde het hoofd naar mij, omdat haar verbonden arm haar belette een buiging te maken. De man stapte iets van haar weg en sloeg zijn armen over elkaar. Ik wachtte. Hij zei niets. Ik bleef wachten. Uiteindelijk verbrak Emer de stilte.

'Mijn metgezel heeft zeer goede redenen om niemand een deel van zijn naam bekend te maken zolang hij in mijn gezelschap is.' De manier waarop ze naar hem keek maakte me duidelijk dat ze zeer op hem gesteld moest zijn.

'Het zou vrijwel zeker mijn dood betekenen als ik u zelfs maar mijn vadersnaam zou noemen of de naam van mijn land, of de trotse naam die ik met mijn daden heb verworven,' zei hij op vreemd luchtige toon, die helemaal niet strookte met de betekenis van wat hij zei. Ik nam er notitie van dat hij me duidelijk had willen maken dat hij erfgenaam van een grondgebied met een naam was en ook een erenaam had, hoewel hij weigerde beide namen prijs te geven. Het ontbrak hem niet aan trots, wie hij ook mocht zijn. 'Ik heb geen kwaad in de zin ten opzichte van ieder van u die eerzaam is,' vervolgde hij, 'en deze situatie is voor mijn eer even pijnlijk als voor de uwe.' Hij boog naar mij, naar Emlin en naar Ap Darel, wiens kist met verbandmiddelen en artsenijen nu netter was dan vermoedelijk in jaren het geval was geweest omdat hij maar bleef opruimen, terwijl hij deed alsof hij niet meeluisterde. Emlins mond hing een beetje open, en ikzelf stond ook ietwat perplex. Ik had uit oude verhalen weleens iets gelezen over vervloekingen die deze uitwerking hadden. Ik had echter nog nooit iemand ontmoet die door zo'n vervloeking was getroffen. Er was dan ook geen eerbare manier om van hem te eisen zich bekend te maken. Ik vroeg me af of ik de vervloeking kon omzeilen door hem apart te nemen en er dan naar te vragen.

'Ga maar eten,' zei ik tegen Ap Darel. Hij vertrok met lichte tegenzin en keek een paar keer naar ons om op zijn wandeling naar de koks. Toen ik me weer tot de Isarnaganen wendde, rommelde mijn maag. De vis en het broodje die ik had verorberd waren net genoeg geweest om mij duidelijk te maken dat ik honger had.

'Hoe zullen we uw metgezel dan noemen?' vroeg Emlin aan Emer toen hij zijn houding had hervonden. Dit was in elk geval het vreemdste krijgsgevangenenverhoor dat ik ooit had gezien of gehoord. Om een of andere reden was het niet langer iets waaruit ik binnen korte tijd informatie kon hopen te puren; het leek nu op een vreemde manier veel belangrijker.

'Noem me maar zoals u wilt,' zei hij.

'Moet ik weerstand bieden aan de impuls om een wat ongepaste keuze te doen, zoals Vissensnoet of, wat veel passender zou zijn, Moeders Mooiste?' vroeg ik. Hij boog, maar reageerde verder niet. 'Dan wordt het Vissensnoet,' zei ik. Hij vertrok geen spier. Emlin liet het gevest van zijn zwaard weer los.

Emer glimlachte naar hem. Zelf fronste ik mijn voorhoofd. Iets aan haar lach deed me denken aan Elenn en maakte dat ik meteen over haar naam begon na te denken. Ze leek niet veel op Urdo's schone koningin, maar dat hoefde niet per se iets te betekenen. Hoe gewoon was de naam Allel in Tir Isarnagiri? Ik wist het niet, maar kon deze vrouw Elenns zus zijn? En zo ja, wat betekende dat dan? Het beviel me niet in het minst dat de man de naam van zijn vader niet wilde noemen. Hoe kon hij zweren geen krijg tegen ons te zullen voeren als hij zich niet eens bekend wilde maken? En welke reden kon hij daarvoor hebben? Plotseling wenste ik bijna dat ik niet zo resoluut had gezegd dat wij nooit krijgsgevangenen doodden. Was Angas maar hier, of Elenn zelf, of iemand anders die iets over de Isarnaganen wist.

'Ik ben Ap Gwien en dit is Ap Trivan,' zei ik, met een hoofdknik naar Emlin. Emer neigde haar hoofd en de man boog. 'Welnu, ten eerste, wat brengt u ertoe om tegen Tir Tanagiri ten strijde te trekken?' Ik keek de man strak aan en zag zijn ogen heel even wegkijken naar Emer. Het was duidelijk dat hij toestemming vroeg om te spreken. Dan moest zij hoger geplaatst zijn dan hij. Dit was allemaal heel interessant en vreemd.

'De koning van Anlar is gewapend over de Zee der Stormen hierheen gekomen om een koninkrijk voor zichzelf te vestigen,' verklaarde hij. Dit was afschuwelijk slecht nieuws, wie de koning van Anlar ook mocht zijn. Ik had nooit van Anlar gehoord. Het maakte in geen geval deel uit van het rijk Oriel van Darag de Zwarte, of het rijk Connat van Allel. Ik kon niet bepalen of het om een piepklein vorstendommetje ging, zoals er in Tir

Isarnagiri zoveel waren, of om een land zo groot als Demedia – een land waarover ik maar weinig wist, omdat ik er weinig aandacht aan had besteed toen dat mogelijk was. Ik keek even opzij naar Emlin, die als gebiologeerd naar de jonge vrouw stond te kijken.

Ik haalde diep adem en zei zo rustig en formeel mogelijk: 'Dan is het de koning van Anlar geraden rechtsomkeert te maken en met zijn ambities terug te keren naar zijn eigen eiland, want het grondgebied waarop hij aanspraak lijkt te maken is eigendom van Morien ap Gwien, heerschap van Derwen; en via hem maakt het deel uit van het koninkrijk van de Grote Koning, Urdo ap Avren. Het zal dan ook tegen u worden verdedigd.'

'Urdo en Sweyn hebben het veel te druk met elkaar te bestrijden om naar deze uithoek te komen,' zei Emer. 'En u, de kinderen van Gwien, hebt weinig meer dan honderdvijftig ruiters hier en misschien nog een stuk of dertig binnen de stadsmuren. U staat tegenover een enorme overmacht.'

'Uw nieuws is oud nieuws,' zei ik. 'Of u bent te laat gekomen. Sweyn Rognvaldsson is namelijk dood. Hij werd geveld door Galba ap Galba, en wel op het veld voor de heuvel Foreth, inmiddels een halve maand geleden. Urdo heeft een duurzame vrede gesloten met de Jarns van Bereïch en die van Aylsfa, en onze bondgenoot Alfwin Cellasson regeert Tevin. Zeker, ik mag dan maar één eskadron ruiters hier hebben, maar er zijn al meerdere in allerijl onderweg hierheen om mij bij te staan. U kunt maar het beste zo snel mogelijk terug naar huis gaan, Isarnaganen, voordat onze cavalerie u allemaal in zee drijft.'

'Is dit wel w...' begon Vissensnoet, maar hij slikte de rest in toen mijn lippen mijn opeengeklemde tanden ontblootten. 'Ik trek uw woord niet in twijfel, vrouwe,' hernam hij haastig, 'maar dit nieuws is veel ouder dan het onze.' Emer raakte zijn hand aan, waarschijnlijk nog verbaasder over zijn vermetelheid dan ikzelf. Hij zweeg en keek fronsend op haar neer.

'Wat gaat u met ons doen?' vroeg ze.

'Daarover heb ik nog niets besloten,' zei ik naar waarheid. 'U weet dat wij hier zijn en kent onze numerieke sterkte, terwijl uw hoofdmacht daarvan onkundig is. Ik zal u zeker niet vrijlaten. Het is me wel duidelijk dat u meer bent dan gewone verspieders. Misschien dat ik een losgeld voor u zal verlangen.'

'Reken maar,' zei Emlin naast me zacht. 'Als deze dame niet de dochter van Allel van Connat is die gehuwd is met Lew ap Ross, koning van Anlar, kan ze alleen maar haar zuster zijn.'

Ik moest lachen, ik kon er niets aan doen. Het was de uitdrukking op hun gezichten. 'Mijn moeder heeft me altijd voorgehouden dat ik aandacht moest besteden aan geruchten en roddels, omdat er veel uit te leren viel,' zei ik terwijl ik Emlin van pret op de schouder sloeg. Hij maakte een grimas naar mij en het drong tot me door dat hij me deze informatie zo subtiel had willen geven dat zij niet konden raden dat ik het nog niet wist. Ik onderdrukte een nieuwe lachbui en hoorde Emlin zuchten. Ik wist bij voorbaat dat dit het zoveelste verhaal over mijn domheid zou worden dat in de ala de ronde deed.

'Ik heb maar één zuster,' zei Ap Allel stijfjes.

Ik hoestte licht en meed Emlins blik. Nu meende ik te begrijpen waarom ze op dat moment in de bossen waren – als ze tenminste allebei met iemand anders getrouwd waren. Hoewel wij in onze alae niet al te moeilijk doen over wie er dekens met elkaar delen, zolang iedereen er vrede mee heeft, zou het zelfs bij ons een schok veroorzaken als een vrouw zonder medeweten van haar man bij iemand anders lag, of vice versa. Het verbreken van de huwelijksgelofte is hoe dan ook het verbreken van een eed. Hoe kon iemand zo'n stompzinnig risico nemen terwille van een half uur samenzijn, ook al beleefden ze er nog zoveel genoegen aan?

'Ik veronderstel dat deze heer niet uw koninklijke gemaal is?' zei ik. Emer schudde nee; de man staarde recht voor zich uit. 'Gelooft u dat uw heer gemaal zijn strijdmacht terug zal trekken naar Anlar in ruil voor uw veiligheid?' vroeg ik hoopvol. Emlin zuchtte nu openlijk.

Emer schudde opnieuw nee, krachtiger nu. 'Ik heb zo'n idee van niet,' zei ze droogjes. 'Hoewel het u vrij staat hem die vraag te stellen. Ik zou natuurlijk kunnen proberen u om de tuin te leiden wat mijn waarde voor hem betreft.' Ze glimlachte. 'Laten we er echter geen doekjes om winden en zeggen waar het op staat.'

'Laten we erbij gaan zitten,' stelde ik voor. 'Als we de naam van uw compagnon en uw beider eed van vredelievendheid hadden, zou ik wat eten en drinken laten komen en u als mijn persoonlijke gasten behandelen.'

'Dat is niet mogelijk,' zei hij terwijl hij Emer hielp om op het klamme gras te gaan zitten.

'Zo moeilijk kan het niet zijn, of wel?' vroeg ik Emlin. 'Er hoeft niets te worden gezegd over het delen van een deken in het bos. Als de dame zegt dat zij vanmorgen heel vroeg wakker werd en er behoefte aan had zich van het kamp te verwijderen, en als u afgelopen nacht wacht had gelopen en ook wakker was, kunt u heel goed besloten hebben haar te vergezellen, voor het geval het in het bos niet veilig was, zoals inderdaad is gebleken.'

Het klonk best redelijk, maar als verhaal was het uiterst magertjes. Ik had genoeg ervaring in dat soort zaken opgedaan om te weten dat, zelfs als de Wijsheidsvrouwe zelf op de waarheid ervan zou zweren, niemand het zou geloven, ook al zouden ze tegenover haar gemaal doen alsóf ze het geloofden.

'Dank u voor uw vriendelijke voorstel, maar ik ben geen dwaas. Het is niet goed genoeg,' zei Vissensnoet met enige scherpte in zijn stem. 'Het prijsgeven van mijn naam betekent voor mij een doodvonnis, zoals ik al zei, en naar alle waarschijnlijkheid ook voor de dochter van Allel. Echter, als u drieën met elkaar zou eten, zou ik er begrip voor hebben te worden uitgesloten.'

Ik had honger, maar schudde toch nee. Het was ondenkbaar. De hele zaak zou me veel logischer hebben geleken als ze hadden geweigerd ons háár naam te noemen. Er waren slechts twee verklaringen mogelijk. Ofwel hij was een naaste verwant van haar, ofwel een verwant van haar gemaal – en in dat geval hadden ze gezondigd tegen de wet van de Moeder. Of misschien bestond er tussen hun beider families een bloedvete, waarvoor Emer zelf vergiffenis had geschonken, maar er niet in geslaagd was haar familie ertoe over te halen dat ook te doen. Dat laatste leek het meest waarschijnlijk. Het was triest; het deed me denken aan de oude liederen over verdoemde geliefden die mijn zus Aurien tot in het oneindige had zitten zingen, gebogen over haar naaiwerk.

'Juist,' zei Emer toen we allemaal zaten. 'Ik geloof uw nieuws over de Jarns en Sweyn, maar er zijn ook dingen die wij weten en u blijkbaar niet. Onze strijdmacht is niet de enige van de Isarnaganen die op deze kust zijn geland. Ik vermoed dat de versterkingen die u verwacht in het westen van Demedia en in Wenlad te maken zullen krijgen met de legers van Oriel en Lagin.'

Ik moest er niet aan dénken hoeveel erger dit zou zijn geweest als deze alliantie van onze vijanden vóór Foreth zou zijn geland. Ik kon alleen maar hopen dat deze andere strijdmachten niet zo omvangrijk zouden zijn als die in Derwen. Ik zag niet in hoe ze dat konden zijn, tenzij ze het hele eiland Tir Isarnagiri hadden ontvolkt. Emer maakte een uiterst oprechte indruk en in feite twijfelde ik geen moment aan haar woorden. Later werd me verteld, door mensen die haar beter kenden, dat Emer veel weg had van haar moeder, Maga, die over een groot rijk had geheerst en op eigen initiatief oorlogen had gevoerd en bondgenootschappen was aangegaan. Ze had op voorbeeldige manier geregeerd, maar na haar dood was haar grote rijk uiteen gevallen. Zo was het altijd gegaan in Tir Isarnagiri.

'Bent u bevoegd om namens uw leger te onderhandelen?' vroeg ik. 'Bent u de bevelhebber?'

'Dat ben ik niet,' zei ze glimlachend, naar haar litteken tastend. 'Dank u. Ik ben niet bevoegd tot onderhandelen, maar ik kan u in alle oprechtheid zeggen wat mijn gemaal, Lew ap Ross, zou doen. Hij is een oude man en geen groot krijger. Hij heeft hier echter vierduizend krijgslieden en zal zonder territoriumwinst nooit levend naar huis terugkeren. Onze mensen zijn hier om zich hier te vestigen. Wij hebben grond afgestaan aan Oriel; in ruil daarvoor stelden zij ons schepen ter beschikking om ons te helpen met deze expeditie.' Bij de woorden 'ons te helpen' keek ze heel even naar de man naast haar. Hijzelf keek tijdens ons gesprek van haar gezicht naar het mijne. Als hij uit Oriel kwam, en zij uit Connat, was dat bijna voldoende verklaring voor de problematische situatie. Tussen beide landen was al heel vaak oorlog gevoerd.

'Waaróm hebt u met z'n allen besloten daar weg te gaan?' vroeg Emlin.

'Veel mensen willen weg uit Tir Isarnagiri, nadat Chanerig ap Thurrig de goden tijdens het laatste Vuurfeest van Bel heeft verslagen.'

Op slag rechtte ik mijn rug, me afvragend of ik droomde. 'Chanerig heeft wát gedaan?' Ik mocht Thurrig heel graag, maar Chanerig vond ik nog wat koppiger en irritanter dan Marchel. Hij was monnik en had geloften tot onthouding afgelegd, niet alleen van vlees, maar ook van vrouwen, naast de gebruikelijke geloften van devotie en armoede. (Nagenoeg iedere vrouw die ik kende had over hem wel iets gezegd in de trant dat het voor haar niet al te moeilijk zou zijn Chanerig niet aan te raken.) Hij praatte vrijwel nooit over iets anders dan de wonderen van de Blanke God. Raul mocht dan denken dat er geen hogere eer was dan de Blanke God te mogen dienen, maar Chanerig scheen te denken dat er buiten de Blanke God niets was dat ook maar in de verste verte van belang kon zijn. Hij was een blinde fanaticus en mocht mij niet. Ik had me echter nooit kunnen voorstellen dat hij goden kon gaan provoceren.

'Het eiland Tir Isarnagiri genoot een machtige bescherming die inhield dat het nooit zou worden getroffen door een groot kwaad zolang we ons aan de rituele gebruiken hielden,' legde Emer uit. 'Een van die rituelen vond twee keer per jaar plaats, eerst op het Vuurfeest van Bel en daarna op Dodendag. Het hield in dat alle vuren op het eiland zouden worden gedoofd, waarna het eerste nieuwe vuur werd ontstoken op de Wachtheuvel, en andere vuren pas konden worden ontstoken als dit eerste vuur was gezien. Het was ieder jaar een wonderbaarlijke ervaring om op die heuveltop te staan en te zien dat al deze vuren een voor een werden ontstoken totdat ze een keten van vuren door het hele land vormden. Als jong meisje in Connat dacht ik dat niets mooier zou kunnen zijn dan dit, maar wat verder naar het noorden, in Anlar, is het nog overweldigender. Echter, in het afgelopen jaar, op het Vuurfeest van Bel, ontstak Chanerig ap Thurrig een vuur in Connat voordat het vuur op de Wachtheuvel was ontstoken. Veel goden, geesten en mensen van het land repten zich naar de Wachtheuvel, woedend om wat hij had gedaan. Ze vochten de hele nacht tegen hem, maar de volgende ochtend was hij nog in leven en brandde zijn vuur nog steeds, zodat de meesten hun nederlaag toegaven en besloten zijn god te gaan vereren. Nagenoeg alle geesten van het land bekeerden zich, en ook sommige goden; andere verzonken in de aarde, en weer andere vluchtten weg over de wateren. Wat het volk betreft, dat heeft in feite geen keus: óf in een land leven dat aan de Blanke God is gewijd, óf het land verlaten.'

'Wat een afschuwelijke daad om dat zonder instemming te doen,' zei ik.

Ze keken elkaar aan en ik gaf een verkeerde uitleg aan wat ze niet zeiden. 'Thurrig staat in dienst van Urdo en is een vriend van mij, maar ik kan deze daad absoluut niet goedkeuren.'

'Ik evenmin,' zei Emer.

'En daarom vertrok uw volk?' vroeg ik.

Emer knikte.

'Bedoelt u dat Chanerig nu het hele eiland heeft bekeerd?' vroeg Emlin.

Ik kon het niet echt geloven. Arvlid in Thansethan zou ermee in haar schik zijn. Ik stond versteld en was vervuld van afschuw. Ik begon te vrezen dat ze wel een manier zouden vinden om hier hetzelfde te doen, of dat wat ze nu deden in feite op hetzelfde neerkwam, al ging het langzamer.

'Niet iedereen heeft zich ermee verzoend,' zei Vissensnoet.

'En daarom dacht u maar met uw goden hierheen te komen om opnieuw te beginnen?' zei ik.

'Precies.' Emer streek met haar goede hand wat hoofdhaar naar achteren. Er was een streng losgekomen uit de om haar hoofd gewonden vlechten. 'We komen hier voor de onbevolkte gebieden om ze tot de onze te maken. We gaan onder geen beding terug.'

'Eerlijk gesproken,' zei ik. 'Het ziet er dus naar uit dat alleen een oorlog uitkomst kan bieden. Nu ben ik terug bij de vraag wat ik met u beiden moet beginnen.'

Ze haalde adem. 'Lew zal geen hoog losgeld voor mij betalen. In enkele opzichten zal hij misschien zelfs blij zijn dat hij mij kwijt is. Ik heb hem nog geen kinderen geschonken en belichaam voor hem een bondgenootschap waarvan hij nu spijt heeft. Als u een dwangmiddel tegen hem wilt, zou u meer bij hem bereiken met mijn zuster. Ik zou kunnen zeggen dat mijn vader en broer er anders over denken, maar dat zou onjuist zijn. Hoewel ze aan mij gehecht zijn, hebben ze tegenwoordig zelf nauwelijks nog genoeg bezit. Ik spreek bijna over mezelf als over een buitgemaakt stuk op het raperbord.' Het laatste sprak ze glimlachend uit.

'Buitgemaakte raperstukken kunnen niet van kleur veranderen,' zei ik. 'Mensen kunnen dat wel en scharen zich soms bij de tegenpartij. U bent heel eerlijk tegen mij geweest. Als u er de voorkeur aan geeft naar uw zuster te worden gezonden in plaats van uw gemaal, ligt dat in mijn macht. Voor mijn koningin ga ik natuurlijk geen losgeld verlangen. Ik geloof dat u de situatie in Tir Tanagiri verkeerd hebt begrepen.' Op zijn zachtst gezegd. 'Ik ben geen tiran of bandiet. Ik werk in deze situatie niet voor mijn persoonlijk belang, ook al is dit land van mijn familie. Ik dien de Grote Koning Urdo, en heel Tir Tanagiri. Ik ben prefect van zijn persoonlijke ala. Ik kan u naar Caer Tanaga laten escorteren. Ik zal erop toezien dat dit gebeurt zodra we de nodige mensen kunnen missen. Wat er daarna gaat gebeuren, is aan koningin Elenn en de Grote Koning zelf, maar het lijkt me dat het heel goed mogelijk is dat zij u kunnen helpen uw huwelijk te laten ontbinden, zodat u voortaan samen kunt zijn.' Ik meende dat Elenn misschien eerder dan haar vader bereid zou zijn een oude bloedvete te beëindigen ter wille van het geluk van haar zus.

'Nee.' Vissensnoet stak een hand op en zei hartstochtelijk: 'U begrijpt het niet! Wij kunnen niet samen zijn en zijn dat ook nu niet. We zijn ook nooit samen geweest. We willen het niet eens! Als u kon vergeten dat u ons ooit samen hebt gezien, zouden we u dankbaar zijn. Ook heb ik er niet de minste behoefte aan naar Caer Tanaga te worden geëscorteerd. Doe met mij maar wat u met iedere andere gevangene zou hebben gedaan.'

'Zoals u wilt,' zei ik. 'Hoewel ik Darag de Zwarte onmogelijk een losgeld kan vragen voor een naamloze man uit Oriel. Een krijgsgevangene zou door ons gewoonlijk naar Thansethan worden gestuurd om daar dwangarbeid te verrichten nadat hij of zij de vredeseed had afgelegd, waarvoor het noemen van de naam noodzakelijk is.' Ik zuchtte. De man leek een onoverkomelijk probleem. Ik wenste bijna dat hij bij zijn gevangenname was gedood. Emer was eveneens een probleem, maar als ik haar eenmaal kon overdragen aan Elenn, was ze niet langer *mijn* probleem. 'U kunt niet de rest van uw leven blijven weigeren uw identiteit aan wie dan ook bekend te maken,' liet ik erop volgen.

Hij haalde zijn schouders op. 'Misschien doe ik er beter aan een nieuwe identiteit aan te nemen en me voortaan Vissensnoet te laten noemen,' zei hij met een stalen gezicht. 'Ik geef echter toe dat het een buitengewoon lastig probleem is. Twaalf van uw ruiters hebben mij vandaag met mijn koningin gezien, net als uw genezer, u tweeën en deze vier schildwachten. Tia alleen weet voor hoeveel mensen uit uw kamp dit ook geldt. Maar misschien kan ik onder de wapendragers in dit kamp iemand zonder kinderen overhalen mij te adopteren voor het aangezicht der goden, zodat ik zijn naam zou kunnen dragen?'

'Vooropgesteld dat het voor u beiden werkelijk de dood betekent als u samen bent gezien,' zei Emlin monter. 'Hoewel ik niet geneigd ben eraan te twijfelen dat u ons de waarheid zegt, vraag ik u: legt u ons eerst eens uit waarom u eigenlijk samen in het bos was. U lijkt me geen van beiden dwaas genoeg om zoveel op het spel te zetten voor een kortstondig pleziertje.'

Ze wisselden onbehaaglijke blikken. 'We hadden er geen idee van dat u zo plotseling zou opduiken,' zei Emer. 'We dachten dat er geen vijanden in de buurt waren. We zouden ruim op tijd terug zijn geweest.'

Ik keek het tweetal aan. Nooit heb ik me in een dergelijke hartstocht kunnen verplaatsen.

'En ik zou binnen een of twee dagen terug zijn bij Darag de Zwarte, zodra de stad was gevallen,' voegde Vissensnoet eraan toe. 'Het zou voor lange tijd onze laatste kans zijn om elkaar te zien.' Zijn glimlach naar Emlin was heel innemend. 'Het vleit me dat u geen dwaas in mij ziet, maar ik moet helaas toegeven dat de schijn bedriegt.'

'Het zou inderdaad een langdurige scheiding zijn geweest,' knikte Emer. De man beantwoordde haar blik en glimlachte. Ze nam zijn hand en keek naar hem op met een uitdrukking in haar ogen in vergelijking waarmee honing zuur zou hebben geleken. Ik rolde met mijn ogen, bedenkend dat zelfs incest of een bloedvete geen groot genoeg beletsel was voor dit soort dingen.

'En als ik dat nu eens niet geloof, wat dan?' vroeg Emlin. 'Als u echt voor ons had willen vluchten, had u al veel verder weg kunnen zijn voordat u in die boom klom.'

Plotseling kreeg ik een ingeving. 'Hadden ze werkelijk een deken bij zich?' vroeg ik Emlin. Voordat hij kon antwoorden, wendde ik me weer tot Emer. 'Geen deken, nietwaar? Was het soms de oude koningschapsrite om aanspraak te maken op het land?'

'Waar hebt u het over?' vroeg Emlin.

'Als de koning wordt gekroond met een cirkelvormige kroon, is dat de rituele huwelijksvoltrekking met het land,' legde ik uit, terugdenkend aan de manier waarop Urdo's recente huwelijk met Tir Tanagiri was voltrokken.. 'Vroeger werd dat op minder symbolische manier voltrokken.'

Emer knikte uitdagend. 'Lew is een oude dwaas, maar ik kan een land regeren en onze goden meebrengen.'

'En?' vroeg Emlin. 'Is dat gelukt?'

'We werden gestoord,' zei de man.

Zonder erbij na te denken strekte ik mijn mentale voelsprieten uit naar de goden in Derwen en voelde hoe ze reageerden. Eigenlijk had ik er niet toe in staat behoren te zijn. Meteen tobde ik over de mogelijkheid dat mijn broer Morien door de Isarnaganen kon zijn gedood, want alleen de heer van Derwen zelf werd daartoe in staat geacht. Misschien lukte het doordat ik mij tot de Moeder had gericht? Of wellicht kwam het omdat ik de erfgenaam was en mij in een noodsituatie tot de goden had gericht. Hoe het ook zij, ik vond hen. Groen waren ze, en altijd groeiende, als boomwortels en weerspiegelingen van bladerkronen in de diepten van bosvijvers. Ze waren de rust, en de opstijgende sappen, en de ritselende bladeren, en de sneeuw op takken die werd losgewoeld door een hert en met het geluid van vallende vlokken op de grond belandde. Ze waren de geuren van steen en stromend water. Ze hadden niet de gestalte van een mens, noch spraken zij met menselijke stemmen, maar ik kénde hen. Ik kende hen zoals zij mij kenden, of zoals ik wist hoe ik van hieruit terug kon rennen naar mijn ouderlijk huis zonder te kijken waar ik liep, me als vanzelf bukkend om takken te ontwijken – iets waartoe ik in de bossen rond Caer Tanaga nooit in staat zou zijn, ook al zou ik daar de rest van mijn leven doorbrengen.

Zij kenden mij en ik zag mezelf door hun 'ogen' – een vluchtig moment in de uitgestrekte keten van mensen, een stel voeten, wapperend haar en donderende hoefslagen. Appel was bij Caer Lind gevallen en ik heb nooit geweten wat de mannen van Sweyn met zijn lichaam hebben gedaan. Voor de landgoden van Derwen was hij echter een deel van wie ik was – en nu ze zich aan mij toonden, zag ik hém ook. Ik zat weer op zijn rug, waar ik thuishoorde, in het hart van een diep woud, en van daaruit strekte ik mijn mentale voelsprieten uit om alle stoornissen in het land te verkennen. Emer had het evenwicht niet verstoord. Ze had niet de tijd gekregen tot de goden door te dringen. Maar de goden waren zich bewust van de Isarnagaanse horden. Ik voelde hoe ze elkaar verdrongen rondom de stadsmuren en de stad insloten en de watertoevoer afsneden. Daarna galoppeerde ik vrij op Appels rug naar het westen, het deel van Derwen waar nauwelijks iemand woonde, het fort Dun Morr, dat de Vincanen hadden verwoest, zodat de ingestorte muren nu alles voor de hemel ontsloten. In de verte ontwaarde ik Kaap Tapit. Appel sperde zijn neusgaten wijd open om de zilte zeelucht op te snuiven. Op de golven, ver op zee, deinden schepen. 'Hier,' zei het land woordloos, maar ik begreep het: hier is ruimte genoeg voor deze mensen die geen thuis meer hebben maar wel onze hoge goden vereren.

Ik knipperde met mijn ogen, boog me naar voren om Appels hals te liefkozen en zag Emlin, Emer en de anonieme Isarnagaan naar mij staren. Ik hoorde de geluiden van ons kampement om ons heen. Iemand was bezig pap te koken, met melk. Ik deed mijn mond open om iets te zeggen, maar bedacht me. Ik wist niet hoe lang het had geduurd. Opeens had ik tranen in mijn ogen.

'Het is u niet gelukt,' zei ik uiteindelijk, met een stem die me vreemd in de oren klonk.

'Dat is waar,' zei ze, me aankijkend. 'Ik weet het.'

'Emer,' zei ik, 'kunt u met uw Isarnaganen onderhandelen?'

'Waarover?' vroeg ze.

'Zou Lew ap Ross – of uzelf – bereid zijn een grondgebied te bewonen onder het gezag en de vrede van de Grote Koning? Een koninkrijk dat tot Derwen behoort, niet ver van Kaap Tapit, waar vroeger het fort Dun Morr heeft gestaan?'

'Hebt u de bevoegdheden om een dergelijk aanbod te doen?' vroeg Emer.

'Alleen de grond,' zei ik. 'De streek daar is onbevolkt en kan mensen huisvesten. En wat Urdo betreft, als er werkelijk in het noorden invasies zijn van de legers van Oriel en Lagin, zou ik zo denken dat het sluiten van vrede met u, een betrouwbare bondgenoot en de zuster van onze koningin, in het zuiden deze ala vrijmaken om mee te vechten in het noorden. Dat zou het verlies van wat grondgebied beslist compenseren. Het land waar u doorheen bent getrokken is vrijwel onbewoond – onze boeren wonen voornamelijk tussen hier en Magor. Dat is Derwens grondgebied en ik ben erfgenaam van het heerschap over Derwen. Ik kan het u aanbieden, op voorwaarde dat mijn broer en mijn koning ermee akkoord gaan. Als Lew ap Ross bereid is naar dat grondgebied te gaan, daar een nederzetting te stichten en de grond in cultuur te brengen onder het gezag van Derwen en de Grote Koning, zal alles in orde komen, op voorwaarde dat hij op de koningsvrede zweert.' Ik hield mijn adem in.

'Volgens mij zal hij dat aanbod aannemen,' zei ze na een tijdje, met grote ogen. 'Een koninkrijk vestigen zonder ervoor te hoeven strijden...'

'Het ziet ernaar uit dat jouw waarde op het raperbord weer groter is geworden,' zei Vissensnoet neutraal.

'Zonder twijfel,' zei Emer zonder een zweem van een glimlach. 'Indien Lew een bondgenoot van Urdo wordt.'

'Hebt u zo'n hekel aan hem?' vroeg Emlin.

'Ik doe alleen mijn plicht,' zei ze grimmig.

We konden geen van allen iets bedenken om te zeggen.

'Ik zal de ala formeren,' zei ik. 'Het lijkt me wijs om Lew een denkpauze te gunnen voordat hij iets doet dat ieder van ons zal berouwen. U kunt hem zeggen dat u een heilig ritueel hebt verricht en dat het land u accepteert, op deze voorwaarden. U dient hen naar het westen te leiden en ik moet met Morien overleggen en Urdo bericht sturen.'

'Ik wil niet hinderlijk zijn,' zei Vissensnoet, 'maar wat gebeurt er met mij?'

'We zouden u onderweg van een klif kunnen gooien,' opperde Emlin. 'Zeg ons uw naam, man, dan kunnen we een oplossing bedenken.'

We wachtten een ogenblik, maar hij deed er het zwijgen toe. Emer keek weg.

'Vrouwe Emer ap Allel was alleen,' zei ik tenslotte. 'Ze was dat van begin af aan. We hebben haar alleen aangetroffen en ze heeft in haar eentje een bondgenootschap met ons voorbereid. U bestaat eenvoudigweg niet. Voor iedereen die u heeft gezien, bent u niet meer dan een fantasiebeeld. U kunt hier in uw eentje achterblijven totdat wij vertrokken zijn; dan kunt u later teruggaan naar de Isarnaganen, in de hoop dat niemand uw afwezigheid heeft opgemerkt. Ik kan u geen gastvrijheid of vriendschap bieden, noch kan ik u vragen een eed te zweren. U bent naamloos en wat ons betreft hebt u dus nooit bestaan.'

Hij stond op en ik volgde zijn voorbeeld. 'Dank u,' zei hij mistroostig. Hij boog over mijn hand en liep weg. De dichtstbijzijnde schildwacht maakte een flitsende beweging met zijn speer, maar hij bleef op hem toe lopen.

'Laat hem gaan!' riep ik, waarop de schildwacht opzij stapte. Ik wendde me tot Emlin. 'Geef hem zijn wapens terug en zie erop toe dat hij veilig en wel het kampement kan verlaten.' Ik wendde me weer tot Emer. Met een merkwaardige uitdrukking op haar gezicht keek ze hem na totdat hij verdwenen was, alsof ze niet goed wist of ze moest lachen of huilen. Toen schudde ze het hoofd en keek me aan.

'We moesten maar voortmaken,' zei ze.

26

'Vertrouw geen plan dat al te gretig wordt aanvaard.'
— Gajus Dalitius in *De krijgsheer*

Vermoedelijk was Emlin de beste organisator van alle tribunen met wie ik heb samengewerkt. In nauwelijks meer tijd dan nodig is om een paard te roskammen, slaagde hij erin het kampement te laten opbreken en iedereen marsvaardig te laten zijn. Ik besteeg Bode en reed naar voren. Sommige wapendragers konden hun ogen nog maar nauwelijks openhouden of wreven zich de slaap uit de ogen, maar iedereen zat in het zadel en had zijn toegewezen plaats ingenomen, in slagorde.

'Ik verwacht niet dat we vandaag zullen moeten strijden,' zei ik toen ik hen toesprak. 'Wees echter wel waakzaam en paraat. We zullen ze eerst maar eens laten zien wie wij zijn.'

We galoppeerden in formatie de heuvel over, de penoenvlaggen en de alavlag wapperend in de wind, totdat we met een ongelooflijk scherpe manoeuvre halt hielden bij de rivieroever. Mijn eigen ala had het nauwelijks beter kunnen doen.

De Isarnaganen hadden zich massaal verzameld bij de stadspoort. Ik gaf Berth ap Panon een teken en hij liet zijn trompet luid schallen. Ze draaiden zich verbaasd om, in een golfbeweging die zich steeds verder uitbreidde, en deden dat zo angstig en ongeorganiseerd dat het bijna komisch was. Ik stuurde gezanten met takken naar voren. De Isarnaganen weken voor hen uiteen en uit hun midden trad een afgezant naar voren om hen naar hun koning te escorteren. Emer kwam naast mij staan en samen wachtten we in stilte op hun terugkeer, uiterlijk een toonbeeld van kalmte. Ze bereed een welgemanierd halfpaard, afstammend van een schimmel die het reserverij-dier was van een van onze verspieders. Toen de herauten het teken gaven dat ik naar voren kon komen voor een ontmoeting met hun aanvoerder, reed zij naast mij mee.

Zoals we overeen waren gekomen, bleef Emlin bij de ala. Ik had hem een van de decurio's laten aanwijzen om met ons mee te gaan. Gedrieën reden we dus naar voren, ikzelf, Emer en Garian ap Gaius. Ik vermoed dat

Emlin hem had uitgekozen vanwege zijn gebrek aan nieuwsgierigheid. De herauten hadden hun takken op de vier hoeken van een denkbeeldig vierkant in de grond gestoken en hadden zich erbij geposteerd: twee van Lew ap Ross en de twee van mij.

We stegen af, wat Emer enige moeite kostte. Ze slaagde erin op haar voeten te landen, maar het zag eruit alsof ze bijna was gevallen. Garian hielp haar een handje. Ik veronderstel dat ze veel kleinere paarden gewend was, want in de regel heb je geen twee handen nodig om af te stijgen. Bode knabbelde wat aan de achterhand van de schimmelmerrie, waarop ze verontwaardigd naar hem omkeek. Ik kon mijn glimlach niet bedwingen, al herinnerde ik Bode aan zijn manieren. Zo kwam het dat ik glimlachte toen de Isarnaganen zich naar voren haastten.

Lew ap Ross was geen indrukwekkend ogende man. Hij was gezet, met grijs haar en een snor die langer was dan zijn baard, naar de ouderwetse Isarnagaanse mode. Hij werd geflankeerd door twee raadgevers: een krijgsman en een veel oudere man met een lange sjaal om. Lews mond zakte een beetje open bij het zien van zijn vrouw, wat Emer de kans gaf als eerste het woord te nemen, zonder hem tijd te gunnen om na te denken. Voorstellen kwam later wel.

'Goed nieuws, heer gemaal,' zei ze. Ze liep naar hem toe en boog zo goed ze kon. 'De goden zien vandaag goedgunstig op ons neer.'

'Wat krijgen we nou?' vroeg de oudste van de twee raadgevers. Zijn stem klonk nogal verontwaardigd, alsof alles wat verband hield met goden alleen van hem kon komen. Met een schok realiseerde ik me dat hij een orakelpriester van de oude traditie moest zijn. In veel van de verhalen uit mijn kindertijd waren orakelpriesters voorgekomen. Nu ik er een ontmoette op klaarlichte dag, was het alsof ik over een relikwie uit een barbaars verleden was gestruikeld. Ruim vier eeuwen geleden hadden de Vincanen hun merkwaardige praktijken verboden, samen met de opleiding die zij moesten volgen om orakelpriester te kunnen zijn. Sindsdien waren er af en toe natuurlijke orakels geboren, zoals Morwen, maar in Tir Tanagiri legde niemand zich er doelgericht op toe er een te worden. Ik bekeek hem met een mengeling van nieuwsgierigheid en vrees. Toch was er niets vreemds aan hem, afgezien van die sjaal. Hij had geen arendssnavel als neus, en evenmin de oren van een kat. Ook legde hij niet onmiddellijk zijn hand op iemands buik om de omstandigheden waarin zij de dood zouden vinden te voorspellen. Ik riep mezelf een halt toe voor ik verder onderdook in dit soort kinderlijk bijgeloof. Deze man moest een geleerde zijn, en een van Lews vertrouwde adviseurs. Toch vroeg ik me af of hij werkelijk de namen van alle bestanddelen van alle bomen zou kennen.

'Gegroet, Ap Fial,' zei ze, zich rechtstreeks tot hem wendend. 'Bent u bereid mij aan te horen?'

'We zullen je aanhoren,' zei Lew met een frons terwijl hij de twee anderen tot stilte maande. 'Hoe ben jij in zulk gezelschap verzeild geraakt?'

'Ik werd voor het krieken van de dag wakker met de onbedwingbare impuls om diep het bos in te gaan en met de goden van dit land te spreken. Aangezien ik koningin ben en een dochter van koningen, heb ik gehoor gegeven aan deze impuls en ben vertrokken. Ik liep door tot diep in het woud. Daar werd ik aangetroffen door de wapendragers van deze machtige krijgsvrouw, Sulien ap Gwien.' Ze gebaarde naar mij en ik boog vriendelijk. 'In de strijd tegen hen raakte ik gewond, maar ze namen me mee naar hun kamp en genazen mij. Daar hebben Ap Gwien en ik een langdurig gesprek gevoerd. Zij vertelde mij dat de geesten van dit land tot haar hadden gesproken om haar ontvankelijk te maken. Zij begreep waarom wij uit Tir Isarnagiri waren weggegaan en besloot, op aanraden van haar landgoden, om Lew ap Ross en het volk van Anlar een grondgebied aan te bieden. Nu zijn we hier gekomen om te overleggen of u bereid bent dit aanbod – gezegend voor het aanschijn van de goden – aan te nemen, of dat u met niets anders genoegen wilt nemen dan met het bloed van hen die onze broeders willen zijn.'

Het verbazingwekkendste aan de hele toespraak was dat ze weliswaar verscheidene dingen had weggelaten, maar dat er niet één onwaar woord in zat. Lew ap Ross wreef zijn ogen uit. Ik keek zo opgewekt als mogelijk was naar hem. Zijn raadgevers waren met stomheid geslagen, dat was duidelijk. Ik besloot van die stand van zaken gebruik te maken om nadere bijzonderheden te noemen.

'Het grondgebied dat ik u wil aanbieden, ligt ten westen van hier. Het is de omgeving van de oude stad Dun Morr en heeft al vele, vele jaren voor het grootste deel braak gelegen. Echter, als u het aanvaardt, zult u dat alleen kunnen doen onder het gezag van mijn broer Morien, heerschap van heel Derwen, en het land blijft deel uitmaken van Derwen. U kunt uw volk regeren zoals u wilt, maar binnen de wetten van de Grote Koning Urdo. Bovendien zult u hem trouw moeten zweren.'

'U biedt ons een bondgenootschap aan?' vroeg Lew, trekkend aan zijn lange snor.

Ik wenste dat Raul erbij was, of iemand anders die er goed in was om complexe politieke omstandigheden te schetsen. 'Sweyn van Tevin is door Urdo bij Foreth verslagen,' zei ik, 'en nu erkennen ook alle Jarnse landen Urdo als hun Grote Koning. Het hele eiland Tir Tanagiri is één groot rijk, met vele koningen onder gezag van de Grote Koning. Wat ik u aanbied, is dat uw koninkrijk deel blijft uitmaken van Derwen, dat zelf deel uitmaakt van Groot-Tanaga. U kunt uw volk regeren volgens uw eigen tradities en wetten, maar onder het oppergezag van de heer van Derwen en de Grote Koning zelf.'

'En welke troepen worden wij geacht te leveren?' vroeg de krijgsheer, alsof hij een addertje onder het gras had ontdekt. Ik staarde hem aan. Dit was in geen geval een vraag die ik kon beantwoorden. Ongetwijfeld zou Urdo ingenomen zijn met een contigent Isarnagaanse strijders, maar ik kon niet bepalen hoeveel.

'Die aangelegenheid zal, net als de belastingenkwestie, eerst besproken moeten worden met mijn zwager de Grote Koning en Morien ap Gwien,' zei Emer gladjes. 'Dat zijn echter maar details, heer gemaal. We doen er goed aan dit voorstel in principe te overwegen. We hebben al bloedbanden met Urdo's volk.'

'In principe, in principe,' sputterde Lew, de handen verstrengeld op de rug. 'Wat zeggen jullie ervan?' vroeg hij zijn raadgevers.

De krijgsman haalde zijn schouders op. Anders dan zijn koning was hij roerloos blijven staan terwijl wij spraken, zijn hele aandacht gericht op mij en Garian. 'Ik zeg dat we de strijd aan moeten binden, dan hebben we het hele land in plaats van een deel. Bovendien hebben we voorraden nodig om de winter door te komen. En dan is er nog ons bondgenootschap met Darag de Zwarte.'

De oude priester keek Emer fronsend aan en zei langzaam: 'Ik stel voor het aanbod aan te nemen. Het zou beledigend zijn voor uw koningin en de goden zelf om anders te handelen. Zelden spreken zij zo duidelijk, zelfs voor een koningin en dochter van koningen.'

'Ik heb u gehoord, Ap Ranien; ik heb u gehoord, Ap Fial,' zei Lew formeel. Toen, aarzelend: 'Misschien zou ik dit aan de voltallige raad moeten voorleggen?'

'Spreek met hen zo lang als u wilt, heer gemaal, maar doe dat nadat u een beslissing hebt genomen,' drong Emer aan. 'Wat Ap Ranien echter zei over de voorraden is juist. Kunnen we zonder voorraden de winter doorkomen?'

'Als we kunnen vissen wel,' zei Lew, voor het eerst op resolute toon. 'Wat wij nodig hebben als we niet op rooftocht gaan, is zaaigoed voor het komende jaar.'

'Bent u bereid ons zaaigoed te geven?' vroeg Emer mij.

'Het is me niet bekend of we het kunnen missen,' zei ik oprecht. 'De oogst is nog niet binnen, zoals u hebt gezien.' Emer keek me aan en ik zei niets meer; zij had in ieder geval begrepen dat de ala hen kon verhinderen om toegang te krijgen tot de oogst. 'Ook hierover zullen we mijn broer Morien, de heer van Derwen, moeten raadplegen.'

'Laten we het hem dan vragen,' zei Ap Fial, die me voor het eerst recht in de ogen keek. Zijn blik was opmerkelijk scherp.

'Zijn we het erover eens?' vroeg Emer, een hand op de arm van haar man.

'Als ze ons zaaigoed voor het komende voorjaar geven én de lege grond,' antwoordde hij.

'Leid dan uw troepen weg van de stad; uw mensen kunnen hun kamp bij de huifkarren opslaan,' zei ik. 'Dan rijd ik de stad binnen om met mijn broer te overleggen, waarna hij zelf met u zal spreken.'

'Klinkt billijk,' knikte Ap Ranien. Hij maakte een merkwaardig buiginkje naar Lew, enigszins halfslachtig, waarna hij naar zijn soldaten liep en bevelen begon te roepen. Tot mijn verbazing gehoorzaamden ze hem en trokken ze zich op ongeorganiseerde manier terug naar de bossen ten westen van de stad.

Toen ze ver genoeg weg waren om niet meer binnen gehoorsafstand te zijn, steeg ik op en reed naar de stadspoort. Ik maakte me heel even zorgen, maar ze openden de poort onmiddellijk na mijn aanroep.

De laatste keer dat ik thuis was geweest, in Derwen, had het hoofd van mijn moeders huishouding mij aangezien voor een vreemde. Dit keer riepen de mensen op straat mijn naam en juichten me toe. Bode hief zijn hoofd op en tilde zijn hoeven dansend hoog op, zoals hij altijd deed als hij mensen hoorde juichen. De mensen weken uiteen voor mij. Er waren nauwelijks gezichten die me bekend voorkwamen. Wel herkende ik Garahs vader, en de boerin die Angas ervan langs had gegeven omdat hij haar knolrapen had opgeëist. Naast haar stond een van de meisjes die ik bij mijn laatste bezoek aan huis in de hal had zien bedienen. Nu droeg ze een harnas en een speer. Ze moest zijn toegetreden tot Moriens ala.

Toen ik het huis naderde, kwam huismeester Daldaf ap Wyn naar boven en posteerde zich onder aan de bordestrap naar de voorhof. Hij had een rood hoofd. Vlak achter hem kwam mijn moeder, Veniva. Wanneer was ze zo oud geworden? Ze bewoog zich traag, als een oude vrouw, hoewel ze niet veel ouder kon zijn dan vijftig. Ze leunde op een stok en haar gezicht was gegroefd. Ook had ze donkere wallen onder haar ogen. Nu ik haar zag, besefte ik opeens dat hoe hevig ik mijn vader ook miste en hoe graag ik ook met hem had willen praten om te horen hoe hij over de dingen dacht, het voor haar een nog groter gemis moest zijn.

Ik liet me naar de grond glijden en gaf Bodes teugels over aan een stalknecht die ik herkende. 'Hou hem klaar voor me,' zei ik. Toen liep ik de drie treden op en omhelsde Veniva formeel. Ze was zo mager dat ik het gevoel had een vogeltje te omarmen en bang werd haar ribben te breken. Ik had Aurien aangezien voor Veniva, maar dat zou me nu niet meer gebeuren, niet nu ik haar terug had gezien. Ik deed een stap achteruit. 'Dank u voor dit welkom, moeder. Waar is Morien?'

'Hij was op de muur,' antwoordde Veniva. 'Hij zal zo dadelijk hier zijn.' Haar stem klonk iel en erg vermoeid. Hoewel ik Tanagaans had gesproken, omdat ik me bij het gesprek met de Isarnaganen van die taal had bediend, antwoordde ze mij in fraai en uiterst precies Vincaans, zoals altijd. Terwijl ze het zei, keek ik opzij en zag mijn broer door de straat in galop naar ons toe rijden. Ik had me zorgen over hem gemaakt, omdat het land tot míj had willen spreken. Naast hem reed een jonge vrouw. Hij droeg zijn rusting en zij droeg leren rijkleding. Na een ogenblik herkende ik haar als het meisje met wie Morien had gedanst toen ik het laatst thuis was geweest, Kerys ap Uthbad, het zusje van de arme Enid met wie hij twee jaar geleden in het huwelijk was getreden. Toen hij met een zwaai was afgestegen, liep ik vlug op hem toe, dolblij dat hij in leven was, en omhelsde hem warm. Hij was nog altijd een handbreedte kleiner dan ik. Nadat hij me had verwelkomd, stapte hij opzij om mij de kans te geven zijn vrouw te begroeten.

'Zo, wat breng je voor nieuws?' vroeg Morien ongeduldig. 'Die barbaarse schoften zijn weggetrokken zonder strijd. Hoe heb je hen ertoe gedwongen?'

'Hebben we tijd voor een verfrissing terwijl we praten?' vroeg Kerys met een hoopvol glimlachje. Ze was een aantrekkelijke jonge vrouw als ze lachte en ik herinnerde me dat Enid ook zo aantrekkelijk was geweest, voor de slag waarin ze een arm had verloren en een lelijk litteken had opgelopen in haar gezicht.

Ik schudde spijtig het hoofd en keek de anderen aan. Morien stond met onverholen ongeduld mijn antwoord af te wachten, Veniva zag er alleen maar doodop uit en Daldaf stond in de buurt, te dichtbij en te gretig. Hij had weg behoren te gaan, in plaats van zich naast Veniva te posteren, alsof hij tot de familie behoorde. Misschien konden we beter naar binnen gaan, waar we onder elkaar konden praten. Er was echter geen tijd te verliezen. Ik fronste mijn voorhoofd, maar in feite was het niet mijn zaak of Daldaf bleef of niet. Het deed er ook niet echt toe. Hij was de huismeester van mijn moeder en we hadden geen geheimen te bespreken. 'Dit hoeft niet lang te duren,' zei ik. 'Ik ben een vrede met de Isarnaganen overeengekomen. Kort gezegd, zij zullen zich naar het westen terugtrekken om het verlaten grondgebied rondom Dun Morr in cultuur te brengen, onder erkenning van jouw gezag en dat van Urdo.'

Moriens wenkbrauwen zakten en zijn gezicht betrok, zijn onderlip naar voren gestoken. Hij keek precies zoals hij had gedaan toen hij acht jaar oud was en Darien en mij het bos in was gevolgd, totdat Darien in een boom klom die te hoog voor hem was en hem met zoete kastanjes bekogelde. 'Met welk recht geef jij mijn grondgebied weg?' vroeg hij.

'Ik geef het niet weg, maar bezorg jou er bewoners voor,' zei ik, een tikkeltje scherp. 'Had je liever dat ze de stad innamen?'

'Jij hebt daarbuiten een complete ala; als je dat had gewild, had je ze terug kunnen drijven in zee!' snauwde Morien.

'Zij met vijfduizend man, en ik met één uitgeputte ala?' repliceerde ik, opeens kwaad. 'Ik dacht toch van niet. Ik had kunnen wachten totdat er hulp was, misschien was dat mogelijk geweest, ware het niet dat ze ook elders zijn geland – in Wenlad en Demedia.'

'Ah, en dat is belangrijker voor jou dan Derwen, nietwaar?' vroeg Morien terwijl hij een stap naar voren deed en zijn gezicht vlak bij het mijne bracht. 'Zij hebben onze mensen gedood en onze stad belegerd – ik peins er niet over vriendschap met hen te sluiten.'

Ik deed een stap naar achteren en viel bijna ruggelings van het bordes. Ik was niet in het minst voorbereid geweest op deze reactie, maar uiteraard was ik niet belegerd geweest.

Morien deed weer een stap naar voren. 'Waarom heb je mij niets gevraagd? Zoiets doen, op eigen houtje? Je mag dan dik zijn met Urdo, maar jij bent niet het hoofd van deze familie en hebt hier geen enkele zeggenschap om...'

'Ik vraag het je! Ik kom het je nu vragen!'

'Zo is het genoeg,' snauwde Veniva. Hoewel haar stem iel klonk, sprak er nog altijd gezag uit. Met een ruk draaide Morien zich naar haar om, met dezelfde uitdrukking op zijn gezicht als hij altijd had gehad toen hij twaalf en ik zestien was, en Darien en ik hem niet wilden toelaten in de stal omdat hij aan Banners staart placht te trekken. Ze sprak hem ook nu toe op dezelfde toon als ze destijds had gebruikt. 'Morien, Sulien had je moeilijk tijdens een belegering kunnen raadplegen. Sulien, Morien heeft gelijk, het is niet aan jou om grondgebied af te staan.'

'Dat weet ik,' zei ik zachter. Ik had bijna staan schreeuwen. Daldaf keek alsof hij met moeite zijn emoties kon bedwingen. 'Dat is de reden dat ik zo snel mogelijk hierheen ben gekomen, zodra zij er in principe mee akkoord gingen en zich terugtrokken van de stadsmuur – opdat Morien naar buiten kan gaan om met hun koning te beraadslagen.'

'Er is een koning bij?' vroeg Kerys met grote ogen.

'Lew ap Ross van Anlar,' knikte ik. 'Zijn gemalin is een zus van Urdo's koningin. Aanzienlijke mensen, geen kustplunderaars. Ze zijn hierheen gebracht in schepen die eigendom zijn van Darag de Zwarte van Oriel, die persoonlijk naar het noorden is gegaan om Wenlad en Demedia binnen te vallen. Ze kúnnen niet eens weg, al zouden ze het willen. We zouden ze werkelijk tot de laatste man moeten doden, of op zijn minst de hoofdmacht, terwijl de rest in slavernij zou moeten worden gehouden. Dat kunnen we onmogelijk klaarspelen met één enkele ala en wat plaatselijke strijders.' Ik keek Morien aan om er zeker van te zijn dat hij het begreep. Hij staarde met een diepe rimpel boven zijn neus naar zijn laarzen.

'Ze scandeerden Lews naam,' zei Kerys. Ze beet op haar lip.

'Zijn ze bereid zich vreedzaam te vestigen onder Moriens gezag?' vroeg Veniva. Morien maakte een onbeschaafd geluidje.

'In principe gingen ze akkoord, vrouwe mijn moeder,' zei ik.

Kerys keek opzij naar de muren. 'Het zijn er zoveel,' zei ze met een lichte huivering. Morien liep naar haar toe en legde zijn arm om haar heen, zodat ze zich tegen hem aan nestelde. 'Waarom zijn ze hierheen gekomen?'

'Chanerig ap Thurrig heeft de goden uit hun land verdreven en nu zijn die hier.' Ik probeerde iets goeds te vinden dat ik over hen kon zeggen en herinnerde me dingen die me ooit waren verteld. 'Het zijn barbaarse mensen, dat is waar – net als wij voor de komst van de Vincanen – maar zij vereren onze hoge goden en kunnen leren hoe het er in een beschaving aan toe gaat.' Na die woorden viel er een onbehaaglijke stilte, en ik keek om me heen om de oorzaak ervan op te sporen. Mijn ogen kwamen tot rust bij de witte halssteen op Daldafs borst. Hij zag eruit alsof hij een slak had ingeslikt. Ik had kunnen lachen, totdat ik naar Kerys keek, die een hand onder haar harnas stak en er een soortgelijke steen uit haalde.

Mijn blik kruiste die van Morien, boven haar hoofd, en hij bewoog zich onrustig. 'Ik heb met de priesters gesproken, maar de halssteen heb ik niet aangenomen,' zei hij. 'Ik heb verantwoordelijkheden tegenover dit land en...'

'En ik heb het niet toegestaan,' zei Veniva heel gedecideerd. 'Het zou een afschuwelijke breuk met de traditie zijn geweest, zelfs als de krachten van het land het van harte zouden hebben gewild, zoals het geval is geweest in Munew en Tir Isarnagiri, maar hier doen ze dat niet.'

'De mensen...' begon Morien. Het klonk alsof hij een al veel gebruikt argument wilde herhalen.

'Veel van de mensen hier, ja,' zei Veniva krachtig. 'Maar in geen geval allemaal, zelfs niet in de stad, en op het land zijn het er maar heel weinig.' Ze keek me aan en zei lachend: 'Je kijkt heel ontsteld, Sulien. Mij noemen ze de laatste der Vincanen en ik had nooit kunnen denken dat jij van mijn kinderen degene zou zijn die het als laatste voor de traditie zou opnemen. Het heeft me veel verdriet gedaan dat Aurien uiteindelijk is gezwicht voor de overredingskracht van de monnik Cinwil, en ik dacht dat jij er wel net zo over zou denken, nu de Grote Koning en zoveel anderen de voorkeur geven aan de Blanke God.'

'Nee,' zei ik zacht, maar herhaalde het daarna luider, zodat ook anderen het konden horen. 'De Grote Koning dwingt niemand ergens toe en in mijn hart ben ik over dergelijke dingen nooit anders gaan denken.' Het was voor mij ongewoon te zien dat mijn moeder goedkeurend naar me knikte. Het ontroerde me zo dat ik mijn tranen moest bedwingen.

'We hebben het hier al vaker over gehad,' zei Kerys vriendelijk, maar haar hand omklemde nog steeds de halssteen. 'Ongetwijfeld zal dat nog wel vaker gebeuren, maar we moeten nu over een dringender kwestie beslissen. En als we het over onze verschillende geloven gaan hebben, wil ik dat we naar binnen gaan, anders staan we hier nog als de nacht invalt, en misschien zelfs als het weer ochtend wordt, zoals het geval was toen Marchel hier was.'

'We kunnen de aangelegenheden van de goden dus maar beter laten rusten,' zei ik, 'en in plaats daarvan nadenken over de Isarnaganen.'

'Aangezien je mij weinig keus hebt gelaten, zal ik meegaan om met ze te onderhandelen,' zei Morien. 'Heb je ze nog meer beloofd?'

Ik schudde het hoofd. 'Ze hebben om zaaigoed gevraagd, maar ik heb gezegd dat ik niet kon weten of je zaaigoed kunt missen.'

'Kunnen ze ervoor betalen?' vroeg Daldaf hoopvol.

Veniva moest lachen. 'Als ze dat nu niet kunnen, kunnen ze dat volgend jaar wél. Als we de oogst binnen kunnen halen zonder op onze akkers te worden vermoord, zullen we niets te kort komen. Laat ze ons de volgende winter het driedubbele terugbetalen – daar zullen onze boeren zich niet over beklagen. En zeg hun dat al hun handel via Derwen moet verlopen. Dat zal trouwens toch moeten, Dun Morr ligt te ver stroomopwaarts om een haven te kunnen zijn en er zijn in het westen geen goede havens te vinden. Voeg eraan toe dat we een bescheiden belasting zullen vragen voor alle goederen die via Derwen worden verhandeld. Voor het overige neem ik aan dat ze belasting dienen te betalen, net als iedereen?'

'Ik dacht van wel,' knikte ik. 'Morien, denk je dat het een goed idee zou zijn als moeder ook meekwam om met hen te praten?'

Kerys en Daldaf wilden ook mee, maar Veniva overreedde hen om achter te blijven en een maaltijd voor ons te laten bereiden, voor als de gesprekken waren afgerond. Ze scheen nieuwe energie op te doen uit deze crisis, of misschien kwam het omdat ze nu iets anders te doen had dan zitten en afwachten.

Gedrieën liepen we naar de stadspoort, toegejuicht door de inwoners van Derwen. Garian en mijn herauten leken enigszins opgelucht toen ze mij zagen terugkomen. Ik liet Emlin weten dat de ala zich enigszins mocht ontspannen voor zover hij dat mogelijk achtte, met de boodschap dat alles in orde was. Even later, toen iedereen aan iedereen was voorgesteld, namen we plaats in het gras. Lew en Morien keken elkaar nors aan, Emer en Veniva bejegenden elkaar met een glimlach.

De grond en de belastingen bleken geen probleem. Veniva en Emer zagen samen kans alle netelige details uit de weg te ruimen en de mannen tot overeenstemming te bewegen. Ik ben bang dat ik even in slaap moet zijn gesukkeld, want toen ze het over de bijzonderheden van de oogst en de belastingen hadden, werd ik met een schok wakker omdat Morien op verhitte toon tegen Lew zei: 'Dat zouden we kunnen, als ze wilden verhuizen!'

'Doen jullie boeren dan niet wat hun heerschap hun opdraagt?' wilde Lew weten.

Ik wreef mijn ogen uit en haalde adem om het antwoord voor mijn rekening te nemen voordat Morien uit zijn vel kon springen, maar hij zei tamelijk rustig: 'Ook zij hebben de keus. Als ik het hun beval, zouden ze zeker verhuizen, maar waarom zou het nodig zijn deze mensen van de grond van hun voorouders te verjagen als ze daar niet voor voelen? Hoe het op jouw eiland gaat, weet ik niet, maar wij zien onze boeren als mensen.' De twee mannen staarden elkaar aan en even dacht ik dat ze zouden gaan briesen als hengsten die hun plaats in de rangorde moeten bevechten.

Emer legde haar hand op Lews arm toen hij adem haalde om Morien van repliek te dienen en was hem voor. 'Natuurlijk zijn het mensen,' zei ze vriendelijk. 'Niemand die dat bestrijdt. Het gaat er alleen om óf ze willen verhuizen.'

'Als ze daartoe bereid zijn, kan ik ze andere grond toewijzen, dat is gemakkelijk genoeg,' hernam Morien, wat kalmer nu. 'Ten noorden van hier is de grond vruchtbaar, en ook bij Nant Gefalion. Als ze het echter onder geen beding willen, zie ik niet waarom ze ertoe zouden moeten worden gedwongen.'

'Omdat jullie mij een leeg gebied hebben beloofd, of althans, dat heeft Sulien ap Gwien gedaan!' barstte Lew uit, voordat Emer het hem beletten kon. Ze staarden nu allemaal naar mij. Morien keek woest.

Ik slikte moeizaam. 'Het zijn er maar weinig Waaróm kunnen ze niet blijven waar ze zijn?'

'Ja, waarom niet?' viel Emer me bij. 'We zijn door dat gebied getrokken, maar we hebben nauwelijks of geen sporen van bewoning gezien; het is nergens voor nodig om boeren van hun grond te verdrijven om ruimte te maken voor onze mensen.'

'Goed, ik neem aan dat ze kunnen blijven,' zei Lew met tegenzin.

'Onder wiens verantwoordelijkheid?' vroeg Morien. 'Het zijn tenslotte míjn mensen en ik kan ze niet aan hun lot overlaten.'

'Ze blijven jouw mensen, net als de mensen van Lew van hem zijn,' zei Veniva. 'Het land is ook van jou en je geeft het hem in beheer, maar je zult er evengoed heerschap over blijven, ook al hebben ze zelfbestuur.'

'In dat gebied regeer ík,' zei Lew fronsend.

'Ja, daar waren we het al over eens,' zei Emer.

'Als de boeren dichter bij Derwen grond willen hebben, kunnen ze dat krijgen,' zei Veniva, na een zuchtje van opluchting. 'Als ze echter willen blijven waar ze zijn, vallen ze onder jouw gezag, mits je hen billijk behandelt en hen recht doet alsof ze jouw eigen mensen zijn.'

Dat was de laatste bijzonderheid – daarna hoefden er alleen nog eden op te worden gezworen. Besloten werd dat er al genoeg bloed was gevloeid in de strijd, vooral vanwege Emers gewonde arm, en dat er niet meer gevochten hoefde te worden. We verzamelden zoveel mogelijk leden van de ala, en Isarnaganen en inwoners van Derwen, om ervan getuige te zijn. Morien deed een beroep op de goden om hem aan te horen en Lew legde ten opzichte van Morien dezelfde eed af als Morien voor Urdo had afgelegd, waarop Morien hem overeind trok en hem zwoer dat hij zou worden behandeld als hij verdiende. Iedereen begon luid te juichen, en dezelfde mensen die elkaar deze ochtend nog naar het leven hadden gestaan omhelsden elkaar nu. Ik stuurde de ala naar de barakken in de stad en het leek hen niet in het minst te spijten dat ze moesten gaan. Ik veronderstel dat ze even hondsmoe waren als ikzelf.

27

Bij de lichte twijgen van de wilgen
die rond het Talog-meer groeien:
zeg mij of ze om mij geeft!
Bij de zoete noten van de hazelaars
die groeien bij de Heil'ge Bron:
zeg mij dat ze voor mij zwichten zal!
Bij de taaie wortels van de lijsterbessen,
groeiend op de helling van Brin Crag:
zeg mij dat ze naar me terug zal komen!
Bij de brede bladerkroon van d'oude eik
die machtig bij Caer Asgor groeit:
zeg mij met welk wapen de wond
in mijn hart nog valt te helen?
— Aneirin ap Erbin in *De vrouwen van Wenlad*

Onmiddellijk stuurde ik bodes naar Caer Gloran en Caer Tanaga. Daarna viel ik in bad in slaap, terwijl Kerys nog handenwringend naar mijn littekens staarde. Ik sliep net lang genoeg om me afschuwelijk te voelen toen ik naar beneden ging, naar de hal. Ik liet me een beker cider brengen en ging in de vensterbank zitten om toe te kijken terwijl ik af en toe een slokje nam. De olielampen waren aangestoken zodat alles in een warme lichtgloed baadde. Er waren Isarnaganen in de hal, en leden van de ala en inwoners van de stad zelf. Ik was blij dat het niet mijn taak was om te beslissen wie er wel of niet moest worden uitgenodigd. Daldaf ging rond met de welkomstbokaal. Deze keer begroette hij mij als een lid van de familie. Veniva leek helemaal in beslag te worden genomen door de voorbereidingen van het feest en maakte voortdurend uitstapjes naar de keuken. Kerys en Morien dansten soepel met elkaar. Ik keek naar hen en bedacht dat ze waarschijnlijk uitstekend bij elkaar pasten. Ze zag er veel natuurlijker uit in een met groene en goudkleurige borduursels verfraaide overgooier dan ze in haar leren rijkleding had gedaan. Ze verschilde sterk van haar zus Enid, net zoals ik heel anders was dan Aurien. De arme Enid die zo graag een heldin wilde zijn en gestorven was in een hinderlaag. Hoe zou ze zijn geworden als ze nog had geleefd?

Kerys lachte, draaide zich om en boog voor Morien toen de dans ten einde was en liet zich daarna door de amechtige oude Lew voor de volgende dans naar de vloer leiden. Ze slaagde er op sierlijke wijze in Lews voeten te ontwijken. Zijn snor danste, telkens als hij iets tegen haar zei. Morien had het bij de wisseling van partner beter getroffen, want zelfs met haar verbonden arm slaagde Emer erin gracieus te dansen.

Zelf had ik er niet de minste behoefte aan te dansen. Als het niet heel erg onbeschoft was geweest om vanuit de thermen regelrecht naar bed te gaan, zou ik dat hebben gedaan. Op winteravonden, als we hele dagen gedwongen binnen moesten zitten, genoot ik wel van een dansje, maar vandaag was ik eenvoudigweg te moe. Toen echter Duncan, mijn oude wapenmeester, naar me toekwam om me ten dans te vragen, stemde ik er meteen mee in, bijna alsof het een bevel was. Hij zag er ouder uit en het weinige haar dat hij nog over had was grijs geworden. Voor het eerst vroeg ik me af hoe oud hij zou zijn. Hij bewoog zich nog steeds als een krijgsman en had een schram op zijn gezicht – kennelijk was zijn helm de vorige dag hard geraakt door het een of ander. Hij was mijn eerste instructeur geweest en dankzij de lessen die hij me vanaf mijn vijfde had gegeven was ik krijgsvrouw geworden.

Hij lachte me toe terwijl we naar het midden van de vloer wandelden. De muziek was luid genoeg om ons de kans te geven rustig met elkaar te praten zonder dat iemand het kon volgen.

'Je bent niet veel veranderd,' zei hij. 'Zeker, je bent groter geworden, en breder in de schouders, en je maakt een veel zelfverzekerder indruk, maar ik moet je erop attent maken dat je nog steeds naar rechts neigt.'

Ik schoot in de lach. 'Dat doe ik beslist niet! Die gewoonte heeft Osvran ap Usteg eruit geslagen toen we met verzwaarde zwaarden oefenden. Telkens als ik het deed, kreeg ik een klap met de platte kant, en niet zo zachtjes ook. Mijn billen waren helemaal bont en blauw voordat ik het eindelijk had afgeleerd. En toen Ap Thurrig van de schepen mij les ging geven in de worsteltechnieken van de Malms, leerde ik eindelijk om niet bij voorbaat te verraden wat ik ging doen.'

'Mooi zo,' zei Duncan. 'Daar heb je echt iets aan. En je heb je uitstekend geweerd. Ik kan met grote trots zeggen dat mijn leerlinge nu prefect is van de persoonlijke ala van de keizer. Ik heb gehoord dat je zelfs zijn standaard hebt gedragen tijdens de verpletterende overwinning bij Foreth. Iedere wapendrager van de alae verdient de allerhoogste lof. Ik had nooit durven dromen dat het land één zou worden en dat onze mensen overwinningen zouden behalen.'

'Ik weet het,' zei ik. 'Zo verging het mij ook toen ik jonger was; toen leek het alsof het einde van de wereld in zicht was en dat er nog maar weinig hoefde te gebeuren voordat alles boven onze hoofden ineen zou storten.'

Hij knikte, slechts met een deel van zijn aandacht bij het dansen. 'Zo is het vrijwel mijn hele leven geweest. Het enige waarop we konden hopen, was dat we het eind nog een beetje konden uitstellen. De gedachte aan een wederopbouw was meer dan we ons konden voorstellen. Nooit had ik durven dromen dat ik de *Pax Vincana* nog opnieuw zou beleven.'

'Urdo's vrede is niet de vrede van Vinca,' zei ik, mijn stem iets verheffend omdat we uiteen waren gedanst. 'Het is een nieuw soort vrede, zegt hij, en we moeten allemaal leren wat die te betekenen heeft.'

Duncan schudde licht het hoofd en bleef zwijgen totdat we weer dicht bij elkaar waren. 'De jongeren denken altijd dat zij de eersten zijn die iets hebben ontdekt,' zei hij. 'Wij ouderen weten maar al te goed wat vrede is.' Hij bond een beetje in. 'Jullie wapendragers hebben een grootse prestatie geleverd door deze vrede te winnen, of hoe je het ook noemen wilt.'

'Het is niet alleen aan de alae te danken. Er zouden zonder Urdo geen alae zijn geweest. Hij heeft ons hoop geschonken, en de moed om vol te houden.'

'Dat is voor één persoon een grote opgave,' zei Duncan terwijl hij me kundig rond liet zwieren.

'Ieder van ons heeft eraan bijgedragen, maar zonder zijn visie zouden we niets hebben klaargespeeld,' hield ik aan.

'Ik neem aan dat juist dát het is dat iemand tot een echte koning maakt,' zei Duncan. 'Het vermogen andere mensen te inspireren om voor hun land te vechten.' Zijn donkere ogen stonden triest. Ik herinnerde me wat ik over hem van Alfwin had vernomen toen die zich bij ons aansloot. Nu vroeg ik me af of er nog iemand anders was die het wist. Er waren destijds massa's mensen uit het oosten gevlucht, uit Tevin, Aylsfa en Cennet. Wij hadden geen reden gehad te vermoeden dat Duncan ooit heer van Caer Lind was geweest.

'Waarom hebt u Tevin destijds verlaten?' vroeg ik.

Duncan keek me scherp aan. 'Hoe kom je daarbij? Ik ben nooit in Tevin geweest. Zelfs de naam van mijn land is onder de Jarns verloren gegaan.'

'Valentia,' zei ik. In gedachten zag ik Enid weer in de regen over een oude landkaart gebogen staan, vóór de slag om Caer Lind.

Duncan glimlachte. 'Je hebt dus dat verbazingwekkende geheugen dat je als kind al had nog niet verloren.'

'Ik noem het in mijn gedachten Tevin,' erkende ik.

'Alles is verloren gegaan,' hernam hij ernstig. 'Mijn vrouw en mijn zoons zijn in de strijd gevallen. Het leed geen twijfel dat we aan alle kanten verliezen leden. Rudwen was het enige wat me nog restte. Dat was de reden dat ik uit Caer Lind ben vertrokken; ik wilde dat ze wat ruimte zou hebben om op te groeien.' Hij keek nu niet naar mij, maar over mijn schouder. Zijn gezicht stond strak.

'Ze ís opgegroeid,' zei ik onbeholpen. Ze was pas eenentwintig jaar oud geweest op het moment dat ze sneuvelde, toen kustplunderaars Derwen overvielen.

'Hoe wist je eigenlijk dat ik heer van Valentia ben geweest?' vroeg Duncan. 'Ik wist niet dat Gwien daar ooit iets over had losgelaten.'

'Ik heb het niet van hem,' antwoordde ik. 'Alfwin Cellasson, zelf een Jarnsman, heeft me verteld hoe de Jarns destijds Caer Lind hebben veroverd, en ik dacht dat het een té grote toevalligheid zou zijn dat er twéé mannen met een kind voor zich in het zadel, allebei op een appelschimmel, uit die stad waren gevlucht.'

Duncan glimlachte triest en zag er opeens heel oud uit. 'Nou, dit maakt het me wat gemakkelijker je dit te vragen: denk jij dat Urdo bereid zal zijn mij mijn grondgebied terug te geven?'

Ik verslikte me, miste een stap zodat ik op Duncans tenen trapte, en zou waarschijnlijk gevallen zijn en Flerian in mijn val hebben meegesleurd, als Duncan niet mijn arm had gegrepen en me overeind had gehouden. Flerian keek me verbaasd aan en schouderophalend verontschuldigde ik me. Toen keek ik Duncan weer aan. Het leek bijna alsof hij zijn adem inhield. Hoe kon hij ook maar dénken dat Urdo zoiets zou doen? Duncan en zijn volk hadden het land verlaten en er alle banden mee verbroken. In plaats van hen had het land Cella en de Jarns geaccepteerd. Trouwens, hij was nauwelijks in staat een koningschap op zich te nemen. Hij moest de zestig al zijn gepasseerd en was misschien zelfs nog ouder. En al zijn kinderen waren dood. Zijn enige neef die nog leefde was Flavien ap Borthas, en die kon als heer van Tinala onmogelijk zijn erfgenaam zijn. Zelfs als Alfwin niet had bestaan en heel Tevin ontvolkt was, zodat er zich een ander volk had kunnen vestigen, zou geen koning er zelfs maar over hebben gepeinsd hem dat land te schenken. Ik had nooit gedacht dat Duncan zo dom kon zijn zoiets zelfs maar te overwegen. Ik kon niets bedenken dat vriendelijk genoeg was om tegen hem te zeggen en als ik het probeerde te verzachten, zou dat de zaak waarschijnlijk alleen maar erger maken. 'Ik geloof niet dat daar ook maar een schijn van kans op is,' zei ik. 'U hebt dat land verlaten, mét al uw mensen.'

'We moesten vluchten,' zei Duncan stug. 'Nu het echter bevrijd is van zijn vijanden, kan de keizer het ons teruggeven, als hij dat verkiest.'

Ik dacht aan Alfwin. Ook dacht ik aan het dorp van de Jarns waar de boeren ons koren hadden gegeven en ons hadden verteld dat Ohtar in aantocht was om tegen ons te vechten. Ik herinnerde me de geruïneerde toestand van Caer Lind toen ik daar belegerd was geweest. 'Het is niet meer onbewoond,' zei ik zo rustig mogelijk. 'En de goden van het land hebben de Jarns aanvaard, mét hun koning Cella en diens zoon Alfwin na hem. Alfwin heeft gedurende de Lange Oorlog aan onze zijde gestreden. Zij zijn geen vijanden, maar trouwe bondgenoten.'

'Hij is keizer, hij heeft de purperen standaard gestoken, hij zou...' begon Duncan, nu nog wat stugger.

Ik viel hem in de rede. 'Als de keizer van Vinca zoiets had willen doen, zou dat misschien mogelijk zijn geweest, ook al hebt u geen erfgenamen en geen volk. Urdo is echter géén keizer van Vinca, en ook geen tiran die kan doen wat hem zint.' In gedachten ging ik terug naar dat moment op de top van de heuvel Foreth, waar Urdo zich met zijn naam en titels aan de goden bekend had gemaakt. 'Hij is op grond van zijn geboorte, zijn overwinningen en zijn verkiezing door alle koningen Grote Koning van het eiland Tir Tanagiri. Aan de totstandkoming van zijn vrede moet ieder van ons zijn deel bijdragen.'

De dans was ten einde en we bogen heel formeel voor elkaar, voordat ik terugliep naar de vensterbank waar ik had gezeten.

'Je hebt gelijk dat de tijd van de Vincanen nooit meer terugkomt,' zei Duncan terwijl hij naar de donkere nacht buiten staarde. 'Heb je dit ook tegen je moeder gezegd?'

'Ik denk dat ze het wel weet,' zei ik zo vriendelijk mogelijk. 'Ze heeft zichzelf vanmiddag de laatste der Vincanen genoemd en zich met dat idee verzoend. Ze weet dat er een nieuw tijdperk is aangebroken.'

'Ik denk niet dat ik de enige ben die hieraan moest worden herinnerd,' zei Duncan, met een afwezige blik in zijn ogen. 'En als jullie jongeren werkelijk een nieuwe wereld gaan opbouwen, hadden jullie degenen die dachten dat ze zij aan zij met jullie streden om de wereld van onze jonge jaren te herstellen uit de droom moeten helpen.'

Ik wist heel goed dat het al bijna zestig jaar geleden was dat het laatste Vincaanse legioen Tir Tanagiri had verlaten en dat Duncan in zijn jonge jaren vrijwel voortdurend had moeten strijden, hetzij in burgeroorlogen of om de Jarns op afstand te houden. Ik kon nauwelijks geloven dat hij echt had gehoopt zijn land zomaar terug te zullen krijgen, terwijl hij het zelf had verlaten, al vijfentwintig jaar geleden, en bovendien geen erfgenaam had. Ik wist niet goed wat ik moest zeggen.

Gelukkig kwam Lew op dat moment naar ons toe. Duncan excuseerde zich en vertrok om Veniva te gaan helpen. Lew grijnsde breed. Ik neem aan dat hij veel had om vrolijk over te zijn. Hij dronk uit een fraaie rode Vincaanse beker, een schat die mijn moeder altijd had gekoesterd. Ik hoopte dat hij hem niet zou laten vallen. Ik keek om naar Emer. Ze maakte deel uit van een groep aan de overkant van de hal, waartoe ook Morien, Daldaf en haar minnaar, de naamloze Isarnagaan, behoorde.

'Moet ik naar Caer Tanaga gaan om mijn broeder Urdo te vinden, of zal hij spoedig hier zijn?' vroeg Lew mij, nadat we vriendelijke beleefdheden hadden uitgewisseld. Dat hij Urdo nu zijn 'broeder' noemde leek mij een tikje overdreven, nota bene de echtgenoot van een schoonzus die hij nooit zelf had ontmoet.

'U zult naar Caer Tanaga moeten, om het vredesfeest bij te wonen,' zei ik met een stijf buiginkje. 'Ik neem aan dat mijn heer en gebieder, Urdo, u per roodmantelbode een uitnodiging zal sturen zodra de datum voor het feest is vastgesteld.'

'Komt hij dan nooit hier?' vroeg Lew nieuwsgierig. Ik vermoed dat hij zich stond af te vragen met hoeveel bemoeienis hij te maken zou krijgen.

'Soms, als dat nodig is. Tien jaar geleden, toen we door Jarns overvallen werden, is hij ons te hulp gesneld.'

'Dat is een lange periode,' zei hij, zijn lange snor strelend. 'Wel, ik hoopte dat je mij de eer zou willen aandoen van een dansje...'

Ik wenste dat ik nooit met Duncan had gedanst, want nu kon ik moeilijk zeggen dat ik veel te moe was om te dansen. Ik was ervan overtuigd dat hij me op de tenen zou trappen. Ik hoopte dat de maaltijd spoedig gereed zou zijn. Terwijl dit alles door me heenging, verraste Lew me door zijn zin te voltooien met: '... met mijn neef?'

Het was een enorme opluchting voor me dat ik zijn logge voeten niet zou hoeven te ontwijken, wie deze neef ook mocht zijn. Maar toen hij me naar de overkant van de hal leidde, zonk het hart me in de schoenen. Hij was op weg naar de groep met Emer. En hij had het gemunt op Emers minnaar, Vissensnoet in eigen persoon. Toen deze zag dat zijn oom mij meetroonde naar hém, kneep hij heel even zijn ogen dicht, maar toen was hij zo vermetel naar me te grijnzen. Emer zag duidelijk bleek, en Morien keek aangenaam verrast.

'Sulien ap Gwien, dit is mijn neef...' begon Lew.

'We kennen elkaar al,' zei ik, voordat Lew me zijn naam kon noemen. 'En ik noem hem Vissensnoet.' Iedereen lachte, hoewel Morien licht fronste en Emers lach koeltjes klonk.

'Waar hebben jullie elkaar...' hernam Lew, maar Vissensnoet had me al bij de hand genomen om me naar de dansvloer te trekken. Ik maakte een verontschuldigend gebaar naar Lew, die iets tegen Emer zei. Ze raakte haar gewonde arm aan. Ze stonden allebei welwillend naar ons te kijken, maar er lag een diepe rimpel op Moriens voorhoofd.

'Wel, waar hebben wij elkaar ontmoet, prefect?' siste Vissensnoet me toe zodra we buiten gehoorsafstand waren. 'Ik ben nooit in Tir Tanagiri geweest en dat weet hij.'

'O, vandaag, eerder op de dag,' zei ik zacht. 'Misschien in de thermen? In de stallen? Ik ontmoet dagelijks zoveel mensen dat ik zoiets gemakkelijk kan vergeten.'

'Ik neem niet aan dat je ooit in Oriel bent geweest?' vroeg hij terwijl hij me een wilde slinger gaf.

Ik schudde het hoofd. 'Nooit weggeweest van dit eiland. De stallen lijkt me veiliger – ik ben er een poosje geleden inderdaad geweest.'

'Waarom gaf je hem niet gewoon de kans mij voor te stellen?' Volgens de muziek had hij me opnieuw moeten laten draaien, maar in plaats daarvan kwam hij een stap dichterbij en keek me dreigend aan.

'Omdat ik vervloekingen ernstig neem, ook al doe jij dat kennelijk niet,' zei ik.

'Ik neem deze ernstig genoeg om te weten dat het mijn dood kan worden. Ik zie alleen niet in hoe je de rest van jouw leven zou kunnen voorkomen dat je mijn naam te weten komt. Feitelijk verbaasde het me al dat je niet, zodra dat mogelijk was, alles in het werk hebt gesteld om die te weten te komen. Ik ben er tamelijk zeker van dat die gretige jonge kapitein van je het aldoor al wist.' Nu pas – veel te laat – liet hij me los voor een nieuwe draai, waarbij ik bijna struikelde.

'Ap Trivan? Is het werkelijk?' zei ik, toen ik mijn houding had hervonden. Slecht kunnen dansen was blijkbaar een familiekwaal bij hen. Als ik niet had gezien hoe goed Emer kon dansen – en haar zus Elenn eveneens – zou ik hebben gedacht dat het een gebrek was van de Isarnaganen. Ik vroeg me af of Emlin de naam werkelijk kende. We hadden geen tijd gehad om met elkaar te praten – ik moest Emers verhouding met de neef van haar man geheim houden. Hoewel ik er Urdo over zou inlichten, uiteraard.

'Ja, ik denk beslist dat hij het al wist. Hij scheen te goed op de hoogte van de roddels in Isarnagan.'

Over zijn schouder heen zag ik Emers gezicht, naast Lew, die glimlachend met zijn voet tikte op de maat van de muziek. Emer stond somber naar ons te kijken. Iemand zou dat opmerken, als ze daarmee doorging.

'Nou, ik ben dat niet en heb er ook geen belangstelling voor. En als jij niet wilt dat je oom zich nog meer gaat verwonderen, zou ik glimlachen als ik jou was; hij staat ons te observeren en jij kijkt alsof je op weg bent naar je eigen begrafenis.'

Hij lachte, onverwacht en heel charmant. 'Goed, ik zal me gedragen zoals mensen worden geacht zich te gedragen als ze dansen. Mijn complimenten met je stola en fraaie barnstenen fibula. Is het siersmeedwerk uit Isarnagan?'

Het was de fibula uit de familieschat. Ik schudde van nee. 'Het is een oud erfstuk van de familie.'

'Ah. Geweldig dat Urdo ook vrouwelijke bevelhebbers heeft.'

'Hoezo?' vroeg ik behoedzaam.

'Tja, die inval van je om als een haas de dansvloer op te gaan om lastige vragen te ontwijken – zoiets zou een man nooit zijn gelukt.'

Ik moest lachen. 'Het is weleens voorgekomen dat mannen uit de alae met elkaar dansen, maar het is niet de gewoonte. Het zou Ap Thurrig ook nooit zijn gelukt.'

'Zeg dat wel, afgaande op wat ik heb gehoord. Mijn familie en ik hadden geluk toen we jou tijdens deze expeditie troffen.'

We dansten naar voren en naar achteren, en toen we elkaar weer hadden bereikt, zei hij zacht: 'Heb je begrepen wat mijn oom in zijn schild voert?' Ik schudde het hoofd. 'Hij opperde dat het heel goed zou zijn als ik jouw broer een voorstel betreffende jou doe. Ik veronderstel dat hij dat ook heeft losgelaten tegenover je broer, want die vertelde me op verontschuldigende toon al jouw tekortkomingen.' Hij lachte opnieuw – nu enigszins verbitterd. 'O, m'n beste, dat gezicht van jou zou melk doen stremmen. Ik word geacht een begeerde kandidaat-echtgenoot te zijn en de meeste mensen vinden me niet onknap.'

'Dan hebben ze nog nooit een ouwe zalm gezien,' zei ik.

'Lieve help, draaien al jouw gedachten om vis?' vroeg hij charmant. 'Misschien zouden we toch maar moeten trouwen. Nee, trek je hand niet weg nu we dansen, het zou er niet uitzien.' Hij omklemde mijn hand zo hard dat ik hem een klap zou moeten geven om los te kunnen komen. Overigens was ik niet van plan me los te rukken. Hij praatte luchthartig verder: 'Ik bedoel, het zou iedereen dwingen op te houden met hun pogingen om jou en mij uit te huwelijken. En aangezien jij mijn gruwelijke geheim al kent, en ik het jouwe, hoeven we niets met elkaar te maken te hebben. Jij bent een oneindig veel betere kandidate dan het laatste meisje waaraan Darag de Zwarte me wilde koppelen. Ze was rijk en van adel, maar als ze lachte dacht ik dat er een raaf kraste. En als mijn gezicht je niet aanstaat, moet je maar bedenken dat het je altijd de grootste moeite zal kosten danspartners te vinden die even groot zijn als jij.'

'Wat voor verschrikkelijke geheimen van mij heeft mijn broer je dan aan je neus gehangen?' vroeg ik zo rustig mogelijk, proberend zijn luchthartigheid te negeren.

'Luister, nu ben ik degene die je eraan moet herinneren te glimlachen, met het oog op mijn oom,' zei hij, zelf lachend alsof hij een grap had gemaakt. 'Alleen maar over jouw relatie met de Grote Koning – hoewel dat eigenlijk geen nieuws is, zelfs niet in het verre Tir Isarnagiri.'

Ik stond er zelf versteld van hoe kwaad dit me maakte. Ik was gewend de wapendragers over onze vermeende relatie grappen te horen maken en ik had alle pogingen om er meer tegen te doen dan wanhopig zuchten allang opgegeven. Ik veronderstel dat Morien het moest hebben opgemaakt uit Glyns geplaag aan mijn adres, toen ik een tijd geleden in Derwen was. Het ontstelde me echter te horen dat dit gerucht zich zo ver had verbreid. 'Je luistert te veel naar geroddel,' siste ik tussen mijn tanden. 'Ik begrijp niet wat voor lol mensen eraan beleven om leugens over mij rond te strooien, maar je zit er volstrekt naast.'

Zijn wenkbrauwen gingen omhoog van verbazing. 'Ergens had ik wel verwacht dat je mij zou afwijzen, helaas,' zei hij met een vermetele grijns. 'Toch zouden we niet slecht bij elkaar passen. Het zou deze nieuwe alliantie een stevige basis geven en ik heb altijd een zwak gehad voor grote vrouwen die mij niet willen. De meesten worden zo ongelooflijk saai.'

Het Tanagaans heeft te weinig grove woorden, zodat ik leentjebuur speelde bij het Jarns, en zelfs een paar woorden gebruikte waarvan ik de betekenis niet helemaal kende. Ik had ze Alfwin horen gebruiken toen Masarns hengst, Witvoet, hem op de tenen trapte. Zijn grijns veranderde niet, hoewel ik zag dat Garian, achter hem, van schrik zijn ogen dichtkneep.

'Ja, ja,' zei hij uiteindelijk zacht, toen de muziek bijna aan het eind was. 'Als jij moest kiezen tussen mij en een dooie kabeljauw, zou je hekel aan vis ongetwijfeld toch de doorslag geven, en ik kan het je niet in het minst kwalijk nemen. Je hebt gelijk, ik was wat al te luchthartig en zei het met wat ironie. Overigens, ik betwijfel of je wel de goedkeuring van mijn moeder zou wegdragen. Laten we maar zeggen dat er niets van kan komen, maar dit geldt niet voor het bondgenootschap tussen ons en jullie. Vraag Ap Trivan gerust naar mijn naam, ook al zal jouw mening over mij daardoor alleen nog minder worden, als dat al mogelijk is.'

Hij liet mijn hand los, boog en liet me staan. Ik boog terug, werktuiglijk, en staarde hem verbluft na. In een veldslag zou ik hem niet graag naast me hebben. Hij mocht dan slagvaardig reageren, maar ik zou er nooit op kunnen vertrouwen dat hij dáár zou zijn waar hij nodig was. Het lot wilde dat ik op dat moment Emlins kortgeknipte hoofd recht tegenover mij zag. Ik liep regelrecht naar hem toe.

'Jij weet wie hij is?' vroeg ik zacht.

'Wil je dansen?' vroeg hij.

'Nee, ik wil niet en zou het niet erg vinden als ik nooit meer hoefde te dansen. Trouwens, jij moet zelf ook hondsmoe zijn. Kom bij me zitten en vertel me zacht wat je allemaal over deze Vissensnoet weet voordat ik een uitglijder maak.' We gingen tegenover elkaar in de vensterbank zitten. Ik nam de beker op die ik er had achtergelaten. Daldaf, een grote schenkkan in zijn handen, wekte de indruk dat hij naar ons toe wilde komen. Ik keek hem dreigend aan en hij bedacht zich.

'Hij is Conal ap Amagien ap Ross, bijgenaamd Conal de Overwinnaar,' zei Emlin zacht.

Ik keek hem verbaasd aan. 'Nooit van gehoord. Hij is dus werkelijk een neef van Lew?'

'Ja. Zijn vader, Amagien de Dichter, is Lews broer. En Conals moeder is een tante van Darag de Zwarte.'

Hij leek wel Veniva, die eindeloos kon doorzagen over huwelijken tussen leden van dynastieën. Zelf vond ik dat thema volstrekt oninteressant, tenzij ik de betrokkenen kende. 'Dan heeft hij in hun laatste grote oorlog voor Oriel tegen Connat gevochten?' vroeg ik. 'Kom, zeg op, Emlin, wat laat je weg?'

'Hij heeft inderdaad voor Oriel gevochten. Hij was zelfs de man die ermee begon. Hij is Conal de Overwinnaar – heb je niet gehoord dat hij vorig jaar Maga van Connat heeft overwonnen?'

Ik zat doodstil, heviger geschokt dan ik voor mogelijk had gehouden, wat zijn geheim ook was. Hij had haar moeder gedood, maar zij... Ik keek naar Emer, die heel beheerst met Lew en Morien stond te praten. Ze droeg een donkerrode overgooier van wol, geen linnen, maar zo te zien had ze het niet al te warm. Conal Vissensnoet danste met Kerys. Ik zag alleen zijn rug, maar hij zei vermoedelijk iets onbeschaamds, want ze schoot in de lach. Ik keek weer naar Emer. Nu begreep ik waarom die twee niet samen mochten worden gezien. Een bloedvete van tamelijk recente datum – haar eigen moeder... Ik vroeg me plotseling af of hij haar soms een soort compensatie had aangeboden. Haar familie zou daar nooit genoegen mee nemen, al zou ze dat zelf misschien wel doen.

'Maar goed dat hij nooit in dat bos is geweest,' zei ik. 'Wat hebben we gedaan?'

'Volgens mij méér voor Urdo's vrede dan wanneer we hadden verkozen om te vechten,' zei Emlin, die zich geeuwend uitrekte.

'Ik zal het Urdo moeten zeggen,' zei ik.

'Allicht,' zei Emlin. 'Ga je nu naar Caer Tanaga om hem te spreken?'

'Nee,' zei ik. Ik had al besloten wat mijn eerste stap diende te zijn. 'Ik ga eerst naar Caer Gloran; daar is misschien nieuws te vernemen en het ligt op de weg naar het noorden. Als er strijdkrachten in Wenlad en Demedia zijn, moet ik die kant op. Als er echter nog geen bericht is aangekomen, zal ik wellicht in zuidoostelijke richting naar Caer Tanaga gaan om me aan te sluiten bij Urdo en mijn eigen ala. Langs die route is het niet veel langer dan via Magor en het veer over de Havrenrivier.'

'Neem je deze ala mee?' vroeg hij.

Ik keek hem peinzend aan. 'Nee, ik vertrouw de Isarnaganen niet al te zeer. Ik neem een paar penoenen mee – of nee, alleen vrijwilligers, ongeveer ter sterkte van een penoen. Vraag het ze, vanavond nog. En voordat ik ga slapen moeten we overleggen wie er meegaat en wie we tot decurio of vaandrig aanstellen. Zeg Nodol Zwijnsbaard dat hij voorraden gereed zet voor een penoen, zodat we morgenochtend meteen kunnen vertrekken.'

'Zodra het dag wordt?' vroeg Emlin vermoeid.

'Nee, tegen het eind van de ochtend. We zijn allemaal bekàf en het is

311

niet verstandig van de mensen en paarden meer te verlangen dan het mogelijke.'

Emlin knikte tevreden.

Wat ik had gezegd was juist, maar ik wilde tegen zonsopgang bij Dariens graf zijn, met de wapens van Ulf. 'Jij zult hier moeten blijven. Ik ben echter bang dat ik Morien het bevel over de ala zal moeten geven. Voor wat Urdo wilde is geen tijd, ik kan hen niet mee terug nemen.'

'Je hebt helemaal gelijk,' zei Emlin resoluut. 'Heb je het hem al gezegd?'

'Nee,' zei ik aarzelend, frunnikend aan de plooien van mijn stola. Ik had het voor me uit geschoven. 'Ik wilde er eerst met jou over praten. Je leek niet zo op je gemak met hem.'

Emlin keek naar buiten, het donker in. 'Hij ís jouw broer.'

'Zeg wat je denkt en hou daar geen rekening mee, het gaat om de ala.'

Hij keek me weer aan, gerustgesteld. 'Goed. Galba heeft hem uitstekend opgeleid. Hij heeft echter nooit in een oorlog gevochten en is in feite nooit een van ons geweest. Hij heeft altijd thuis gewoond en niet in een barak geleefd. Hij is tamelijk zwijgzaam en bovendien is hij heer van Derwen, geen wapendrager zoals jij, Galba en Ap Mardol. Daar komt bij dat hij lichtgeraakt is op dat punt. Als iemand anders het bevel over de ala hier had, zou hij onder hem een decurio zijn – en dat zou voor iedereen onaangenaam uitpakken. In die situatie wil ik in geen geval belanden. En bovendien wil ik liever geen prefect zijn. Tenzij jij hier blijft, want er is niemand anders.'

'Ik heb weinig keus,' verzuchtte ik en stond op. 'Ga maar vast op zoek naar vrijwilligers voor me. Ik zal het hem vragen.' Er eindigde net een dans en Veniva stak haar hand op om het avondmaal aan te kondigen. 'Of nee, wacht en doe het nadat je hebt gegeten,' zei ik vlug. 'We kunnen morgen na het ontbijt over de vrijwilligers praten.'

De gasten begonnen zich te verdelen over de beschikbare alkoven en de dienaren kwamen schalen met voedsel brengen. Daldaf haastte zich naar mij toe om me mijn plaats te wijzen, bij Veniva, Morien, Kerys, Lew en Emer. Gelukkig was Conal Vissensnoet er niet bij, en pas op dat moment zag ik in dat hij natuurlijk niet bij Emer aan tafel kon zitten.

In gezelschap kon ik niet met Morien praten. Ik at en luisterde naar de stemmen van de anderen, wensend dat ik kon gaan slapen. Emer en Veniva leidden de conversatie zo dat lastige klippen werden omzeild en Lew sprak met Morien op de manier waarop een ervaren oude vaandrig met een jonge decurio zou praten.

Zodra we klaar waren met eten liep Morien naar het midden van de hal en nam de grote harp die de muzikanten daar hadden laten staan. Sinds hij nog een kleine jongen was had ik hem niet meer horen spelen. Darien en ik hadden weinig op gehad met muziek. Veniva had dit gelukkig aanvaardbaar gevonden en was uiteindelijk opgehouden met haar lessen; we waren geen van beiden ook maar in de buurt gekomen van de grote harp. Morien had echter een goed oor voor muziek. Ik herinnerde me hoe mijn moeder Darien vertelde dat het heel goed was als een heer goed genoeg kon spelen om op een feest als eerste iets ten gehore te brengen, maar Darien had alleen maar gelachen en was er samen met mij vandoor gegaan. Morien scheen er echter goed in te zijn.

Zodra hij begon te spelen, merkte ik dat hij er even goed in was als de beste muzikanten die ik in Caer Tanaga had gehoord. Hij speelde een oud slaapliedje dat ik me herinnerde omdat mijn min het vaak had gespeeld — over een meisje dat zo mooi was dat er, overal waar ze liep, bloemen uit de grond opschoten. Ik zag Emer glimlachen toen ze het hoorde en vroeg me af of ook zij aan haar zus dacht. Toen stond Kerys op en nam een kleine tamboerijn, waarna ze samen speelden en zongen — het lied dat de broer van Ap Erbin had gemaakt over de roodmantels. Toen ze uitgezongen waren, keken ze elkaar lachend aan, want het ritme is moeilijk vol te houden. Emer kwam naar voren en fluisterde even tegen hen, waarop Morien haar op de harp begeleidde toen ze een lied uit Isarnagan zong, over een krijgsman die zeven jaar lang jacht had gemaakt op een gigantisch everzwijn; toen hij thuiskwam, ontdekte hij dat er zevenhonderd jaren waren verstreken en dat al zijn verwanten waren uitgestorven.

Toen ze uitgezongen was, trappelde ik even luid met mijn voeten als alle anderen en feliciteerde ik Morien van harte. Nu ik hem zo goed had zien presteren, was het voor mij veel gemakkelijker de juiste woorden te vinden om hem te vragen het bevel over de ala op zich te nemen. We vlogen elkaar dit keer niet in de haren, hoewel ik dat had gevreesd. Ik ging naar bed en sliep als een blok totdat Daldaf mij kwam wekken bij het krieken van de dag, zoals ik hem had gevraagd.

28

[...] Naar voren stormden zij, die vloedgolf van barbaren, alsof de grens en het legioen tegenover hen niets te betekenen hadden, woest brullend in hun eigen brabbeltaal terwijl ze naar de wachtende speerpunten renden.

Later vroeg ik een van de krijgsgevangenen wat de betekenis was van die woorden, en hij legde me uit, zo goed als het hem mogelijk was in het Vinçaans, dat het betekende: 'Dood, Dood, drink het rode bloed, eenieder die valt mag zich gelukkig prijzen!' Ik vroeg hem waarom zij niet aan hun kant van de grens waren gebleven, waarop hij zei dat ze het imperium in wilden. Daarop vroeg ik hem of hij niet vooruit had geweten dat zij onvermijdelijk van ons machtige legioen zouden verliezen. Hij keek me alleen maar aan met zijn lichte ogen en antwoordde dat de overwinning altijd in handen lag van Vrouwe Fortuna. Toch was dit een intelligent man die Vinçaans kon spreken, een aristocraat onder zijn eigen volk. Later heeft hij mij goed gediend en bracht hij het tot de rang van decurio. [...]
— Marcia Antonilla in *De derde Malmse oorlog*

De regen was voor het moment opgehouden. Het gras was zwaar van de kille, natte dauwdruppels, die mijn laarzen binnendrongen toen ik wegwandelde van de stad. Er woei een kille wind uit het westen en ik trok mijn mantel wat dichter om me heen. Onder de bomen draalde de duisternis. De stammen van de berken glommen bleekjes. De ontwakende vogels riepen elkaar toe en namen nauwelijks notitie van mij als ik onder hen door wandelde. Een keer bonkte het kleine pikhouweel dat ik had geleend tegen de zwaarden in mijn tas en werd het een ogenblik stil, voordat de vogels hun getjirp voortzetten, luider dan ooit. Eigenlijk had ik verwacht dat het me wat moeite zou kosten om de plek terug te vinden, maar mijn voeten kenden de weg. Niet lang daarna zag ik tot mijn verbazing een nieuw pad tussen de bomen. Ik vroeg me af wie hier vaak genoeg kwam om een pad uit te slijten.

Toen ik de plaats bereikte waar ik mijn broers lichaam had gecremeerd, zag ik daar een kleine, elegante grafsteen. Er vlakbij was een zwarte plek in de grond, waar iemand brandoffers had gebracht. Ik bukte me om de steen te bekijken. Hij was van de goudkleurige zandsteen uit onze contreien, maar de letters waren niet echt regelmatig uitgehakt. 'Darien, zoon van Gwien van Derwen,' las ik. 'In leven was ik mijn familie dierbaar. Op mijn zestiende gaf ik mijn leven ter verdediging van mijn ouderlijk huis. Hier ligt mijn as, als een bestanddeel van de aarde en al wat heilig is. U die hier langskomt vraag ik mijn naam te gedenken in vriendelijkheid.'

Ik beet op mijn lip. Ter verdediging van mijn ouderlijk huis, ja, en ter verdediging van mij. Ik vroeg me af waarom Veniva, die me in haar brieven altijd precies op de hoogte bracht van hoeveel linnen er was verkocht, of hoe de uit vlaszaad geperste lijnolie bijdroeg aan het verminderen van de kosten van brandhout en kaarsen, geen woord had gewijd aan deze grafsteen. Terwijl ik de tekst las, zag ik voor me hoe zij met Gwien twistte over de woorden die erin moesten worden uitgebeiteld. Ik voelde brandende tranen in mijn ogen, maar ze vielen niet.

Ik nam de in doeken gewikkelde zwaarden van Ulf uit mijn tas. Ik dacht iedere dag aan Darien, mijn broer en beste kameraad. Er was altijd wel iets wat me aan hem deed denken. Hier kon ik me alleen maar herinneren hoe hij eruit had gezien op de brandstapel, zelfs zonder zijn harnas, dat ik aan had moeten doen. Zijn zwaard hing nog altijd aan mijn gordel. Het had me door talloze gevechten heen geholpen. Ik wilde iets tegen hem zeggen, maar hij was er niet – hij had zijn weg vervolgd.

Ik hief mijn armen op naar de goden en noemde hun namen. Ik wenste dat ik een hymne kende, of een geschikte rituele formule. Iedereen leert de *Hymne van de terugkeer*, want de Heer van de Dood is overal en niemand weet wanneer het zijn beurt is om iemand wiens naam zij kennen terug te sturen. Nu speet het me dat ik nooit andere hymnen voor de Heer van de Dood had geleerd. In mijn jeugd had ik de dingen geleerd die in de ogen van mijn moeder essentieel waren, en daarna had ik meer geneeshymnen geleerd voor zover mensen bereid waren mij erin te onderrichten. Eigenlijk had ik altijd meer hymnen en liederen over de goden willen leren, maar sinds ik het huis was uitgegaan had ik weinig tijd gehad om dingen te leren die niets met mijn handwerk van doen hadden. In de alae had ik altijd het idee gehad dat ik tamelijk veel wist over hymnen en dat soort dingen, want veel wapendragers hadden in hun jeugd weinig kans gehad iets over de goden te leren. Het was uiteraard in deze categorie dat de priesters van de Blanke God zoveel bekeringen oogsten. Nu stond ik met uitgebreide armen in stilte te wachten, me bewust van mijn onwetendheid en gebrek aan kennis.

Hoe lang ik daar zo heb gestaan, met een betraand gezicht en niet in staat woorden te vinden, weet ik niet meer. Ik wist eenvoudigweg niet wat ik verder moest doen. Uiteindelijk liet ik mijn armen zakken en trok Ulfs zwaarden uit hun wikkels. De rijzende zon had zijn licht erover moeten laten schijnen, maar de bomen verhinderden dat. 'Ik heb ze hier gebracht zoals ik je had beloofd,' zei ik tegen mijn afwezige broer. 'De wapens van de man die jou heeft vermoord.'

Achter mij hoorde ik een geluid – een geritsel en zacht gehijg. Met een ruk draaide ik me om, mijn zwaard opgeheven. Veniva stond achter mij, alleen. Haar hoofdhaar werd bijeengehouden door de gouden kam. De zoom van haar overgooier was drijfnat van de dauw. Ze staarde me aan. 'O, Sulien!' zei ze. 'Waarom heb je me dit nooit verteld?'

Ik liet het zwaard zakken en richtte me op. Zelfs nu was ik niet in staat haar te vertellen over Ulf en wat er was gebeurd, hier op de open plek of op de top van de heuvel Foreth. We hadden er nooit over gesproken. Misschien had ik het Gwien kunnen zeggen, als hij nog in leven was geweest, maar zelfs bij hem zouden mijn lippen me misschien niet hebben gehoorzaamd. 'Ik weet het niet,' zei ik uiteindelijk. 'Waarom hebt u mij nooit geschreven dat...' Ik gebaarde naar de grafsteen en de offerplaats.

Ze schudde verdrietig haar hoofd. 'Laten we maar proberen het in de toekomst beter te doen,' was alles wat ze zei. Ze nam de zwaarden van mij over en bekeek ze langdurig aan alle kanten. Toen haalde ze adem en zong een hymne voor de Zwarte Godin, een hymne over grafgeschenken die laat naar de brandstapel waren gebracht, als de wraak was voltooid. Daarna begroeven we samen de zwaarden en brandden er de wierook en het zoete hout boven dat Veniva had meegebracht. Het was volop dag toen we samen terugwandelden.

'Ik zal Morien zeggen dat Darien gewroken is,' zei Veniva, toen we voorbij de stadspoort uiteengingen. 'Hij behoort dat te weten en het zal voldoende zijn om hem genoegdoening te verschaffen.' Ik omhelsde haar en ze verdween glimlachend naar binnen, het pikhouweel in haar handen. Zelf liep ik door naar de barakken, op zoek naar Emlin.

Halverwege de ochtend vertrok ik naar Caer Gloran, vergezeld door twee penoenen vrijwilligers. Ik had er meer mee kunnen nemen, als ik had gewild. De meesten had ik in de reis naar Derwen leren kennen en er waren er tamelijk veel die ik me herinnerde uit de tijd na Caer Lind, toen Galba en ik twee penoenen naar Derwen hadden geleid. Ik at mijn ontbijt in de barakken terwijl Emlin en ik hun bekwaamheden doornamen, en daarna vertrokken we naar de heuvels, via dezelfde route die ik zo lang geleden had gevolgd toen ik Derwen voor het eerst verliet. Nu was er een zichtbaar rijpad dat we konden volgen, al was het na alle regen erg modderig.

We hielden voor de nacht halt bij de nieuwe kleine nederzetting bij de ijzerertsmijnen. Ze noemden het gehucht Nant Gefalion, wat 'Stroom van de Smid' betekent, omdat er hier zoveel smidsen zijn gebouwd. Er was zelfs een ruwe muur opgetrokken, met een houten wachttoren, zodat het voor een ala een veilige halteplaats was. Op weg naar de stallen kwamen we Marchels echtgenoot tegen, Ap Wyn de Smid. Hij kwam net uit een box en vroeg me, na me te hebben begroet, of ik nieuws had over zijn vrouw en zijn broer.

'Toen ik Ap Thurrig de laatste keer zag, was ze in Caer Gloran en maakte het goed,' zei ik, me wat kleiner makend. Hij zweette en was overdekt met zwart stof. Zelfs zijn voorhoofd vertoonde zwarte strepen, daar waar hij zijn haar naar achteren had gestreken. Hoewel de avondschemering al inviel, brandde het vuur in zijn smidse nog volop. Zes van zijn helpers keken toe vanuit de deur van de smidse. 'Ze heeft zich geweldig geweerd in de Slag bij Foreth,' voegde ik eraan toe, voor het geval hij dat nog niet had gehoord.

'Ik ben trots op haar,' zei hij. 'En ik zal binnenkort teruggaan naar Caer Gloran, als ze daar verblijft. Hoe is het met mijn broer?'

'Ik geloof niet dat ik hem ken.'

'Ik dacht dat je van Derwen kwam? Hij is daar huismeester.'

Het duurde langer dan nodig was. 'Daldaf ap Gwyn? Ah, natuurlijk! Jullie lijken niet in het minst op elkaar.' Dat verklaarde waarom Daldaf de indruk leek te wekken dat hij bij de familie hoorde – aangezien zijn broer getrouwd was met Marchel, wier broeder getrouwd was met Kerys' zuster. Niet voor het eerst noch voor het laatst bedacht ik hoe complex verwantschappen de wereld maken. 'Hij maakt het uitstekend en is tijdens het beleg niet gewond geraakt.'

Ap Wyns uitnodiging om samen iets te drinken als hij klaar was met zijn smeedwerk sloeg ik beleefd af. Ik ging rechtstreeks naar mijn tent en sliep die nacht als een roos. Toen Nant Gefalion de volgende morgen uit het zicht was, hadden we het grondgebied van Derwen verlaten en reden de noordelijke punt van Magor in. Hoewel de grens nergens was gemarkeerd, kon ik het voelen zodra we die passeerden. Bodes hoeven leken anders in de modder neer te komen.

Onze roodmantel had Marchel onderweg getroffen en ze wachtte op ons op de plaats waar het rijpad zich verenigde met de heirbaan, waar ik voor het eerst met de ala had meegevochten. De heirbaan strekte zich in beide richtingen uit tot aan de horizon. Erachter kon ik het glinsterende zilveren lint van de Havren zien. Het had wat geregend, maar nu, aan het eind van de middag, brandde de zon zich een weg door de wolken en leek alles zacht te dampen. De paarden riepen elkaar uitdagingen en begroetingen toe toen we de andere groep naderden. Marchel reed naar voren om ons te begroeten.

'Misschien kunnen we net zo goed hier ons kamp opslaan en nadenken over wat ons te doen staat,' zei ze. 'Als we nu naar Caer Gloran rijden, zullen mijn wapendragers het zich in hun huizen gemakkelijk maken en wordt het moeilijk ze weer op tijd op gang te krijgen, of zijn ze er te moe voor. Ze hebben al afscheid genomen; het lijkt me beter dat niet nog eens te doen. En jouw mensen zien er ook uit alsof ze hard toe zijn aan wat rust.'

'We hebben flink doorgereden,' beaamde ik, hoewel ik persoonlijk liever verder was gegaan naar Caer Gloran, waar ik een warm bad had kunnen nemen en een praatje maken met Amala. Ik bracht Marchel de groeten over van haar echtgenoot en gaf mijn penoenen toen opdracht hun kamp bij de anderen op te slaan.

Marchel en ik liepen naar haar tent. 'Al iets gehoord van Urdo?' vroeg ik zodra we binnen waren. Ze schudde het hoofd. We namen op haar dekens plaats.

'Het is er eenvoudigweg te ver voor,' zei ze terwijl ze een leren beker nam en die in vorm drukte. 'Dat is nog het ergste. Ik wou maar dat we wisten waarmee hij bezig is. Ik heb een bode weggestuurd zodra ik je bericht had ontvangen, en vandaag nog een. Hoewel de heirbaan helemaal tot aan de poort van Caer Gloran loopt, is het, aangenomen dat de roodmantel af en toe van paard wisselt en achter elkaar door blijft rijden, ruim drie dagen heen en nog eens drie dagen terug. We hoeven dus voorlopig geen bericht te verwachten. En als het komt zal het hopeloos achterhaald en dus volstrekt onbruikbaar zijn.' Ze zuchtte.

'Ik heb hem bericht gestuurd, vanuit Magor, en tegelijkertijd aan jou,' zei ik. 'Ik denk dat hij dat eerste bericht gisteren heeft gekregen, of op zijn laatst vandaag. En daarna heb ik hem nog eens bericht gestuurd, en dat bericht moet hij morgen of overmorgen krijgen.'

Ze schonk bier uit een leren zak in de beker en reikte me die aan. Ik draaide hem in mijn hand om en om terwijl ze haar eigen beker vulde. 'We zouden waarschijnlijk beter niet kunnen wachten tot we iets horen,' voegde ik eraan toe.

'Natuurlijk niet.' Ze hief haar beker naar mij en dronk hem leeg. Ik volgde haar voorbeeld. 'Luister, ben je er zeker van dat de Isarnaganen in Derwen van plan zijn zich aan de vrede te houden?'

'Nee,' erkende ik. 'Als ik daar werkelijk zeker van was geweest, had ik Galba's complete ala meegenomen. Nu heb ik die toevertrouwd aan mijn broer Morien. Ik denk echter niet dat ze hun eed zullen schenden. Ze zullen het trouwens druk genoeg hebben, maar ik wilde de stad niet onverdedigd achterlaten. Dat is de kat op het spek binden.'

'Morien is toe aan een commando?' vroeg Marchel terwijl ze de bekers nog eens volschonk.

Ik haalde mijn schouders op, niet op mijn gemak. 'Hij heeft Emlin ap Trivan als tribuun, en die is heel bekwaam.' Ze gromde instemmend; ze had al vaker met Emlin gewerkt. 'Hij was onder Galba een decurio, maar daarginds heeft hij de leiding. Urdo wilde dat ik hem zou meenemen naar Caer Tanaga, om hem de kans te geven zelf te zien of hij er al aan toe was, maar daar is beslist geen tijd voor. Ik heb nooit naast hem gestreden, maar jij hebt dat wel – denk je dat hij er al klaar voor is?'

Marchel dronk haar beker leeg en gaf de bierzak aan mij. 'Nee, ik vrees van niet. Ik zou daarginds liever iemand met meer ervaring hebben gezien. Hij is nog erg jong en heeft nooit in een oorlog gevochten, alleen tegen de kustplunderaars. Het is een oud vraagstuk, neem ik aan: wie moet er worden bevorderd en wie niet? Hij heeft echter een prima opleiding gehad en zal zich ongetwijfeld wel weten te redden. Volgens mij deed je er goed aan hem daar achter te laten. En het is ook knap van je hoe je de Isarnaganen tot vrede wist te bewegen. Konden we met de anderen maar net zo gemakkelijk tot overeenstemming komen!'

'Heb je nieuws over die anderen?' Ik schonk mijn beker nog eens vol, en daarna de hare.

'Een boodschapper van Cadraith ap Mardol en zijn vader, uiteraard. Die waren in Caer Asgor toen ze mij bericht stuurden. Dat bereikte mij toen ik net vertrok. Dat betekent dat de bode vier of zelfs vijf dagen geleden was vertrokken. Ze vragen ons om hulp. Hertog Mardol schreef dat hij zich zorgen maakte over de vraag hoeveel meer Isarnaganen Wenlad binnen zijn getrokken. Hij dacht dat ze vier dagen nodig zouden hebben om de kust te bereiken, als ze niet op weerstand stuitten – ze hebben me een kaart van hun route gestuurd. Het is vanuit Caer Asgor niet verder dan van hier naar Derwen, hemelsbreed, maar Mardol de Kraai mag heten hoe hij heet, maar zelfs hij kan niet vliegen als een kraai of kraaien gebruiken als bodes. Dat zou trouwens uitermate handig zijn! Helaas, Wenlad is een en al berg en dal en goeie wegen zijn er niet. Er zijn zelfs geen behoorlijke rijpaden voorbij Cothan.'

'Ik ben daar nooit geweest,' zei ik. 'Vind je dat ik erheen moet om ze bij te staan?' Langzaam nam ik een slokje bier, wensend dat ik de beker ergens op kon zetten, of, beter nog, dat er een stevige hap eten bij was.

'Als Derwen veilig is wel, tenzij Urdo het anders wil, maar ik vind echt dat we niet moeten blijven afwachten. Alleen de Blanke God weet wat er in Demedia gebeurt, maar als we naar Caer Asgor rijden, zijn we in elk geval een stuk dichter bij de plaatsen waar we nodig zijn.'

'Arme Angas,' zei ik. 'Hij haat de Isarnaganen en is hier al jaren bevreesd voor geweest. Ik denk dat je gelijk hebt, zeker wat jouw ala betreft, maar het zou voor mij verstandiger zijn te zorgen dat ik bij mijn ala kom, ongeacht wat Urdo ermee uitvoert. Misschien kan ik dus beter in oostelijke richting naar Caer Tanaga rijden, in de hoop hem onderweg tegen te komen?'

'Ik zou liever zien dat je meeging naar Wenlad om te helpen daar orde op zaken te stellen,' zei Marchel. Ze draaide de beker in haar hand zo heftig om en om dat het bier bijna over de rand gutste.

'Zonder mijn ala ben ik niet meer dan één wapendrager,' zei ik. 'Ik ga ze liever halen. Dan kan ik met Urdo praten en zal ik waarschijnlijk met ze naar Wenlad moeten. Enig idee waar de andere alae zijn?'

'Mijn ala is hier,' zei ze, aftellend op haar vingers. 'Galba's ala is voor het grootste deel in Derwen, uiteraard. Urdo was met de jouwe en die van Gwair onderweg naar Caer Tanaga; hij zal daar inmiddels zijn aangekomen, als hij niet alweer vertrokken is. Cadraith was op weg naar Caer Asgor toen hij me bericht stuurde, naar het westen dus. Luth vertrok van de heuvel Foreth met Alfwin rechtstreeks naar Caer Lind. Angas zit ergens in Demedia. Dan hebben we alleen nog Ap Meneth over, die vrijwel zeker nog in Caer Rangor zal zijn, hoewel hij misschien bericht heeft gehad uit Wenlad en daarheen is gegaan.'

'Luth misschien ook,' zei ik. 'Ik denk dat Urdo in alle staten is.'

'Om van Raul maar te zwijgen,' lachte Marchel. 'Dit is een ongelooflijk chaotische invasie.' Ze dronk haar beker weer leeg. 'Hoor eens, ik weet dat jij graag Urdo wilt zien, maar ik ben ervan overtuigd dat hij met jouw ala naar het noorden komt, in elk geval nadat hij onze berichten heeft ontvangen.'

Ik werd nijdig. 'Het gaat mij er niet om Urdo te zien,' zei ik. 'Althans, niet meer dan jij. Ik wil alleen mijn ala. Bovendien wil ik weten wat er gaande is en wat Urdo eerst gedaan wil hebben.' Ik haalde een kaart uit mijn zijtas. 'Jij gaat van hieruit naar het noordwesten, Wenlad in.' Ik trok mijn wijsvinger over de kaart. Marchel knikte. 'Is dat een rivier of een weg?' vroeg ik.

'Rivier,' zei ze. 'Niet erg duidelijk aangegeven. Het is de Dee. Deze weg kruist de rivier.'

'Urdo blijft ook zeggen dat we nieuwe kaarten moeten laten maken,' knikte ik afwezig. 'Ik denk dat je vier tot vijf dagen nodig zult hebben om er te komen, bij gebrek aan goede wegen. Als ik naar het noordoosten rijd, langs de grote heirbaan naar Caer Rangor, de weg die we hierheen hebben gevolgd, zal ik Urdo, als hij vanuit Caer Tanaga naar het noorden is gegaan, hier ergens treffen. Als hij wil dat ik naar Wenlad ga, kan ik via deze heirbaan hier naar het westen rijden. Dan ben ik er slechts een paar dagen later dan jij, mét mijn complete ala.'

'En als hij dat niet doet?' vroeg Marchel. Ze keek naar de kaart, niet naar mij.

'Dan hoor ik dat onderweg en sla ik af naar het zuiden. In elk geval zal ik dan weten waar mijn ala zit. In de huidige situatie, met maar twee penoenen, ben ik van weinig nut voor je.'

'Beter iets dan niets,' vond Marchel nors. Ze paste met haar duim mijlen en dagen af op de kaart. 'Op de kaart ziet het er allemaal zo overzichtelijk en klein uit. Maar hier, in werkelijkheid, is het zo groot en onbeheersbaar. Ik had liever gehad dat je met mij meekwam, maar ik veronderstel dat je plan kan werken. Blijf zo vaak als je kunt roodmantels sturen, ja? Als alles goed verloopt, zal het trouwens niet te lang duren.'

'In elk geval hoeven we ons niet af te vragen wat we moeten beginnen als er niets te vechten valt,' zei ik, proberend er een grap van te maken. Marchel keek me woedend aan. Ik had geen idee wat ik verkeerd had gezegd.

'We zullen de grote God prijzen en niemand van ons zal toelaten dat jij moeilijkheden voor ons gaat maken om ons dat te beletten!' riep ze uit.

Ik staarde haar een ogenblik aan. 'Dacht je soms dat ík de Isarnaganen heb uitgenodigd?' vroeg ik.

'Jij bent een heiden en wil alleen maar nog meer vechten! En Isarnaganen zijn allemaal heidenen die liever hun eigen land zijn ontvlucht dan de Blanke God aan te nemen!' antwoordde ze achterdochtig.

'Ik maakte alleen maar een grapje, zo-even,' zei ik terwijl ik ongelovig het hoofd schudde. 'Het bier is je naar het hoofd gestegen, Marchel. Als er iemand schuld heeft aan deze invasie, is dat jouw broer Chanerig – híj heeft al die onrust in Tir Isarnagiri veroorzaakt.'

'Chanerig heeft een heel eiland onder de vlag van de Blanke God gebracht!' zei ze luid. 'Zijn naam zal onder de kerkvaders in hoge ere worden gehouden!' Ze nam een grote slok bier en voegde er, rustiger nu, aan toe: 'Niemand kon hebben verwacht dat zoveel Isarnaganen weerspannig zouden zijn, laat staan dat ze ons eiland binnen zouden vallen.' Ze keek me argwanend aan. 'Hoewel je op het juiste moment ter plaats was om zonder strijd een regeling met ze te treffen.'

Ik sprong op, zodat het bier uit mijn beker gutste en op de schaapsvacht belandde waarop ik had gezeten. Mijn hand ging uit eigener beweging naar het gevest van mijn zwaard. 'Je zit er volkomen naast,' zei ik kil. 'Probeer je mij een verrader te noemen?'

Marchel wreef met de rug van haar hand over haar ogen en staarde naar me op. 'Nee,' zei ze. 'Nee, Sulien, dat bedoelde ik niet. Je zult echter moeten kiezen of delen: Urdo dienen, of je familie.'

Dit was kolder. Ik was bijna te verbijsterd om kwaad te blijven. 'Wat wil je daarmee zeggen? Jij weet dat ik Urdo dien – vóór deze situatie ben ik sinds het begin van de oorlog niet eens één keer thuis geweest! Jij was degene die niet naar Dun Idyn wilde worden gestuurd, omdat je zo graag bij je familie in de buurt wilde zijn. Ik ben altijd zonder klagen overal heengegaan waar Urdo me wilde hebben. Ik begrijp volstrekt niet waar je me van beschuldigt.'

'Ik beschuldig je nergens van,' zei ze. 'Ga in 's hemelsnaam zitten. Je hebt me verkeerd begrepen. Ik weet dat jij Urdo nooit zou verraden, ook al ben je een goddeloze heiden. Maar hoe kun je én Urdo's vrede én jouw eigen goden dienen?'

Ik staarde op haar neer, me afvragend of ze dronken was of net zo gek was geworden als haar broer Chanerig. 'Het is nooit nodig geweest een dergelijke keus te maken,' zei ik langzaam en duidelijk. 'Urdo dring niemand van zijn volgelingen een geloof op; hij heeft ook van de overwonnenen niet verlangd dat zij hún goden opgaven. Urdo houdt de oude zeden in stand en staat de nieuwe toe. Jouw god mag misschien op zich geweldig zijn, maar hoe kun je van mensen verwachten dat ze maar één god zullen dienen en alle andere goden negeren? Hoe kun je zelfs maar op de gedachte komen ze ertoe te dwingen, als ze dat niet willen? Waar ligt jóuw loyaliteit? Als je moet kiezen tussen Urdo en jouw god?'

'Urdo creëert de vrede waarin wij de Blanke God kunnen loven,' zei Marchel. 'Ik vrees dat we allebei doodop en een beetje dronken zijn; we zeggen dingen die we niet menen. Het spijt me als ik je heb beledigd.'

'Mij ook,' zei ik. Ik maakte een buiginkje en verliet haar tent. Ik at in mijn eigen tent en ging slapen, en toen we de volgende ochtend uiteengingen deden we dat met niet meer dan de vereiste beleefdheid. Ik hoopte dat ze, als we elkaar terugzagen, op andere gedachten zou zijn gekomen.

Op de avond van de derde dag vanaf de wegsplitsing bij Caer Gloran bereikte een van Urdo's bodes ons. Urdo feliciteerde mij met de manier waarop ik het probleem in Derwen had opgelost en droeg me op om zo snel mogelijk naar Thansethan te komen, waar mijn ala wachtte. De rood-mantel ging door naar Wenlad, zodat ik hem een boodschap voor Marchel en Cadraith ap Mardol meegaf, waarin ik schreef welke bevelen ik had gekregen en dat ik op weg ging naar Thansethan. Het kostte me toen nog anderhalve dag om er te komen. We hadden het vlugger kunnen doen, maar niet zonder risico voor de paarden. Elke ochtend liepen we een mijl of daaromtrent met de dieren aan de teugel voordat we opstegen. Ze waren allemaal uitermate vermoeid en een paard hinkte vanwege een los steentje toe we arriveerden. We stonden in een fijne motregen voor de poort van Thansethan, net op het moment dat de klok de monniken opriep voor het middaggebed. Ik ging de troep voor naar de poort van de stallen, bang dat we anders zouden moeten wachten totdat de sext voorbij was voordat we werden binnengelaten.

Ik steeg af en krabde aan de poortdeur. Tot mijn verbazing vloog de deur onmiddellijk open en zag ik het donkere, lachende gezicht van Masarn voor me. 'Sulien!' zei hij verheugd, en omhelsde me. Daarna wrong Elidir zich langs hem heen om mij op haar beurt te omhelzen. Ik zag me genood-zaakt me weer haastig in het zadel te slingeren om te vermijden dat ik onder de voet werd gelopen door de helft van mijn ala – ze wilden allemaal uiting geven aan hun blijdschap dat ze me terugzagen.

'Goed, goed,' zei ik. 'Ik ben zelf ook heel blij jullie allemaal terug te zien, maar er is pas een halve maand verstreken sinds ik jullie voor het laatst zag!' Ik probeerde in gedachten de dagen te tellen, maar hield er maar mee op – opeens werd het een soort waas, en nodig was het niet. 'Waar is Ap Erbin?'

Ze wilden allemaal tegelijk antwoorden. Uiteindelijk kreeg Masarn hen stil. 'Met de Grote Koning naar Caer Lind. Hij is nu prefect van Gwair Aderyns ala.'

'En wie heeft dan nu het commando over jullie?' vroeg ik.

Masarn grijnsde. 'Ik, totdat ik die poort opendeed,' zei hij. 'Hoewel me was aangeraden Rauls raadgevingen op te volgen.'

'En? Heeft hij je raad moeten geven?'

'Geen woord,' zei Masarn opgewekt. 'Het zou anders wel vreemd zijn geweest áls hij het had gedaan – hij is tenslotte geen wapendrager. Hij weet wel beter.'

'Goed zo. Ik heb nog twee penoenen meegebracht, zoals jullie zien. Het zijn vrijwilligers uit Galba's ala. Ze zullen een tijdje bij ons blijven. Wijs hun waar ze kunnen slapen en laat voor hun paarden zorgen. Je zei dat de Grote Koning verder is gereden?'

'Ja,' zei Masarn. 'Hij had ons opgedragen hier op je te wachten. Ik heb geen bijzondere bevelen gekregen. Maar Raul is hier gebleven, en hij wil je zo spoedig mogelijk spreken. Hij weet wat er gaande is.'

'Zorg dan maar voor mijn paarden, wil je?' zei ik terwijl ik weer afsteeg. Bode had zijn oren in de nek gelegd. Ik beklopte zijn hals en gaf de teugels over aan Masarn.

'Zal ik meekomen?' vroeg Elidir. Als seiner vergezelde ze me soms om notities te maken en paperassen te dragen.

'Deze keer maar niet,' zei ik. 'Ik ga eerst maar eens kijken wat we gaan doen, en dan horen jullie het wel.'

Het was heel aangenaam om een ogenblik alleen te zijn toen ik door de stallen naar de binnenhof liep, langs de vertrouwde paarden van mijn ala. Er hing een vredige sfeer. Ik wilde me voorbereiden op het weerzien met mijn zoon Darien. Het was me opnieuw gelukt niets voor hem mee te brengen. Mijn geest weigerde om een of andere reden op te houden aan te veel dingen tegelijk te denken. Ik wilde weten hoe de vlag erbij hing.

Toen ik de binnenhof overstak, zag ik Arvlid argumenteren met drie van mijn wapendragers, die hun voeten lieten weken in het bekken dat de waterklok gaande hield. Arvlid was inmiddels dik geworden en haar gezicht was helemaal rood. Ze zou nooit meer tien mijl kunnen hardlopen om het klooster te waarschuwen; na een mijl zou ze al buiten adem zijn. Ik stuurde de wapendragers weg, wat ze met hangend hoofd deden. Een van hen zag eruit alsof ze op het punt stond te gaan grienen toen ik hun vroeg of ze soms uit de klei getrokken waren. Arvlid was de enige echte vriendin die ik in mijn periode in Thansethan had gemaakt en ik was blij haar te zien. Ik bedankte haar voor de brieven die ze had gestuurd en ze vertelde me dat Darien grote vorderingen maakte met zijn lessen. 'Hij kijkt al heel lang naar je uit – hij wil je zijn veulen laten zien.'

Op dat moment gingen de deuren van de kloosterkapel open en kwamen de mensen naar buiten.

Darien bevond zich tussen de andere kinderen. Hij was een stuk groter geworden. Ik vond hem er mager uitzien en vroeg me af of ze hem wel genoeg te eten gaven. Hij leek eenzaam, hoewel hij midden tussen de andere kinderen liep. Ik kon nog een momentje naar hem kijken voordat hij me zag. Meteen zag ik zijn gezicht betrekken. We omhelsden elkaar, te midden van de menigte die uit de kapel kwam. 'Hoe is het met je?' vroeg ik. 'En met je veulen?'

'Ze is geweldig,' zei hij, en zijn gezicht lichtte op. 'Ze is al even mooi als haar moeder en ik heb haar Keturah genoemd.'

'Dat is een bijzondere naam voor een paard,' zei ik. De andere kinderen giechelden.

Dariens rug verstijfde en zijn wangen kleurden rood. 'Het is de naam van de ster die scheen toen de Blanke God als mens werd geboren,' legde hij uit, op een toon alsof hij me uitlegde dat lentegras groen is.

'Een uitstekend gekozen naam,' zei ik, 'want haar moeder heet Sterrelicht.' Dit scheen mijn stompzinnigheid voor Darien enigszins te vergoelijken. Hij lachte zelfs bijna.

'En haar vader heet Maran, naar de apostel van de Blanke God die zo eigenzinnig was. Ze is namelijk heel koppig, weet u,' bracht een jongen die een paar jaar ouder was dan Darien beleefd in het midden. Darien kwam een beetje dichter bij me staan, weg van de jongen die het had gezegd. Arvlid keek de jongen streng aan en haalde adem alsof ze iets wilde zeggen, maar ze bedacht zich.

'Werkelijk een uitstekende naam,' herhaalde ik, zo warm als ik kon.

'Zullen we dan nu naar haar gaan kijken?' stelde Darien voor terwijl hij zich naar mij en Arvlid omdraaide, zodat de andere kinderen nadrukkelijk werden buitengesloten. Ik vroeg me af of ze hem zouden pesten.

'Ik zal eerst met Raul moeten praten,' zei ik, toen ik de betrokkene in het oog kreeg. Zo te zien was hij bijna verheugd mij te zien. 'Kun je me haar straks laten zien? Ik zie je wel in de stallen.'

Darien haastte zich weg toen Raul ons had bereikt. Arvlid verzamelde de andere kinderen en leidde hen weg, met uitzondering van de oudere jongen die zich in het gesprek had gemengd. Hij was bijna een jongeman – ik had jongens onder mij werken die nauwelijks ouder waren dan hij. Hij bleef bij het bassin dralen, dicht bij mij, terwijl hij naar me bleef kijken, een lichte frons op zijn voorhoofd.

324

'Ap Gwien, gode zij dank,' zei Raul. 'Ik was al bang dat je naar Wenlad was gegaan.'

'Dat had ik ook bijna gedaan,' zei ik. 'Wat zijn de plannen?'

'Heb je het nieuws uit Demedia gehoord?' vroeg hij zacht. Toen keek hij om zich heen en zag de jongen, die nog steeds in de buurt was. 'Laten we naar binnen gaan om te praten.'

Ik volgde hem naar een van de kleine kopiistenkamers in de kloosterbibliotheek, waar ik zoveel tijd had doorgebracht in de maanden dat ik wachtte op de geboorte van Darien.

'Wie is die jongen eigenlijk?' vroeg ik.

'De jongste zoon van de oude heer van Angas,' zei Raul. 'Een broer van onze Angas. Daarom wilde ik niet praten waar hij bij was. Hij is nog niet op de hoogte gebracht van de bijzonderheden. Hij is hier de afgelopen zes maanden geweest om wat onderricht te krijgen voordat hij naar de ala in Caer Tanaga gaat.' Hij was een flink eind gegroeid en zag er heel anders uit sinds hij zich tegen mij in Caer Lind had verzet toen ik hem belette in het vuur te stappen dat zijn moeder had verteerd. Ik zou hem nooit hebben herkend.

'Wat is er gebeurd?' vroeg ik. 'Ik weet alleen dat er daarginds Isarnaganen zijn geland.'

Raul zuchtte zwaar en schoof zijn capuchon naar achteren. 'Toen wij de Slag bij Foreth aangingen en de vrede wonnen, herinner je je misschien dat Ohtar Bearsson al zijn troepen in schepen had aangevoerd om tegen ons te strijden.' Meteen had ik een bang voorgevoel. Ik knikte bevestigend. 'Angas is met zijn ala en een paar contingenten voetvolk Bereïch binnengetrokken. Hij ontdekte dat de verdedigingswerken daar niet meer waren dan gebakken lucht – het land was nagenoeg onverdedigd. Hij zag zijn kans schoon, repte zich met man en macht naar de grens, viel het land binnen en veroverde het. Hij nam Gytha Ohtarsdottar gevangen, Alfwins echtgenote, die al die tijd bij haar vader was gebleven. Ze had eigenhandig de strijd geleid nadat haar kapitein was gevallen.'

'Dit zal Alfwin slecht bevallen,' flapte ik eruit.

Raul glimlachte flauwtjes. 'Ongetwijfeld. Angas sprak in zijn eerste brief in zeer lovende bewoordingen over haar. Ze is een voortreffelijke koningin.' Nu herinnerde ik me wat hij bij Foreth over haar had gezegd – ze had de halssteen aangenomen. Raul vervolgde: 'In zijn volgende brief schreef hij dat hij van Marchel bericht had gekregen over onze problemen. Hij had daarop zijn militie achtergelaten, maar was zelf met zijn ala naar het zuiden gereden om ons te hulp te snellen. Terwijl Angas in Bereïch orde op zaken stelde en op weg ging naar Tinala in het zuiden, vielen Isarnaganen vanuit het westen Demedia binnen, dat eveneens niet meer over een goede verdedigingsmacht beschikte. Het zijn dezelfde Isarnaganen die altijd de kust hebben geteisterd, het volk van Oriel. Deze keer was het een massale invasie, voornamelijk als gevolg van wat die idioot Chanerig ap Thurrig tijdens hun Vuurfeest heeft uitgehaald.'

'Ik dacht...' begon ik, maar hield op.

Raul hield zijn hoofd een beetje schuin en keek me aan. 'Weet je, het is heel goed mogelijk de Blanke God te dienen zonder een bekrompen fanaat te worden,' zei hij mild. 'Ik weet zeker, net als de meeste anderen hier in Thansethan, dat de mensen vanzelf de schellen van de ogen zullen vallen, als ze maar de kans krijgen de waarheid te zien.' Hij glimlachte naar me en ik betwijfelde geen moment dat hij meende wat hij zei. 'Wij geloven echter niet in gedwongen bekeringen. Ik had graag na Foreth een leerrede voor hen willen houden, om te zien of de geest in hen zou varen om de god van de overwinnaars op het slagveld te aanvaarden, zoals lang geleden is gebeurd in Narlahena en Lossia, volgens wat we erover hebben gelezen. Ik zou echter nooit iemand tegen zijn wil dwingen om naar de tafel van de Blanke God te komen.. Toen Custennin de halssteen aannam, was het hele land Munew blij en loofden en eerden zij de Here. Iedereen van ons die er toen bij was weet het nog als de dag van gisteren.

In Tir Isarnagiri zal er in het gunstigste geval een spijtig tintje aan het dienen van de Here zitten, want daar zullen ze altijd achterom blijven kijken. Chanerig heeft niet alleen goddeloos gehandeld, maar is bovendien een stomkop die ons deze invasie op het slechts denkbare moment op het dak heeft gestuurd. Het zou nog veel slechter zijn uitgepakt als het vóór de Slag bij Foreth was gebeurd, en we kunnen God alleen maar danken dat het anders is gelopen, want Hij keert zelfs het kwade ten goede terwille van Zijn plan.'

'We hebben geluk gehad,' beaamde ik vurig. 'Maar nu over Demedia – wat is daar gebeurd? Was Angas daar al toen ze het land binnenvielen?'

'Angas is niet zo dwaas dat hij het land volledig onverdedigd zou hebben achtergelaten, hoewel hij natuurlijk geen invasie in die orde van grootte had verwacht. De Isarnaganen raakten slaags en Angas ontving er bericht over. Hij stuurde onmiddellijk een roodmantel naar ons toe en keerde zelf zo snel mogelijk terug. Ze zijn er met een grote troepenmacht – Atha ap Gren en Darag de Zwarte. Dun Idyn wordt belegerd. Er was slag geleverd toen hij ons bericht zond, maar die strijd eindigde onbeslist. Het ziet er echter naar uit dat ze het westelijke deel van Demedia hebben bezet, terwijl Angas het oostelijke deel plus heel Bereïch in handen heeft.'

Ik had er hoofdpijn van. 'Hoe staat Ohtar in dit alles? Weet hij ervan?'

'We hopen vurig dat hij in Caer Lind is, zodat hij daar zal zijn als Urdo er aankomt. Waarschijnlijk weet hij het inmiddels. Urdo zal hem er anders over inlichten. Hij hoopt Alfwin en Ohtar over te halen om naar het noorden op te trekken of erheen te varen, teneinde Demedia te heroveren.'

'Nu begrijp ik waarom hij er zelf heen is,' zei ik. 'Zal Angas Bereïch teruggeven?'

'Hopelijk wel, in ruil voor Ohtars hulp,' zei Raul terwijl hij zijn handen verstrengelde en er peinzend naar bleef kijken.

'En wat worden ik en mijn ala geacht te doen?'

'Het hele zuiden en oosten beveiligen,' zei Raul. Ik deed mijn mond open maar hij sprak meteen verder. 'Je kunt dat van hieruit doen, of vanuit Caer Tanaga of iedere andere plaats die jou het beste bevalt. In Aylsfa is er nog het restant van Ayls leger. Als hij het ermee eens is, kun je daar het nodige mee doen. Luth gaat naar Demedia, maar als Marchel en Ap Mardol in Wenlad met de Isarnaganen hebben afgerekend, staan ze je ter beschikking.'

Ik dacht aan de enorme uitgestrektheid die werd vertegenwoordigd door de woordjes 'zuiden' en 'oosten' en herinnerde mij dat de enige ala in het westen die van Galba was, nu in Derwen. Ik nam me voor een bode te sturen met de boodschap dat ze zich naar Magor moesten verplaatsen, dat was dicht genoeg bij Derwen, voor het geval Lew ap Ross moeilijkheden maakte of iemand anders de Havren op kwam varen. Meer kon ik niet doen, zodat ik nu mijn aandacht wijdde aan de enorme schaal van het probleem dat Urdo mij had voorgeschoteld. Niet alleen de open kustlijnen van Tinala, Tevin, Aylsfa, Cennet, Segantia en Munew, maar bovendien het binnenland! Ik vroeg me af over hoeveel voetvolk de geallieerde koningen beschikten en of zij me zouden toestaan troepen door hun gebied te laten trekken. Ik zou gereed moeten staan om eventuele opstanden van de Jarns of zelfs van de Tanaganen het hoofd te bieden, en beslist ook meer landingen van Isarnaganen en vijandige aanvallen van Jarns van overzee – kustplunderaars die na de oogsttijd actief werden, of een heuse invasie van een leger uit Jarnholme dat eropuit was om de nederlaag bij Foreth te wreken. Het was ook mogelijk dat Ulfs broer, wiens naam ik niet kende – de andere neef van Sweyn – had weten te ontkomen. Raul zou het wel weten.

'Hoe heet de jongste neef van Sweyn?' vroeg ik.

Raul lachte. 'Je heb zo lang op je lip zitten kauwen zonder een woord te zeggen dat het al bijna tijd is voor het noengebed – en dit is het enige wat je weten wilt? Hij heet Arling, Arling Gunnarsson. Hij is misschien dood. Hij is gewond van het veld gedragen en niemand heeft hem daarna nog gezien.'

'Hopelijk is hij dood, hoewel alleen de goden mogen weten wie nu nog bereid is eventuele strijdlustige Jarns aan te voeren. Wil je voor mij de geallieerde koningen polsen over de troepen die zij beschikbaar hebben?'

'Zeker,' zei Raul. 'Voor een deel is me dat al bekend, maar we zullen heel voorzichtig moeten manoeuvreren.'

Afwezig knikte ik. 'Laten we na je volgende gebeden de kaarten nemen om over troepensterktes en logistieke problemen te praten, ja? De glorie van een overwinning is allemaal leuk en aardig, maar in sommige gevallen kan het geen kwaad wat kracht te demonstreren.' Op dat moment schoot me iets te binnen. 'Wat zouden jullie hebben gedaan als ik naar Wenlad was gegaan?'

'Geen idee,' zei Raul met een flauwe glimlach. 'Urdo was er absoluut zeker van dat je hierheen zou komen; hij weigerde naar mijn argumenten te luisteren. En hij hád gelijk – je bent inderdaad hier.'

29

'Indien ik geen zwaard had,
waar zou ik dan vrede vinden?'
— Uit een hymne aan de Hemelvader

De anderhalve maand die verstreken na mijn vertrek uit Thansethan bracht ik grotendeels in het zadel door. Er werd niet gevochten, afgezien van een schermutseling tegen kustplunderaars. Ik verplaatste voornamelijk troepen en deed mijn best er in de ogen van de koningen zo krachtig mogelijk uit te zien. Er waren nagenoeg overal moeilijkheden die zouden verergeren als we ook maar even de indruk maakten zwak te zijn. Als eerste ging ik naar Caer Tanaga, waar ik Garah sprak, en Glyn en Elenn. Garah en Glyn zagen er allebei uitgeput uit – na het vele werk dat ze in de oorlogsjaren hadden gehad om te zorgen dat de paarden konden worden gevoederd, bleken de gebouwde opslagplaatsen allemaal verkeerd te liggen voor deze nieuwe invasie. Dalmer was met Urdo naar het noorden meegegaan en had het hele probleem aan hen overgelaten. Ook Elenn was intensief betrokken bij de bevoorrading. Ik vertelde haar van de regeling die met Lew en Emer was getroffen, maar over Emers verhouding met Conal Vissensnoet zei ik niets. Het was té scandaleus en ik had geen idee hoe goed ze was met haar zus. Ik zou het Urdo vertellen – die kon dan zelf bepalen of hij haar wilde inlichten of niet.

Bij Masarn liet ik drie penoenen achter. Ook gaf ik hem de instructie dat hij steeds gereed diende te zijn om op eigen initiatief moeilijkheden de kop in te drukken. Uiteraard liet ik zijn eigen penoen bij hem, plus de beide uitgeputte penoenen die als vrijwilliger uit Galba's ala met mij mee waren gegaan. Bij het afscheid verzekerde Garah me dat ze me steeds op de hoogte zou houden van belangrijk nieuws.

Onze ala kwam slechts één penoen te kort toen we de Tamer overstaken en Aylsfa binnenreden. De boeren die op hun akkers bezig waren met het binnenhalen van de oogst, richtten zich op en staarden naar ons als we hen passeerden. Op sommige plaatsen hadden ze naast de heirbaan diepe putten uitgehakt om steen te delven voor hun huizen, met het gevolg dat de

329

weg daar dreigde af te brokkelen tot het niveau van het maaiveld. Ik kon het niet over mijn hart verkrijgen om afkeuring te laten blijken over het gemopper over 'barbaren' onder onze gelederen.

In de merkwaardige hal van Fenshal onthaalde Ayl ons op een heerlijk maal met geroosterd zwijn als hoofdgerecht. Deze sterkte heeft aan drie zijden moerassen en riet. Dat maakt Fenshal veiliger tegen aanvallen, maar het is erg moeilijk om er te komen. Zowel het dak als de vloer bestaan uit riet en de muren zijn opgetrokken uit hout en leem. En de atmosfeer was er afgrijselijk klam. Ik moest Ayl keer op keer de verzekering geven dat we werkelijk alles zouden doen wat we konden. De weinige gezworenen en strijders van Ayl die na Foreth nog in leven waren, schenen blij te zijn ons te zien. Kennelijk vatten ze het op als een bewijs van Urdo's vriendschap. Na hun nederlaag was hun zelfvertrouwen ernstig aangetast. Ik deed mijn best Ayl op subtiele manier te verstaan te geven dat hij een beroep kon doen op onze hulp als hij die nodig had. Hij beloofde ons te zullen bevoorraden met alles wat we nodig hadden als we in Aylsfa zelf moesten vechten.

Ayl was niet beducht voor de Isarnaganen, die niet zo dwaas zouden zijn helemaal om Tir Tanagiri heen te varen om hem aan te vallen, terwijl ze geen grieven tegen hem koesterden. Wel vreesde hij dat Sweyns eerste vrouw, Hulda, die nu de scepter in Jarnholme zwaaide – en anders Arling Gunnarsson, als hij nog in leven was – elk ogenblik de Smalle Zee kon oversteken. Hij vertelde me dat Hulda Sweyn hevig had gehaat omdat hij een tweede vrouw had genomen en hun dochter aan de goden had geofferd. Dat betekende echter niet per se dat deze haat haar ervan zou weerhouden een poging te doen hem te wreken. Ook vreesde Ayl dat sommige koningen van Tanaga zijn zwakte konden zien en hem zouden aanvallen. Niet dat hij met zoveel woorden over deze gevaren praatte. Zelf paste ik er wel voor op te zeggen dat hij van geluk mocht spreken dat hij geen gemeenschappelijke grenzen had met degenen die daar het meest toe geneigd konden zijn.

Wat onze militaire bijstand betrof, kon ik hem niet meer beloven dan dat ik steeds bereid zou zijn te doen wat ik kon. Ik kon zelfs geen penoen bij hem achterlaten, omdat er nergens een veilige plaats was om de paarden onder te brengen en voorraden op te slaan. Strijdrossen kunnen weliswaar van alleen gras leven, maar dan zijn ze niet in een conditie om te vechten. Bovendien gedijen ze niet goed in een vochtig klimaat, op drassige grond, en zijn ze 's nachts kwetsbaar als ze geen muren om zich heen hebben. Ik verzocht hem voorraden aan te leggen en ervoor te zorgen dat hij mensen klaar had staan die konden rijden en de wegen naar de kust kenden, voor het geval er een invasie kwam en de ala gidsen nodig mocht hebben.

Na het maal vertrouwde hij me toe dat hij op zoek was naar een gemalin, en ik beloofde hem dit aan Urdo door te geven. Ik begreep dat dit een prima gelegenheid was om een hechter bondgenootschap te smeden en dat het beter zou zijn als hij in Tir Tanagiri op zoek ging naar een echtgenote dan wanneer hij er een uit Jarnholme zou laten overkomen. Ik vroeg me af of Alswith het met hem zou kunnen vinden. Ik kon me echter niet voorstellen dat een Tanagaanse vrouw in een zo vochtige omgeving zou willen wonen. Langs de kust lagen echter behoorlijke steden, zoals ik op de kaart had gezien: Caer Col en Othona. Nu het vrede was, dacht ik, zou hij misschien bereid zijn een verstandiger residentie te kiezen. (Dat had ik mis: Ayl voelde zich thuis in Fenshal en is er tot aan zijn dood blijven wonen, en zijn nakomelingen wonen er nu nog.) Kort voor mijn vertrek vroeg hij naar Ulf, die zich niet in ons midden bevond. Urdo had hem toegevoegd aan Masarns penoen en ik had niet tegen Urdo's rechtstreekse bevel in willen gaan zonder daar een goede reden voor te hebben.

Hierna trok ik naar het zuiden. Onderweg deden we kort Caer Tanaga aan om Raul op te halen en Glyn te vragen een van zijn intelligente jonge kwartiermeesters naar Ayl te sturen, om daar de helpende hand te bieden bij het organiseren van onze bevoorrading. Al na één nacht reed ik verder, naar Cennet in het zuiden. Bij Guthrum en Ninian at ik paling en bonen. Ik gaf hun de verzekering dat de Isarnaganen spoedig uit het koninkrijk van hun dochter verdreven zouden zijn. Van hen hoorde ik dat Eirann Zwanenhals en haar oudere kinderen door het territorium van Demedia rondtrokken om het land te bevrijden van de indringers. Guthrum had geen troepen nodig. Waarschijnlijk was Cennet zelfs de sterkste en best bewapende sector van het eiland, want zij hadden in de Lange Oorlog niet veel verliezen geleden. Ze hadden een paar schermutselingen met Ayl gehad, maar verder niets. Ik vermoed dat Sweyn, die geen behoefte zou hebben gehad aan bloedvetes, erop had gerekend dat zij hem wel als hun Grote Koning zouden erkennen als Urdo eenmaal verslagen was. Ik maakte hun duidelijk dat als ze van plan mochten zijn Aylsfa aan te vallen, zoiets heel slecht zou vallen bij Urdo. Ninian antwoordde dat die gedachte nooit bij hen was opgekomen, maar ze lachte erbij toen ze dit zei. Ze gaven ons voorraden voor de paarden, maar niet zoveel als ik graag had gewild. Hoe dan ook, het hielp. Het scheen dat de bonenoogst in Cennet dat jaar buitengewoon rijk was. Ik regelde het zo dat de meeste zakken werden overgebracht naar Caer Tanaga. Paarden kunnen het lang volhouden op bonen, maar het heeft twee grote nadelen: ten eerste is er de stank; en ten tweede is er de oneindige reeks flauwe grappen die iedereen daarover debiteert. Op een droge ochtend vertrokken we uit Cennet, omgeven door een dichte wolk van beide nadelen. We reden naar het westen, langs de kust naar Caer Segant. Onderweg hadden we een kleine schermutseling met wat kustplunderaars die met drie schepen uit Jarnholme waren gekomen. Het waren ordinaire struikrovers en het was het soort handgemeen dat iedere commandant zich zou wensen – we doodden de meesten, de rest namen we gevangen en tevens maakten we ons meester van hun schepen, en dat alles zonder ook maar één armiger te verliezen. De gevangenen droeg ik over aan het klooster bij Caer Segant, om ze te werk te stellen of losgeld voor ze te vragen. De schepen stuurde ik door naar Caer Thanbard. Daarna at ik brood en wortelen met Rowanna. Ze verontschuldigde zich, want toevallig was ik op een vastendag gekomen. Ze rouwde volgens de Jarnse zede om Gwair Aderyn door grijs te dragen en haar hoofd te bedekken. Ninian had haar hoofd ook bedekt gehouden, maar op een of andere manier leek Rowanna minder van zichzelf te laten zien dan haar zus, al praatte ze heel wat meer.

Ik was blij dat Raul erbij was, met zijn bekwaamheid om een gesprek gaande te houden, zodat ik het jammer vond dat ze hem na het eten wegzond. Ze had geen nieuws voor mij, maar na een poosje begon ik te begrijpen dat ze me probeerde te vragen of ik dacht dat Urdo het bewind over Segantia zelf op zich zou nemen als de vrede eenmaal verzekerd was. Ik had er geen flauw idee van, maar zei haar eerlijk dat ik hem er nooit over had horen praten. In feite realiseerde ik me nu voor het eerst dat Rowanna Segantia bestierde als Avrens weduwe en Urdo's moeder, maar zelf de koninklijke waardigheid niet kon dragen. Als Urdo het over Segantia had, was uit niets af te leiden dat hij over dat land anders dacht dan over andere landen. Voordat we afscheid namen, stemde ze ermee in dat ik haar om voetvolk kon vragen als ik militaire steun nodig had; ze zouden onder commando van haar eigen bevelhebber staan. Er was al een penoen bij haar gelegerd, maar ik liet Gormants penoen in Segantia achter met de opdracht de hele kust tussen daar en Caer Thanbard te bewaken. Er kwamen wat klachten van de wapendragers die achter moesten blijven. Het zuiden stond ze niet aan en ze wilden liever niet onder de Jarns leven, zeiden ze. Dit was de plaats waar Gwairs ala thuishoorde; zij gingen liever terug naar Caer Tanaga. Ik troostte hen met de gedachte dat ik niet van plan was hen af te staan; dit was maar een tijdelijke regeling, uit nood geboren. Ik verzekerde ze dat Gwairs ala, nu onder bevel van Ap Erbin, ongetwijfeld terug zou willen naar Caer Segant zodra ze terug waren uit Demedia.

Langs de kust trok ik verder naar Caer Thanbard. Ik heb me dikwijls afgevraagd waarom de Vincanen het nooit nodig hadden gevonden een heirbaan langs de zuidkust van Tir Tanagiri aan te leggen. Zo'n heirbaan had alle steden daar met elkaar kunnen verbinden. In plaats daarvan liepen alle heirwegen ten noorden of noordoosten van Caer Tanaga het binnenland in en lopen er langs de kust hooguit karrensporen óf helemaal niets. Gelukkig is het moeilijk te verdwalen zolang je langs de kliffen rijdt. Dit was mijn eerste bezoek aan Caer Thanbard. Ik raakte diep onder de indruk van de kustverdedigingswerken die Thurrig had gebouwd of gerestaureerd.

Vooral stond ik versteld van de Vincaanse vuurtoren, die uitgerust was met spiegels om het licht te reflecteren en de stralenbundels tot diep in zee te zenden. Binnen de stadsmuren verhief zich een schitterende nieuwe kerk. Ik werd uitgenodigd in de hal van de koning en at er lam en honingzoet vlechtbrood met Custennin en alle mannen en vrouwen van aanzien in Munew.

Custennin had ik al eerder ontmoet. Hij leek besluiteloos als altijd, zelfs als het erom ging te kiezen wat hij wilde eten. Zijn gemalin, Tegwen, leek slecht bij hem te passen. Ze was het eens met alles wat hij zei en het leek haar te ontbreken aan ruggengraat. Ik wilde zijn broer Erbin aardig vinden, terwille van zijn zoon Aneirin, die een prima tribuun was, en mijn vriend. Het enige wat hij me over zijn ouders had verteld, was dat zijn moeder in de strijd was gevallen en dat zijn vader het woeste en ruige einde van het schiereiland Munew regeerde, onder Custennins gezag.

Tot mijn spijt was Erbin een grote teleurstelling voor mij. Hij begon al ruim voor de maaltijd werd opgediend te drinken en schonk ook steeds mijn bokaal vol, als ik toevallig naast hem stond. In het begin liet ik hem begaan, ter wille van Aneirin ap Erbin, maar de cider was sterk en hij was algauw dronken. Hij bleef me onfatsoenlijke voorstellen doen, zelfs nadat ik hem beleefd maar resoluut had afgewezen. Mijn moeder had me voor dit soort mannen gewaarschuwd – kerels die denken dat hun afstamming van een vooraanstaande familie voldoende is om te maken dat elk ongehuwd meisje graag de dekens met hen deelt en die bovendien zo ijdel zijn dat ze zich door een weigering gekrenkt voelen. Toch heb ik opmerkelijk weinig van dit soort lieden ontmoet. Wapendragers zijn gelukkig te rondborstig en rechtdoorzee voor dat soort problemen.

De rest van de avond had ik het druk met Erbin mijden. Dat hield in dat ik veel tijd doorbracht in Rauls gezelschap, of dat van Custennins zuster Linwen en haar echtgenoot, bisschop Dewin. Zelfs als ik dat niet al had geweten, zou ik algauw hebben begrepen dat dit de mensen waren die in Munew aan de touwtjes trokken: zij namen de beslissingen over wat er voor het land en het volk moest worden gedaan. Het was een vreemde ervaring om Custennin, Erbin en Linwen samen te zien – drie kinderen van hun laatste koning, Cledwin. Het leek alsof ze allemaal hetzelfde gezicht hadden meegekregen, maar dat hun persoonlijkheid hun gezicht op een individuele wijze vorm had gegeven. Uit dat van Custennin sprak zwakte, uit dat van Erbin onmatigheid en zelfzucht en uit dat van Linwen kracht. Mooi was ze niet, maar haar kaaklijn maakte overduidelijk dat er niet met haar te spotten viel. Ik bedacht dat als we onze koningen zouden kiezen – zoals dat onder de Isarnaganen gebeurt, die altijd de beste kandidaat van koninklijk bloed proberen te selecteren – zij beslist degene zou zijn geweest die werd gekozen. Blijkbaar moet ik een tikje aangeschoten zijn geweest, want ik geloof niet dat ik ooit eerder over zulke dingen had nagedacht, behalve op een zuiver abstracte manier. Echter, wat maakte het uit? Custennin was weliswaar een zwakkeling, maar Linwen en Dewin regeerden feitelijk het land. Het enige was dat ze dat niet deden met instemming van land en volk, zodat ze in feite niet meer waren dan tirannen. Hoewel Munew floreerde en de oogsten goed waren, deugde het niet. 'Het karakter van de koning is de achilleshiel van iedere monarchie,' had de Lossiaanse wijsgeer Aristokles bijna duizend jaar geleden geschreven. 'Het ligt in de hand der goden ons de koningen te sturen die we verdienen.' Verdiende Munew een koning als Custennin? Maar toen bedacht ik me dat als de goden ons inderdaad de koningen sturen die we verdienen, wij kennelijk toch iets goed gedaan hadden, want de goden hadden ons per slot van rekening ook Urdo gezonden.

De conversatie na de maaltijd verliep probleemloos. Er was weinig gevaar voor een opstand in Munew en de aanwezigheid van twee penoenen in Caer Segant gaf hun een veiliger gevoel. In Caer Thanbard zelf was slechts één penoen gelegerd. Het was oorspronkelijk een detachement van Gwairs ala. Custennin – of beter gezegd, bisschop Dewin – stemde ermee in dat zij moesten proberen zelf wat plaatselijke troepen te formeren voor het geval dat nodig mocht zijn, maar definitieve beloften kreeg ik niet los. Ik wees op het geval van een invasie van Isarnaganen, maar ze leken zich daar geen zorgen over te maken. Wel stemden ze in met de levering van extra voorraden, die ik meteen meenam, voor het geval ze zich mochten bedenken. Munew beviel me niet in het minst en ik was blij dat ik het de rug kon toekeren.

Vanuit Caer Thanbard trokken we via de heirbaan in noordoostelijke richting naar Caer Tanaga, waar ik drie van de penoenen die ik bij me had wilde omwisselen voor de drie penoenen die daar hadden kunnen uitrusten. Van daaruit wilde ik verder naar het noorden, naar Tathal en Nene.

Nog voor ik er aankwam, bereikte mij een roodmantel van Garah, met het nieuws dat Marchel en Ap Meneth een grote overwinning hadden behaald bij Varae in Wenlad. Ze hadden het leger van de Isarnaganen klem gezet tussen de ala en de zee. Toen de Isarnaganen de gelederen verbraken en naar hun schepen probeerden te vluchten was Thurrig exact op tijd met versterkingen de baai binnen gezeild. Er had nauwelijks een Isarnagaan levend kunnen ontkomen. Een dergelijk bloedbad klonk naar Marchel, maar leek me niets voor Thurrig. Ik reed verder, een tikje verbaasd. In elk geval zou er vanuit Wenlad weinig gevaar meer te duchten zijn, hoewel ik een goeie kaart nodig zou hebben om te ontdekken waar Varae lag.

Toen we onze stallen in Caer Tanaga bereikten, was Ulf Gunnarsson de eerste die ik daar zag. Hij zat op de grond en was bezig een steel aan een strijdbijl te zetten. Er lag allerlei timmermansgereedschap om hem heen en tegen zijn buik stond een houten blok dat diende als bescherming, voor het geval zijn hand uitschoot terwijl hij met een vlijmscherp mes het uiteinde van de steel passend maakte. Een paar wapendragers praatten met hem en gaven hem af en toe een stuk gereedschap aan. Ik stond ervan te kijken hoe goed ze met hem overweg schenen te kunnen. Ik had verwacht dat ze een hekel aan hem zouden hebben. Hij merkte mij pas op toen Sterrelichts schaduw over hem heen viel, en toen sneed hij zichzelf werkelijk bijna in de buik, blok hout of niet. Hij sprong op, zodat zijn gereedschappen rinkelend over straat gingen en hij een kleine pot lijnolie omstootte. Hij boog voor me.

'Die bijl is niet groot genoeg voor zo'n lange steel,' merkte ik op. Het ding zag er nauwelijks zwaarder uit dan het soort bijl dat mensen gebruiken om wilgentenen te hakken – een bijl die je met één hand kunt hanteren. De steel die hij maakte, was echter zo lang als mijn arm – veel te lang, tenzij hij van plan was hem later in te korten.

'Een lange aks is een te zwaar wapen om het effectief te paard te kunnen hanteren, prefect,' zei hij. 'Ik wil een wapen hebben dat ik in de slag kan gebruiken als ik mijn speren kwijt ben.' Ikzelf had hem zijn lange zwaard ontnomen.

'Ga zo door,' zei ik en liep de stallen in, op een vreemde manier wat van mijn stuk gebracht, zoals altijd als ik hem zag.

Nog voordat ik klaar was met het afwrijven van de paarden, kwam Masarn me zoeken. Hij liep naar de touwen aan de achterkant van Bodes box en keek naar mijn gebogen gestalte.

'Ah, Masarn!' zei ik. 'Goed je te zien. Is alles hier rustig gebleven? Ik laat het tweede, derde en vijfde penoen bij jullie achter en neem de andere mee naar Caer Rangor...'

'Sulien,' zei hij, nerveus zijn gewicht van de ene voet naar de andere overbrengend, 'dit bevalt me niks. Ik wil liever niet de leiding hebben – ik wil geen tribuun zijn.'

Ik richtte me een beetje op en keek hem aan. 'Wat is er gebeurd?'

'Niks! Ik heb er alleen een hekel aan om leiding te geven – ik ben er niet goed in. Waarschijnlijk zou ik het werk wel aankunnen als jij hier was, maar ik vind het vreselijk om alle beslissingen te moeten nemen terwijl jij er niet bent. Het groeit me boven het hoofd. Ik kan zo niet doorgaan.' Hij zag er wanhopig uit.

'Hoor eens, een tribuun behoort in staat te zijn de leiding te nemen als dat noodzakelijk is,' zei ik.

'Ik weet het. Daarom wil ik geen tribuun zijn.' Hij boog zich naar voren de stal in, en Bode schuifelde naar voren. Bijna trapte hij op mijn voet.

'O, Masarn, normaal gesproken ben ik bij de ala, en anders is Urdo er wel. Maar we zitten nu in een noodsituatie!'

'Ik weet niet of het je al is opgevallen, maar ik hoor mensen nu al *zeven jaar* op die toon roepen: "Dit is een noodsituatie!" Goed, ik zal het voorlopig blijven doen, maar zodra de situatie wat rustiger is geworden, wil ik geen tribuun meer zijn. Ik maal niet om roem en eer. Ik stel prijs op regelmatige maaltijden en vind het afschuwelijk me altijd zorgen te moeten maken.'

Ik stond op – ik hoorde mijn rug kraken toen ik me oprichtte – en begon werktuiglijk aan een van de Malmse strekoefeningen van Larig. Ik had te veel moeten rijden en te lang niets anders gedaan. 'Denk je dat je er wel tegen kunt om onder iemands leiding te werken?' vroeg ik.

'Ik denk van wel. Maar ik weet niet eens zeker of ik nog wel een decurio wil zijn. Geef mij maar het bestaan van een gewone wapendrager die te horen krijgt wat hij moet doen en waar hij heen moet. En zelfs dat...' Hij aarzelde en voegde eraan toe: 'Ik heb een vrouw en een paar kinderen, die al wat groter beginnen te worden – ik wil ze graag zo nu en dan zien. Als de oorlogen voorbij zijn, kan de ala het wel zonder mij stellen, dacht ik.'

'O, Masarn!' zei ik. 'Ik zou je missen! Je bent al bij me vanaf het eerste begin!'

'Ja, ik weet nog hoe je je over Appels hoofd naar de grond liet glijden, voordat je het onder de knie had,' zei hij glimlachend. 'Maar je zult me vaak genoeg kunnen zien. Mijn vrouw woont hier, in Caer Tanaga. Je zult me zelfs vaker zien dan Ap Erbin of Angas. Zij maken dan wel deel uit van de ala, maar ze zitten vaak ver weg.'

'Laten we het hopen,' zei ik, maar ik had een verdrietig gevoel toen we samen de stallen verlieten – een gevoel alsof er een eind was gekomen aan iets goeds.

We wandelden omhoog naar de citadel, pratend over het eten, het weer en de koopwaar die was uitgestald in de kramen aan weerskanten van de straat, maar niet over de ala, totdat we het hoogste punt hadden bereikt. 'Gunnarsson doet het goed,' zei Masarn. 'Hij heeft van 's morgens vroeg tot 's avonds laat geoefend, onder alle weersomstandigheden. Zijn rijkunst is nog niet van ons niveau, maar het begint te komen. Hij is uiterst trefzeker met de speer en kent de gevechtstechnieken van de Jarns door en door, stukken beter dan de meeste rekruten. Hij loopt mank, dat wel, zodat ik hem nog weinig voetwerk heb laten doen – dat kan wachten totdat zijn rijden op niveau is. Hij wíl goed worden, dat is zeker.'

'Valt hij goed bij de anderen?' vroeg ik toen we bij de poort waren.

Masarn keek me aan, fronsend. 'Er waren in het begin wat moeilijkheden doordat onze mensen hem pestten met de nederlaag van de Jarns, maar ik heb ze gezegd daarmee op te houden en dat deden ze. Het is verkeerd om dat soort dingen persoonlijk te maken. Ze beginnen nu aan hem te wennen. We hebben hier van meet af aan Jarns gehad die gegijzeld werden om hun familie te dwingen zich goed te gedragen, en de nederlaag werd niemand aangewreven. Trouwens, Alswith maakt al jaren deel uit van mijn penoen, ook al is ze er op dit moment niet bij, dus zijn ze eraan gewend Jarns om zich heen te hebben. Naar mijn mening kunnen ze mensen heel goed nemen zoals ze zijn, zoals Urdo het noemt.'

Ik had gemengde gevoelens over dit alles, maar voordat ik me er op kon bezinnen hoorde ik snelle hoefslagen achter mij. Ik draaide me om en zag een roodmantel die door de drukke straat naar de citadel galoppeerde. De mensen weken vlug voor haar uiteen. We liepen de poort door, knikten naar de schildwachten en bleven in de binnenhof wachten. Een minuut later kwam ze de poort door en blies het signaal voor dringend nieuws op haar trompet. Nog voor de tonen waren weggestorven haastte Elenn zich de grote deur uit, op de hielen gevolgd door Raul.

De bode overhandigde haar een dikke envelop en Raul kreeg er ook een. Toen ik hen had bereikt, kreeg ik eveneens een envelop. De bode hield een vierde envelop nog even vast, totdat Garah de deur van de toren uitkwam en naar ons toerende, haar kleren tegen zich aan drukkend. Ze moest in de thermen zijn geweest toen ze het signaal hoorde. Glyn kwam enkele ogenblikken later dezelfde deur uit en bleef daar wachten, leunend tegen de muur. Er kwam een bediende naar buiten die de roodmantel een dampende beker aanreikte. Ze steeg af en nam dankbaar iets eetbaars van een tweede bediende aan. Nu pas werd ik me ervan bewust dat ik het lezen van mijn brief uitstelde. Ik draaide de envelop om. Hij was verzegeld met Urdo's rennende paard. Ik maakte hem open en las de brief haastig door. Ik voelde mijn ogen steeds groter worden.

'Sulien,' zei Elenn een tikje onvast – ze had me nu pas opgemerkt. 'Ik zie dat je het nieuws ook hebt ontvangen.'

'Dat heb ik, ja,' zei ik. De binnenhof was volgestroomd terwijl ik de brief had staan lezen. Iedereen spitste de oren. 'Schitterend nieuws,' zei ik.

'Zeg dat wel,' zei Elenn met meer zelfvertrouwen. Garah en Glyn stonden haar brief nog te lezen en Garah legde Glyn iets uit. 'We zullen het vredesfeest hier in Tanaga houden, als' – ze raadpleegde de brief – 'de maan vol is, dus over een halve maand.'

'Dus de Isarnaganen zijn volledig verslagen?' vroeg Masarn opgewekt.

'Niet helemaal,' zei ik. 'Het ziet ernaar uit dat het opruimen van de laatste verzetshaarden in Demedia nog de nodige tijd zal kosten. Urdo heeft echter besloten niet met het vredesfeest te wachten.'

'Geweldig nieuws,' zei Raul, nog verdiept in het schrijven.

Mijn blik werd weer naar de brief getrokken.

Als we het feest uitstellen, zullen Flavien van Tinala en Penda van Bregheda op avontuur gaan in het noorden terwijl Bereïch en Demedia nog niet gezuiverd zijn, en dat zou uitdraaien op een ramp. De oorlog in Demedia verloopt gunstig genoeg, maar zal niet spoedig voorbij zijn. De alae blijven daar en zetten de strijd voort onder Ap Erbin en Luth, maar Angas, Ohtar en ikzelf zullen met bekwame spoed naar het noorden rijden, met niet meer dan een bescheiden escorte...

'We moeten meteen met de voorbereidingen voor het feest beginnen,' zei Elenn tegen Garah. 'De eerste gasten zullen binnenkort arriveren.'

'Laten we naar binnen gaan en dit op ons gemak bespreken,' stelde ik voor. Masarn boog alsof hij afscheid nam, maar nog voordat hij zijn hand van zijn hart had genomen, legde ik mijn hand op zijn andere arm. 'O nee,' fluisterde ik. 'Ik heb jou nodig, Masarn. Dit is een noodsituatie.'

'Alweer een noodsituatie?' vroeg hij met opgetrokken wenkbrauwen. 'Tja, in dat geval...' Toen, in het ritme dat we gebruikten om met de lans naar doelwitten te stoten, mompelde hij zacht: 'Als ik geen wapendrager was, zou ik nu subiet m'n snor hebben gedrukt, noodsituatie of geen noodsituatie.' Zo kwam het dat we de verzamelde menigte vergastten op het spektakel van de prefect van Urdo's persoonlijke ruitereskadron en haar tribuun die grinnikend de citadel van Caer Tanaga binnenwandelden om deel te nemen aan hoog beraad.

30

'Vrede in deze hal!'
'En een welkom aan allen die de vrede erin bewaren.'
– Rituele begroeting van gasten

'Als dit nog veel langer duurt, draai ik Cinon van Nene persoonlijk de nek om!' zei Elenn, toen ze naar binnen kwam stormen en de welkomstbokaal met dubbele handgrepen woedend op tafel liet neerkomen. Op het laatste ogenblik hield ze zich echter in en zette de bokaal zo voorzichtig neer dat we nauwelijks een tik hoorden toen het goud het hout raakte. Desondanks wist ik dat de bokaal leeg moest zijn – ze zou dit nooit hebben gedaan als er nog wijn in zat.

'Niet Custennin?' vroeg ik, toen ze naar de schouw kwam, waar ik een poging deed Garah te helpen met het maken van voorraadlijsten. Het was al laat, na het feest van deze avond.

Elenn keek me verbaasd aan toen ze uit het donker de lichtkring in stapte. 'Custennin? In geen geval. Wat heeft híj misdaan? Die is allang blij als hij iedere dag bij vader Gerthmol kan bidden en de rest van de dag weifelen.'

'Dat is nu juist wat ik niet kan uitstaan,' zei ik terwijl ik mijn wastablet neerlegde en mijn handen wreef. 'Ga nooit met een weifelaar op everzwijnen jagen.'

Garah was bezig een kolom met getallen op te tellen, haar gezicht een en al concentratie, met het puntje van haar tong tussen haar lippen. Zonder opkijken vroeg ze: 'Heb je werkelijk tegen hem geschreeuwd?'

'Zeker. Hij bracht het leven van mijn mensen onnodig in groot gevaar en ik heb hem daarop gewezen. Ik heb hem nog niet de helft van de woorden toegevoegd die de wapendragers elkaar toefluisterden, maar dat kwam alleen omdat mijn woede mijn verbeeldingskracht remde.' Ik kneep mijn kaars uit. Mijn moeder had Moriens detachement een vat lijnolie meegegeven, met een briefje aan Elenn erbij, om te zeggen dat deze olie uitstekend geschikt was voor olielampen. Elenn had me verzocht haar het briefje voor te lezen. Ze kon weliswaar letters lezen, maar kende heel weinig

Vincaans. Iedereen was altijd bereid Tanagaans met haar te spreken, zodat ze nooit de kans kreeg haar Vincaans te verbeteren. Toen ze de inhoud van de brief vernam, toonde ze zich verheugd en stuurde de dienstmeiden naar de voorraadkamers om alle olielampen die we hadden te halen. Ze wilde er de eethal mee verlichten. Lijnolie brandt echter niet zo schoon als olijfolie, zodat de lampen geregeld moesten worden gereinigd. Het grote voordeel was dat er nu geen olijfolie van overzee uit het verre Narlahena moest worden betrokken. Hoe het ook zij, een vat lijnolie was natuurlijk toch een beperkte hoeveelheid, zodat we 's avonds voor ons schrijfwerk kaarsen gebruikten. En als we gezellig zaten te praten, vergenoegden we ons met het schijnsel van het vuur.

'Och, ik kan redelijk goed overweg met weifelaars; je moet ze alleen een beetje bij de hand nemen,' zei Elenn terwijl ze op een lage kruk ging zitten. 'Custennin verschilt wat dat aangaat niet veel van mijn vader. Trouwens, Linwen en bisschop Dewin weten precies hoe ze hem aan moeten pakken. Ik begrijp alleen niet hoe ik zo lang beleefd heb kunnen blijven tegen Cinon.'

'We mogen er evenmin op rekenen dat Alfwin nog lang beleefd tegen hem blijft doen,' zei Garah. Ze zette een tekentje bij de cijferkolommen van het voedsel voor de wapendragers en hun paarden, die ze op had zitten tellen. Nu keek ze op naar Elenn. 'Cinon blijft maar doorzeuren over het feit dat hij Nene onverdedigd heeft moeten achterlaten. Dat zal wel zo zijn, denk ik, maar hij houdt niet op te suggereren dat hij vooral beducht is voor Alfwin.'

'De man is niet goed snik,' zei Elenn kort. 'Dat neemt niet weg dat we Alfwin niet de kans mogen geven hem te doden, niet alleen met het oog op de wetten van gastvrijheid, maar ook omdat zijn familie het koningschap al heeft uitgeoefend sinds de Overstroming.'

'Voordat de Vincanen hier kwamen waren er helemaal geen koningen,' zei ik.

Geërgerd wuifde Elenn dat bezwaar weg. 'Zij regeerden het land, dus waren ze koningen, en het maakt niet uit hoe je het noemt. Maar Cinon... er moet heel wat gebeuren voordat er een eind komt aan mijn geduld, maar hij heeft het klaargespeeld. Dat voortdurende snieren en klagen van hem is onverdraaglijk. Ik kan helaas niet meer doen dan hem en Alfwin uit elkaar houden.'

'Dat zou je anders niet zeggen,' zei ik. Kort voor ik het feest verliet, had ik Elenn met hem zien praten, op die vriendelijke, aandachtige manier van haar, alsof ze verrukt was van alles wat hij zei. Ik zou nooit hebben kunnen raden dat ze hem niet mocht.

'Zoiets laat je niet merken,' zei Elenn kortaf. Zo had ik haar nog nooit horen praten. 'Dat maakt deel uit van de last van diplomatie. Mijn moeder heeft me al als klein meisje geleerd om tegenover mannen nooit iets van mijn gevoelens te laten blijken. Alleen maar glimlachen, en met ze praten zoals zij dat aangenaam vinden. Op die manier luisteren ze naar datgene waarvan jij wilt dat ze het horen.' Ze haalde haar vingers door haar haar. 'Meestal is het lang zo moeilijk niet. Maar nu ik moet aanhoren hoe Lew bij iedere zin die hij zegt mijn zus erbij haalt én ik ook nog dat gezanik van Cinon moet verduren, raak ik uitgeput.'

'Maar goed dat ik geen koning of koningin ben,' zei ik.

Elenn en Garah schoten in de lach. Juist op dat moment kwam Glyn binnen, stampvoetend en huiverend. 'Tweeënzestig, plus drie,' zei hij tegen Garah, die de getallen in haar wastablet kraste. 'En bij de slagtanden van Turth, het is stervenskoud in die voorraadkelders!' Toen begroette hij ons en kwam aan de andere kant van de schouw zitten, naast Garah. 'Had je weer eens zo'n tactloze opmerking gemaakt, dat ze zo moesten lachen?' zei Glyn grijnzend tegen mij. Ik grinnikte terug; inmiddels wist ik hoe ik met hem om moest springen.

'We hadden het alleen over koningen die we het liefst zouden wurgen,' zei Garah.

'Flavien van Tinala,' zei Glyn zonder aarzelen. 'Hij lijkt zo meegaand, maar hij verzet zich tegen alles wat wij voorstellen. En nu Urdo zo...' Hij maakte de zin niet af. Het woordje 'laat' wilden we niet gebruiken. Urdo had geen dag van aankomst genoemd, maar er waren nog maar twee dagen over voor het vollemaan zou zijn. De dagen na de ontvangst van zijn berichten waren in een waas van voorbereidingen en inleidende feesten voorbijgegaan. Alle koningen waren al aanwezig, met uitzondering van Mardol, Angas, Ohtar en, uiteraard, Urdo zelf.

'Flavien gedraagt zich aan tafel uiterst hoffelijk,' zei Elenn. Op een of andere manier leek haar stem nu anders te klinken.

Schouderophalend zei Glyn: 'Geef mij maar een man die onaangename waarheden uitspreekt, dan een die ze voor zich houdt.'

'Cinon en Flavien zijn veel samen,' zei Garah met een bedenkelijk gezicht.

'O, da's waar ook,' zei Elenn. 'Ik heb ze overgehaald er morgen een paar uur op uit te gaan door te gaan jagen met de penoen die dan de grens met Aylsfa oversteekt. Je zult een wapendrager moeten aanwijzen die als lijfwacht kan fungeren.'

'Ik kan zeker Ulf Gunnarsson niet meesturen?' zei ik. Ze moesten allemaal lachen.

'Ik zou zijn gezicht weleens willen zien,' zei Garah.

'Hij kan er maar niet mee ophouden in iedere Jarnsman een vijand te zien,' zei Glyn. 'Het is dom en kan niet door de beugel, maar op dat punt is hij nog niet zo erg als Flavien.'

'Ulf niet, gelukkig,' zei Elenn. 'Het is meer dan alleen een erebaantje: hij moet iemand meekrijgen die toeziet op zijn veiligheid. Het moet dus beslist iemand zijn die goed kan rijden. Ulf lijkt me een beleefde man en als zodanig geschikt genoeg, maar afgezien van het feit dat hij een Jarnsman is, is hij ook nog in opleiding.'

'Ontzettend jammer dat Alswith er niet is. Volledig opgeleid, oorlogsheld...' Garah zwaaide met haar veder naar mij, maar ze boog zich te ver over het vuur, waardoor de punt van het schrijfinstrument vlamvatte en begon te smelten. Zuchtend liet ze hem in het vuur vallen, waar hij verbrandde en de gruwelijke lucht van brandende veren verspreidde.

'Nou ja, aan veders geen gebrek, momenteel,' zei ze giechelend en haalde haar schouders op. We stuurden er penoenen op uit om zwijnen te schieten en zo de koningen te vermaken. Bovendien hadden we het vlees nodig voor onze voedselvoorraden. Daarnaast hadden we een penoen naar een afgelegen deel van het stroomgebied van de Tamer gestuurd, ten noorden van Caer Tanaga, om op vogels te jagen. Ze hadden veel geluk gehad en een complete vlucht ganzen in hun netten gevangen, vogels die op weg waren naar het zuiden om daar te overwinteren. Soep van ganzenvlees en knolraap, aangevuld met gerst, is een heerlijk gerecht waar je warm van wordt. Elenn had bepaald dat het de koningen maar één keer zou worden voorgezet. De rest ging naar de ala, en de mannen en vrouwen waren dolblij geweest dat ze voor de verandering eens iets lekkers kregen waaraan ze hun buik rond konden eten.

'Ik zal hem een betrouwbare, gelijkmoedige wapendrager meegeven – en geen Jarnsman,' zwichtte ik. 'Ik zal er morgen zelf bij zijn: het is heerlijk om er eens uit te zijn en iets te doen zolang we daglicht hebben. Al dat jagen houdt ze tenminste bezig en uit elkaars haren, en bovendien kunnen ze eten naar hartelust.'

'Voor de voorbereidingen van het feest van vorig jaar, toen alle koningen hier waren, hebben we drie maanden nodig gehad,' beaamde Garah. Ze had haar wastabletten neergelegd en wreef nu de was van haar vingers. 'Volgens Dalmer hadden ze voor het huwelijk van Angas een half jaar nodig gehad. Ze hadden zelfs honing uit Demedia laten komen, en wijn uit Narlahena.'

'Gelukkig hebben we nog wat wijn in voorraad,' zei Elenn. 'En ik ben het met je eens dat de jacht ons goed van pas komt.'

'Als hij de rivier over mag om in Aylsfa te jagen, zal Ayl het gevoel krijgen dat hij iets voor ons terugdoet,' zei Glyn. 'Dat zal hem opbeuren.'

'Zijn broer heeft me goed geholpen in de hal,' zei Elenn.

Ik keek haar onderzoekend aan, proberend te ontdekken wat er anders aan haar was geworden. Ze zat rechtop en haar stem klonk formeler dan vroeger. Wellicht is ze niet bereid al te familiair te doen waar Glyn bij is, dacht ik. Het nut van diplomatie ten opzichte van de koningen was me duidelijk, maar moest ze die houding tegenover íedere man aannemen? Het leek overbodig en een tikje triest, maar ik zei er niets over.

'Met de bloemen?' vroeg Garah.

'Waar haal je bloemen vandaan, een maand voor hartje winter?' vroeg ik verbaasd.

'De meeste heb ik in de zomermaanden laten drogen en ze geschikt met kale twijgen en toefjes groen,' zei ze. 'Sidrok Trumwinsson heeft takken voor me gesneden. Hij schijnt het leuk te vinden.'

'Hij is smoor op u, zo zit het,' zei Glyn. 'Ik heb hem zien kijken, met van die grote schapenogen, en hoorde hem dan zuchten. Hij is betoverd in de nabijheid van zoveel schoonheid. Hij droomt de hele nacht over u.'

'Werkelijk, Glyn, jij hebt er een handje van om alles op die manier uit te leggen,' zei ik geprikkeld.

'Misschien komt het omdat ik zelf hopeloos verliefd ben,' zei hij treurig terwijl hij een grimas naar mij maakte. 'Ik heb je dit al een poosje willen vragen, Sulien, hoewel ik het je eigenlijk niet hoef te vragen, maar ben je bereid mij en Garah je zegen te geven als we gaan trouwen?'

Eerst dacht ik dat hij een grap maakte, maar toen ik naar Garah keek, zag ik haar blozen. 'Is dat wat jij ook wilt, Garah?' vroeg ik. Mijn stem klonk me opeens vreemd in de oren. Ze knikte en keek me ernstig aan. Ze was duidelijk nerveus Ik zal nooit begrijpen waarom iemand zo nodig trouwen wil als ze niet eens voor een erfgenaam hoeven te zorgen. Ik vond echter niet dat ik Garah moest zeggen hoe afschuwelijk het was. Bovendien was het misschien gemakkelijker te verdragen als je graag kinderen wilde. Ze werkten trouwens zoveel samen dat het niet verbazingwekkend was dat ze 's avonds geen afscheid van elkaar wilden nemen.

'Natuurlijk hebben jullie mijn zegen!' zei ik. 'Als je dit tenminste werkelijk wilt.'

Elenn wierp me een vreemde blik toe die ik niet goed kon duiden. 'Sterke kinderen, overvloedige oogsten en goed weer,' zei ze – de huwelijkszegen van de Isarnaganen. Toen stond ze op en omhelsde Garah en Glyn. Ik volgde haar voorbeeld.

'Ik zal vlechtbrood voor je bakken,' beloofde ik toen ik weer ging zitten. Garahs gezicht straalde. 'Als ik nog weet hoe het moet en als we genoeg honing hebben,' voegde ik eraan toe.

'Zal ik bisschop Dewin vragen het huwelijk in te zegenen?' vroeg Elenn.

'Ik...' begon Glyn aarzelend, maar Garah nam het heft in handen.

'We wilden graag volgens de oude traditie trouwen,' zei ze resoluut. 'Met de zegen van de Moeder de geloften van trouw afleggen in de ochtenddauw.'

Juist op dat moment werd er aan de deur gekrabd. 'Binnen!' riep Garah, aangezien dit in feite een van haar vertrekken was. Glyn haalde zijn schouders op, alsof hij ons wilde zeggen dat hij niet kon bedenken wie dat zo laat nog kon zijn.

Er kwam een schildwacht naar binnen. 'Ik zoek de koningin,' zei hij. Hij zag Elenn en maakte een buiging. 'Nieuwe gasten, vrouwe,' meldde hij.

'De Grote Koning?' vroeg ze en sprong op.

'Nee, vrouwe. Het zijn Mardol de Kraai, Cadraith ap Mardol en admiraal Thurrig, met nog wat anderen die ik niet ken. Ze wachten op u.'

'Dank je,' zei ze. 'Ik ben zo beneden.' De schildwacht daalde de trappen weer af. 'Gelukkig hebben we deze bokaal hier,' zei Elenn terwijl ze de welkomstbokaal van tafel nam.

'Ik zal brood laten brengen,' zei Garah. 'Of nee, ik haal het zelf wel, dat gaat sneller.' Ze repte zich de trappen af, naar de keuken.

Elenn vulde de grote bokaal uit een wijnzak die aan de muur hing. Tegen de tijd dat ze ermee klaar was, kwam Garah alweer terug met een schotel gezouten brood. 'Meer brood is er momenteel niet,' zei ze. 'Er wordt vanmorgen vroeg pas weer gebakken. Zijn de kamers in gereedheid? Zal ik er nog even gaan kijken? En zal ik de bedienden vragen iets te eten te brengen?'

'Dat zou heel welkom zijn, Garah,' antwoordde Elenn. 'Zou je mij naar beneden willen vergezellen, Sulien?' vroeg ze mij.

Ik stond op, rekte me geeuwend uit, verschikte mijn stola en de fibula en volgde haar de trappen af. Toen de andere koningen Caer Tanaga waren genaderd, was ik ze tegemoet gegaan om hen op enkele uren afstand van de stad met de hele ala te verwelkomen. Dit diende twee oogmerken: ten eerste was het een eerbewijs aan hen, en ten tweede maakte het hen bewust van de kracht van een ala, zodat ze zouden beseffen dat ze maar beter niet aan het verkeerde eind van onze lansen konden staan. Niemand echter had ons gewaarschuwd voor de nadering van hertog Mardol en diens hele gezelschap. Ik zou moeten nagaan wat er mis was gegaan met mijn verspieders.

Elenn was nog gekleed voor het banket van die avond. Haar overgooier was heel zachtgroen en verfraaid met bloemen van goudborduursel. In het schijnsel van de toortsen bij de poort leek het kledingstuk wit, maar het goudborduursel glansde, net als het goud van de welkomstbokaal. Ik bleef onder de poortboog wachten toen ze naar voren liep en de geharnaste nieuwkomers een voor een welkom heette, waarbij ze hun de schaal en de bokaal aanbood en hun zachte vredeswens beantwoordde. Toen ging ze hen voor, de hal in.

Thurrig hield me staande toen we naar binnen gingen. 'Sulien,' gromde hij. 'Fijn je te zien. Laten we een stevige borrel pakken, ja?'

'Goed idee,' zei ik, mezelf erop betrappend dat ik tegen hem grinnikte.

'Heb je me gemist?' wilde hij weten.

'Ik begrijp zelf niet hoe ik het uithou zonder die woeste bruine baard van jou te zien,' zei ik, hoewel zijn baard inmiddels bijna helemaal grijs was. 'Het lijkt wel een eeuw geleden dat ik je voor het laatst heb gezien.'

'Ik heb een eeuw in dat verrekte Tir Isarnagiri moeten zitten,' baste hij. 'Als ik dat land nooit meer hoef te zien, zal ik er geen traan om laten.'

'Wat is er mis mee?' vroeg ik. 'Afgezien van het feit dat jij en Chanerig daar een nest vol horzels hebben verstoord?'

'Zorg dat ik wat te drinken krijg, dan zal ik het je vertellen,' gromde hij.

Bedienden brachten schalen met koud, gegrild zwijnenvlees en appelen voor Mardol, Cadraith en hun gezelschap. Anderen zongen vuurspreuken terwijl ze neerhurkten om de vuren – die al 's morgens waren aangelegd – te ontsteken. Er was meer dan genoeg ruimte voor iedereen. Ik vond een plek aan het eind van een tafel, weg van de anderen. Ik had een bediende een kruik mede en twee bokalen ontfutseld.

'Wel? Over Tir Isarnagiri?' zei ik, toen we ons hadden geïnstalleerd, Thurrig met een gebraden zwijnspoot en de kan mede voor zich.

'Die mensen drijven je tot waanzin. Als ik Elenn niet kende, zou ik zeggen dat ze zonder uitzondering niet te pruimen zijn. Maar ik ken haar wel, dus zeg ik maar dat niets volmaakt is en de Isarnaganen wel moeten meevallen, anders hadden ze nooit zo'n sympathiek iemand kunnen voortbrengen. Maar wat de rest aangaat? Ik zou de schone biezen op de vloer bevuilen als ik zei wat ik van ze denk. Ze zeggen de dingen op wel tien tot vijftien manieren, maar je krijgt nooit ronduit ja of nee van ze. Ze kunnen je 's morgens bewieroken en 's avonds proberen je te vergiftigen. Ze raadplegen hun orakelpriesters om het uur en weigeren vervolgens om ook maar iets te doen. Toen ik daar kwam, was ik erop gebrand de vijand te lijf te gaan. Na een maand was ik erop gebrand hetzelfde te doen met mijn gastheren en -vrouwen. Na een half jaar was ik er na aan toe het hele eiland in de fik te steken en lachend toe te kijken hoe het in rook opging.' Hij pakte zijn bokaal mede en ik zag zijn adamsappel dansen. Hij zette de bokaal leeg terug op tafel.

'Was dat de reden dat je toestond dat Chanerig het tegen hun goden opnam?' vroeg ik.

'Tja...' Hij leek onbehaaglijk en verschoof een beetje op de bank. 'Ja. Hij had de vader van de koningin, Allel, al bekeerd, zodat het niet zo... nou ja, het leek niet zo erg als het had gekund. Ik had nooit gedacht dat het zulke grote gevolgen zou hebben en Chanerig wilde het zo graag... Daar kwam bij dat ik inmiddels zover was dat ik wel iets wilde proberen dat mogelijk verschil kon maken.' Hij vulde zijn bokaal en schoof me de kan toe, en toen ik mijn bokaal had gevuld, zette hij de zijne weer aan zijn mond en dronk hem in een teug half leeg. 'Ik begrijp best waarom jullie er kwaad over zijn geworden, ja? Zelf heb ik me nooit zo bezig gehouden met godsdienstige dingen, niet in Narlahena, en hier evenmin. Let wel, ik zeg niet dat ik Chanerig toestemming heb gegeven om de goden te verdrijven, maar het leek geen kwaad te kunnen, en die goden waren mij totaal onbekend. Weet je, ik heb jaren terug de halssteen alleen omgehangen om van Amala's gezeur af te zijn.'

'Wat had je dán verwacht wat er zou gaan gebeuren?'

'Ik dacht dat hij een paar van hun landgoden zou bekeren, zodat er hier en daar wat problemen zouden ontstaan. Het leek me gunstig als ze het niet steeds allemaal zo roerend met elkaar eens waren over het raadplegen van die orakelpriesters. Bovendien hoopte ik dat het misschien tot onlusten in Oriel zou leiden. We hebben ze al die tijd niet één keer tot een ontmoeting op het slagveld kunnen verleiden. Wat er wél gebeurde, was ongelooflijk. Ik stond de hele tijd met mijn aks vlak achter Chanerig, klaar om hem zo nodig het leven te redden, maar ik heb het ding niet eens bloed hoeven laten proeven. Hij deed eenvoudigweg zijn buis uit en stond daar met zijn blote borst voor hen, de halssteen om. Toen de zon onderging stak hij het vuur aan. Dit gebeurde op de dag van Bel, heb ik dat al gezegd? Plotseling kwamen ze eraan, in een enorme zwerm: goden en geesten, vreemde vormen als dingen uit een droom. Ze kwamen huilend aanstormen uit alle delen van het landschap – sommige zo lang als bomen, andere zo nat als een rivier, met trotse, fonkelende ogen, jong en oud. Er waren katten bij met enorme ogen, en reuzen en kleine kobolden, hele zwermen bijen, machtige beren – kortom, alles waarover je weleens bij het vuur hebt horen vertellen en niet wilde geloven.'

Misschien kwam het omdat ik zo moe was, of het kan ook aan de honingdrank hebben gelegen, maar ik kon ze bijna voor me zien zoals hij ze me beschreef. Ik nam nog een slok van de naar zomer smakende drank.

'Het waren er zoveel dat er geen plekje meer vrij was, behalve de cirkel waarin Chanerig stond, met mij vlak achter hem. Ze kwamen een voor een naar voren om met hem te worstelen. Met sommigen streed hij met grote kracht totdat ze verslagen op de grond lagen. Ik heb hem zelf leren vechten toen hij nog een jongen was. Anderen bestreed hij met woorden uit zijn heilige boek. Weer anderen redetwistten tot in het oneindige met hem, maar uiteindelijk zwichtten ze en maakten plaats voor anderen. Met de meesten worstelde hij. De katten wurgde hij. Er waren ook mensen bij, en ze verdrongen elkaar, maar er waren zoveel landgoden om hem heen dat ze hem niet konden bereiken. Tegen de ochtendschemering kwamen de Hoge Goden aansnellen, groot en dapper, en ik dacht dat het met hem gedaan was. Chanerig omklemde zijn witte halssteen en brulde hen toe dat ze de Blanke God moesten prijzen óf wegwezen, en ze vervaagden in het daglicht totdat ze verdwenen waren. Ik werd er zelf bang van. Tegen die tijd was ik totaal afgemat. De hele nacht had ik achter hem gereed gestaan met mijn aks en het enige wat ik deed was af en toe mijn gewicht van de ene voet naar de andere verplaatsen. Toen de zon op was, waren ze allemaal verdwenen en zat Chanerig uitgeput op de grond. Het volk drong op met wapens, klaar om hem ter plekke af te maken. Toen deed ik een stap naar voren met mijn aks, waardoor ze van hem naar mij keken en weer terug. Zij hadden alles gezien wat er die nacht was gebeurd, net als ik. Nu keken ze alleen maar, en toen ze zagen dat ik bereid was het tegen hen allemaal op te nemen, draaiden ze zich om en slopen weg.'

Verwonderd schudde ik het hoofd en schonk mijn beker nog eens vol. 'Het was verkeerd van hem dit te doen.'

'Ja. Nou...' gromde Thurrig. 'Ik zou hem niet hebben toegestaan het te proberen als ik vooraf had geweten waartoe het allemaal zou leiden – al die invasies en volksverhuizingen, en die verrekte oorlog in Demedia.' Hij nam de zwijnspoot en begon het vlees van de botten te knagen.

'Wat heb ik gehoord over een bloedbad?' vroeg ik.

'Die Marchel is gestoord!' zei hij met woede in zijn stem. Hij liet de zwijnspoot met een klap op tafel neerkomen. 'Heeft ze dan nooit geluisterd naar wat ik zei? Ze heeft mijn naam te schande gemaakt! Nou, ik heb haar de wind van voren gegeven. Ik heb haar in Wenlad achtergelaten om te zorgen dat ze daar wat zou bekoelen. Ze wilde met alle geweld hierheen of terug naar Caer Gloran, maar ik heb het haar verboden. Isarnaganen mogen dan nergens voor deugen – ze blijven zo lang tegensputteren tot je er zelf schor van wordt, maar je krijgt niets van ze gedaan – maar ze afslachten als ze zich hebben overgegeven? Dat is absoluut verkeerd, hoe hinderlijk ze ook kunnen zijn.'

'Wat? Heeft ze hen gedood nádat ze zich hadden overgegeven?' vroeg ik vol afschuw. 'Hoe haalde ze het in haar hoofd?'

'Ze had ze in de tang en zij sloegen op de vlucht naar hun schepen,' zei Thurrig grimmig. 'Ik was eindelijk weggevaren van dat vervloekte eiland en het was louter toeval dat ik daar opdook, juist op het moment dat ze hun schepen van het strand het water in wilden trekken. We vielen ze in de rug aan en beschoten de schepen met brandende pijlen. Toen gaven ze zich over, maar voordat ik kon landen hadden Marchel en haar ala ze al allemaal afgemaakt.'

'Als dat bekend wordt zal niemand zich ooit nog aan ons overgeven!' zei ik vol afschuw. 'Hoe heeft ze dit kunnen doen?'

'Ze zei dat niemand het ooit te weten zou komen – ze waren allemaal dood. Cadraith was niet in de buurt. Zijn ala had de Isarnaganen naar de kust gejaagd, maar ze hadden de achtervolging halverwege gestaakt. Dus waren alleen zij en ik en onze mensen er. Maar dat maakt niet uit: alle wapendragers weten dat ze het hebben gedaan, en ik weet het ook. Ik ga het zeker niet rondbazuinen, maar ik zal Urdo erover inlichten, dan zien we wel wat hij eraan gaat doen. Ik hoop maar dat ik hem kan overhalen genade te betonen. Ze had een rood waas voor ogen, denk ik, meer zat er niet achter, maar daar is de kous niet mee af.'

'Urdo zal...' Mijn stem stierf weg. Ik had willen zeggen dat hij haar zou executeren, maar toen bedacht ik me dat dat best wel eens zou kunnen gebeuren. Wat ze had gedaan, druiste tegen alle regels van oorlogvoering in. Thurrig staarde me hoofdschuddend aan.

Elenn kwam naar Thurrig en ging op het puntje van de bank zitten, naast hem. 'Elenn, mijn koningin, mooi als altijd,' zei hij, en stond op om op Malmse manier voor haar te buigen, de armen langs de zijden.

Ze glimlachte gracieus terwijl hij weer ging zitten. Toen boog ze zich op vertrouwelijke manier naar hem toe en vroeg zacht: 'Heb je Urdo nog gezien?'

Thurrig schudde het hoofd. 'Hij is nog niet hier? Ik dacht dat hij lag te slapen. Ik heb geen spoor van hem gezien en we zijn zojuist vanuit Caer Asgor naar hier gekomen, via Thansethan. We hebben geen haast gemaakt, maar als hij nog onderweg is vanuit Demedia, moet hij nog geen dag rijden ten noorden van hier zijn.' Met een frons vroeg hij: 'Wat ga je doen als hij te laat komt? Het feest uitstellen?'

'Nee, ik laat het hoe dan ook doorgaan,' zei Elenn vastbesloten. Ik keek ervan op. Urdo's brief aan haar was opvallend dik geweest – misschien had hij haar specifieke instructies gestuurd. 'Dank je, Thurrig, Sulien.' Ze stond op en liep terug naar de anderen. We konden alleen maar elkaar aankijken en de schouders ophalen.

Thurrig dempte zijn stem. 'Hoe kunnen we in 's hemelsnaam Urdo's vrede vieren als hij er zelf niet bij is?'

Ik schudde het hoofd. 'Laten we hopen dat Elenn weet wat ze doet.'

31

De drie grootste vreugden die iemand kan ervaren:
grote faam verwerven,
een kind verwekken,
en weer thuiskomen.
— Uit *De Triade van Tir Tanagiri*

'Het lijkt eerder een maand ná midwinter dan ervoor,' zei Beris opgewekt en zo luid dat mijn oren ervan tuitten. Ik gromde iets terug en concentreerde me op het strak trekken van mijn polsriemen. De geuren en de bedompte lucht in de stallen maakten dat mijn maag zich wilde omkeren. Sterrelicht was al gezadeld en stond klaar. De eerste leden van het jachtgezelschap begonnen hun paarden al naar buiten te leiden.

'Sulien heeft vanmorgen geen behoefte aan zonnenschijn,' lachte Ap Cathvan. Hij leunde tegen de zijkant van de box en zag er weerzinwekkend gezond uit. Ik keek nog eens goed naar hem – sinds wanneer had hij al dat grijs in zijn haar?

'Je had melk moeten drinken voor je naar bed ging,' zei Beris, die me met kennelijk meegevoel stond op te nemen.

Ik zuchtte. 'Het was een latertje, da's alles. Ik ben vanmorgen een beetje moe.'

'Zeker flink mede zitten hijsen met Thurrig?' vroeg Ap Cathvan, hoewel hij kennelijk al op de hoogte was. 'Ik hoorde zoiets.'

'Mede is heel verraderlijk spul,' zei Beris hoofdschuddend. 'Het komt doordat het zo zoet is,' vulde ze aan. 'Je zou altijd water moeten drinken voor je gaat slapen, of melk, als je eraan kunt komen. Geitenmelk is natuurlijk het beste, maar koemelk is beter dan water, en water is beter dan niets.'

Ik negeerde het stel en trok mijn handschoenen aan. Het feit dat ze gelijk hadden en dat ik de vorige avond inderdaad veel te veel gedronken had, gaf me geen prettiger gevoel. Thurrig had behoefte gehad aan een stevige borrel en het latere deel van de avond stond me niet meer goed bij. Hij was maar blijven praten over hoe Marchel als kind was geweest en begon steeds weer over het bloedbad. Hij had echter niet één keer gezegd wat hij misschien zou doen als Urdo haar liet executeren. Als hij had gezegd dat hij dan de vloot zou nemen en ermee zou wegvaren naar Narlahena, zou ik hebben geweten dat hij het niet echt zou doen, maar het kwam hem niet met zoveel woorden over de lippen.

Sterrelicht liet haar hoofd zakken en snoof naar me. Nu pas merkte ik dat Beris en Ap Cathvan op me wachtten.

'Zal ik misschien nu wat geitenmelk voor je halen?' bood Beris aan.

Mijn maag trok zich samen, alleen al bij het idee. 'Nee, dank je. Maar als je graag kindermeisje wilt zijn – Cinon rijdt vandaag met ons mee. Jij mag zijn lijfwacht zijn.'

Haar gezicht liet er geen onduidelijkheid over bestaan dat ze het liefst had geprotesteerd, maar ze zei niets. Ik veronderstel dat ik het op een wat tactvollere manier had kunnen zeggen, maar ik wist ook dat het geen onaangename taak zou zijn. Ik probeerde de pil wat te vergulden. 'Heb ik per abuis gezegd latrinecorvee?' vroeg ik. 'Op Cinon passen is geen straf, maar een eer. De koningin heeft me uitdrukkelijk gevraagd iemand te kiezen die verstandig is en uitstekend kan rijden.'

Ik nam Sterrelicht bij de teugel en leidde haar de stallen uit. Het bevroren gras kraakte onder haar hoeven. De zon was bezig boven de nevels langs de rivier uit te stijgen en zond folterend heldere lichtsperen over de bossen van Aylsfa op de oostelijke oever. '... alleen bij de ala gegaan om die man van mij in het gareel te houden!' hoorde ik Beris klagen, voor de duizendste keer. 'Hoe kon ik weten dat ik me dit allemaal zou moeten laten aanleunen? Kindermeid voor Cinon! Ik heb gehoord wat er met de tweede penoen is gebeurd. Zeg me alsjeblieft dat Cinon niet zo'n idioot is als Custennin!'

'Lang zo erg niet,' antwoordde Ap Cathvan geruststellend. 'Hij kan goed met paarden overweg en is een ervaren jager. Hij is dan wel geen wapendrager, maar hij kent het verschil tussen de punt en het eind van een lans. In feite is er niks mis met hem. Kom mee, dan stel ik je even aan hem voor.'

Er leken veel te veel mensen samen te drommen bij het veer. Ik kneep mijn ogen eens goed dicht, maar het bleven er te veel. Het leek alsof de zon de halve stad uit de slaap had gewekt en dat ze nu de heuvel waren afgedaald om ons uitgeleide te doen. Elenn zelf was er ook, in een donkergroene overgooier die met gouden schouderfibula's bijeen werd gehouden. Ze glimlachte naar Cinon en wenste hem geluk. Haar ene hand rustte op haar jachthond, een grote, bruingestreepte wolfshondteef uit Isarnagan die tot haar schouders reikte als hij op zijn achterpoten stond. Ze ging ook weleens met de andere honden jagen, hoewel ze zelden zelf uitreed.

In de omgeving van de koningin stonden Linwen, Custennin en Rowanna met vader Gerthmol te praten. Zelfs Morien was er – hij stond bij Mardol de Kraai. Waarom waren er zo vroeg al zoveel koningen op? Er waren zoveel mensen op de been dat een van de meest ondernemende neringdoenden uit de stad zijn houtkacheltje mee had gebracht en nu goede zaken deed met de verkoop van gepofte kastanjes en warme cider.

Ik dwaalde wat door de menigte en werd hier en daar begroet door goede vrienden. Angas' jongere broer, Morthu, haastte zich met een helm vol hete kastanjes langs me heen en liep me bijna omver. Hij zou spoedig in de ala worden opgenomen en ik had hem bijna aangesproken, maar liet hem gaan. Ik zag Masarn kastanjes kopen, met zijn vrouw en kinderen bij hem. De jongste stond gevaarlijk dicht bij de houtkachel, zijn armen om Masarns geharnaste knie geslagen. Ik wandelde erheen en moest onderweg diverse keren aangeboden kastanjes of cider afslaan. Toen ik hen bereikte, belandde de jongste juist onverwacht op zijn bips, waarop Masarn hem op de arm nam en geroutineerd een dreigend geblèr in de kiem smoorde.

'Waarom ben je al op terwijl dat niet nodig is?' vroeg ik. Zijn vrouw, Garwen, glimlachte me schuchter toe en zette intussen het hoofddeksel van een van de kinderen recht. Ze was een stille, kleine vrouw en ik heb nooit begrepen wat hij in haar zag. Beleefd lachte ik terug.

Masarn grijnsde. 'Zo te zien had je er zelf niet veel trek in om eruit te komen,' zei hij. 'Het leek een mooie heldere ochtend te worden, da's alles, en het leek ons wel aardig om naar beneden te gaan en jullie uitgeleide te doen. Het heeft tenslotte al meer dan een maand achtereen geregend.'

'Ja. Dit is het soort dag waarop de Heer van het Licht ons zo nu en dan vergast om ons eraan te herinneren dat hij er nog is en dat de winter niet eeuwig zal duren,' zei Garah achter mij, zodat ik opschrok. Ze had Sterrelicht aan de teugel. 'Ik ben om precies dezelfde reden naar beneden gegaan. Niet dat ik niet meer dan genoeg te doen heb in de citadel, maar het leek me dat een ochtendwandelingetje en wat vroeg daglicht me een beetje zou opmonteren.'

'O, Masarn, heb je het nieuws van Garah al gehoord?' vroeg ik, toen het me te binnen schoot.

'Dat niet, maar ik kan het wel raden,' zei hij. 'Jij en Glyn? Geweldig!' Ze omhelsden elkaar, waarop de baby luidkeels protest aantekende. Daarna moest ze ook de andere kinderen een voor een omhelzen, zodat die zich niet buitengesloten zouden voelen.

Terwijl Masarn wat cider voor haar kocht, duwde de kleine, hoog op de schouders van zijn vader, me pardoes een kastanje in de mond. Onder dergelijke omstandigheden kon ik niet weigeren. Gelukkig was het ding niet zo heet als hij had behoren te zijn en hij smaakte verrassend goed. Ik kocht ook een helm vol en verbrandde mijn vingers tijdens het pellen. Het was een goed seizoen geweest – niet een van de kastanjes die ik at was melig en ze waren allemaal zo groot als de top van mijn duim. Op wonderbaarlijke manier brachten ze mijn maag tot rust. De kinderen voerden een paar kastanjes aan Sterrelicht, die ze een voor een met smaak verorberde.

Toen begon Gwigon de veerboot te beladen. We hadden gezegd dat we bij zonsopgang op weg zouden gaan, maar hij had gewacht totdat iedereen er was. Het was zijn penoen en zijn beurt om te jagen en ik peinsde er niet over om in zijn organisatie in te grijpen. Ik wuifde alleen naar hem om hem te laten weten dat ik gereed stond en hij wenkte me. Ik leidde Sterrelicht omlaag naar de houten steiger. Ze verzette zich een beetje toen we de zijkant van de boot bereikten. Ze kon het nog niet laten af en toe haar wil te laten gelden. Cinon en Ap Cathvan waren me voor gegaan en wachtten op een stalknecht. Beris was bij hen, met een somber gezicht.

Op dat moment ving ik op wat Ap Cathvan zei: 'Zo druistig als een hengst in de lente. Ayl heeft me laatst onomwonden gezegd dat hij meer verwanten uit Jarnholme gaat uitnodigen. Maar wie garandeert ons dat die nieuwelingen zich aan de vrede zullen houden, zoals degenen die al hier zijn dat doen? Ze zijn niet te vertrouwen! Er zullen er steeds meer opduiken en ze zullen steeds meer van onze grond willen, let op mijn woorden.'

Cinon knikte instemmend.

Ik keek geschrokken om me heen. Ayl stond een eindje verderop met Elenn te praten, samen met zijn broer en Lew ap Ross. Hij keek op: hij had het gehoord. Hij kwam naar Ap Cathvan toe gelopen, en ik verstijfde ter plekke. Gelukkig was het Ap Cathvan die hij had gehoord, en niet Cinon. Het zou erg zijn als hij Ap Cathvan doodde, maar dat zou de vrede niet verbreken.

'Maak je daar maar geen zorgen over,' zei Ayl kalm en opgewekt. 'De oogst in Aylsfa was goed, hoewel ik eigenlijk niet genoeg mensen had om alles binnen te halen, na Foreth. Je kunt best gelijk hebben wat het beklagenswaardig grote aantal Jarns betreft dat geneigd is tot verraad – daarom beperken we onze uitnodigingen tot naaste verwanten en vrienden die met onze zeden en gebruiken vertrouwd zijn. Die verraderlijke types zijn slecht voor een land. Ze hebben geen idee wat vrede is en raken gauw slaags, en het is buitengewoon storend voor een koning als hij om de haverklap zijn middagdutje moet onderbreken om opstandjes neer te slaan en hardnekkige ruzies te sussen. Ik weet wat ik doe, namelijk wat meer mensen binnenhalen die kunnen zaaien en ploegen, en die zich onder mijn standaard scharen als ik ze roep. Da's alles.'

Ap Cathvan en Cinon gaapten hem aan, in pijnlijke verlegenheid. Zelf kon ik slechts met moeite een glimlach onderdrukken. Ik had er geen idee van gehad dat Ayl zo goed kon optreden. De toon waarop hij hen geruststelde, met hun zorgen over een geallieerde koning, was uitstekend gekozen. 'Ik hoop...' begon Cinon.

Op dat moment trok de mist op en zag ik drie schepen op de rivier naar ons toekomen. Ze hadden de wind in de zeilen en de roeiers waren volop in de weer. Het waren onmiskenbaar schepen uit Jarnholme, zoals te zien was aan de drakenkop boven de voorsteven. Ik gaf een schreeuw en keek om me heen, op zoek naar Grugin, mijn trompetter. Ik had hem een paar minuten geleden nog gezien. Het laatste restje van mijn kater verdween toen ik me in Sterrelichts zadel slingerde en naar de oever reed. Drie schepen met naar schatting tweehonderd strijders, en ik had alleen mijn speer. Ik wachtte niet om ze te vragen wat ze kwamen doen of wie ze waren, of hoe ze erin geslaagd waren om ongemerkt tussen Cennet en Segantia de rivier te bevaren. Ik wist dat er in het zuiden geen troepen waren. Als iemand Caer Tanaga wilde aanvallen, had hij geen gunstiger moment kunnen kiezen. Kónden ze wel onopgemerkt zover zijn gekomen? Was het mogelijk dat Guthrum of Rowanna ons had verraden? Die waren echter allebei hier, wat zoiets hoogst onwaarschijnlijk maakte, tenzij ze het wel héél geraffineerd in elkaar hadden gestoken. Hoe het ook zij, drie schepen was niet genoeg. We hadden een ala in de stad en een penoen op de kade, dus konden we ze tegenhouden, tenzij dit alleen maar de voorhoede was. Ik had het idee dat mijn hersens veel trager werkten dan normaal, want ik had Grugin al bijna de benodigde tekens gegeven voordat het tot me doordrong dat er een veel groter probleem zou ontstaan als ze niet hier aan land gingen om de strijd aan te binden, maar stroomopwaarts langs ons heen zouden varen.

Gelukkig wendden ze hun steven vrijwel meteen naar de oever, zodat ze me van die zorg verlosten. De penoen formeerde zich zo snel mogelijk, een manoeuvre die werd bemoeilijkt omdat we een deel van de paarden weer van de veerboot moesten halen. Tegen de tijd dat ze allemaal weer vaste grond onder de hoeven hadden, zat iedereen die had zullen deelnemen aan de jacht in het zadel. Grugin wees Cinon, Ayl en zijn broer Sidrok plaatsen in zijn geledderen. Ap Cathvan had zelf al positie ingenomen. Het deed me deugd dat ze blijkgaven van zoveel moed, hoewel ze geen van allen – met uitzondering van Ap Cathvan – enig benul hadden van de manier waarop er te paard wordt gevochten. Toch was ik er zeker van dat we hun de weg naar de poort lang genoeg zouden kunnen versperren.

Meteen nadat ik alarm had geslagen, was iedereen door elkaar gaan lopen, en het kabaal was niet van de lucht. Koningen, roeiers en nieuwsgierige omstanders – ze liepen allemaal te hoop. In de chaos werd de houtkachel van de kastanjeverkoper omgegooid. Elenn en haar grote hond stonden roerloos in het midden van het gewemel. De andere honden blaften en jankten verwoed en rukten aan hun riemen. Masarns vrouw had haar drie kinderen tegen zich aan getrokken. Zodra de penoen gereed was voor de strijd en ik aandacht kon besteden aan de anderen, schreeuwde ik Masarn en Garah toe dat ze Elenn binnen de stadsmuren moesten brengen. Ik beduidde Garah dat ze de koningen eveneens mee moest nemen, als ze dat wilden, en Masarn maakte ik duidelijk dat hij als de bliksem drie penoenen vanuit de citadel naar beneden moest sturen. Ze hadden nauwelijks een paar stappen gezet toen het voorste schip bijdraaide en de wind vat kreeg op de vlaggen in de mast, zodat ze zich konden ontplooien en iedereen ze kon herkennen.

Aan de hoogste mast wapperde Urdo's gouden renpaard. Aan de andere wapperde de Walrus van Bereïch en daaronder de Doorn van Demedia. Het was geen invasie – Urdo was eindelijk aangekomen.

Ik bleef waar ik was, aan het hoofd van de penoen. Iemand – ik geloof dat het de vrouw van Masarn was – begon van opluchting te lachen. De koningen en andere mensen richtten zich op. De hondenmeesters maanden hun dieren tot stilte. Cinon en Ayl stegen af en wisselden een blik die bijna vriendschappelijk was. Iedereen praatte met iedereen. Elenn zei iets tegen Sidrok, die de penoen verliet en in volle galop terugreed naar de stad. Toen liep ze naar voren, tot aan de rand van de houten steiger, zodra het eerste schip naderbij gleed en aanlegde. Iedereen wachtte af en keek toe. Het werd bijna stil. Op het schip klonken luide stemmen. Iemand wierp een tros naar de steiger, die Elenn zelf opving en deskundig met een enkele paalsteek om een meerpaal legde. Een van de matrozen, een Jarnsman, sprong de steiger op en maakte er een dubbele paalsteek van.

Terwijl een andere matroos een loopplank uitschoof, sprong Urdo de steiger op en omhelsde Elenn. Hij blaakte van gezondheid en was heel opgewekt. Iedereen stond in het heldere zonlicht te glimlachen.

'Welkom, mijn gemaal,' zei ze.

We juichten allemaal. Iedereen, van de stokoude Penda van Bregheda tot Masarns jongste, die weer op de schouders van zijn vader zat, juichte – even blij als Gwigons penoen om mij heen. Plotseling voelde ik tranen opwellen.

Angas en Ohtar liepen over de loopplank de steiger op, gevolgd door Angas' echtgenote, Eirann, en een andere Jarnsvrouw, heel mager en met een sluier om. Sidrok kwam in galop terug met Elenns welkomstbokaal – bijna nog op tijd. Hij had de wijn echter vergeten, zodat ze hem met cider van de kastanjeverkoper moest verwelkomen. Het deed er niet toe. Ze liep van de een naar de ander met de welkomstbokaal en dat was voldoende.

Die avond, tijdens het feest, zat ik naast Angas.

'Ze zijn nog lang niet verslagen,' zei hij, 'hoewel we hen stukje bij beetje terugdrijven. Ze beschikken over massa's schepen en worden vanuit Oriel bevoorraad. Ook voeren ze steeds nieuwe versterkingen aan. Ohtar heeft een schitterend plan uitgedacht om ze in de lente te overrompelen en hun aanvoerlijnen af te snijden.'

'Jullie kunnen dus goed overweg met Ohtar?' vroeg ik.

'O, beslist,' beaamde Angas vrolijk, langs een hap gegrild zwijnenvlees. 'Sinds we orde op zaken hadden gesteld in Bereïch. Tussen haakjes, dat is zijn dochter die we hebben meegebracht, Alfwins echtgenote. Had je haar al gezien? Broodmager, wat? Kan nauwelijks een mes optillen, maar ze is op haar manier een voortreffelijke bevelhebber en een formidabele opponent. Ik ben blij dat we nu aan dezelfde kant staan.'

'Hóe hebben jullie in Bereïch orde op zaken gesteld, Angas?' vroeg ik terwijl ik nee schudde tegen de aangeboden kruik bier. Ik kon er niet meer zo goed tegen als toen ik jonger was.

'We hebben het land onvoorwaardelijk teruggegeven,' zei Angas, die zich bediende van het brood. 'Bovendien hebben we zoveel mogelijk van de erfstukken en schatten van de koninklijke familie die de ala had buitgemaakt geretourneerd. Ze waren heel inschikkelijk. We hadden uiteindelijk niet al te veel schade aangericht – ze leken zich erover te verbazen dat we niet iedere vrouw hadden verkracht en niet alles wat we in zicht kregen in brand hadden gestoken. Gelukkig was het mijn ala die daar opereerde, in plaats van een paar provisorisch geformeerde detachementen voetvolk, want die gedragen zich minder netjes. Hoe het ook zij, sindsdien heeft Ohtar me geholpen zoveel hij kan, veel beter dan wanneer ik het hem had moeten vragen. Urdo had het weer eens bij het juiste eind, zoals altijd.' Hij grijnsde. 'Nog voordat Ohtar erbij kwam had ik al Jarns aan mijn kant. Je kent het klooster van Teilo, gesticht in het jaar dat ik trouwde? Nou, veel krijgsgevangenen uit Jarnholme bewerken daar het land, net als in Thansethan. Ik zou niet graag in hun schoenen staan, afhankelijk als ze zijn van de menslievendheid van moeder-overste Teilo's nonnen – 's morgens pap, 's middags een halfgare knolraap en 's avonds zoveel water als je kunt drinken. Dat is wat ze daar *bezoekers* voorzetten, mensen die kunnen vertrekken als ze dat willen. Waarschijnlijk zullen die arme Jarns het wel met eikeltjespap moeten stellen. Bovendien wordt er bij iedere maaltijd gepreekt en uit het heilige boek gelezen, en dat alles om je te herinneren aan de barmhartigheid van de Blanke God.' Lachend dronk hij zijn beker leeg. 'Nou, toen de Isarnaganen dichterbij kwamen, haalde moeder-overste Teilo de gevangenen bij elkaar en zei dat ze hun vrijheid zouden herkrijgen als ze bereid waren het klooster te verdedigen. De Isarnaganen moeten de Blanke God wel intens haten – ze hebben iedere kerk die ze vonden platgebrand en de priesters afgemaakt. De gevangenen gingen in op haar voorstel en vroegen haar om wapens. Die had ze niet, en ze zei dat ze maar alles moesten gebruiken wat ze konden vinden. Zo stormden ze het leger van de Isarnaganen tegemoet met spaden, hooivorken en andere gereedschappen die ze op de akkers gebruikten. Er waren zelfs groepjes van twee of drie man die met een houten eetbank' – Angas klopte op de bank waarop we zaten – 'in de aanval gingen terwijl ze in het Jarns brulden dat ze hun de genade van de Blanke God kwamen brengen. Eirann heeft het met eigen ogen gezien. Ze was in de heuvels bezig geweest troepen op de been te brengen en kwam

355

aanstormen om Teilo te redden, maar dat was nauwelijks nog nodig, zegt ze. Tegen de tijd dat onze detachementen in de strijd werden geworpen, was het merendeel van de Isarnaganen al op de vlucht. Ze renden zo hard naar het westen dat je hun kont niet meer zag van het stof en de rest was morsdood, zodat de Jarns zichzelf van echte wapens konden voorzien.'

We lachten allebei bij de gedachte. 'Wat heeft Eirann met ze gedaan?' vroeg ik.

'Ze heeft ze gerekruteerd en het ziet ernaar uit dat ze goed met onze mensen kunnen opschieten. Het merendeel heeft zich aangesloten bij de strijdkrachten van Ohtar.'

'Jullie hebben dus nu veel voetvolk?'

'Ja.' Angas fronste zijn voorhoofd. 'Demedia bestaat voornamelijk uit heuvels en bergen. Dat maakt het moeilijk om een ala naar behoren in te zetten. Bovendien vertikken die Isarnaganen het om zich aaneen te sluiten en pal te staan. Tot dusverre is de enige slag van betekenis die we tegen ze hebben geleverd, uitgelokt door een deel van mijn voetvolk, waarna mijn ala ze in de flank kon aanvallen. Dat werkte. Ik heb toen Atha ap Gren bijna gespietst.'

'Hoe ontkwam ze?'

'Met een van die kleine strijdwagens van ze – en de Isarnaganen drom-den steeds samen om ons de weg te versperren. Ik voelde er niets voor om in het gedrang geïsoleerd te raken. Ze hadden het speciaal op de paarden gemunt en probeerden ze de pezen door te snijden. Het enige wat werkt, is ze bijeendrijven, aanvallen, hergroeperen en weer aanvallen.'

'Ze zover krijgen dat ze een linie vormden was ook in Derwen mijn voornaamste zorg,' knikte ik. 'Ik heb daar ontzettend veel geluk gehad.'

Angas keek naar links en naar rechts en zag Emer en Lew iets verderop druk in gesprek met Rowanna. Eirann zat naast haar ouders, er niet ver vandaan. Hoofdschuddend zei hij zacht: 'Inderdaad, je hebt geluk gehad, en ik vrees dat er nog een hele tijd in Demedia zal worden gevochten.'

'Misschien kan ik naar het noorden komen om je te helpen dat gebied te zuiveren,' zei ik hoopvol terwijl ik met mijn laatste stukje brood het laatste beetje jus van mijn bord depte.

'Ik denk dat Urdo van plan is je hier te houden,' zei Angas.

Ik zuchtte. 'Wie heeft nu de leiding in Demedia, terwijl jullie hier zijn?'

'Luth en Ap Erbin hebben hun alae daar, en Urdo heeft ze geïnstrueerd. Mijn eigen ala wordt geleid door mijn tribuun, Tanwen ap Gwair. Mijn zus, Penarwen, is verantwoordelijk voor de politieke beslissingen, als die dringend nodig mochten zijn, met Teilo als haar raadgeefster. We blijven maar een maand weg en moesten wel hier naar toe.'

De volgende dag droeg Urdo de gladde gouden hoofdband die de kroon was van Tir Tanagiri. Hij posteerde zich op de Koninkrijkssteen in de citadel van Caer Tanaga om voor het oog van alle koningen en mensen te bidden, waarna iedereen zijn kroningseed van trouw aan hem herhaalde. Hij maakte bekend dat hij een wetboek zou schrijven. Raul bad, en vader Gerthmol bad, en Urdo brandde wierook en offerde een lam op het altaar onder de eik, in overeenstemming met de oude traditie. Mensen spraken in het openbaar of onder elkaar, in grote of kleine groepen. Langzamerhand begonnen de koningen te begrijpen dat dit vrede was, of het hen nu aanstond of niet. Het was iets nieuws, zo'n wetboek, en voortaan moesten ze, als ze het met elkaar aan de stok kregen, hun conflict voorleggen aan Urdo, in plaats van naar de wapens te grijpen.

Die avond werd er gedanst op muziek en gefeest. Het beste eten en de beste wijn werden aangedragen. Iedereen had zich op zijn mooist uitgedost, en overal zag je goud en zilver. Tegen het eind van het feest nam Elenn de welkomstbokaal en ging ermee van de een naar de ander totdat ze allemaal plechtig op de vrede hadden gedronken, in een wijde kring. Dit was Urdo's vredesfeest in Caer Tanaga, een maand voor midwinter in het dertiende jaar van zijn regering. Eindelijk was het eiland weer verenigd, achtenveertig jaar nadat het laatste Vincaanse legioen was vertrokken, en dertienhonderd en drieëntwintig jaar na de stichting van de stad Vinca.

32

O, gij scheppingen van de Here,
zegent de Heer, sta op en
looft hem in eeuwigheid!
O, gij machten der hemel,
O, gij machten der aarde,
O, gij bewoners der hemelen,
O, gij bewoners der aarde,
O, gij zon en maan,
O, gij sterren in uw banen,
O, gij winden en regens,
O, gij dauwdruppels en rijpkorrels,
O, gij winden der wereld,
O, gij vuur en warmte,
O, gij bergen en dalen,
O, gij wateren en zeeën,
O, gij kudden te velde,
O, gij dieren in de wouden,
O, gij vissen in de zee,
O, gij vrouwen en kruipend gedierte,
O, gij groene dingen overal op aarde:
Zegent de Here en prijs hem
tot in eeuwigheid!
– Zegening, gebruikelijk in Thansethan,
in een vroege vertaling

De volgende ochtend was ik met Kerys en Morien in de thermen toen een van Urdo's bodes mij kwam zeggen dat de Grote Koning mij onmiddellijk wilde spreken. Ik droogde me af en kleedde me in allerijl aan. Terwijl ik me door de hallen repte, dacht ik dat hij bevelen voor me zou hebben of wilde praten over wat ik in Derwen had gedaan. Hij was sinds het moment dat hij van boord was gegaan omringd geweest door mensen, zodat we nauwelijks een woord hadden kunnen wisselen. Ik wuifde naar de schrijvers in de marmeren hal en rende de trappen op, naar de kamer die Urdo altijd in Caer Tanaga gebruikte.

Terwijl ik aan de deur krabde, hoorde ik zijn stem luid zeggen: 'Het is onvergeeflijk zoiets te veronderstellen – kom binnen, Sulien!'

Ik liep de kamer in. Raul stond bij het raam dat uitzicht bood over de binnenhof en zag er ontsteld uit. Urdo stond bij zijn stoel, de handen op de rug. Zoals altijd was zijn werktafel overdekt met stapels paperassen, kaarten en boeken.

'Goedemorgen, Sulien, fijn je te zien,' zei Urdo. 'Zoals ik je al in mijn brief heb geschreven, ben ik buitengewoon tevreden over de regeling die jij bij Dun Morr met Lew hebt getroffen.'

Ik glimlachte, maar herinnerde me toen dat ik hem nog moest inlichten over Emer en Conal Vissensnoet. Maar waar Raul bij was? 'Je hebt me laten komen,' zei ik.

'Ja.' Urdo zag er moe uit. Hij ging zitten, maar zei niets meer. Raul keek woedend. Ik staarde naar hem, verbaasd. Ik had uitstekend met Raul kunnen samenwerken, na Foreth. Hij schreeuwde tegen niemand, behalve tegen Urdo.

'Misschien had ik moeten zeggen: waarom heb je me laten komen?' probeerde ik.

Urdo lachte. 'Ik wil dat je je stil houdt en als mijn getuige optreedt, en als dat nodig is, moet je vader Gerthmol ervan weerhouden mij te doden.' Ik was niet geharnast, maar had wel mijn zwaard bij me. Ik knipperde met mijn ogen.

'Doe niet zo bespottelijk,' snauwde Raul.

'Ik sta op het punt vader Gerthmol te zeggen dat ik niet van plan ben de halssteen aan te nemen,' legde Urdo uit.

'Ik heb de afgelopen twaalf jaar niet anders gedaan dan vader Gerthmol te vragen geduld met je te hebben!' zei Raul. 'Iedereen kon zien dat het niet de juiste tijd was en dat de situatie hachelijk was. Maar nu! Nu zijn alle koningen hier en hebben ze hun eed hernieuwd. Nu hebben we eindelijk vrede en is de tijd rijp! Dit is wat je me altijd hebt voorgehouden!'

'Deze vrede is tot stand gebracht zonder het schild van de Blanke God,' antwoordde Urdo. 'De vrede zal beter standhouden als ik de halssteen niet aanneem.'

'Maar je eert de Blanke God – dat weet je zelf!'

'Dat is waar,' zei Urdo. 'Maar ik eer ook andere goden en ik weiger om ook maar iemand een besluit op te dringen.' Hij draaide de stoel zo dat hij recht tegenover Raul stond en ging zitten.

'Doel je op de matausiaanse ketterij?' vroeg Raul. 'Want dat zal vader Gerthmol uit deze verklaring opmaken, al bedoel je het nog zo vroom.'

'Matau was een dwaas,' zei Urdo ongeduldig. 'Ik beweer niet dat de

Blanke God niet anders zou zijn dan de overige goden. Maar op dit moment wil ik de halssteen nog niet aannemen.'

'Heeft dit iets te maken met wat Chanerig...' begon Raul.

'Wat Chanerig heeft gedaan, heeft me geholpen een besluit te nemen,' viel Urdo hem in de rede.

'Maar niemand verlangt zoiets van je!' schreeuwde Raul. Ze namen geen van beiden nog notitie van mij. Het was kennelijk een ruzie die al een tijdje gaande was. Ik leunde tegen de muur, totdat ik voelde dat mijn natte haar de pleisterlaag raakte, zodat ik iets naar voren stapte.

'Als ik als Grote Koning de halssteen aanneem, zal dat bijna even erg zijn als wat Chanerig heeft gedaan,' zei Urdo. Hij keek Raul ernstig aan. 'Waarom anders wil je zo graag dat ik het doe? Als ik maar een gewone man was, wat zou het dan uitmaken? Ik eer echter de goden van dit land én ik respecteer eenieder die op andere manieren de goden vereert en sta niet toe dan hen ook maar een haar wordt gekrenkt.'

'De machten van dit land staan achter je en jij kunt hen naar het licht leiden,' wierp Raul tegen. 'Bij Foreth...' Zijn stem stierf weg, verlegen.

'Precies,' zei Urdo. 'Bij Foreth gaven de goden van het land mij het sterkste bewijs van hun steun aan mij: Coventina zelf schonk mij water voor de paarden en mannen. Ik geloof dat de goden er weinig voor voelen zich te laten bekeren. Ik denk niet dat mijn wens in die richting sterk genoeg zou zijn om hen over te halen.' Raul opende zijn mond om hem tegen te spreken, maar Urdo stak afwerend een hand op. 'Luister, Raul. Jij denkt dat het land, omdat het naar mij luistert, bereid is alles te doen wat ik wil. Je was er getuige van hoe Munew tot het licht is gekomen en nu wil je dat het hele eiland dat voorbeeld volgt. Het is echter niet zo eenvoudig. De beschermers van Tir Tanagiri luisteren naar mij, maar zij zullen mij niet volgen als ik hen ergens heenleid waar zij niet willen zijn. Ik zou heel mijn hart en heel mijn wil nodig hebben om hen over te halen de Blanke God te aanbidden, maar ik heb die wil eenvoudigweg niet.'

'Maar toch heeft het volk...'

'Raul, ik respecteer jou, net zoals ik Thansethan respecteer. Er zijn ook kloosters en priesters die ik minder hoog aansla, omdat ze in de waan verkeren dat ze de hele wereld achter zich kunnen laten of de hele wereld onder dwang kunnen bekeren, zoals Chanerig deed. Er zijn gelukkig ook andere religieuzen, zoals jij, die zeggen dat de landgoden en het volk samen kunnen vereren. Er groeien nog steeds oogsten in Munew, maar er zijn daar priesters die de mensen aanmanen om niet meer voor de oude stenen te buigen of bier te plengen bij de eerste vore. Zij sporen de mensen aan om in de oude bezweringen en hymnen die ze dagelijks gebruiken om hun vuur te zegenen, drinkwater te zuiveren en wonden te genezen de namen te vervangen, om voortaan alles in naam van de Blanke God te doen. Ik geef er de voorkeur aan eventuele veranderingen de tijd te gunnen, in het tempo van de bomen en het leven van de mensen. Ik zal het laten gebeuren zoals het zich voltrekt. Het zou niet goed zijn als mensen de dingen overhaastten, enkel en alleen om net zo te zijn als de koning.'

Raul fronste zijn wenkbrauwen en frunnikte aan het witte koord dat zijn monnikspij bijeen hield. 'Het is beter de Blanke God te aanbidden,' hield hij vol.

'En ze zullen alle gelegenheid krijgen dat te doen, als ze het verkiezen. Ik wil iedereen de vrije keus laten. Ik zal niet toestaan dat Ohtar nog meer van jullie missionarissen vermoordt, maar ik sta evenmin toe dat iemand zou kunnen beweren dat zijn weg de Enige Ware Weg is voor heel Tir Tanagiri omdat hij naar mij kan wijzen en zeggen: zie, de Grote Koning draagt de halssteen, en het hele eiland moet zijn voorbeeld volgen. Ik weiger om Alfwin Cellasson of Veniva, de gemalin van Gwien, te dwingen hun traditionele godsdienst tegen hun wil op te geven.' Hij glimlachte naar mij toen hij mijn moeder noemde. 'Onder geen beding wil ik dat het volk of het land zich bekeert alleen maar omdat ik het deed, terwijl zij er met hun hart niet bij zijn.'

'Het is nobel om de Blanke God te vereren,' zei Raul.

'Is het werkelijk?' vroeg Urdo. 'Luister, jij meent misschien dat je maar op een plaats adeldom kunt vinden, maar ik zie de dingen breder en heb onder heidenen en zij die de landgoden vereren evenveel eerzaamheid gevonden. Sulien heeft bijvoorbeeld meer adeldom dan Marchel, en ook zou ik Ohtar eerder vertrouwen dan Guthrum, ondanks die steen op zijn borst.'

Raul keek kort mijn kant uit, uitdrukkingsloos, voordat hij zich weer tot Urdo richtte. 'Als dit draait om Marchel...'

'Het gaat me niet alleen om Marchel. Hoewel Thurrig me heeft verteld dat zij tegen hem had gezegd dat de mensen die zij heeft afgeslacht niet alleen heidenen waren, maar heidenen die voor de kans op bekering waren gevlucht, zodat er niets goeds in hen kon schuilen.'

Raul huiverde. 'Ze heeft iets verschrikkelijks gedaan en dat was heel verkeerd van haar,' zei hij. 'Niet iedereen in de Kerk denkt er zo over, maar ik vind het heel erg.' Hij liep drie passen naar voren en hurkte voor Urdo neer, hun ogen op gelijke hoogte. 'Ook ik wil dat iedereen zich uit vrije wil tot de Heer bekeert. Dat weet je. Maar vergeet niet voor je eigen ziel te zorgen, Urdo, met al dat gepraat over vrije keuze en willen of niet willen. Een goed voorbeeld en wat aanmoediging zal niemand schaden.'

Urdo trok een wenkbrauw op. 'Zelfs bisschop Dewin zal nooit openlijk zeggen dat aanname van de halssteen invloed heeft op iemands ziel; het is niet meer dan een uiterlijk symbool dat de drager moet helpen herinneren.'

'Sofisterij!' repliceerde Raul. 'Ik had het over je *ziel*.'

361

'Bitwini schreef al twee eeuwen geleden dat het geen verschil maakt of iemand met zijn eerste óf zijn laatste ademtocht de halssteen aanneemt,' zei Urdo. 'En de apostel Gorai schreef als troost aan de zoon van Mikal dat zij die niet in dit leven de Heer gaan vereren, uiteindelijk in volgende levens hun weg naar Hem zullen vinden.'

'Allen, behalve zij die de Heer welbewust de rug toekeren,' zei Raul.

Ze bogen zich naar elkaar toe en staarden elkaar langdurig aan. Ik vond het pijnlijk er getuige van te zijn.

'Laat mijn ziel maar aan mij over,' zei Urdo ten slotte. 'Het loven van de Blanke God is niet het enige pad naar heelheid en daarmee heiligheid.'

Raul fronste zijn voorhoofd. 'De weg naar God is de énige weg naar God.'

'Heiligheid is niet beperkt tot één enkele god,' zei ik. 'Jij bent er zo zeker van dat je gelijk hebt dat het nooit bij je opkomt na te denken over de mensen die alle wonderbaarlijke dingen over jouw god kunnen aanhoren en toch die keus niet willen maken. Jij denkt dat iedereén zich uiteindelijk zal bekeren, als hij of zij maar de juiste argumenten te horen krijgt.'

'Juist,' zei Raul met onwankelbare zelfverzekerdheid. 'Dat wil zeggen, iedereen wiens ziel niet door het kwade is bevlekt. Weet je, Sulien, jij ziet ons als bekrompen en kortzichtig, omdat we alle deuren op één na dicht-doen en iedereen ertoe willen brengen die ene deur door te gaan. Bekrompen zijn we echter zeker niet: we zijn juist ontvankelijk en open, want God omhelst alle andere goden. En alles wat je in hen kunt vinden, vind je ook in Hem. Hij is de God der goden. De hele ordening van de wereld is in Hem vervat. Hij heeft de wereld en alle andere werelden geschapen, opdat ieder-een en alle dingen hun juiste plaats erin innemen en uiteindelijk hun weg vinden naar Zijn licht en Zijn heerlijkheid. En zij die door Hem heen gaan, zullen hun weg vinden naar het eeuwige leven.'

Ik had het allemaal al vaker gehoord; hij citeerde het uit hun boek vol herinneringen. 'Als hij de wereld heeft geschapen en geordend, waarom is dan nog steeds niet alles op zijn plaats?' vroeg ik, dezelfde vraag die ik lang geleden aan Arvlid had gesteld.

'God schiep de wereld en gaf alles zijn plaats, maar toen trok hij zich terug omdat hij geen slaven of machines wil, maar uit vrije wil gebrachte offers. Na verloop van tijd verviel de wereld tot het kwaad en vergat Hem, op een paar getrouwen in Sinea na. Daarom kwam hij als mens ter wereld om ons de weg terug naar Hem te wijzen.'

'Nou, als hij geen slaven of machines wenst en iedereen op zijn eigen tijd de terugweg naar Hem moet vinden, waarom zouden de mensen dan die tijd niet mogen krijgen?' vroeg ik.

Urdo moest lachen en Raul stak zijn handen in de lucht. 'Ze heeft gelijk,' zei Urdo.

Raul wijdde zijn aandacht weer aan hem. 'Jij hebt Alfwin na Foreth onder zware druk gezet, en gisteren deed vader Gerthmol hetzelfde bij Ayl, maar nog een graadje erger. Hij liet het klinken alsof dat de tol was voor een huwelijk met Penarwen van Angas.'

Ik had geen flauw idee waarover hij het had en vroeg me af wat vader Gerthmol kon hebben gedaan en of hij daarmee wellicht plannen van Urdo kon hebben verstoord.

'Ik heb begrepen wat je bedoelt met vrije keuze,' zei Raul langzaam. 'Pak het echter wat voorzichtiger aan met vader Gerthmol, ja?' Hij keek mij aan. 'In jouw aanwezigheid kunnen we gerust een twistgesprek voeren, Sulien, het blijft in de familie. Vader Gerthmol zal jouw aanwezigheid echter als een rechtstreekse belediging ervaren. Urdo, hij zal eenvoudigweg weigeren naar je te luisteren als hij het idee heeft dat je hem wilt krenken. Hij is geen groot heilige, ook al zou hij dat graag zijn, maar hij is een voortreffelijk bestuurder en leidt Thansethan voorbeeldig. Hij begint oud te worden en heeft daarom haast; hij wil graag meemaken dat iedereen naar het licht komt. Hij heeft jou al die tijd volop gesteund, in de veronderstelling dat je zijn leerling was en net zo over de dingen dacht als hij. Hij is in staat beledigingen te vergeten en ze te dulden, maar hij zal woedend worden als je ze hem in het gezicht smijt.'

Ik ving Urdo's blik op en maakte een gebaartje richting deur, maar al te blij weg te kunnen gaan, als hij dat tenminste wilde.

'Blijf, Sulien,' zei Urdo. Hij richtte zich op in zijn stoel en bracht een hand omhoog om zijn nek te masseren, alsof hij daar pijn had. 'Vader Gerthmol was tegenover mij gisteren allesbehalve voorzichtig, en met Ayl al helemaal niet. Daarom moet ik hier een eind aan maken. Jij weet net zo goed als ik dat Sulien nooit een demon heeft opgeroepen. Ik moet mijn poot stijf houden en wel met alle goden als mijn getuigen. Ik zou het zelfs voor de goden en alle mensen in het openbaar doen als dat mogelijk was, maar ik denk niet dat vader Gerthmol dat zou trekken. Ik zal hem ondubbelzinnig te verstaan moeten geven dat ik niet zal toestaan dat iemand een geloof wordt opgedrongen. Sulien blijft hier als getuige voor haar goden, en ik wil dat Ohtar voor zíjn goden kan getuigen.'

Raul viel bijna achterover, alsof hij een klap in het gezicht had gekregen. 'Nee, Urdo! Nee!'

'Toch wel. Hij kan elk ogenblik hier zijn, als de bode die ik hem heb gestuurd het een beetje verstandig heeft aangepakt.'

'Ohtar heeft priesters doodgemarteld! Hij heeft zijn eigen dochter met de dood bedreigd toen ze de halssteen wilde aannemen! Dit is een grove fout. Ik weet dat hij een bondgenoot is, maar de man heeft zoveel martelaren in Bereïch op zijn geweten...' Ondanks zijn stemgeluid hoorde ik rumoer in de hal, en even later werd er aan de deur gekrabd.

'Exact op tijd,' zei Urdo. Raul stond op en liep terug naar het venster. 'Kom binnen, Ohtar!'

Ohtar kwam meteen binnen en keek van de een naar de ander, duidelijk verbaasd. 'Gegroet,' zei hij, met een onvervalste Jarnse buiging. Ik deed de deur achter hem dicht.

'Ohtar, je zult moeten ophouden met het doden van priesters van de Blanke God die naar Bereïch komen,' zei Urdo zonder inleiding.

Raul haalde hoorbaar adem, maar hij zei niets. Om een of andere reden keek Ohtar mij aan. Ik haalde mijn schouders op.

'Ze zijn eropuit mijn volk te bekeren,' zei hij.

'Ja,' zei Urdo. 'Maar alleen degenen in jouw land die niet gelukkig zijn met hun oude tradities en eigen goden zullen zich laten bekeren, als hun dat wordt toegestaan. Echter, als jullie tradities en goden sterk genoeg zijn en de goden van het land jouw heerschappij erkennen, zullen de meesten van jouw volk tevreden zijn met hun eigen tradities.' Hij zweeg even. 'De priesters beloven hun dat zij hen zullen louteren en redden, opdat zij eeuwig in het stralende licht kunnen leven. Het maakt al wat heilig is wel heel eenvoudig. Het is bedrieglijk en aantrekkelijk. Mensen zijn bang en zij horen de priesters met zekerheid verkondigen welk lot hun wacht.'

Raul draaide zich om en staarde naar buiten. Ik wilde hem graag zeggen dat hij onmogelijk voor deze strijd kon vluchten, al wilde hij dat nog zo graag.

'Ook zeggen zij tegen het volk dat zij die de Blanke God niet willen dienen voor eeuwig zullen worden verstoten in de diepste duisternis. Wat is het verschil tussen iemand een mes op de keel zetten en hem zeggen dat je hem zult doden als hij zich niet bekeert, of tegen hem zeggen dat hij zich moet laten bekeren als hij niet tot de eeuwige duisternis verdoemd wil worden?'

'Mee eens,' zei ik. 'De meeste wapendragers die zich laten bekeren, doen dat alleen om die reden. Het is één ding om iemand de kans te bieden om een god in het licht te loven, maar hem dreigen met eeuwige verdoemenis is een heel andere zaak.'

'Als zij gelukkig zijn met hun tradities en hun goden, hoeven zij die niet prijs te geven, niet voor beloften en evenmin voor dreigementen,' herhaalde Urdo. Ik dacht aan Kerys en Aurien en vroeg me af wat voor reden zij hadden om ontevreden te zijn met de Hoge Goden. 'Ik verlang van jou niet dat je je laat bekeren of zelfs maar de priesters aanhoort,' vervolgde Urdo, Ohtar recht in de ogen kijkend. 'Ik zeg je echter dat je ermee moet ophouden hen naar believen te doden en te martelen. Laat ze met rust.'

'Ik heb ze gedood omdat ze mijn vijanden zijn. Ze zeggen dat ik geen koning ben. Ze fokken de paarden waarop jullie ons bestrijden. Ze maken gebruik van jullie krijgsgevangenen.'

'Veel kloosters hebben me gesteund, dat is waar. Nu hebben we echter vrede; we zijn elkaars vijanden niet meer,' zei Urdo. 'De priesters heb ik niet in de hand; ik kan ze niet verbieden hun mond open te doen. Maar als jij ophoudt met hen te doden, zullen zij niet langer tegen jou fulmineren.'

'Volgens mij willen ze het hele land voor zichzelf,' zei Ohtar, knikkend naar Rauls afgewende rug. 'Ze hebben Tir Isarnagiri met geweld genomen, en Munew ook. Als ze de kans krijgen, pikken ze alle koninkrijken in.'

'Custennin en Munew hebben de Blanke God uit vrije wil gekozen,' zei Raul luid terwijl hij zich met een ruk omdraaide. 'Dit is geen vergelijking. Chanerig...'

'Wie zou het volk dan volgen, in Munew?' viel Ohtar hem in de rede. 'Custennin, of bisschop Dewin? Wie oefent daar in feite de heerschappij uit?'

Er viel een stilte. 'Custennin is koning van Munew,' zei Raul uiteindelijk. '"En alle koningen en naties die Zijn naam roepen zijn gezegend,"' citeerde hij.

'Hij is koning, ook onder de Blanke God,' zei Urdo.

'En wat houdt zo'n koningschap dan wel in?' vroeg Ohtar vlug.

'Het is iets nieuws in dit land,' zei Urdo. 'Ik ga ervan uit dat uiteindelijk het hele land zo wordt, maar niet voordat het volk en het land er klaar voor zijn. De Blanke God zei dat alle dingen hun tijd en seizoen hebben, en Kerigano schreef dat we er niet van mogen uitgaan dat wij Zijn bedoelingen kennen, of kunnen bepalen wanneer dat seizoen is aangebroken.'

'Hij doelde op alle goede mensen die verkiezen God te loven!' blafte Raul.

'Niemand minder dan Sethan zelf wijst in een voetnoot bij zijn vertaling op het enorme aantal zaken waarop die gedachte van toepassing kan zijn,' zei Urdo met een glimlach naar Raul. 'Hier zien we de wonderen van interpretatie in vertalingen.'

Om Rauls mond speelde een vage glimlach. 'Goed, maar toch,' zei hij. 'Hij zegt dat zij die ziende blind zijn, op tijd de schellen van de ogen zullen vallen. Hij zegt dat eenieder zijn plaats zal vinden en de Heer zal loven, waarna de wereld even volmaakt zal worden als zij in den beginne was.'

'Het is niet aan ons dat moment te forceren,' zei Urdo. Hij wendde zich weer tot Ohtar. 'Niemand zegt jou dat je je moet bekeren. Ik wil dat je vrede sluit met de monniken en ophoudt hen op het eerste zicht te doden.'

Ohtar aarzelde langdurig en keek Raul, Urdo en mij een voor een aan. Toen zei hij schouderophalend: 'Mij best. Omdat we vrede hebben, zal ik ze niet meer executeren, tenzij ze tegen mijn koningschap preken. Maar ik peins er niet over dat gespuis aan te moedigen.'

'Goed,' knikte Urdo. 'Dan kun je nu getuige zijn voor jóuw Hoge Goden, en Sulien voor de hare.'

Ohtar keek me sluw aan.

'Is het niet beter dit aan Emer of Mardol of zo te vragen in plaats van aan mij?' vroeg ik. 'Ik ben geen koning.'

'Naar jou zullen de mensen ook luisteren,' zei Urdo. 'Jouw hart ken ik. Ik zou je moeder hebben gevraagd als ze hier was, maar dat is ze niet. Jullie tweeën kunnen hier bij zijn zonder iets te zeggen, als getuigen voor mij. Raul, kom hier.'

Na twee grote stappen stond Raul voor Urdo's stoel. 'Wat kan ik voor je doen?' vroeg hij. Het klonk alsof hij hevige pijn had.

'Haal vader Gerthmol hier, als hij komen wil,' zei Urdo. 'Maar als hij mocht weigeren, ga ik naar hém.'

'Hij zal je misschien begrijpen, maar hij zal je deze getuigen nooit willen vergeven!' zei Raul hartstochtelijk.

'Hij zal graag uit Ohtars eigen mond vernemen dat Ohtar vrede sluit met de Kerk,' zei Urdo.

Raul slaakte een luide zucht en liep de kamer uit.

Er viel een onbehaaglijke stilte, totdat Urdo lachend opmerkte: 'Vrede stichten tussen mensen is al moeilijk genoeg, laat staan tussen de goden!'

'Toen wij ons oordeel velden op de top van de Foreth, hebben we ieder bij onze eigen goden gezworen. En zij waren er om er getuige van te zijn dat er recht werd gedaan,' zei Ohtar. 'Het lijkt mij niet al te moeilijk.'

'Raul heeft er grote moeite mee,' zei Urdo. Hij verschikte een stapel paperassen. Bovenop lag een kaart van de noordwestelijke kust van Tir Isarnagiri, getekend met zwarte inkt. 'Ik heb nooit beloofd de halssteen te zullen aannemen als de vrede er eenmaal was, maar het schijnt dat ze het allemaal als vanzelfsprekend hebben aangenomen. Zelfs Elenn dacht het. Het schijnt dat mensen het al jaren in mijn naam hebben beloofd.'

'Jij bent in dat klooster opgegroeid,' zei ik. 'Ze denken echt dat iedereen vroeg of laat kan worden overtuigd. Ze zijn er zeker van.'

'Ik dien de Blanke God op mijn eigen manier,' zei Urdo. 'Maar dit hele eiland is mijn verantwoordelijkheid. Ik heb ten overstaan van alle koningen gezworen dit land en dit volk te zullen beschermen.'

Toen kwam Raul terug, in gezelschap van vader Gerthmol. Raul vatte weer post bij het venster. Urdo stond op en hij en de oude monnik bogen voor elkaar. Toen stelde hij Ohtar voor, en vervolgens mij. Iedereen boog. Hij wees vader Gerthmol een van de stoelen en ging zelf weer op zijn plaats zitten. Ik koos mijn stoel zo dat ik snel tussenbeide kon komen als dat nodig mocht zijn. Niet dat ik me echt zorgen maakte dat vader Gerthmol Urdo zou kunnen doden, maar als hij hem voor de ogen van Ohtar in het gezicht sloeg, zou dat ernstige gevolgen kunnen hebben.

'Mij is een misverstand ter ore gekomen,' zei Urdo formeel. 'Ik heb u verzocht hierheen te komen om u te zeggen dat iedereen op het eiland Tir

Tanagiri volkomen vrij zal zijn de goden te vereren die hij of zij verkiest. Er zullen geen priesters meer worden vervolgd of gedood omdat ze hun geloof prediken.'

Vader Gerthmol hief zijn hoofd op en keek Ohtar onderzoekend in de ogen. 'Ik heb ermee ingestemd,' zei Ohtar, die de blik beantwoordde. 'Zolang ze niet tegen mij prediken en beweren dat ik geen koning ben, zal hen niets overkomen.'

'De Heer zij geprezen!' zei vader Gerthmol. Toen verlegde hij zijn blik weer naar Urdo, die er nog steeds roerloos bij zat, met een ernstig gezicht.

'Er zal geen enkele priester of monnik een haar worden gekrenkt,' zei Urdo. 'Maar ook zal geen enkele god hoger worden gesteld dan alle andere.' Ik vroeg me af of de goden zouden luisteren. Ik voelde niets van hun aanwezigheid. 'En verder ben ik niet van plan in deze tijd de halssteen aan te nemen.'

Vader Gerthmol liet zich wat achterover zakken in zijn stoel en keek om naar Raul, die weer naar buiten stond te staren. Vanaf de binnenhof kwamen de opgewekte geluiden van de vijfde en zesde penoen, wier ochtendexercitie was begonnen. Ik wenste dat ik bij hen was, daarbuiten. 'En waarom niet?' vroeg hij uiteindelijk. 'Al die tijd hebben we in naam van de Heer geworsteld om deze vrede tot stand te brengen, maar nu we werkelijk vrede hebben weiger jij de halssteen aan te nemen?'

'Wat zou het voor zin hebben als ik het land tegen zijn wil onder de bescherming van de Blanke God stel?' vroeg Urdo. 'Wat zou het voor gevolgen hebben voor mijn koningseden? Wat zou het betekenen voor mijn volk en de machten van het land?'

'Het zou hen naar het licht voeren, zodat zij worden opgenomen in Gods familie,' zei vader Gerthmol. 'De goden zouden niet langer exclusief zijn en alleen tot koningen en heerschappen spreken; iedereen zou zichzelf kennen en zijn plaats weten, in Gods glorie en liefde.'

'Als zij dat verkiezen,' antwoordde Urdo. 'Maar een gedwongen keuze ís geen keuze, vader. Ik zal niet toestaan dat zij die in oprechtheid andere goden dienen gedwongen worden om hun oude traditities af te zweren.'

'Je omringt jezelf met vijanden van de Kerk!' zei vader Gerthmol terwijl hij van mij naar Ohtar keek en weer terug. 'Maar kijk,' zei hij vriendelijker, 'zij die het licht nog niet hebben gezien, worden daar niet toe gedwongen als jij de halssteen aanneemt. Per slot van rekening, wie anders dan een koning kan de machten van het land het licht in voeren, tenzij het met geweld wordt gedaan, zoals Chanerig deed? Jij kunt met deze machten spreken en alle geesten van het eiland met je meebrengen.'

'Dat is niet wat zij willen,' zei Urdo resoluut. 'Begrijp me goed, zelfs als ik de macht daartoe had, zou ik mijn goden evenmin tot iets willen dwingen als ik mijn mensen zoiets wil opleggen.'

Vader Gerthmols ogen spuwden vuur. 'Wat een unieke kans wordt hier verspild!' snauwde hij. 'Ik heb je inderdaad verkeerd begrepen. Vanaf je twaalfde heb je steevast geweigerd de halssteen aan te nemen, maar ik heb altijd geloofd dat je er vriendschappelijk tegenover stond. Ik dacht dat je de Heer zou gaan dienen, net als de vrede die je wilde bewerkstelligen. Het ziet ernaar uit dat ik het mis had.' Hij keek weer naar Raul, en terug naar Urdo. 'En dat terwijl wij je hebben helpen vechten,' zei hij verbitterd. 'Dat deden we om dit land naar het licht te voeren en niet om jou macht te laten verkrijgen voor jezelf. Ik heb me in je vergist, zoon van Avren!'

'"Het is de dure plicht van een koning om te maken dat er vrede heerst onder zijn onderdanen, en die vrede in stand te houden opdat zij er wel bij kunnen varen. Bovendien is het de plicht van een monarch om naar de goden te luisteren." Dit is wat ik gezworen heb en waarvan u getuige was toen ik twaalf jaar geleden in Caer Tanaga de kroon aanvaardde. Het land heeft evenveel recht op vrede als mensen, en het land verlangt niet om voor eeuwig de Blanke God te loven. Ik heb niet de macht dat af te dwingen.'

Vader Gerthmol stond zwijgend op en keek mij en Ohtar aan. Bewust raakte hij zijn halssteen aan, als een afweergebaar. Toen draaide hij zich om en trok al doende de capuchon over zijn hoofd. Halverwege bleef hij staan en riep: 'Raul!' Raul schrok op. 'Kom mee, Raul. We moeten nu vertrekken, als we morgen in Thansethan willen zijn.'

Raul keek van vader Gerthmol naar Urdo, zette een stap naar de deur, bleef staan, en keek opnieuw naar Urdo en de oude monnik onder zijn capuchon. Hij deed een tweede stap.

'Raul,' zei Urdo zacht, alsof het spreken hem pijn deed.

'Ik heb de gelofte van gehoorzaamheid afgelegd,' zei Raul, strak voor zich uit starend. Urdo deed zijn mond open, maar zei niets. Raul zette nog een stap. Vader Gerthmol liep de kamer uit en Raul volgde hem.

'Bedankt dat jullie mijn getuigen wilden zijn,' zei Urdo, zonder naar ons te kijken. Zijn stem klonk omfloerst. Ohtar en ik keken elkaar aan. Ik legde een hand op Urdo's schouder, voorzichtig. Hij stond op en liep naar het venster. 'Ik zal later met je praten,' zei hij.

Ohtar nam mijn arm en trok me mee, de kamer uit. Ik zag Raul aan het eind van de gang, bij de trappen. Ik schudde Ohtar af en rende naar hem toe.

'Hoe heb je hem dat aan kunnen doen!' zei ik. 'Na al die jaren. Hij heeft je nodig, Raul, dat weet je!'

'Hij heeft Thansethan nodig,' zei Raul afwezig. Hij bleef staan. Vader Gerthmol was al halverwege de trappen.

'Hij kan zonder Thansethan, als het niet anders gaat. Maar jou heeft hij nodig! Jij bent zijn vriend, zijn secretaris, bijna een broer. Hoe kun je zo-maar weglopen?'

'Zou jij altijd jouw vrienden voorrang geven boven je goden, Sulien?'

Ik aarzelde. 'Ik weet het niet,' zei ik. 'Maar bij alle goden, ik ben ook nooit in een positie geweest waarin ik die keuze moest maken! Het is niet de Blanke God aan wie jij voorrang geeft, maar aan vader Gerthmol, aan Thansethan en de Kerk. Die hele ruzie ging er alleen om mensen de kans te geven zelf hun pad naar het heil te vinden. En jij doet domweg wat vader Gerthmol jou opdraagt, zonder je hart te volgen? Jij bent niet zoals Marchel, dat weet je. En jij begrijpt hem als geen ander, je kunt hem niet zomaar in de steek laten!'

'Ik heb de gelofte van gehoorzaamheid afgelegd. Zou jij jouw eed van wapendrager schenden?' Op Rauls wangen glinsterden tranen. 'Hoe het ook zij, als ik bij vader Gerthmol ben, kan ik hem misschien helpen begrip voor Urdo te krijgen. Als ik hem niet gehoorzaam, zou hij ons allebei als vijanden zien. Zeg Urdo dat ik zal proberen hem te overtuigen.'

Vader Gerthmol was nu bijna aan de voet van de trap. Hij riep iets naar boven.

'Sulien, ik moet weg. Zeg Urdo dat. En zeg hem ook...' Raul aarzelde, daalde nog een tree af. 'Zeg hem dat hij naar mij had moeten luisteren en dat ik van hem hou.' Hij veegde zijn tranen weg, grimlachte, trok zijn capuchon over zijn hoofd en rende de trap af, vader Gerthmol achterna.

33

'Geheimen blijven alleen geheim als heel weinig mensen ze kennen.'
– Gajus Dalitius in *De betrekkingen van heersers*

Ik geloof niet dat ooit iets Urdo zo van streek heeft gemaakt als het vertrek van Raul. Ohtar was verstandiger dan ik en verspilde geen tijd met het achterna rennen van Raul. Hij ging Elenn inlichten en zij ging naar Urdo. Ze kwamen geen van tweeën de kamer uit totdat het bijna tijd was voor het feest van die avond, zodat ik toen pas de kans had Urdo te zeggen wat Raul me had gevraagd aan hem over te brengen. Hij hoorde me aan, zei 'Dank je, Sulien', en liep verder. Hij zag er geschokt uit. Ik heb wapendragers ook zo zien rouwen nadat ze een boezemvriend in het gevecht hadden verloren. Zoiets bestrijden we door hen vol te gieten met bedwelmende drank en samen met hen te rouwen. Het werkt vrijwel altijd. Ik wist echter dat het deze keer níet zou werken. Raul was niet dood, maar was uit vrije wil vertrokken.

Het heeft drie jaar geduurd voordat Raul terugkwam. Het duurde lang voordat Urdo over de schok heen was, maar het verpestte een episode die voor hem een bron van vreugde had behoren te zijn. Hij werkte aan zijn wetboek en begon de denkbeelden die hij jaren eerder had ontwikkeld door te voeren. Toch kon ik al die tijd voelen dat hij zijn mentale voelsprieten naar Raul bleef uitstrekken. Hij scheen het te ervaren als de pijn die een wapendrager na het verlies van een arm of been op de plaats van dat lichaamsdeel blijft voelen. Thansethan zou Urdo niet meer ondersteunen. Dat was weliswaar een zware tegenslag, maar het was niet onoverkomelijk.

Voor mij waren het drie vredige jaren. Gedurende de eerste twee jaar ervan bleef de oorlog in Demedia voortsukkelen. We voerden invallen uit op de kust van Oriel, waarbij we gebruik maakten van de schepen van Ohtar en telkens een penoen tegelijk aan wal zetten. Ze reden razendsnel het land in, doodden de enkelingen die het waagden tegenstand te bieden en dreven de vluchtenden uiteen. Ze namen alles wat draagbaar was en waardevol leek mee en staken de boel dan in brand. We deden dit na het planten en inzaaien in de vroege lente en herhaalden de hele procedure zodra de oogst binnen was. Toen Ayl er bijzonderheden over te horen kreeg, huiverde hij en zei tegen mij dat als hij had geweten dat Urdo zo meedogenloos kon zijn, hij nooit de strijd met hem zou hebben aangebonden. Ik vermoed dat hij wilde weten waarom we dit niet met de Jarns hadden gedaan. Ik weet niet of Urdo het hem ooit heeft verteld.

Toen Atha ap Gren twee jaar lang naast dit alles ook in Demedia de ene nederlaag na de andere had geleden, bood ze vrede aan, op voorwaarde dat wij haar en haar mensen per schip terugbrachten naar Tir Isarnagiri. Het feit dat zij ons om overtocht moest vragen, moet de grootste vernedering voor haar zijn geweest. Ze bezwoer Angas dat ze nooit meer gewapend een voet in Demedia zou zetten. Ze regeerde inmiddels heel Oriel, als regentes voor haar zoon. Darag de Zwarte was gesneuveld, hoorden we. Hij was gedood door Larig ap Thurrig, die op zijn beurt door een van Darags mannen was gedood.

Zo stierf Thurrigs enige kind dat een eerzaam leven had geleid. Chanerig bevond zich nog altijd in Tir Isarnagiri, waar hij de ene kerk na de andere bouwde en zich in de politiek mengde. Hij bleef ons woedende brieven sturen, telkens als een van zijn bekeerlingen tijdens een van onze overvallen gevangen was genomen of gedood. Marchel en haar ala waren na het bloedbad bij Varae met schande overladen en de ala was ontbonden. Urdo verklaarde dat wat zij had gedaan onaanvaardbaar was voor een beschaafd mens en dat ze zijn vertrouwen en vriendschap had verbeurd. Ze werd voor de rest van haar leven verbannen en mocht nooit een grondgebied in Tir Tanagiri bezitten of erven. Volgens mij spaarde hij haar leven alleen ter wille van Thurrig. De wapendragers van haar ala werden verdeeld over de andere alae, voornamelijk die welke in Demedia waren gelegerd. Al haar officieren werden gedegradeerd tot de laagste rang. Marchel had het bevel gegeven, maar *zij* hadden het uitgevoerd.

Er was niet langer een ala van Caer Gloran. Urdo gaf bevel om Marchels prefectenmantel te verscheuren en al hun vlaggen en vanen om stokken te wikkelen, waarna alles in een vuur werd geworpen, zo groot als een crematiebrandstapel. Alle leden van de ala huilden toen ze dit deden, behalve Marchel zelf, die er met een strak gezicht bij stond. Voor al mijn wapendragers was het een grote schok. Urdo sprak persoonlijk met iedere wapendrager met de rang van wimpeldrager of hoger die naar Caer Tanaga kon komen. Hij legde uit wat een bevel precies was, en wanneer het in twijfel moest worden getrokken. Ik was blij dat ik mijn bevelen rechtstreeks van Urdo kreeg en niet met dat soort dingen hoefde te worstelen.

Amala vertrok met Marchel naar Narlahena. Ap Wyn de Smid en hun kinderen gingen ook mee. Toen ze scheep waren gegaan, zag Thurrig er tien jaar ouder uit. Hij ging terug naar zijn vloot en we zagen nog maar weinig van hem. Amala scheen Marchel niets kwalijk te nemen, maar Urdo des te meer, omdat hij haar dochter in het openbaar had vernederd wegens iets waarvan zij het belang niet in kon zien. Ze had nooit veel begrepen van Tir Tanagiri en hoopte in haar vaderland gelukkiger te zijn. Na een jaar of twee kwamen Ap Wyn de Smid en zijn zoons terug, zonder iemand nadere uitleg te geven. Veniva maakte melding van hun terugkomst met een schip uit Narlahena. Ze hadden een paar dagen bij Daldaf gelogeerd en waren toen teruggekeerd naar Nant Gefalion. Ap Wyn had zich niet thuis gevoeld in Narlahena en wilde graag zijn werk hervatten. Toen ik dit Urdo meldde, antwoordde hij dat alleen Marchel een balling was en dat de rest van de familie altijd terug kon komen.

Ik ging niet naar Demedia, noch naar Oriel. Ik en mijn ala bleven in Caer Tanaga. We exerceerden zo intensief dat we nog beter werden dan we al waren geweest. In die eerste jaren van de koningsvrede was er waarschijnlijk nooit een beter ruitereskadron geweest. We konden op de punt van een lans een draai maken en daarbij toch de lansen zo strak uitgelijnd houden dat de afstanden ertussen nooit meer dan een handbreedte van elkaar verschilden. Sommige veteranen hingen hun harnas aan de wilgen en stichtten een gezin. De besten onder hen ontvingen van Urdo een stuk grond en wat paarden, op voorwaarde dat ze zich direct weer rond zijn standaard zouden scharen als ze nodig waren. Andere veteranen bleven bij de ruiterij, maar vroegen overplaatsing aan naar een ala die dichter bij hun huis was gelegerd. Enkele wapendragers werden rusteloos omdat er niets te vechten viel: zij smeekten om overplaatsing naar Demedia. Ik kon met hen meevoelen en stuurde hen naar Ap Erbin. Op zijn beurt stuurde hij ons lichtgewonde of oorlogsmoede wapendragers. Later hoorde ik dat dit ons onder de Isarna-ganen de reputatie verschafte dat onze ruiterij onvermoeibaar en onover-winnelijk was. Er waren bovendien altijd wapendragers in andere alae die eveneens naar onze ala wilden worden overgeplaatst. Ze wisten tenslotte dat wij de besten waren. Ook namen we steeds rekruten aan. Als ze eenmaal de basisopleiding achter de rug hadden, verspreidde ik hen over de penoe-nen, waar ze hard moesten oefenen totdat ze even goed waren als onze veteranen. Sommigen werden zelfs beter.

Ulf werd zo vaardig met die rare strijdbijl van hem dat het leek alsof hij ermee was geboren. Enkele leden van zijn penoen vroegen hem of hij ook voor hen zo'n wapen wilde maken, zodat we na ongeveer een jaar evenveel strijdbijlen als langzwaarden in die penoen hadden. Urdo praatte ernstig met mij over Ulf en liet me beloven dat ik van hem niet meer zou eisen dan van de anderen. Ik had dat niet gedaan en was het ook niet van plan. Ik eiste van iedereen het uiterste, mezelf inbegrepen. Ik vermeed het met Ulf alleen te zijn, maar ik kwelde hem niet. Hij ontwikkelde zich tot een formi-dabele krijgsman en toonde zich een loyale en evenwichtige wapendrager.

Hij had alleen de neiging om nachtmerries te krijgen en dan de helft van de barakken wakker te schreeuwen, maar hun pesterijtjes hierover incasseerde hij zonder er aanstoot aan te nemen. Alswith vroeg me heel serieus of ik hem had vervloekt, maar ik verzekerde haar gedecideerd dat elke grief tussen mij en Gunnarsson definitief was afgehandeld op de heuvel Foreth. Onder de anderen werd hij zelfs tamelijk populair. Zelfs de koningin mocht hem wel. Als Urdo niet met haar uit rijden kon, kreeg ze altijd een escorte van de ala mee, en vaak koos ze Ulf ervoor uit. Hij was van adellijke geboorte en hij kon haar met zijn gesprekken vermaken. Ik kon er niets over zeggen, zonder haar dingen te moeten vertellen waarvan ik had gezworen dat ze uit de wereld waren. Dat nam niet weg dat ik haar te verstaan gaf dat ik nooit met Ulf zou kunnen eten. Er verkeerden massa's anderen in dezelfde situatie vanwege een oude of nieuwe bloedvete, zodat dit geen vragen uitlokte. Ze droeg er zorg voor ons nooit gelijktijdig naar haar alkoof te nodigen. Zelfs Urdo leek enig respect voor hem aan de dag te leggen. Hij raadpleegde hem af en toe over aangelegenheden die betrekking hadden op Jarnholme en de Jarns.

Morthu van Angas was een andere opmerkelijke rekruut. Hij scheen zich goed te ontwikkelen, maar zijn vaardigheden waren niet uitzonderlijk en ik besteedde niet veel aandacht aan hem. In feite mocht ik hem niet. Hij was geen erfgenaam van een grondgebied, maar gedroeg zich er wel naar, en op een of andere manier gingen anderen met hem om alsof hij het wás. Hij scheen uitstekend om te kunnen gaan met mensen, hoewel hij nooit de moeite nam die vaardigheid ook tegenover mij in praktijk te brengen. Ik denk dat hij mij nog steeds de dood van zijn moeder, de heksenkoningin, kwalijk nam. Het kwam niet bij me op te denken dat hij een serieuze wrok jegens mij koesterde, of jegens Urdo. Ik zag in hem gewoon een jongeman die mettertijd wel zou leren dat de zaken anders lagen dan hij dacht. Maar toch viel hij vaak, als ik hem te midden van een groepje wapendragers zag praten en lachen, meteen stil als ik dichterbij kwam. Als hij een paar dagen vrij had, zocht hij ander gezelschap. Dan ging hij naar zijn zus in Aylsfa of naar Thansethan, waar hij vrienden had. Hij was een bedreven briefschrijver en verstuurde grote, verzegelde enveloppen, iedere keer als de roodmantels uitreden. Ik zag er geen kwaad in, behalve dan dat hij zichzelf nogal belangrijk scheen te vinden.

Er viel heel weinig te vechten voor ons. We verjoegen de kustplunderaars die af en toe een inval deden, maar het werden er ieder jaar minder, omdat Ayl de Jarns die zich in Aylsfa wilden vestigen en zijn gezag erkenden grond aanbood. We overwogen of we, als de oorlog tegen de Isarnaganen voorbij was, invallen moesten gaan doen in Jarnholme, net zoals we dat in Oriel deden, om de kustplunderaars te ontmoedigen. De meeste Jarns hadden inmiddels begrepen dat een aanval op Tir Tanagiri een vrijwel wisse dood betekende, zodat ze hun aandacht richtten op minder goed verdedigde kusten. Tussen die bedrijven door exerceerden we. We oefenden ons in het vormen van formaties en het synchroon hanteren van de wapens, speelden veldslagen waarin de ene helft van de ala het opnam tegen de andere helft, en hielden ceremoniële parades op hoogtijdagen.

Aan ceremoniële plechtigheden geen gebrek! In de zomer na de Slag bij Foreth traden Garah en Glyn in het huwelijk. Dit werd het startsein voor een hele reeks huwelijken binnen de ala. Urdo schonk Glyn en Garah een huis net binnen de poort van de citadel van Caer Tanaga. Ik stond versteld van het aantal mensen die hun geschenken kwamen brengen – alle prefecten hadden iets gestuurd, en veel wapendragers ook. Ik was heel blij voor Garah en gaf haar een kist met linnengoed uit Derwen, plus twee zwarte glanzende borden, recent vervaardigd door de pottenbakker in Caer Tanaga, even mooi als de borden waar de koning van at. Ook bakte ik vlechtbrood voor Garah, maar het eindproduct was een tikje slordig. Als Veniva het deed, had het altijd zo gemakkelijk geleken: ze legde de repen brooddeeg met honing kruiselings over de vruchtenvulling en praatte ondertussen vrolijk verder. Niemand beklaagde zich er echter over. Garahs ouders kwamen voor de plechtigheid over uit Derwen. Ze leken heel schuchter en onzeker, en haar moeder moest huilen toen ze zag hoe schitterend Garah eruitzag in haar oranje bruidsjurk. 'Als een koningin!' zei ze. Ze zou nog meer onder de indruk zijn geweest als ze had gezien hoe Elenn er twee maanden lang iedere ochtend druk mee was geweest: ze had de jurk eigenhandig met parels en gouddraad bestikt. Het was werkelijk een schitterend geschenk, goed genoeg om een familieschat te blijven. Ik herinnerde me hoe Garahs moeder me een beker melk had gegeven toen ik na de aanval op Derwen in haar keuken kwam. Ik bleef tijdens het hele feest dicht in hun buurt om hen wegwijs te maken.

Ongeveer een maand later trouwde Ayl in Caer Tanaga met Penarwen van Angas, waarbij overvloedig werd gefeest. Gwilen ap Rhun bakte het vlechtbrood voor Penarwen en maakte tevens een vruchtbaarheidstalisman voor haar. Zij was vroeger Urdo's bedgenote en sleutelbewaarder van Caer Tanaga geweest. Na Urdo's huwelijk had hij haar belast met het bestuur van Angas' forten aan de westkust. Daar had ze vriendschap gesloten met Penarwen, zodat ze nu met haar naar Aylsfa vertrok. Elenn mocht haar niet, hoewel ze altijd heel beleefd tegen haar was. Het huwelijk werd in een kerk ingezegend door moeder-overste Teilo, die er speciaal voor uit Demedia kwam. Ze liet Urdo diverse keren de scherpe kant van haar tong voelen, maar ze leek meer bereid dan Thansethan om met ons samen te werken.

Teilo hield Ayl tijdens het bruiloftsfeest voor dat hij, nu hij Penarwen had getrouwd, een standaard in Vincaanse stijl behoorde te voeren. Het was geen traditie onder de Jarns een standaard te voeren, maar nadat Guthrum zijn zilveren zwaan had geadopteerd, was Ayl nog de enige koning in Tir Tanagiri die géén standaard voerde. Hij had wel een vreemde blauwe vlag met een drakenkop aan de bovenkant die hij tijdens veldslagen als verzamelwimpel gebruikte. Dezelfde drakenkop was op de boeg van zijn schip gebeeldhouwd. Ayl knikte Teilo glimlachend toe en beloofde haar het in overweging te zullen nemen. Toen we hem de volgende keer zagen naderen, had hij een grote wimpel van lichtrode stof achter zijn drakenkop bevestigd. Die ving de wind even goed als een standaard, maar het effect was nog barbaarser dan het monster op zich was geweest. De kleur was gewonnen uit een wortel die alleen in Aylsfa groeide, zodat het in dat opzicht een goede keus was. Toen ik Ayl met zijn 'standaard' feliciteerde, lachte hij alleen en zei dat hij het voor zijn gemalin had gedaan. Ik geloof niet dat er ooit in Caer Tanaga iemand is geweest die genoeg moed bijeen heeft geraapt om de o zo koninklijke Penarwen te vragen of ze ermee ingenomen was...

Het werd een zomer die in de herinnering zou blijven als een zomer van bruiloften en overvloedige oogsten. Het scheen dat het land uiterst tevreden was over Urdo. Trouwens, dat jaar en het jaar daarna bleven eveneens in de herinnering vanwege de vele baby's die ter wereld kwamen. Bijna exact negen maanden na haar huwelijk schonk Penarwen het leven aan een zoon, en Garah zoogde haar pasgeboren dochter nog toen het nieuws kwam dat Masarns vrouw weer een kind had gebaard, dit keer een dochter waarmee Masarn dolgelukkig was. Hij hield van kinderen en zei dat hij zelfs een vijfde kind zou willen, als dat mogelijk was. Ik herinnerde hem aan de Vincaanse generaal Quintus, die het vijfde kind van zijn ouders was geweest. Hij had de ala inmiddels vaarwel gezegd en hielp zijn vrouw met het houden van bijen en kaarsen maken. Ik miste zijn evenwichtige aanwezigheid als tribuun, maar zag hem nog vaak genoeg. Af en toe kwam hij zelfs mee-exerceren, hoewel hij nooit wilde toegeven dat hij de ala miste. Hij noemde de nieuwe baby Sulien, ter ere van mij, en ik vond het prachtig. Ook Emer ap Allel kreeg die zomer een dochter, die als volwassene de grootste prefect van haar tijd zou worden – en een van mijn beste vriendinnen. Destijds zei dat nieuws me weinig, al wenste ik Emer alle goeds. Ik had sinds mijn vertrek uit Derwen over Conal Vissensnoet niets nieuws meer vernomen en vermoedde dat hij weer bij Darag de Zwarte in Demedia was, waar hij tegen mijn strijdmakkers vocht. We hielden ermee op over al die baby's te praten toen we zagen dat dit pijnlijk was voor Elenn, wier armen nog altijd leeg waren. Trouwens, er werden in de koningsvrede elk jaar zoveel baby's geboren dat we er bijna aan gewend raakten.

Zelf was ik destijds wat eenzaam. Urdo had het ontzaglijk druk en Elenn was om een of andere reden minder vriendelijk tegen mij. Garah en Glyn hadden hun baby, en algauw kwam er een tweede, zodat ze hun handen vol hadden. De ala was niet langer zo'n aangename omgeving voor mij, met Ulf en Morthu erbij. Ik noem ze wel in één adem, maar vrienden waren ze niet. Morthu leek een hekel aan Ulf te hebben en hem te wantrouwen, en het was overduidelijk dat Ulf Morthu niet kon uitstaan. Ik zocht troost in de exercities en het fokken en africhten van paarden, altijd al een van mijn hartstochten. Ik had vrienden in de buurt als ik ze nodig had, maar lang niet meer zoveel kameraadschap in mijn dagelijks leven als ik wel zou wensen.

In het derde jaar van de koningsvrede kwam Alswith Haraldsdottar vroeg in de ochtend met een betraand gezicht naar me toe. Ze had haar vlamkleurige haar strak naar achteren gebonden, uit haar gezicht. Ze zag er zo bleek uit dat er een lichtgroene zweem over haar gezicht lag, behalve de donkere kringen onder haar ogen, die bijna paars leken. Jarns hebben al geen fraaie huidkleur als ze gezond zijn, maar Alswith was duidelijk ziek. Ik had haar na Foreth tot wimpeldrager gepromoveerd. Ze was onbetwistbaar goed genoeg voor die rang en verdiende het. Ongeveer een jaar later, in het kader van een ingrijpende reorganisatie, had ik haar tot decurio van de tweede penoen benoemd. Ook dat ging haar uitstekend af, zodat ik blij met haar was.

'Wat schort eraan?' vroeg ik. Ik zat op de lage muur rondom het kleine veld waarop ik mijn paarden africhtte, en bewonderde Sterrelichts jongste veulen, Helderoog. Zo te zien zou hij heel snel worden. Ik wilde hem aan de aanwezigheid van mensen laten wennen zonder dat hij zich bedreigd voelde, zodat ik daar vaak wat tijd doorbracht, genietend van het zonnetje. Alswith zwaaide haar benen over het muurtje en kwam naast me zitten.

'Ik voel me zo slecht,' zei ze. 'Afschuwelijk gewoon. Iedere ochtend als ik opsta wil mijn maag zich omkeren en moet ik naar de latrine rennen. Eten, ik kan het eenvoudigweg niet zíen! Ik sta de halve ochtend over te geven. En het ergste van alles is dat ik voortdurend slaap heb. Ik was bang dat ik mezelf vergiftigd had met verkeerde paddestoelen, omdat ik er veel van had gegeten. Maar dit gaat nu al een maand zo en het wordt niet minder. Toen bedacht ik dat ik misschien niet meer tegen brood kon, net als Talog de kok, weet je nog? Daarna heb ik vijf dagen achtereen geen hap brood meer gegeten, maar ik voel me nog even beroerd.'

'Wanneer heeft de Maanmaagd je het laatst bezocht?' vroeg ik met lood in de schoenen.

Alswith schudde het hoofd. 'Ja, da's ook zo raar. Ik ben afgelopen maand helemaal niet ongesteld geweest en binnenkort moet het weer zover zijn. Ik weet dat jij iets afweet van magisch helen. Heb jij enig idee wat het is? Heb je er misschien een amulet of zangspreuk voor?'

Ik staarde haar een ogenblik aan, proberend mezelf voor te houden dat ik ooit net zo naïef was geweest. 'Is het misschien mogelijk dat je zwanger bent?' vroeg ik voorzichtig.

'Welnee, natuurlijk niet!' lachte ze. 'Ik ben niet getrouwd, dat weet je.'

'Dat is me bekend,' zei ik zorgvuldig. 'Het komt weliswaar niet vaak voor, maar af en toe overkomt het ongetrouwde vrouwen dat ze toch zwanger raken. Het is mijzelf ook overkomen. Ik heb in Thansethan een opgroeiende zoon.' Een zoon die ik niet kon bezoeken, hoewel Elenn hem wel bezocht en mij had verzekerd dat hij het goed maakte. Ze had een brief en wat tuig voor Keturah meegenomen en had een brief mee terugge-bracht, die helemaal vol stond met hoe goed Keturah groeide en wat Ap Cathvan erover had gezegd, en dat Arvlid hem soms mee uit rijden nam, als ze met haar artsenijen de ronde deed langs de dorpen. De brief begon en eindigde stroef, maar kwam tot leven zodra hij het over paarden had. Zo was het ook geweest toen we in Thansethan met elkaar hadden gepraat. Elenn had ook een brief van Arvlid bij zich. Ze schreef me dat Darien voorspoedig opgroeide en een sterke constitutie had.

'Eerlijk, ik heb nooit...' Ze dempte haar stem en gebruikte een Jarns woord dat ik vaak als een soort vloek had horen gebruiken, zonder dat ik ooit de betekenis had gekend. '... geneukt. Ik sta niet toe dat iemand mijn navel aanraakt als we een deken delen.'

Alfwin zou woest op mij zijn. Ik vroeg me af of hij genoegen zou nemen met een ongewapend gevecht of bloed zou willen zien vloeien. 'Ik spreek het Jarns niet goed,' zei ik vriendelijk, 'maar navels hebben niets van doen met het maken van een baby. Heb je nooit gezien hoe een hengst een merrie dekt? Zo gaat het ook bij mensen, zie je. Als je dat hebt gedaan, lijkt het me heel waarschijnlijk dat je in verwachting bent. Met wie heb je een deken gedeeld?'

'Met niemand, al in geen tijden. Alleen met Ap Erbin een keer, toen hij terugkwam uit Demedia en we zo blij waren elkaar terug te zien!' zei ze afwerend. Ze had tranen in haar ogen.

Ik zuchtte van opluchting. Ik had min of meer verwacht dat ze zou zeggen dat ze met de halve penoen een deken had gedeeld. Ap Erbin was tenminste iemand met wie ze eventueel kon trouwen. 'Hoe denk je over Ap Erbin?' vroeg ik.

Ze kreeg een rood hoofd. 'Ik ben erg op hem gesteld,' mompelde ze, kijkend naar haar voeten.

'En is hij ook zo op jou gesteld?' vroeg ik. Ze zei niets, maar bloosde nog heviger, zodat haar gezicht bijna even rood werd als haar haar. 'Luister, Alswith, het is niet de gewoonte dat een vrouw al baby's krijgt voordat bij hun trouwen hun schoot is gezegend. Als dat toch gebeurt, komt dat in de regel omdat de goden werkelijk willen dat zij dit kind ter wereld brengt.'

'Ik wist echt niet' – ze dempte opnieuw haar stem – 'dat het neuken was. Ik had Alfwin en mijn moeder beloofd dat ik dat niet zou doen. Ik dacht altijd dat het iets heel slechts was, niet gewoon een deken met iemand delen zoals iedereen doet. En ik was ervan overtuigd dat je nooit een baby kon krijgen als je niet getrouwd was. Niemand in de ala is dat overkomen.'

'Wel, dat is nu niet meer het probleem,' zei ik. 'Het probleem van dit moment is of jij de baby wilt houden.' Ik had haar nog niet eens aangeraakt, zodat ik niet zeker kon zijn dat ze zwanger was. Toch wist ik het.

Ze legde haar handen beschermend op haar buik. 'Ja,' zei ze.

'Juist. Dan zullen we eerst met Ap Erbin moeten gaan praten, om te zien of hij met je wil trouwen. Daarna zullen we proberen Alfwin en jouw moeder ervan te overtuigen dat dit huwelijk een geweldig idee is, én natuurlijk Ap Erbins ouders, niet te vergeten.' Zijn vader was die afschuwelijke geilaard Erbin, die ooit had geprobeerd me dronken te voeren. Bovendien waren de betrekkingen met Custennin enigszins gespannen geraakt, sinds de breuk met Thansethan. 'Het lijkt me het beste dat ik er met Urdo over ga praten; en als hij ermee akkoord gaat, rijd je met jouw penoen naar Caer Segant om zelf met Ap Erbin te praten. Pas daarna kun je naar Tevin rijden om het er met Alfwin over te hebben.'

Ze bloosde nog steeds. 'Wat moet ik als Ap Erbin niet wil?' vroeg ze. 'Het is heel erg om zoiets te moeten vragen. Normaal gesproken arrangeren je ouders toch een huwelijk?'

'Dat wel, maar soms regelen mensen het zelf,' zei ik zo geruststellend mogelijk. 'En als hij zo stom is dat hij je niet wil, ga je naar Thansethan, krijg je je baby daar en laat hem daar achter om op te groeien. Ik heb dat ook gedaan en het heeft me nooit belet een wapendrager te zijn.' Het probleem Alfwin omzeilde ik behendig.

'Dank je wel, Sulien,' zei Alswith vurig. Toen liet ze zich van het muurtje glijden en gaf hevig over in het lange gras. De kleine Helderoog kwam direct aan galopperen om te zien wat er zulke afschuwelijke geluiden maakte. Hij kende niet de minste angst voor mensen maar was uitermate nieuwsgierig. Al zijn nakomelingen waren precies zo en zullen dat waarschijnlijk blijven tot het einde der tijden.

Ik gaf Alswith de raad warm water met munt erin te drinken en ging zelf op zoek naar Urdo. Hij was in zijn kamer en zat achter de grote tafel aan zijn wetboek te schrijven. Elenn zat op een kruk naast hem iets op een lei uit te rekenen. Toen ik binnenkwam, moest ze net klaar zijn geweest met een optelling, want zonder te kijken stak ze haar hand omhoog, nam die van Urdo en drukte die tegen haar wang. Ze keken geen van beiden op. Ik kreeg het benauwd en warm van verlegenheid en zou me hebben omgedraaid om weg te gaan, maar juist op dat moment keek Urdo op en zag mij. Hij stak heel normaal zijn hand op om mij te begroeten. Elenn stond stilletjes op en zei dat ze eerst met Glyn moest overleggen voordat ze verder kon. Het speet me hen te hebben gestoord, maar ik was blij dat ik met Urdo onder vier ogen over Alswiths probleem kon praten.

378

'Grote God, wat zal Alfwin zeggen?' was zijn eerste commentaar. Toen ik de hele situatie had uitgelegd, moest hij even lachen. 'Nou ja, in elk geval kan Ap Erbin beslist door de beugel. Als ik dat stel wat grond schenk, zal iedereen zich er wel mee kunnen verzoenen, denk ik. Wat dat aangaat, er ligt een onbewoond stuk land langs de grens met Tevin, ten noorden van Thansethan, en de mensen die eromheen wonen zijn voor de helft zelf ook afkomstig uit Jarnsholme. Custennin kunnen we voor een fait accompli stellen, maar we zullen het eerst aan Alfwin moeten voorleggen, dat is het belangrijkste. Stuur haar naar Caer Segant en laat haar Ap Erbin mee terugbrengen als hij haar wil; ik wil een praatje met hem maken. Daarna denk ik dat je er verstandig aan doet om twee tot drie penoenen mee te nemen naar Caer Lind om zelf met Alfwin te praten. Neem Alswith maar niet mee, dan kan hij niet tegen haar uitvaren. Maar Ap Erbin ontkomt er niet aan. Drie penoenen zullen wel voldoende zijn om hem in leven te houden totdat jij de zaak hebt uitgelegd.' Hij grijnsde breed.

'Ik ben absoluut niet goed in dat soort dingen!' protesteerde ik.

'Alfwin mag jou graag,' zei Urdo. 'Diplomatie is niet nodig. Zeg hem dat de goden een geschikte man voor zijn nicht hebben gevonden – en dat is de waarheid, als hij bereid is zijn ogen open te doen.'

'En als hij het niet wil inzien?'

'Hij zal niet al te kwaad op jou zijn, jij kunt er niets aan doen. Ap Erbin moet erheen, zodat hij hem om Alswiths hand kan vragen. Volgens mij valt dit soort dingen onder de Jarns heel slecht. Als ik hun zeden goed genoeg ken, zou ze een schande voor de familie zijn, dus zal hij allang blij zijn als ze veilig en wel getrouwd is. Waarschijnlijk zouden er niet veel Jarns van hoge geboorte zijn die haar willen als ze met een bolle buik heeft rondgereden in de ala, ook al is haar oom gewroken.'

'Ik heb haar gezegd dat ze altijd nog naar Thansethan kan gaan, net als ik, als Ap Erbin niet met haar wil trouwen. Zij is niet afhankelijk van de Jarnse zeden. Ze is er een van óns.'

'Natuurlijk is ze dat,' zei Urdo bijna afwezig. 'Heb je haar dan verteld van Darien?'

'Alleen dat ik in Thansethan een opgroeiende zoon heb. In de ala is dat geen geheim – ze zijn daar geweest en sommigen hebben hem gezien. En afgezien daarvan, ik heb hem mijn naam gegeven.'

'Ik weet het,' zei Urdo aarzelend, wat niets voor hem was. Hij nam zijn bruingroene schrijfstift op. 'Je hebt haar niet gezegd wie zijn vader is?'

'Nee. Ik...' Mijn mond was opeens kurkdroog. 'Daar praat ik niet over.'

'Was dat de reden dat je hem jouw naam hebt gegeven?' Hij draaide de stift in zijn vingers om en om alsof hij hem nooit eerder had aangeraakt.

'Ja. Of nee. In feite... kijk, vader Gerthmol zette me onder druk, en daar maakte hij me kwaad mee.' Ik keek neer op de tafel, met de potjes gekleurde inkt, het voortreffelijke perkament, de Vincaanse boeken, een brief met het zegel van Ohtar en een slordige stapel berekeningen.

'Ja, daar is hij goed in,' zei Urdo wrang, nog steeds spelend met de stift. 'Dus Ulf weet het niet?'

'Ik dacht van niet. In elk geval heb ik het hem nooit verteld.'

'Het is je bekend dat veel mensen geloven dat Darien mijn zoon is?' vroeg Urdo.

Ik keek naar hem op en hij wachtte geduldig op mijn reactie. Ik had er nooit bij stilgestaan en voelde me een dwaas. Ik wist dat er mensen waren die beweerden dat wij een deken hadden gedeeld in Caer Gloran, of zelfs dat we later stille minnaars waren geweest. Ik had het altijd als lasterpraat weggewuifd, of het toegeschreven aan de neiging van mensen om over anderen te roddelen en te giechelen. Nooit had ik dit verband met Darien gelegd. Ik was nog altijd even naïef als de arme Alswith, maar met een veel minder geldig excuus. Ik voelde mijn wangen branden, maar gelukkig was dat bij mij veel minder zichtbaar dan bij haar. 'Het spijt me,' zei ik.

'Niet nodig,' zei Urdo. Het klonk wat verlegen. 'Ik heb niemand belet in die richting te denken. Eigenlijk is het in sommige opzichten nuttig voor mij omdat er wordt gedacht dat ik geen opvolger heb. Morwen heeft me lang geleden, nog voor ik zelf wist wie ik was, voorspeld dat ik geen erfgenaam zou krijgen. Ze kan het mis hebben – ze zat er met haar orakelspreuken weleens naast en had het niet goed met me voor. Ik heb echter altijd gedaan alsof dat inderdaad zo was, want als ik wel een erfgenaam had, zou ik mijn plannen kunnen wijzigen, maar ik reken er niet op er ooit een te krijgen.'

'Heb je het er ooit met Elenn over gehad?' vroeg ik. Morwens drijfveren waren een warnet waarin ik niet verstrikt wilde raken.

'Ja,' zei hij met een pijnlijke glimlach. 'Ze zei dat ik de halssteen moest aannemen, zodat we op bedevaart konden gaan. Ik heb geen broer die in mijn plaats een deken met haar kan delen, en ook geen andere naaste verwant – als ze dat al zou toestaan.'

'Je zou inderdaad op pelgrimstocht kunnen gaan,' zei ik onbeholpen. Ik kon me niet voorstellen dat zij ooit aan zoiets mee zou werken. Het was een oeroud gebruik, maar het was wel iets waarmee alle betrokkenen moesten instemmen.

'Dat zouden we kunnen doen. Waarschijnlijk komt het er ook van. Alleen zijn we het er nog niet over eens welke heiligdommen we zouden moeten bezoeken. Als ik echter geen erfgenaam heb, zullen de koningen vroeg of laat van mij willen horen wie mij moet opvolgen. Er zijn er zelfs al een paar die dat doen. Als zij geloven dat Darien mijn zoon is, zal dat hen geneigd maken te denken dat ik best nog een troonopvolger kan verwekken. Ik ben nog jong en we hebben eindelijk vrede.' Na een korte aarzeling legde hij de schrijfstift op tafel. 'Als ik jou zou vragen mij een opvolger te geven, Sulien, zou je dat dan doen?'

'In jouw dienst verdraag ik iedere verwonding,' zei ik.

Hij lachte, schor en kort, een afschuwelijk geluid. 'Ik lach niet om jou,' zei hij haastig. 'Er zit alleen zoveel verdriet achter. Liever, ik verlang dat niet van je. Jij hebt een zoon en ik niet. Als jij met niemand praat over wie zijn vader is, zal het zijn alsof hij van mij afstamt, als het niet anders kan. Hopelijk is het nog niet zover.'

'Van mij krijgt niemand dat te horen,' zei ik. Hoewel dit niets anders was dan ik al jaren had gedaan, hoorde ik buiten een raaf krassen en het suizen van langs scherende vleugels, alsof ik iets had gedaan dat buitengewoon gewichtig was.

'Dank je,' zei Urdo.

'Maar wat ga je doen om toch een erfgenaam te krijgen?' vroeg ik. 'Jij hebt ook het eeuwige leven niet. Deze koningsvrede kan mét jou sterven.'

'Misschien. Hoewel dat niet hoeft te gebeuren als deze vrede een hechte grondslag heeft – dan kunnen jullie haar na mij in stand houden. Weet je wat de Vincaanse keizers altijd deden? Als de goden hun geen kinderen schonken, kozen zij de beste man uit hun gevolg en adopteerden hem officieel als hun zoon. Dat is wat ik zou doen. Ik zou een jonge kerel kiezen die de zoon of kleinzoon kan zijn van de koning, maar diens land niet erft. Iemand als Ap Erbin of Ap Mardol. Tegen de tijd dat ik oud word, en de vrede een sterke basis heeft, zou ik de raad van alle koningen bijeenroepen en hun mijn keuze voordragen, zodat zij hem konden kiezen. Als zij hem accepteerden, zou ik hem adopteren en zou hij al een deel van het regeren voor zijn rekening kunnen nemen als ik er nog ben om hem met raad en daad bij te staan.' Urdo klonk er werkelijk enthousiast over.

'Het heeft kans van slagen, maar het mag onder geen beding een twistappel worden,' zei ik.

'Zo is het,' zei Urdo. 'Dat zou echter ook gelden voor mijn eigen kind. Bloed heeft niets magisch.'

'Maar het land...' zei ik aarzelend. 'Het land herkent koninklijk bloed.'

'Daarom dient een kandidaat-opvolger van koninklijken bloede te zijn,' knikte Urdo. 'Ook het land zou hem moeten accepteren, maar ik denk dat ik dat wel kan klaarspelen. Als de goden mij sparen.'

'Is dit niet zo'n beetje wat de Isarnaganen altijd doen?' probeerde ik.

Urdo grijnsde. 'Ja. Praat hier met niemand over, wil je?'

'Denk je werkelijk aan Ap Erbin?' vroeg ik.

'Nee. Ik noemde hem als voorbeeld. Tenslotte is hij maar – hoeveel, vijf of tien jaar? – jonger dan ik. Ik wilde zeggen, zo iemand.'

Er kwam een gedachte bij me op. 'Morthu van Angas,' zei ik langzaam. 'Is dat de reden dat hij het zo hoog in zijn bol heeft?'

'Nee!' zei Urdo geschrokken. 'Hoe bedoel je dat?'

'Hij gedraagt zich alsof hij veel belangrijker is dan hij is. Ik bedacht alleen dat hij inderdaad van koninklijken bloede is en de juiste leeftijd zou hebben. Maar ik mag hem niet.'

'Ik evenmin,' zei Urdo zacht. Hij streek het vel perkament dat voor hem lag glad. 'Hij doet me te veel denken aan zijn moeder. Angas heeft dat niet, en Penarwen evenmin. Dat geldt ook voor zijn andere zus, degene die we bij het huwelijk hebben gezien. Ik bedoel degene die naar het klooster van Teilo wilde, Hivlian, al heeft ze iets van de voorspellende gave van haar moeder. Nee, Morthu staat me niet aan, hij lijkt me onbetrouwbaar.'

'Gelukkig,' zei ik. 'Goed, ik zal niemand iets verklappen over Dariens afstamming; niet dat ik dat ooit zou hebben gedaan. En ik zal niet langer ontkennen dat wij die nacht in Caer Gloran een deken hebben gedeeld, bij de zeldzame gelegenheden dat iemand er op zo'n manier over begint dat ik niet anders kan doen dan verontwaardigd kreunen.'

Urdo lachte. 'Nogmaals bedankt,' zei hij. 'Zelf heb ik het nooit ontkend, zelfs niet toen Thurrig mij feliciteerde met mijn moed.'

Ik lachte met hem mee, maar hield ermee op toen ik iets anders bedacht. 'Is dit soms de reden dat Elenn de laatste tijd niet meer zo toeschietelijk is tegenover mij?' vroeg ik.

'Zou kunnen,' zei Urdo. 'Ik geloof dat iemand haar er tijdens het huwelijk van Ayl iets over in het oor heeft gefluisterd, want kort daarna begon ze mij erover uit te horen. Ik heb haar de waarheid gezegd, namelijk dat ik sinds ons huwelijk met geen andere sterfelijke vrouw heb geslapen, want dat is het enige waarover zij zich zorgen maakt.' Of dit ook gold voor godinnen, iets waaraan we allebei dachten, bleef tussen ons in hangen. Ik herinnerde me nog haar stem en de manier waarop ze hem 'mijn gemaal' had genoemd. Elenn zou echter in staat moeten zijn om die merkwaardige echtvereniging te begrijpen en het hem te vergeven.

'Ze heeft werkelijk een hekel aan Ap Rhun,' zei ik, doelend op Urdo's vroegere minnares.

'Ik weet het,' zuchtte Urdo.

'Nou ja, mijn mond blijft hoe dan ook verzegeld.'

'Als Elenn zelf een kind krijgt, zal het er niets meer toe doen en mag je het vertellen aan wie je maar wilt.'

'Ik zal voor je duimen,' zei ik. 'Voorlopig lijkt het me verstandig als ik Alswith ga helpen getrouwd te raken, voordat ze over pakweg zeven maanden een baby ter wereld brengt.'

34

Nu wil ik zingen van Brichan
wiens koningszaal verlaten ligt,
met ingestort dak, open voor de hemel.

Brichan, je oren horen mij nu niet,
jij die van zorg naar vreugde ging,
met feesten en lieflijke muziek.

Je zoons gesneefd, je dochters verspreid,
je koninkrijk in vergetelheid;
je bard is eenzaam en alleen!

Brichan, je was zo dom geloof
te hechten aan de woorden van Jarns
en al je bondgenoten te vertrouwen.

Jij wandelde steeds trots en fier,
met sterke arm, geleerd, en rijk
gedecoreerd met wapenen.

De Dood haalt ieder, hoog of laag;
zelfs hen die toch vrijgevig leefden,
wordt de ogen uitgepikt door kraaien.
— Non ap Cunir in *Klaagzang voor*
Brichan, heer van Bricinia

'Er is iets met dat Tevin,' zei Ap Erbin terwijl hij zijn merrie hard in de maag stompte en de zadelriem nog een handbreedte aantrok. We waren op de terugweg naar Caer Tanaga, twee dagen ten zuiden van Caer Lind over de heirbaan, en het was weer eens begonnen te regenen. De anderen hadden het kamp opgebroken en stegen om ons heen op.

Ik grinnikte terwijl ik me op Glimmers rug zwaaide. 'Wat is er zo verschrikkelijk aan Tevin? Ik dacht dat je Urdo had verzekerd dat je je hier wel prettig zou voelen?'

'Zo ver noordelijk is een eind van mijn familie.' Hij stompte het paard nog eens, en ze hinnikte verwijtend toen hij de riem nog wat aanhaalde. Hij keek me aan. 'Het hun vertellen was al erg genoeg. Je hebt hen ontmoet, dus kun je het je wel voorstellen. Oom Custennin jammerde over het feit dat ik met een heidense wil trouwen, tante Linwen was hevig geschokt, bisschop Dewin begon over de noodzaak haar te bekeren, tante Tegwen wilde weten of ze met die witte huid niet vreselijk zou verbranden in de zon, oudoom Cador mopperde over slapen met de vijand en gekeeld worden, en mijn vader begon schuine toespelingen te maken over uitproberen vóór de trouwdag.'

'Als je dat allemaal op afstand kunt houden, maakt het weer in Tevin je niks meer uit,' lachte ik. Ik trok mijn polsbanden aan. 'Trouwens, het regent er niet altijd. Je herinnert je Foreth?'

'Hoe zou ik dat ooit kunnen vergeten? Gisteren heeft het ook niet zo erg geregend en deze regen zal zo te zien ook niet lang aanhouden.'

Ik keek op naar het wolkendek. Voor ons lagen golvende heuvels en de wolken leken erop gestapeld te liggen, als opgevouwen grijze dekens. Ik rolde met mijn ogen. 'Hier misschien, maar ik vrees dat we dit de hele dag houden doordat we ons verplaatsen.'

'We kunnen tegen het eind van de middag in Thansethan zijn,' zei Ap Erbin. 'Áangezien we de koningin daar gaan ophalen om haar naar huis te escorteren, zouden we kunnen voorstellen dat het pas morgenochtend zin heeft op te breken. Dan geven ze ons misschien een droog bed voor de nacht.'

'Vijftig man?' vroeg ik. 'Trouwens, mij zouden ze toch niet binnenlaten. De laatste keer dat ik hem zag, behandelde vader Gerthmol mij alsof ik een demon was. Nee, we zullen weer ons kamp op moeten slaan als Elenn nog niet klaar is om meteen te vertrekken. Als we dit niet hoefden te doen, tja... Ze zou het in feite best met een kleiner escorte kunnen stellen. Ze heeft Ap Selevans penoen bij zich. Dat zou toch eigenlijk voldoende moeten zijn.'

'O, nou ja, ik hoopte alleen op een droog nachtje,' zei Ap Erbin terwijl hij eindelijk opsteeg.

We formeerden ons en begonnen de heirbaan te volgen. 'Alfwin heeft het je dus minder moeilijk gemaakt dan je eigen familie?' vroeg ik hem onder het rijden.

'Stukken beleefder, maar heel intimiderend,' antwoordde Ap Erbin.

'En wat heeft hij gezegd toen hij je apart nam?'

'Een goeie vraag,' zei hij, met een diepe rimpel in zijn voorhoofd. 'Hij vroeg me allerlei dingen over de goden, en ik heb hem zo goed mogelijk antwoord gegeven. Ook heb ik hem gezegd dat ik later nooit zou proberen Alswith en het kind – of de kinderen – een bepaald geloof op te dringen. Uiteindelijk scheen hij daar tevreden mee; ook hij vond dat ze het allemaal zelf moesten kunnen beslissen. We hebben het ook over grond gehad – het schijnt dat zijn oudste zoon erfgenaam van Bereïch is en daar in het noorden verblijft, bij zijn moeder, terwijl de tweede zoon wordt opgevoed om later Tevin te erven. Alfwin wil dat ik hem trouw zweer, net zoals Ap Ross trouw heeft gezworen aan jouw broer. Hij zal ons de verantwoordelijkheid geven voor een lap grond die grenst aan het goed dat Urdo ons zal geven. Ik had nooit gedacht dat ik nog eens grootgrondbezitter zou worden.' Hij haalde diep adem en keek om zich heen naar de heuvels en de malse regen. 'Het moet hier in de buurt liggen. Er moet ergens opzij van de heirbaan een oude Vincaanse villa staan die we zouden kunnen opknappen, en anders kunnen we de steenblokken ervan gebruiken – het hangt er vanaf of het huis niet te zeer in vervallen staat verkeert. We krijgen een grote bruiloft en zullen dan de grenzen van het landgoed aflopen, om alles te doen zoals het hoort. Wat heeft hij tegen jou gezegd?'

'Hij heeft me alleen over jou gevraagd,' zei ik. Het was waar. Hij had alles willen weten wat er van Ap Erbin te weten viel. Hij scheen zich zorgen te maken dat hij misschien zijn broer teleur zou stellen met wat hij voor Alswith kon doen. Afgaande op de manier waarop hij erover had gesproken scheen de term 'grote bruiloft' nog zacht uitgedrukt. Alfwin wilde zijn nicht een van de meest grootse bruiloften geven die het eiland Tir Tanagiri ooit had gezien.

'Wat heb je hem allemaal verteld?' vroeg Ap Erbin zorgelijk.

'Dat Urdo mij had opgedragen hem te zeggen dat de goden jou hadden uitverkoren om de echtgenoot van zijn nicht te worden,' antwoordde ik. Alfwin was meer onder de indruk geweest van dat argument dan ik ooit zou hebben verwacht.

Ap Erbin keek me ontsteld aan. 'Mij?'

'Luister, in de regel maken mensen geen baby's als ze niet getrouwd zijn, dus moeten de goden er op de een of andere manier de hand in hebben,' hielp ik hem herinneren.

'Zou kunnen,' zei hij zonder veel overtuiging terwijl hij tussen de oren van zijn paard door recht naar voren staarde.

'Wil je wel getrouwd zijn?' vroeg ik.

'Ach, iedereen moet vroeg of laat trouwen,' antwoordde hij, 'en ik mag Alswith werkelijk graag en trouw liever met haar dan met iemand die ik niet ken. Het komt alleen allemaal zo plotseling. Trouwen, een landgoed, een kind – alles tegelijk.'

'Dat geloof ik graag.' De heirbaan slingerde zich hier in een nauwe doorgang tussen steile rotswanden door, zodat we bijna tegen de regen waren beschermd. De geluiden van de grappen makende en zingende penoenen achter ons klonken erg luid.

'Heb je dit werkelijk tegen Alfwin gezegd?' Zijn stem klonk nog altijd bezorgd.

'Ja, maar bovendien heb ik hem verzekerd dat jij je een voortreffelijke tribuun hebt getoond toen jij bij mijn ala zat en dat je je daarna in Demedia hebt overladen met roem, hoewel ik met evenveel recht had kunnen zeggen dat je jezelf hebt overdekt met verwondingen.'

Hij begon te lachen en raakte verlegen zijn oor aan. 'Dit komt door een rotsblok dat naar beneden werd gegooid, nota bene. Een hinderlaag in de bergen. Mijn paard brak een been en ik had het geluk naar voren over zijn hoofd te buitelen, anders had de volgende steen me geplet. Ze vluchtten weg zodra we ze begonnen te doden, de lafbekken. Maar Ap Gwinthew heeft degene die mij geraakt heeft te pakken gekregen, althans, dat zegt hij.' Hij zuchtte. 'Ik heb mensen vaak horen zeggen hoe hevig ze de Jarns haatten en dat we ze allemaal terug moesten drijven in zee. Zo heb ik er nooit over gedacht als we tegen hen streden, en gehaat heb ik ze evenmin, zelfs niet die keer bij Caer Lind. Maar die Isarnaganen! Die kerels bleven nooit staan om te vechten en we hebben naar ze moeten zoeken tot we een ons wogen. Maar zodra we ergens ons kamp opsloegen, slopen ze 's nachts het kampement in om de paarden de pezen door te snijden en slapende armigers te kelen. Ze verkrachtten hun gevangenen en boerinnen en hakten hen daarna het hoofd af. Ik móest ze wel haten.'

'Ik heb nog nooit tegen ze gestreden,' zei ik. 'Thurrig zegt echter precies hetzelfde, en Angas ook.'

'Ik ben blij dat we van ze af zijn. Soms vraag ik me af of Urdo misschien Marchel te hard heeft aangepakt. Toen ik ervan hoorde, was ik geschokt, maar nadat ik een tijdlang tegen die lui had gestreden kon ik begrijpen wat haar ertoe had gedreven.'

'Jij zou ze nooit hebben afgeslacht nadat ze zich hadden overgegeven,' zei ik vol overtuiging.

'Nee, dat niet,' grinnikte hij. 'Natuurlijk niet. Maar ik begrijp wel waarom iemand dat soms zou willen. Alleen heeft zij het de eerste de beste keer dat ze slaags waren geraakt gedaan, zodat ze dat excuus niet heeft.'

'Ik ben blij dat ze naar hun land terug zijn gegaan,' zei ik. 'Heb je de beroemde Atha ap Gren gezien?'

'O ja, diverse keren zelfs. Ze is geen echte reuzin, ze is niet groter dan jij en vecht met de speer. Na al die liederen over haar was ik erg teleurgesteld. Ze is niet zo mooi dat mannen voor haar gunsten zelfmoord zouden plegen en evenmin lelijk genoeg om mensen die haar aankijken meteen in steen te veranderen, hoewel ze haar hoofdhaar met leem insmeert en er pieken van maakt, zodat het naar alle kanten uitsteekt. Ziet er gruwelijk genoeg uit.

Feitelijk was Darag de Zwarte lelijker, maar misschien kwam dat omdat hij altijd woest keek. Hij vocht ook met een speer, een enorm gevaarte met weerhaken. Een keer is Angas er bijna in geslaagd Atha te doden, maar niemand scheen ooit dicht genoeg bij Darag te kunnen komen, totdat het Larig eindelijk lukte. Niemand weet trouwens hóe hij dat deed.'

'Heeft hij het jou ook niet verteld?' vroeg ik. We reden nog altijd tussen de heuvels. Een verspieder kwam terug om te melden dat ze geen spoor van leven had ontdekt, zodat de weg voor ons veilig en vrij was. Ik stuurde haar weer naar voren om de weg helemaal tot aan de rivier te verkennen.

Toen ik me weer tot Ap Erbin wendde, schudde hij het hoofd. 'Larig hebben we nooit teruggezien. Er werd gevochten aan boord van de schepen, en daarna reed hij het land in om Darag te achtervolgen. Ze zijn geen van beiden teruggekomen. Later hoorden we dat hij Darag de Zwarte met zijn eigen speer had gedood, waarna Conal de Overwinnaar hém heeft gedood. Het was tenminste Conal die ons Larigs hoofd teruggaf toen we ze allemaal naar hun eiland terugstuurden.'

Naar Demedia, in het noorden, om mijn vrienden te doden. Ik had het bij het rechte eind gehad. 'Ik zou graag aan de goeie kant van een lans staan tegenover Conal,' zei ik nijdig.

'Hij is allang terug over de Zee der Stormen en ik mag hopen dat hij daar blijft,' zei Ap Erbin hartgrondig.

Ik trok mijn neus op. 'Een tegenstander doden is één ding, maar zijn of haar hoofd afhakken is een ander verhaal.'

'Tja, tegen het einde deden we dat allemaal,' bekende Ap Erbin met gedempte stem. 'Angas deed het beslist, en Larig hakte volgens alle verhalen Darag het hoofd af. Zelf heb ik het mijn ala na een tijdje ook laten doen. Het was de enige manier om te zorgen dat de Isarnaganen wat respect voor ons kregen. Bovendien konden we alleen op die manier de hoofden van onze kameraden terugkrijgen, want toen hadden we iets om te ruilen.'

Ik was bijna blij dat ik niet in Demedia had gevochten. Juist op dat moment kwam er een andere verspieder terug. Al van verre maakte hij de gebaren die duidelijk maken dat er moeilijkheden dreigen. Ik reed hem snel tegemoet. 'Wat is er?'

'Ik weet het niet precies,' antwoordde hij. 'Er drijft een brandend schip op de rivier en het ziet eruit als een Jarns schip. Geen teken van leven, maar wel lopen er vóór ons voetsporen het bos in. Het kan van alles zijn.'

Opeens had ik een slecht voorgevoel. Er dreigde onheil. Misschien was het een hinderlaag – massa's mensen wisten dat we vandaag over deze heirbaan zouden rijden. 'Ik ga zelf eens kijken wat er aan de hand is,' zei ik. Ik wendde me tot de dichtstbijzijnde decurio. 'Elwith, neem vijf van je mensen en volg me. Ap Erbin, jij neemt het bevel over de rest over. Rij naar de top van die heuvel, vanwaar je mijn signalen kunt zien. Als ik niet binnen een uur terug ben, rij je terug naar Caer Lind – of ligt Caer Rangor dichterbij als je vanhier doorsteekt?' Ik vergat altijd het bestaan van dat fort als ik er niet was of geen kaart bestudeerde.

'Van hieruit? Dat weet ik niet zeker. Zou kunnen. Ik weet wel dat Luth en zijn ala daar zijn,' zei Ap Erbin.

'Rij dan daarheen, maar niet langs deze heirbaan, als ik niet mocht terugkomen.'

'Wat zou... wat denk je dat het kan zijn?' vroeg Ap Erbin.

'Ik weet het niet, en dat is waarover ik me zorgen maak.'

De vijf wapendragers hadden zich opgesteld. Met berusting zag ik dat een van hen Ulf was. Ik sloot me bij hen aan en de verspieder ging ons voor over de weg.

De heirbaan verliet de nauwe doorgang tussen de rotswanden en daalde steil omlaag een helling af, tot aan een lus in de rivier. Naar het noordoosten boog de rivier af, het dal door, maar in het zuidwesten verdween hij de bossen in. Recht voor ons, waar de heirbaan de rivier het dichtst naderde, lag het brandende schip. Het grootste deel was weggezonken in de modder. De kiel en de smeulende voorsteven staken erbovenuit en er steeg zwarte rook van op. De voorsteven wees stroomopwaarts, alsof het schip via Aylsfa vanuit zee was gekomen. Het was groot genoeg om vijftig strijders aan boord te kunnen hebben gehad. Het was te ver uitgebrand om berging nog lonend te maken.

'Waar zijn die voetsporen?' vroeg ik.

De verspieder wees ze me aan in de natte grond. 'Zo te zien is er een groep mannen in wapenrusting van boord gegaan,' zei ze. 'Dit zijn diepe voetsporen. Zwaar bewapend, óf ze dragen iets mee. Ze zijn die kant uitgegaan, richting heirbaan, in een boog naar die bosrand in het zuiden. Ze zijn daarna teruggekomen en weer aan boord gegaan, of op zijn minst een aantal, maar ik ben er vrijwel zeker van dat deze sporen afkomstig zijn van dezelfde laarzen.'

'Hoeveel?' vroeg ik.

'Zes man.'

'Waarom zou iemand zich weer aan boord van een brandend schip wagen?' vroeg Ap Padarn.

'Zouden ze nog aan boord zijn, dood?' zei Mael terwijl hij haastig een bezweringsteken tegen het Boze Oog maakte.

'Geesten laten geen voetsporen na,' zei de verspieder.

'Waarom zijn ze niet eenvoudigweg teruggevaren?' vroeg Elwith.

'Dit is hoe dan ook heel vreemd gedrag voor een Jarns schip,' merkte Ulf fronsend op. 'Voor een plundertocht is dit een belachelijk uitvalspunt. Waarom zouden ze helemaal hierheen gaan als hier weinig boerderijen zijn, en rijke boerderijen al helemaal niet? En het is trouwens onmogelijk dat gevaarte daar met maar zes man te roeien, dus waar hangt de rest uit?'

'Er liggen massa's boerderijen op een tot twee uur gaans van hier langs de heirbaan, richting Thansethan. Hier zijn er maar een of twee, da's alles. Heel Aylsfa ligt dichter bij de zee – en een deel ervan is welvarend en niet sterk verdedigd.'

'Tenzij ze vanuit Aylsfa op strooptocht zijn gegaan, of vanuit Tevin,' zei de verspieder.

'Dat zou een schending van de koningsvrede zijn,' zei Elwith veel te luid.

'Als we hier niet op dit moment langs waren gekomen, zou niemand er ooit iets van hebben geweten,' zei Beris, knikkend naar het schip. 'Is die voorsteven niet gebeeldhouwd naar het model van Ayl?' Ze wees.

'Nee,' zei ik, ernaar turend. Toch was het mogelijk. 'De helft van Ohtars schepen heeft ook een vergulde voorsteven, om maar te zwijgen van de kustplunderaars die we destijds bij Caer Segant hebben bestreden.'

'Ik heb hier een slecht gevoel over,' zei Ulf, starend naar het schip.

Dat had ik ook, maar ik zou dat nooit hebben uitgesproken. Als Ayl de koningsvrede had geschonden, zou er bijna geen manier zijn om Aylsfa er weer in terug te voeren. Ik kon gewoonweg niet geloven dat hij zo stom zou zijn. Zijn koninkrijk was weer sterk geworden, maar de welvaart gedurende de vrede was veel groter dan in oorlogstijd. Hij was met Penarwen gehuwd en had geen enkele reden om dit te doen. Niemand had zo'n reden.

'We gaan verder,' zei ik.

De voetsporen leidden naar de heirbaan en vandaar de bossen in. We vorderden voorzichtig, beducht voor een hinderlaag, maar die bleef uit. Het was stil, afgezien van het druppels die vanuit de hemel op het gebladerte vielen. Totdat de verspieder een kreet slaakte: de voetsporen verlieten de heirbaan en verdwenen naar de bossen rechts ervan. Opnieuw voelde ik dat hier iets ernstig mis moest zijn.

'Er is daar niets,' zei Beris. 'Geen boerderij of wat dan ook. Dit is een wild gebied.'

'Gaan we ze achterna?' vroeg de verspieder mij. 'Het ziet eruit alsof ze de bossen in zijn gegaan en er weer uit zijn gekomen. Volgens mij zijn ze daar al niet meer. Zal ik een kijkje gaan nemen? De paarden komen er nooit door.'

Dat dit een valstrik was, leek waarschijnlijker dan iedere andere verklaring. Aan de andere kant, wij waren gewapend en ze waren numeriek niet sterk genoeg voor een succesvolle hinderlaag. Ik knikte abrupt. 'We doen het zo stil mogelijk. Mael, jij blijft hier bij de paarden. Schreeuw om hulp zodra je iets ziet.'

We stegen af onder genoeg gekraak van leer en gebries van de paarden dat alleen al de gedachte aan 'stil' ridicuul was. De verspieder ging ons voor het bos in. Mijn gevoel van naderend onheil werd steeds sterker terwijl we dieper het bos in drongen, al duurde het maar een paar minuten. Het hart klopte me in de keel tegen de tijd dat we een open plek bereikten.

Er was daar maar één persoon, en ze was dood. Ze was vastgebonden aan de wortels van een eik, de benen gespreid. Haar mollige, bleke dijen zaten onder het bloed. De keel was doorgesneden en het hoofd hing slap achterover. Haar kleren waren doordrenkt van bloed. We bleven allemaal met een ruk staan toen we de dode Jarnsvrouw zagen. Vreemd genoeg was mijn gevoel van onheil verdwenen zodra ik haar zag; ik *wist* eenvoudigweg dat er iets vreselijk mis was. Ik keek zorgvuldig om me heen voordat ik naar voren liep. De tra zag eruit als iedere andere open plek in een bos, maar aan de boomtakken hingen oude, verbleekte flarden kleding, aaneengebonden botten en vreemd houtsnijwerk. In het midden bevond zich een geblakerde stenen kring waar lang geleden een brandoffer aan de Hoge Goden was gebracht. Ik keek naar mijn metgezellen. Elwith omklemde haar halssteen. Beris maakte het teken van de Paardenmoeder. Ap Padarn maakte het afweringsteken tegen het Boze Oog. De verspieder stond er roerloos bij, alsof ze in steen was veranderd. Ulf stond hevig te kotsen op een hoop halfverrotte bladeren van de vorige herfst. Het was een door mensenhanden gemaakte hoop, de bladeren waren niet door de wind opeen gewaaid.

Ik liep naar de dode vrouw. Haar keel was voor de helft doorgesneden met iets dat heel scherp moest zijn en gehanteerd was door een gespierd iemand. Ik tilde haar hoofd voorzichtig op en werd overvallen door een schok van verdriet. Dat het lichaam dat van een Jarnsvrouw was was geen verrassing voor me – de meeste mensen in deze streek waren Jarns of op zijn minst voor de helft Jarns. Nu ik haar gezicht kon zien, herkende ik haar echter. Het was zuster Arvlid, de enige met wie ik in Thansethan bevriend was geraakt. Haar bleke ogen staarden omhoog en haar lippen waren teruggetrokken, alsof ze pijn had. Ik herinnerde me hoe ze honing had laten uitlekken en bij me was gebleven toen Darien werd geboren, waardoor ze haar feest had gemist.

Elwith stond naast me. 'Dit is Arvlid van Thansethan,' zei ze, met tranen in haar stem. 'Ze reed altijd naar de boerderijen en gehuchten met haar artsenijen en bad dan in het Jarns met de Jarns. Haar ouders wonen op een van de boerderijen rond het klooster. Deze plunderaars moeten haar hebben ontvoerd toen ze onderweg was. Ze hebben haar meegenomen, hierheen, en haar toen vermoord. We kunnen niets meer voor haar doen, maar we zullen ze krijgen!'

Ik drukte Arvlids ogen dicht en liet voorzichtig haar hoofd terugzakken. Toen trok ik haar rokken omlaag om haar benen te bedekken en haar in de dood wat meer waardigheid te geven. Terwijl ik dat deed, zag ik iets in haar handen schemeren. 'Waarom hebben ze haar helemaal hierheen gebracht?' vroeg ik me hardop af. Mijn stem klonk me vreemd in de oren. Ulf stond nog steeds hevig over te geven, maar voor de rest was het doodstil in het bos.

'Wie kan zeggen waarom die plunderaars wat dan ook doen,' zei Elwith woedend.

'Kom hier, Ulf,' zei ik. 'Jij weet waarom kustplunderaars de dingen doen die ze doen. Vertel mij eens waarom ze dit kunnen hebben gedaan.'

Zijn gezicht was witter dan melk toen hij naar voren kwam, en zijn baard was walgelijk smerig. Hij scheen de impuls om te kokhalzen niet te kunnen bedwingen, hoewel er alleen nog lucht en wat gal uitkwam. De krampen teisterden hem.

'Drink wat water en verman je,' zei ik. 'Als ik tegen deze aanblik kan, kun jij dat zéker. Deze vrouw was een vriendin van mij, een vrome non uit Thansethan.'

Zwijgend reikte Ap Padarn Ulf zijn waterzak aan. Ulf goot het water uit over zijn hoofd en een deel ervan liep zijn mond in. 'Ze... ze...' Op dat moment ging hij tegen de grond en lag in zijn volle lengte in de modder aan mijn voeten. Ik slaagde erin mijn neiging om hem een harde schop te geven te bedwingen, maar veel scheelde het niet.

'Elwith, ga terug naar Ap Erbin en zeg hem dat we het goed maken en dat hij met de hele troep over de heirbaan hierheen moet komen. Zeg de anderen niet wat je hebt gevonden. Ik wil dat iedereen kalm blijft. Beris, jij gaat rustig met de verspieder mee. Verken de omgeving van deze open plek en kom me dan verslag doen als je iets vindt, hoewel dat me zou verbazen. Ze is al de hele dag dood en ze zijn teruggegaan naar dat brandende schip.'

'Niemand gaat terug naar een brandend schip,' wierp Elwith tegen. 'Of zou de Blanke God het met zijn bliksem hebben getroffen om hen te straffen voor hun wandaden?'

Dat was een plausibeler verklaring dan alles wat ík had kunnen bedenken. Ze waren echter waarschijnlijk in een tweede schip vertrokken, wat de reden voor het in brand steken van het eerste ook mocht zijn geweest. 'Als hij van plan was mensen met de bliksem te treffen, had hij dat beter tijdig genoeg kunnen doen om de arme Arvlid te redden, in plaats van haar te wreken,' zei ik. 'Volgens mij zijn ze vertrokken, maar ik ben er niet zeker van, dus blijf scherp opletten.'

Elwith ging terug naar de paarden en de anderen gingen op zoek naar sporen. Ulf lag nog altijd hulpeloos in de modder te kokhalzen. 'Heb je nog wat water?' vroeg ik Ap Padarn. Hij schudde het hoofd. 'Ga terug naar Mael en kom terug met zijn waterzak,' zei ik.

Zodra hij weg was, boog ik me over Arvlid en trok de reep stof die ik had zien schemeren uit haar handen. Het was een flard lichtrode stof – exact de kleur en de breedte van de wimpel die Ayl als standaard gebruikte. Toch zag het er niet uit alsof ze het stuk stof krampachtig vast had geklemd, eerder leek het alsof het tussen haar dode vingers was gepropt. Ik stopte het in mijn tuniek en gaf Ulf een schop – eentje maar, en niet al te hard.

'Sta op. Ik weet dat jij dit niet hebt gedaan. Volgens mij waren het ook geen kustplunderaars uit Jarnholme. Hoe hadden die deze plek ooit kunnen vinden? Dit is een valstrik en als we er niet in willen lopen, zullen we nu moeten praten!'

Hij kreunde. Ap Padarn kwam terug met het water. Ik goot het uit over Ulf.

'Nooit gedacht dat hij zo'n zwakke maag had,' zei Ap Padarn. 'Ik geef toe dat het geen aangename aanblik is, maar mij zie je niet op de grond kotsen.'

'Nee,' zei ik energiek. 'Ga terug naar Mael, en als de anderen arriveren, help Ap Erbin dan even herinneren dat hij hierheen moet komen. Verspreid geen geruchten onder de anderen en zeg niemand wat je hebt gezien – we willen niet dat er nog meer hun ontbijt verliezen.'

Pas toen hij vertrokken was, kwam Ulf overeind. Hij zag er afstotelijk uit, met al dat braaksel, vermengd met modder, en met vuil en twijgjes in zijn haar. Hij meed mijn blik en leek zich te schamen dat hij nog leefde.

'Het spijt me,' zei hij zwak. 'Het komt door de nachtmerries die ik...'

'Jij hebt dit niet gedaan,' herhaalde ik. Hij kón het niet gedaan hebben, maar het was mogelijk dat hij de aanstichter was geweest. Ik had geloofd wat hij in het aanschijn van de goden op Foreth had beloofd, maar ik moest er zekerheid over hebben. Mijn hand tastte naar het gevest van mijn zwaard; ik stond klaar om hem te doden als dat nodig mocht zijn.

'Natuurlijk niet,' zei hij. 'Ik zou nooit...'

'Iemand heeft gewild dat ik dit vond en in woede zou reageren,' zei ik, er even zeker van als ik ooit van iets zeker was geweest. Ik liet het gevest los en keek neer op Arvlids dode lichaam. 'Als ik Aylsfa was binnengevallen om daar de akkers in brand te steken teneinde Arvlid te wreken, zou Ayl naar de wapens hebben gegrepen, en dat zou het einde van Urdo's koningsvrede hebben betekend.'

'Dat ga je toch hopelijk niet doen?' vroeg Ulf half versuft.

'Zeg geen bespottelijke dingen. Ik ben in mijn hele leven nooit verder geweest van woede dan nu.' In feite voelde ik me even koud, hard en bros als ijs. 'Denk even na. Degene die dit heeft gedaan, had het op mij gemunt, alsof hij me een dodelijke steek in het hart wilde toebrengen. Ze hebben Arvlid bewust vermoord om de vrede te verstoren, volgens mij. Maar wie? Als dit werkelijk doorgestoken kaart is, moet de dader het hebben geweten, Ulf. Hij moet iets hebben geweten dat alleen jij, ik en zes dode mannen kunnen weten. Wie heb je het verteld?'

'Niemand.' Verdwaasd schudde hij zijn hoofd en keek naar me op. 'Echt niemand – niemand had genoeg kunnen weten om dit te doen. De helft van alle mannen in Jarnholme weet dat ik tijdens een strooptocht in Tir Tanagiri door een vrouw zo ben verwond dat ik nog altijd mank loop, maar ik wist niet wie jij was. Ik heb er niemand iets over verteld, sinds het oordeel.'

'Ohtar, Urdo – verder niemand? *Ik* heb er met niemand over gesproken.'

'Wat we er op Foreth... over hebben gezegd was... niet genoeg om daaruit af te leiden dat het een eik was. Een esdoorn... zou de juiste boom voor de Ravengod zijn... geweest,' hakkelde Ulf langzaam. Voor het eerst keek hij op en ontdekte de botten en flarden kleding aan de takken. 'Wat is dit voor een plek?' Een paar regendruppels drongen door het bladerdak en spetterden op zijn opgeheven gezicht. Geërgerd wreef hij ze weg.

'Een oude offerplaats voor mijn goden, denk ik, hoewel al heel lang niemand hier is geweest, al in geen twintig jaar, zo te zien. Wie anders had het kunnen weten? Denk na!'

Hij was een tijdje stil. 'Niemand,' herhaalde hij. 'Een handvol Jarns weten waar het gebeurde. Die zitten allemaal in Jarnholme of zijn dood, denk ik. Ragnald Torrensson en mijn broer Arling weten waar het was en ze haten je. Ze weten echter niet genoeg om dit te hebben kunnen doen.' Hij maakte een gebaar, maar keek niet echt. 'Kan het geen bewijs van wreedheid zijn geweest, bedoeld voor wie dan ook die hier belandde?'

'Misschien. Maar dit kan onmogelijk toeval zijn. Het was tegen mij gericht, of tegen jou én mij, uit boosaardigheid.'

'Zou jij, als ik niet hier was geweest, bij jou, hebben gedacht dat ik...' Hij kon niet verder. Hoewel zijn maag totaal leeg was, waren de geluiden die hij maakte weerzinwekkend.

'Nee,' zei ik, hoewel ik zelf niet wist of het antwoord ja of nee moest zijn. 'Je hebt op de Foreth de waarheid gesproken en ik geloof je.'

'Ik heb het niemand verteld,' zei hij, happend naar lucht. Ik gaf hem de waterzak en hij nam een lange teug. 'Niemand kan dit van mij hebben, tenzij ze in staat zijn mijn dromen te lezen – en dat soort dingen komt alleen in de oude verhalen voor.'

Plotseling dacht ik aan Morwen van Angas, en deze gedachte had het karakter van een zekerheid, al was ze dood. Morwen, de heksenkoningin. 'Oude verhalen?' zei ik. 'Slaap nooit bij mensen die je niet vertrouwt, vooral niet als je in je dromen zo luid schreeuwt dat het halve kampement wakker wordt.' Ik wreef mijn ogen uit en zond mijn mentale voelsprieten uit naar de Heer van het Licht, smekend om helderheid. 'Lijkt dit hier veel op jouw dromen?' vroeg ik. 'Het lijkt me niet helemaal overeen te komen.'

Ulf werkte zich omhoog en keek nu naar Arvlid, proberend rustig te ademen. 'Wij hadden je jurk afgesneden,' zei hij, net luid genoeg dat ik het kon horen. 'Maar in mijn dromen trekken ze *mijn* tuniek op.'

Ik wist niet wat ik daarop kon zeggen. Een paar minuten later kwam Ap

Erbin door de bomen naar ons toe. We stonden zwijgend op de open plek zonder naar elkaar te kijken.

'Wat is hier gaande?' vroeg Ap Erbin. 'Elwith zei...' Hij liep naar voren en knielde naast Arvlid neer.

'Gunnarsson, ga maar terug naar de anderen,' zei ik.

Ulf draaide zich om en liep zwijgend weg, zonder naar me te kijken.

'Iemand probeert mij razend te maken,' zei ik tegen Ap Erbin.

'Zo te horen zijn ze daar aardig in geslaagd,' zei Ap Erbin, die verbaasd naar me opkeek. 'Ik heb je nog nooit zo kwaad gezien.'

'Ik denk niet dat dit het soort woede is waarop ze hadden gerekend,' zei ik. 'Wat denk jij hier van?'

'Eh.. Sulien?'

'Zeg me wat je ervan denkt,' zei ik met opeengeklemde kaken.

'Een dode non, een Jarns schip dat zonder duidelijke reden in brand is gestoken – een Jarnse strooptocht, maar wat al te diep het land in. Het zou een hinderlaag kunnen zijn, ergens in de buurt; dat dacht je zelf ook toen je hierheen reed. Waarom ben je zo razend?'

Ik trok de reep stof uit mijn tuniek en liet het hem zien. 'Ze had dit in haar hand.'

Hij hijgde van schrik en stapte achteruit. 'Ayl?'

'Als ik zei dat we Aylsfa gingen binnenvallen om dit te wreken, zou je dan meegaan?' vroeg ik. Zodra hij iets wilde zeggen hief ik een hand op. 'Kijk wat aandachtiger om je heen. Wat is dit voor een plek? En waarom hier? Waarom hebben ze dat schip in brand gestoken? Wie had daar iets bij te winnen? Hoe waarschijnlijk is het dat zij een wimpel kapot heeft getrokken toen ze zich verzette? Nota bene een wimpel waarvan Ayl er maar één heeft? Ja, dit is een valstrik, zowel voor ons als voor Ayl. Dit hier is gedaan door een vijand van de koningsvrede en ik moet eerst een duidelijk beeld zien te krijgen van wat me nu te doen staat.'

Ap Erbin rimpelde zijn voorhoofd en bekeek de reep rode stof in zijn hand. 'Wie kan hier dan belang bij hebben? En waarom?'

'Iemand die ons haat en ons tegen elkaar in het harnas wil jagen. Iemand die wist dat wij vandaag langs deze heirbaan zouden rijden en wilde dat we dit hier zouden vinden. Wie kan dat zijn geweest?'

'Arling Gunnarsson? Atha ap Gren?' Ap Erbins frons werd dieper toen hij omhoog keek naar de voorwerpen die aan de takken hingen. 'Cinon van Neve? Flavien ap Borthas? Iemand die dit land goed moet kennen.'

'Het land! Natuurlijk! Dat is wat we eraan moeten doen!' zei ik, hem in de rede vallend. 'Zijn we hier in Nene, of nog in Tevin?'

'Volgens mij is dit feitelijk Segantia, nog net,' zei Ap Erbin. 'We zijn maar een halve dag rijden van Thansethan. Hoe dat zo? Wat maakt het voor verschil?'

'De oplossing voor iets dat erop berekend is je kwaad te maken, is je in alle kalmte een oordeel vormen,' zei ik. 'Het gaat hier om moord. Ik ben ervan overtuigd dat er in Urdo's nieuwe wetboek een verbod op het vermoorden van mensen zal zijn opgenomen, of dat dit het geval zal zijn als het klaar is. Ik wil iedereen hier verzamelen, opdat er recht kan worden gesproken over degenen die dit hebben gedaan, wie ze ook mogen zijn. Ik ben inderdaad kwaad. Ik ben zelfs zo kwaad dat ik in staat zou zijn de schuldigen het hart uit de borst te rukken. Ze hebben Arvlid van het leven beroofd, Arvlid die nooit een vlieg kwaad deed en alleen maar goede werken verrichtte. Ze hebben haar bovendien niet vermoord om iets wat ze al dan niet had gedaan, maar alleen om mij tot onbezonnen daden te verleiden en zo de koningsvrede te schenden. Ik zal ze hier allemaal verzamelen, ja, en dan zal het land uitspreken wie dit heeft gedaan.'

'Sulien, waar héb je het over?' Ap Erbin kwam naast me staan en legde een hand op mijn schouder. 'Ik kan je niet volgen.'

'Iemand die ons haat wilde mij ertoe verleiden de vrede te schenden,' zei ik nog eens, zo bedaard mogelijk. 'Het zou ze gelukt zijn als ze het grondiger hadden aangepakt, maar ik heb hun opzet doorzien, gelukkig. Ik moet erachter komen wie dit heeft gedaan, om te voorkomen dat ze het nog eens proberen en er dan meer succes mee hebben. Dat vereist dat er in alle openbaarheid recht wordt gesproken.'

'Het kunnen kustplunderaars zijn geweest. Ze deed altijd haar ronde vanuit Thansethan.'

'Deze lap stof was met opzet meegenomen,' zei ik, maar terwijl ik het zei herinnerde ik me Dariens brieven, waarin hij me had geschreven dat hij haar vaak vergezelde. Als deze aanval op mij was gericht, waar was *hij* dan? 'Blijf hier,' zei ik. 'Sla je kamp op bij de rivier en blijf deze open plek bewaken. Stuur verspieders uit, in beide richtingen langs de rivier, zover als je kunt, en haal *iedereen* die je kunt vinden hierheen. Ik moet naar Thansethan en vandaar naar Caer Tanaga. Ik zal samen met Urdo terugkomen, uiterlijk over vijf of zes dagen. En anders stuur ik bericht.'

'Ik begrijp het niet,' zei Ap Erbin verbijsterd. 'Zei je niet dat ze jou niet toelaten in Thansethan? Waarom moet je daarheen? Laat dit even bezinken.'

Ik haalde doelbewust heel diep adem, en nog eens. Toen strekte ik mijn mentale voelsprieten uit naar de Heer van het Licht en werd rustiger toen ik hem voelde naderen. 'Ik moet zo spoedig mogelijk zorgen dat Urdo en alle andere koningen hier bijeenkomen,' zei ik. 'Bovendien moet ik nagaan of ze nog iemand anders te pakken hebben gekregen. Mijn zoon verblijft in Thansethan en hij vergezelde Arvlid vaak.'

Ap Erbin staarde me even aan. 'Stuur Urdo en Thansethan een bode,' zei hij. 'Stuur de verspieders er groepsgewijs op uit. Jij kunt zelf niet meer doen dan zij. We doen er verstandig aan hier bij de rivier ons kamp op te slaan. Een goed verdedigd kamp, met een gracht en een wal eromheen. Deze plunderaars, of wie het ook zijn, moeten hier nog ergens zijn. Ze zijn niet in rook opgegaan.'

Hij had gelijk, wist ik. Ik wilde dat mijn vijanden zich tegenover mij opstelden achter een muur van schilden, zodat ik er met gevelde lans op af kon stormen. Alles is zo eenvoudig, op zo'n moment. Ik had het aan de goden te danken dat ik helder genoeg had kunnen denken om niet in razernij te ontsteken en zelf de koningsvrede te schenden. 'Goed, ik schrijf de boodschappen meteen. Jij stuurt de verspieders uit en zorgt dat het kampement wordt opgezet.'

'Wat doen we met haar?' zei hij, gebarend naar Arvlids lijk. 'Moeten we haar terugbrengen naar Thansethan, of haar hier begraven?'

'Wat is volgens haar religie gebruikelijk? Ik weet alleen wat zij met in de strijd gesneuvelde mensen doen. Zou het anders zijn voor een non? We zijn niet ver van Thansethan; ik stel voor dat we haar voorlopig bedekken en hun vragen wat ze gedaan willen hebben. De wapendragers moeten we hier weghouden – dit is een gruwelijke plaats. Zet twee man op wacht, maar laat verder niemand hier toe. Ze zouden alles vertrappen. We gaan terug naar de rivier en zenden onze verspieders en roodmantels zo snel mogelijk uit.'

35

Kom kleine krijgsman, word fameus.
Kom kleine schildman, wees een reus.
Kom kleine krijgsman, bal je vuist.
Kom kleine schildman, maak een knuist.
Kom kleine krijgsman, maak je groot.
Fluks kleine schildman, fluks of dood!
– Kinderrijmpje uit Jarnholme

Het eerste verspiedersbericht kwam van de halve penoen die we de rivier over stuurden, Aylsfa in. Ze hadden aanwijzingen gevonden dat een groep mensen, het konden er negen of tien zijn geweest, een eind voorbij de bocht in de rivier stroomopwaarts het water had verlaten en daar het land in was getrokken. Ze hadden het spoor over een afstand van enkele mijlen door het land naar een gehucht gevolgd, maar de voetsporen waren verdwenen in een klein bos. Zij dachten op grond van de voetsporen dat er misschien een jongen bij was geweest, in elk geval iemand met kleinere voeten. De verspieder keek ontsteld en durfde me niet in de ogen te kijken toen ze het mij vertelde. Ik stuurde er een tweede groep heen, aangevuld met mijn beste verspieders, maar niemand kon een spoor ontdekken dat het bos verliet.

Die hele middag liep ik te ijsberen en hield iedereen afstand van mij, afgezien van terugkerende verspieders die niets te melden hadden. Iedereen had het druk, hetzij met verspieden, hetzij met het opzetten van een kamp volgens Ap Erbins instructies. Na een tijdje, toen de meesten zaten te eten, kwam Elidir dichterbij, maar ze wachtte totdat ik haar had opgemerkt. Ze had wat gerookte ham bij zich, en een homp brood. Ik at het staande op en slikte iedere hap door alsof het een onsmakelijke eikeltjescake was.

Kort voor het invallen van de avondschemering arriveerde er bezoek uit Thansethan. De groep was veel groter dan ik had verwacht. Ap Selevans complete penoen was er, met in hun midden een twaalftal monniken in bruine pijen. Vader Gerthmol en Raul waren erbij.

Zodra hij was afgestegen, kwam Ap Selevan naar me toe. 'De koningin stónd erop dat we allemaal meegingen, prefect,' zei hij. 'Ze zei dat ze achter de sterke muren van Thansethan veilig genoeg was en dat u ons misschien nodig kon hebben.'

'Moge de Wijsheidsvrouwe haar zegenen!' zei ik oprecht. Elenn had mij een grote gunst bewezen door ze hierheen te sturen en zelf te blijven waar ze was. Een extra penoen verruimde mijn mogelijkheden aanzienlijk. Een halve ala vormde tenslotte een flinke strijdmacht tegen alles wat we redelijkerwijs konden verwachten. Ap Selevan stond, betrouwbaar als altijd, op instructies te wachten, terwijl het regenwater van zijn cape droop. 'Zet je kamp op zoals altijd,' zei ik. 'Ap Erbin zal je wijzen waar. O, en vraag vader Gerthmol of hij even tijd voor me heeft.'

Ap Selevan was op de hoogte van mijn relatie met Thansethan en trok zijn wenkbrauwen op, maar zei meteen: 'Jawel, prefect.'

'Vraag het hem zo beleefd mogelijk,' zei ik. Hij knikte en liep weg.

Ik zou nog liever in het muggenseizoen een geforceerde mars door een moeras hebben gemaakt, beladen met mijn eigen gewicht in knolraap, dan op dat moment een gesprek voeren met vader Gerthmol, maar ik moest zekerheid hebben over Darien. Ik bleef nog een tijdje heen en weer lopen, wachtend op zijn komst. Hij kwam naar me toe met een andere monnik, die ik me herinnerde uit Thansethan, broeder Geneth, die me het slaapverwekkend saaie verhaal van zijn bekering vier keer had verteld, ervan overtuigd dat ik me er uiteindelijk door zou laten overhalen. Ze bogen allebei, en ik boog terug. Broeder Geneth vroeg meteen naar Arvlid. We spraken een poosje over haar en spraken af dat ze voor de volgende zonsondergang zou worden begraven. Tijdens het hele gesprek liet hij zijn halssteen geen moment los. Vader Gerthmol zelf zei geen woord. Hij keek niet eens naar me en deed alsof hij in zijn eentje op een veld stond. Ik wachtte tot hij zelf over Darien zou beginnen. Ik had in mijn boodschap naar Thansethan geïnformeerd naar zijn veiligheid. Toen het ernaar uitzag dat ze elk ogenblik konden weggaan, was ik genoodzaakt er opnieuw naar te vragen.

Ze keken elkaar aan. Vader Gerthmol staarde over mijn schouder naar de verte. Broeder Geneth keek mij kort in de ogen, maar richtte daarna zijn blik meteen op de zoom van zijn pij en zijn in sandalen gestoken voeten. 'De jonge Suliensson is gisteren samen met zuster Arvlid uitgereden, zoals gewoonlijk,' zei hij.

Ik herinner me niet meer wat ze daarna nog hebben gezegd, of hoe ze weg zijn gegaan. Ik ging weer lopen ijsberen, totdat uiteindelijk Ap Erbin me naar mijn tent trok en me dwong een beker van een of andere smerige drank uit Demedia te drinken die hij bij zich had. Als ik afga op de smaak, had het gemaakt kunnen zijn van gestampte knopraap en lijnolie, maar het spul brandde in mijn mond, keel en slokdarm, helemaal tot in mijn maag.

En hij bedoelde het goed. Ik moet die nacht hebben geslapen, want ik herinner me dat ik hevige dorst had toen ik bij het krieken van de dag wakker werd.

De hele volgende dag regende het. Ik begon weer te ijsberen, zodat ik in het kamp bijna een vore in de modder uitsleet. Bij ieder binnenkomend bericht verwachtte ik te horen dat Dariens lijk was gevonden. In plaats daarvan waren de rapporten opmerkelijk nietszeggend. Het leek alsof er niemand was of zich verplaatste, zo ver de verspieders konden komen. Tegen het eind van de middag kwam er een roodmantel uit Caer Rangor met de boodschap dat Luth en Cinon allebei op jacht waren gegaan, maar ieder afzonderlijk, en dat ze allebei nog niet waren teruggekeerd, zodat mijn boodschap op hun terugkeer zou moeten wachten. Zelf was ik sinds Angas' terugkeer naar Demedia niet meer langer dan een dag op jacht geweest. Ik vervloekte hen omdat ze alleen aan hun pleziertjes dachten, juist nu ik hen nodig had. Het nieuws over Luth zou echter een zwaardere klap zijn geweest als ik het zonder Ap Selevans penoen had moeten stellen. Opnieuw zegende ik Elenn in mijn hart.

Tegen zonsondergang werd Arvlid begraven op de plek waar ze was gestorven. Er ontstond enige beroering toen ik er met de anderen aankwam. Er waren zoveel mensen bij die bevriend met haar waren geweest dat we tussen de bomen moesten staan omdat er op de open plek geen plaats genoeg was. Ik denk dat vader Gerthmol me het liefst weg zou hebben gestuurd, maar Raul zei iets tegen hem, waarop ze me ongemoeid lieten. Als hij een spectaculaire bekering had verwacht, moet hij teleurgesteld zijn geweest.

Het werd een stille, bescheiden begrafenis. Vader Gerthmol sprak lovend over haar. Hij vertelde hoe ze als jong meisje Thansethan in allerijl was komen waarschuwen voor de aanval van Geelhaar, en dat zij sindsdien in Thansethan had gewoond en de Blanke God altijd trouw had gediend. Nu had Hij haar, zei hij, tot zich genomen, opdat zij Hem in eeuwigdurende aanbidding zou dienen. Daarna werd er gezongen en wierp iedereen wat aarde op de grafheuvel, precies alsof ze in de slag was gesneuveld. Later werden alle bomen in de naaste omgeving van het graf omgehakt, op een enkele eik na, en werd er een klooster met kloosterkerk gebouwd. Ap Erbin heeft zijn huis in die naaste omgeving gebouwd en ik heb gehoord dat er nu een kleine stad omheen is ontstaan, in die bocht in de rivier, een echt stadje met een school, een marktplein en een uitspanning waar roodmantels hun paarden kunnen verversen. Iedereen noemt het plaatsje Thanarvlid. Er zijn beroerdere dingen die de herinnering aan iemand levend houden. Als ze had geweten dat haar dood aanleiding zou zijn voor het ontstaan van een stad en ontmoetingscentrum voor de Jarns in die contreien, zou ze daar beslist blij om zijn geweest, denk ik. Het is waar dat zij de Blanke God liefhad en Hem haar hele leven was blijven dienen, maar zij hield ook van mensen en deed altijd voor hen wat ze kon. Per slot van rekening was dat de reden waarom ze regelmatig haar ronde deed. Ze bracht de mensen echter niet alleen gebeden, maar ook artsenijen en andere vormen van bijstand. Als alle volgelingen van de Blanke God zo waren geweest als Arvlid, zou ik de monniken en nonnen veel aardiger hebben gevonden.

Na de begrafenis probeerde ik met Raul te praten, maar vader Gerthmol wilde het niet hebben en rukte hem bijna van mij weg. Daarna begon ik weer te ijsberen totdat Ap Erbin me vroeg of het iets hielp en ik tegen hem uitviel. Ik ging daarom mijn paarden maar verzorgen. Ze hadden geen verzorging nodig, mijn stalknecht hield ze in voortreffelijke conditie. Toch werd ik er rustig genoeg van om wat te kunnen slapen. De volgende dag verliep precies zo. Ik wilde nog steeds niet eten of praten, met wie dan ook. Dezelfde gedachten maalden voortdurend door mijn hoofd. Elke keer als ik een groepje zag terugkomen, was ik ervan overtuigd dat ik nu te horen zou krijgen dat Dariens lichaam was gevonden. Arvlid was erbij geweest toen hij geboren werd; waar was hij geweest toen ze stierf? Was al dat verdriet en al die ellende voor niets geweest, als hij al zo jong had moeten sterven? Ik had hem nauwelijks gekend. Op dat moment werd ik woedend op mezelf omdat ik zo egoïstisch was om aan mijn eigen verdriet en narigheid te denken, terwijl hij degene was die al na zo korte tijd zijn leven helemaal opnieuw zou moeten beginnen. Daarna dacht ik aan de manier waarop ik me zou wreken op degene die dit in elkaar had gezet, maar dan moest ik eerst weten *wie* dit had gedaan. Dat leidde me een volgende doolhof in, vol raadsels over wie dit kon hebben gedaan en om welke reden.

Het enige echte nieuws dat ons de derde dag bereikte, was een boodschap van Penarwen. Ze schreef dat Ayl zich niet in Fenshal bevond; hij was op jacht gegaan. Van Cinon en Luth in Caer Rangor kwam geen nieuws meer, zodat ik veronderstelde dat ze nog niet waren teruggekeerd.

Die avond zat ik op een omgevallen boomstam mijn beide paarden te roskammen en draaiden mijn gedachten weer eens in nutteloze kringen rond, toen ik Glimmer onrustig een beweging opzij voelde maken en ik begreep dat iemand ons was genaderd en op kleine afstand was blijven staan. Ik bracht mijn hand voor mijn ogen om ze voor de gloed van het vuur af te schermen en keek om. Het was Ulf die in het vuurschijnsel stond. Dat verraste me. De meeste anderen hadden me gemeden.

'Excuus dat ik je kom storen, prefect,' zei hij.

Ik stond op, want ik wilde niet dat hij ten opzichte van mij in het voordeel was. 'Wat is er?' vroeg ik lomp.

Hij haalde diep adem. 'Wiens kind wordt vermist, zeggen ze?'

'Mijn zoon,' zei ik kortaf.

'Ik wist het,' zei hij. 'Ik hoorde niet anders dan "Suliensson zus" en

"Suliensson zo" sinds Ap Selevan hier aankwam. Hoe oud is jouw zoon?'

Plotseling welde er woede in mijn binnenste op. 'Ik begrijp niet met welk recht jij me hier deze vraag komt stellen.' Glimmer ving mijn stemming op. Hij gooide zijn hoofd hoog op en snoof uitdagend.

'Geen enkel recht,' zei Ulf gelaten, alsof dat antwoord voldoende was. Het was te donker om zijn uitdrukking te kunnen onderscheiden, maar ik zag hem huiveren. 'Maar hoe hartgrondig Ohtar mij ook een idioot noemde, ik weet dat ik gelijk had – jij bent geknipt voor Gangrader en hij mag jou. Ik wou alleen dat hij aan jou voldoende had en mij met rust liet.'

'Welke goden jij kiest is jouw zaak, Ulf Gunnarsson,' zei ik. 'Ik zie niet in waarom jij mij nu zo nodig moet storen.'

'Omdat de jongen die vermist wordt jouw zoon is, ook al ben je nooit getrouwd geweest. En omdat jij denkt dat de goden aan de kant van de vrede staan. Dat geldt echter niet voor Gangrader, hij is een god van oorlog, sneuvelen in de strijd en kwaadaardige grappen uithalen met mensen.'

'Gangrader zou er niet wel bij varen als hij toestaat dat Ayl en zijn volk worden afgeslacht, zodat de burgeroorlogen weer terugkeren,' zei ik zacht. 'Zelfs de oogst van de kraaien op het slagveld heeft tijd nodig om te rijpen. En wat je ook over mij mag denken, ik heb Urdo en de vrede van Groot-Tanaga altijd gediend!'

'Alsof ik dat niet weet,' zei Ulf, met iets in zijn stem dat aan een snik deed denken. 'Jouw weg is altijd de weg van eer. Maar pas op voor de beloften van Gangrader; hij zal ze verdraaien. Als de zekerheid die je in dat bos voelde *zijn* zekerheid is geweest, vertrouw het dan niet.'

'*Als* ik in de hand van onverschillig welke god was en daardoor de val die voor mij was opgezet duidelijk zag, denk ik niet dat het jouw Ravengod is geweest,' zei ik zo rustig mogelijk, me afvragend of Ulf soms dronken was. 'Ik zal wat je hebt gezegd in mijn achterhoofd houden, maar Gangrader heeft mij nooit beloften gedaan, zodat hij ze ook niet kan verdraaien.'

'Zal ik je dan eens zeggen wat hij *mij* heeft beloofd?' vroeg Ulf. Hij boog zich naar me toe en fluisterde: 'Hij beloofde mij dat een zoon van mijn bloed op de troon van Tir Tanagiri zou zetelen. Mijn vader was koning in Jarnholme en Sweyn was mijn oom, dus leek het me niet al te onwaarschijnlijk. Daarom ben ik met Sweyn meegekomen, hierheen, in de veronderstelling dat ons de overwinning was beloofd – totdat we bij Foreth die nederlaag leden. En sindsdien geloof ik... nou ja, maakt niet uit, want Gangrader verdraait zijn beloften altijd en een zoon héb ik al, nietwaar? Ze zeggen dat jij en Urdo minnaars zijn. Ze zeggen ook dat deze jongen Urdo's zoon is. Misschien ben ik een achterlijke Jarnsman, maar ze zeggen dat hij dertien jaar oud is, en ik kan tellen. Ik weet nog precies wat Urdo op Foreth heeft gezegd. Dit is precies het soort grap waar Gangrader zo dol op is, maar hoe komt het toch dat wij er niet om lachen?'

'Omdat de jongen waarschijnlijk dood is?' perste ik eruit. De woorden klonken hard en kil. 'Dat is genoeg om iedere grap te bederven. Over zijn vader zeg ik niets. Jij hebt er niets mee te maken, jij die opeens aanspraak op hem gaat maken. Hij is in Thansethan geboren, negen maanden nadat ik bij de Grote Koning dienst had genomen.'

'Inderdaad, dat zou de grap totaal bederven. Daarom verwacht ik dat hij in leven is, gespaard door een of ander wonderlijk toeval. Ik verwacht morgen te zullen sterven,' vervolgde Ulf kalm. 'Zo gaat het meestal, als Gangrader het zo heeft ingekleed dat iemand de pointe van een van zijn grappen heeft begrepen.'

'Ulf,' zei ik vermoeid, 'als er morgen moet worden gevochten en we de kans krijgen om een stormaanval te ondernemen, zal ik je graag vooraan zetten. En als je werkelijk vindt dat je dood moet, mag je dat voor mijn part naakt en blauwbeschilderd doen, zoals de Isarnaganen. Het kan mij niet schelen. Het zal mijn leven gemakkelijker maken. Ik vrees echter dat dit niet het soort oorlog is waarin de vijanden duidelijk herkenbaar zijn, zodat je ze in de pan kunt hakken. Als mijn zoon nog leeft, verzoek ik je hem niets te vertellen over zijn afkomst, noch iemand anders. Wij hebben onze vete beslecht op de top van de Foreth.'

'Mijn lippen zijn verzegeld.' Zijn stem stierf weg, alsof hij er nog iets aan toe had willen voegen, maar de juiste woorden niet kon vinden.

'Nu je toch hier bent,' zei ik, 'kun je me net zo goed vertellen wie jouw dromen kan hebben gelezen. Alle vrouwen en de helft van de mannen in jouw penoen, heb ik gehoord, maar wie nog meer?'

'Inderdaad, de halve penoen, als je het zo wilt noemen. Alleen, waarom zou wie ook in de ala ons kwaad toewensen?' vroeg hij. Zo geformuleerd klonk het redelijk. 'En voordat ik in de ala werd opgenomen?' Hij zweeg even. 'Kameraden die nu dood zijn, of in Jarnholme zijn, bij mijn tante en mijn broer. En anders zijn ze nu in dienst van Alfwin. Bedienden... Ik kan me onmogelijk voorstellen dat iemand die bereid was haar deken met mij te delen iets dergelijk zou doen.'

Dat kon ik me indenken. 'Maar al deze mensen zouden een grief tegen ons kunnen koesteren, of tegen jou, terwijl ze geen reden hebben om gesteld te zijn op Ayl.'

'Mogelijk. Aan de andere kant kunnen ze genoeg redenen hebben jou te haten omdat je hun vrienden hebt gedood. Wie haat jou?'

'Geen idee.' Het was een afschuwelijke vraag. Ik kon zelf ook niemand bedenken die mij persoonlijk zou haten. Ik had genoeg Jarns gedood, maar nooit tegen de regels van oorlogvoering in. Het zou me niet verbazen als ze mij aan hun mes wilden rijgen, maar wat hier was gebeurd, kwam voort uit echte boosaardigheid. En Darien... Ik beet op mijn lip. Opnieuw dacht ik aan Morwen, die mij in haar macht had gehad en nu dood was.

'Hoe dicht bij jou heeft Morwen van Angas kunnen komen?' vroeg ik.

Hij huiverde. Ik kon het duidelijk zien, hoewel het al te donker was om nog zijn gezicht te zien. 'Ze had nooit dicht bij me kunnen komen terwijl ik sliep,' zei hij. 'En trouwens, ze is al jaren dood.'

'Het voelde voor mij aan alsof zij er de hand in had. Net als in Caer Lind. Ik weet heel goed dat ze dood is, ik heb er een rol bij gespeeld. Wat denk je van haar zoon?'

'Morthu?' Ulf aarzelde. 'Inderdaad, we hebben een of twee keer naast elkaar gelegen, kort nadat hij in de ala was opgenomen. Maar toen hij net uit Thansethan kwam, gedroeg Morthu zich als een wild veulen in een lenteweide. Hij was niet altijd voorzichtig met andermans gevoelens. Hij zocht toenadering tot mij, maar begon later de spot met mij te drijven. Ik mag hem niet, nu ik hem ken. Maar waarom zou hij jou moeten haten?'

'Waarschijnlijk ben ik niet helemaal billijk tegenover Morthu,' zei ik, 'maar ik heb wel zijn moeder gedood.' Hij was hier, maakte deel uit van Ap Selevans penoen. Ik had onder het ijsberen al een paar keer gemerkt dat hij me zat te beloeren.

'Hij heeft voor zover ik weet nooit iets ten nadele van jou gezegd,' zei Ulf langzaam. 'Geen woord ter verdediging van zijn moeder, of tégen de Grote Koning. Over zijn broer in Demedia spreekt hij lovende woorden. En hij heeft zo vaak gezegd dat hij een kleinzoon van Avren is dat niemand dat gemakkelijk zal vergeten. Maar wat kan hij willen? Wat heeft hij erbij te winnen?'

'Zou de kleinzoon van Avren soms de kroon van Tir Tanagiri begeren?' opperde ik.

'Het uitlokken van een oorlog zal hem dan weinig baten. Zelfs als hij in de gelegenheid was Urdo te doden, zou hij dat niet doen. Hij is erg jong nog, en heeft minder rechten dan zijn broer. Er zouden er niet veel zijn die dergelijke aanspraken van zijn kant willen steunen. Hij zou er beter aan doen vriendschap te sluiten met Urdo en te zorgen dat die hem tot zijn opvolger benoemt.'

'Dan weet ik het niet meer,' zei ik, te luid. De paarden maakten onrustige bewegingen en ik was me bewust van het kampement erachter – de gracht, en de rivier. Het liefst zou ik zijn opgestegen om zo hard en zo ver als ik kon weg te galopperen van deze plek.

'Ik heb een bloedhekel aan wachten!' zei ik met plotseling ongeduld. 'Ik wou maar dat ik iets kon ondernemen.'

36

De wet mag geen persoonlijk instrument zijn om de wil van vorsten af te dwingen of te dwarsbomen; hij dient een schild van velen tegen één te zijn, alsmede een schild van één tegen velen, en een muur tussen twistende verwanten. Om dit alles te kunnen doen, moet de wet zodanig worden gemaakt dat hij is samengesteld uit de meest verheven intenties, de hoogste wijsheid, en het evenwichtige oordeel van veel mensen. Telkens als de wet wordt herschreven, moet dat gebeuren met een zuiver hart en op basis van een keuze uit alles wat de levende én toekomstige generaties het beste dient.

– Wetboek van Urdo ap Avren

Het duurde nog twee dagen van wachten, ijsberen en piekeren voordat Urdo arriveerde, maar daarna gebeurde alles tegelijkertijd. Ik had een ruime periferie rondom het kampement uitgezet en daar permanent schildwachten geposteerd, zodat ik onmiddellijk werd ingelicht als er ook maar even beweging was bespeurd, hetgeen echter zelden gebeurde. Er was nog steeds geen bericht van Cinon, Ayl of Luth. Ik begon mijn geloof in het jachtverhaal te verliezen. Het weer was veel te onaangenaam om zo lang voor je plezier onder de blote hemel te bivakkeren.

Alfwin stuurde een bode om te melden dat hij onderweg was. Hoewel het nog dagen zou duren voordat hij me had bereikt, was het voor mij een opluchting te weten dat niet iedere koning op het eiland op jacht en onvindbaar was. Ik was me er scherp van bewust hoe weinig voorbereid we waren op een burgeroorlog.

's Middags had broeder Geneth de brutaliteit mij te vragen of Ap Selevans penoen de broeders kon escorteren, terug naar Thansethan. Hij trof het slecht, want mijn geduld was vrijwel op, zodat hij woedend terugging naar zijn medebroeders.

De dag waarop Urdo arriveerde, begon met een dikke, hardnekkige mist boven de rivier. We konden van de zon niet méér zien dan een witte gloed in de mist. Urdo dook aan het eind van de middag op uit die mist, vergezeld van de verspieders die hem langs de heirbaan hadden opgewacht. Hij had de andere helft van mijn ala bij zich.

'We waren bijna teruggegaan naar Thansethan,' vertelde Gormant mij terwijl Urdo met zorgvuldige beleefdheid vader Gerthmol begroette. 'We konden de weg nauwelijks zien. Het is hier lichter dan een eind terug langs de heirbaan. Vandaag zullen we niets kunnen vinden. Wat is er eigenlijk aan de hand?'

Toen kwam Urdo naar mij toe en probeerde ik hem in een begrijpelijke volgorde uitleg te geven van de gebeurtenissen. 'Waar is...' begon hij, maar voordat hij meer kon zeggen, schoot een immense zilverkleurige hond tussen ons door. Ik kneep mijn ogen tot spleetjes en staarde het dier na, met een merkwaardig gevoel van herkenning. Hij was zo dicht langs me heen gerend dat ik de wind van zijn passage had gevoeld, maar ik had geen idee waar de hond vandaan was gekomen. Het was de grootste hond die ik ooit had gezien, zelfs groter dan Elenns enorme wolfshond uit Isarnagan. Deze hond had het formaat van een kleine pony. Ik haalde adem om iets te zeggen, maar op dat moment ontstond er een luid kabaal van geblaf, gehuil en schreeuwende mensen.

In het hart van het kampement was grote beroering ontstaan. De grond beefde zelfs! Ik zag een enorme gedaante, twee keer zo breed als een paard. De gedaante verspreidde een scherpe, indringende stank die me misselijk maakte, en hij werd omringd door rondrennende witte honden, maar er waren ook andere honden bij, gewone jachthonden. Ruiters stormden tussen de tenten en linies door, gewapend met jachtsperen. Plotseling bracht mijn geest wat logica in wat ik zag. Nu begreep ik dat dit monster een everzwijn was, van een formaat dat niet onderdeed voor dat van het everzwijn waarop Kilok in het oude lied jacht had gemaakt om van de borstels een kam voor zijn reusachtige schoonvader te maken.

Urdo, Gormant en ik renden als razenden naar de paarden; te voet heeft niemand veel kans tegen een everzwijnsbeer, zelfs niet een van normaal formaat. Andere wapendragers deden hetzelfde en iedereen schreeuwde en liep elkaar in de weg. Ik zag vader Gerthmol wegrennen zo hard hij kon, zijn pij opgetrokken tot zijn middel en zonder een greintje waardigheid.

Alle paarden waren uiterst nerveus en veel mensen om mij heen hadden er moeite mee hun rijdier onder controle te krijgen. Eenmaal in het zadel kon ik beter zien, ondanks de mist. Ap Padarn gooide een speer naar me op en ik griste hem uit de lucht. Wij bevonden ons achter het zwijn. De kolos was voor mij te hoog om over hem heen te kunnen zien, zelfs te paard, maar wel kon ik langs hem heen kijken. Hij hield de enorme kop laag boven de grond, maar negeerde de honden die telkens aanvallen deden om hem te bijten. Rond een van de achterpoten was een dik touw verward geraakt. Hoewel ik hem van achteren zag kon ik zien dat zijn slagtanden langer waren dan een speer, en ze hadden een dodelijke kromming naar boven. Verscheidene jachthonden hadden hun aanvallen al met de dood moeten bekopen. Een van de honden lag erbij als een platgewalst vat.

Links van het everzwijn zag ik Ayl, gezeten op een bontgevlekt half-paard. Zijn broer, Sidrok, reed naast hem en droeg Ayls afzichtelijke stan-daard, waarvan de lichtrode wimpel half om de stok heen was gewikkeld en de rest slap afhing in de mist. Ze vormden het middelpunt van een gezelschap van andere Jarns uit Aylsfa en allemaal hielden ze hun jachtspeer gereed om toe te stoten. Ayl zag eruit zoals hij er altijd uitzag als hij op jacht was.

In het midden, vlak voor het zwijn, stond Cinon van Nene, slechts gewapend met een gewone speer en een zwaard. Hij zag er enigszins ver-ward en gekrenkt uit, alsof iemand hem net een belediging had toegevoegd en hij nog niet wist hoe hij erop moest reageren. Hij had tien, twaalf gewapende leden van zijn hof bij zich, uitsluitend mannen. Rechts van hem stond mijn zoon Darien. Zijn polsen waren op zijn rug geboeid. Ik was onuitsprekelijk opgelucht. Hij stond met ontblote tanden voor het ever-zwijn en zag eruit alsof hij op het punt stond erop af te springen, bijna alsof hij het monster uitdaagde.

Het merkwaardige was dat het everzwijn zich gedroeg alsof het in een kreupelhoutbosje in het nauw was gedreven, hoewel hij in het open kamp stond.

Het kost tijd om het te beschrijven, maar het gebeurde allemaal in een flits. Het leek me dat als ik mijn speer richtte en het monster van opzij bestormde, met Glimmers volle gewicht én het mijne achter de stoot, ik het dier in het hart zou kunnen raken. Op z'n minst zou ik het dwingen om Darien verder te negeren en zich naar mij te keren, of naar Luth en zijn mensen, die erop voorbereid waren. Glimmer wilde terugdeinzen toen een vleugje wind de lucht van het dier naar zijn neus waaide, zodat ik hem met mijn knieën moest dwingen.

Everzwijnen zijn snel, hoewel de kleinere exemplaren in de regel sneller zijn dan de werkelijk grote. Dat nam niet weg dat ik toch door zijn aanval werd verrast – hij stormde recht vooruit, naar Cinon en Darien. Stoppen kon ik niet meer, zodat ik mijn speer uit alle macht omklemde en doorreed, snel. We maakten contact, maar de punt van de speer schampte eenvoudig-weg af op de harde vacht. Wat er toen gebeurde weet ik niet precies. Ik geloof dat Glimmer in een van de diepe voetsporen van het monster trapte en toen struikelde, zo hard dat ik over zijn hoofd heen naar voren vloog. De speer liet ik los, anders zou ik mijn arm hebben gebroken. Ik schopte de stijgbeugels van mijn voeten en sprong, vrijwel in een reflex.

Een ogenblik lang zag ik alles duidelijk vanuit de lucht. De wereld was gereduceerd tot een enorm zwart everzwijn beneden mij, met de eromheen dansende honden en de daarom heen cirkelende ruiters, met erachter bomen, in de verte. Glimmer was recht vooruit gestormd toen ik de lucht in vloog en zocht nu zijn heil bij de rivier. Pas toen ik dit alles van bovenaf zag, wist ik dat dit geen monsterlijk beest was, maar een schepsel van de goden. Het was machtig, mooi en afschrikwekkend. Het had de waardigheid van een dier dat in het wild leeft en nooit iets met mensen te maken heeft gehad, maar het was een uitstraling die veel sterker was dan een gewoon dier kan hebben, zelfs een dier van een eerbiedwaardige leeftijd. Waarom ik dit niet had kunnen zien toen ik nog te paard zat weet ik niet, maar het was me ontgaan. Op dat kortstondige moment in de lucht wist ik ook nog andere dingen: mijn eigen plekje in het weefsel van de wereld, en dat van Darien en Urdo. Dit visioen ontglipte me vrijwel meteen weer; het was geen aanblik die een sterveling lang kan aanschouwen zonder krankzinnig te worden.

Ik landde boven op het zwijn. Het was geen elegante landing. Vergelijk het maar met tegen de flank van een wandelende berg worden gekwakt, of met de stomp van een onvoorstelbaar grote vuist. Alle lucht werd uit mijn longen geslagen en ik voelde me aan alle kanten gekneusd. Zelfs ademen kostte me grote inspanning, en de ontzaglijke stank van het zwijn maakte het niet makkelijker. Het duurde even voordat ik weer kon zien en zelfs toen was het heel moeilijk voor me om mijn hoofd op te tillen. Op een of andere manier lag Darien naast me, eveneens totaal buiten adem, op de harde, prikkende haren op de schouders van het dier. Ik haalde nog eens bewust en moeizaam adem. Toen greep ik Darien beet. Ik hoorde Urdo schreeuwen en zag dat hij naast het everzwijn mee reed. Het leek alsof hij zich beneden ons bevond. Ik trok Darien dichter naar me toe en werkte hem van de rug van het dier af, zodat hij vóór Urdo op diens paard belandde.

Toen zette ik me af naar achteren en werd tot mijn verbazing halverwege de misselijkmakende val naar de grond opgevangen. Opnieuw werd alle lucht uit mijn longen gedreven. Ik hoorde Luth dicht bij me lachen, en na een ogenblik realiseerde ik me dat ik met mijn gezicht voorover dwars over de schoften van zijn paard lag. We bleven nog even evenwijdig met het everzwijn en de drie kolossale witte honden die het achtervolgden mee galopperen, voordat Luth zijn paard intoomde en de merrie liet keren, zodat we met ons gezicht naar Urdo en Darien stonden. Toen ze in het zicht kwamen, zag ik tot mijn verbazing dat Ayl bij hen was.

Iedere ademtocht voelde aan als een triomf. Hoewel het hele gevecht slechts enkele ogenblikken kon hebben geduurd, waren we al zo ver buiten het kampement, de heuvelhelling op, dat het kabaal achter ons heel veraf klonk. Luth zat nog te schateren toen we stilstonden. Ik kon geen vin verroeren en kon onmogelijk overeind komen uit mijn houding, zo over zijn paard gedrapeerd als een zak knolrapen. Ik gleed naar de grond en zeeg meteen ineen: mijn benen weigerden mij te dragen. Ik voelde me bespottelijk en afschuwelijk verontwaardigd – in de letterlijke betekenis van dat woord – omdat Ayl met Luth mee begon te schateren. Toen steeg Urdo af en zette Darien voorzichtig op de grond. Darien had meer kracht om te staan dan ik; zijn tweede landing was een stuk soepeler gegaan, want Urdo had hem in zijn armen opgevangen.

'Goed gedaan!' zei Luth terwijl hij Ayl hard op de rug sloeg. 'We vielen hem op hetzelfde moment vanuit twee richtingen aan. Je stond precies goed. Als het beest een beetje kleiner was geweest, hadden we hem naar de grond gekregen.'

'Zeg dat wel,' zei Ayl stralend. 'Ik ga graag nog eens met je jagen, maar dan op iets dat geen maten te groot is voor ons.'

Urdo sneed het touw rond Dariens polsen door met zijn mes. Darien wreef ze een voor een. 'Waar ben je gewond?' vroeg Urdo mij.

'Ik m-mankeer niks,' hakkelde ik, waarna ik het beetje adem dat ik weer had kwijtraakte door te hoesten. Luth begon weer te lachen.

'Vroeg of laat sterf je nog eens aan verwondingen waarvan je niet eens had gemerkt dat je ze had opgelopen,' zei Urdo, op mij neerkijkend. Hij glimlachte. Ik was echter niet gewond, alleen had ik overal kneuzingen en blauwe plekken, na die twee harde landingen. De enige plek waar ik bloedde was mijn gezicht, waar het door de borstelige nekharen van het everzwijn was geschramd.

'Wat was dat?' vroeg Darien, starend naar de mist waarin het everzwijn verdwenen was. Zijn mantel was op verscheidene plaatsen gescheurd en zijn gezicht en armen waren geschramd, maar zijn stem klonk vaster dan de mijne.

'Een gigantisch everzwijn,' antwoordde Luth. 'Ik zat hem al dagen op de hielen en ben hopeloos verdwaald. Ik heb geen idee waar we zitten.'

'Ik heb al dagen en dagen geprobeerd je te bereiken,' hijgde ik. 'Wat had er niet kunnen gebeuren als er een invasie was gekomen?'

'Dat is toch niet zo, of wel?' zei Luth, zo geschrokken dat het nu mijn beurt was om te lachen, zo hevig dat ik er bijna in stikte.

'Ik zat hem ook al dagen achterna,' zei Ayl, met een lichte frons. 'Ik heb nog nooit van mijn leven zulke grote, diepe sporen gezien. Maar waar kom jij vandaan, Luth? Hoe kan het dat ik jou niet eerder tegen het lijf ben gelopen toen ik die sporen volgde? En waar zijn we hier in vredesnaam?'

'Ik kwam van Caer Rangor,' zei Luth achteloos. Het moest geweldig zijn om zo'n dikke schedel te hebben dat er bijna geen ruimte was voor ideeën.

Urdo keek Darien aan. 'Dit was niet zomaar een everzwijn, anders was het ondenkbaar dat mensen zijn spoor tegelijkertijd vanuit het zuidoosten en het noordoosten konden volgen. Dit kan alleen maar Turth zijn geweest, de legendarische everzwijnbeer. Hij is een van de grote beschermers van Tir Tanagiri,' legde hij uit.

Bij het horen van die naam was het alsof ik een soort bevestiging had gekregen. Ik keek langs de helling omhoog, maar van Turth was niets meer te zien, afgezien van de reusachtige sporen die in de mist verdwenen. Turth had ons bijeengebracht en bemoeide zich nu weer met zijn eigen zaken. Ik vroeg me af waarom hij zo plotseling bij ons uit de mist was opgedoken. Om Darien te redden? Of om Cinon te straffen? Ik haalde nog eens diep adem, pijnlijk.

'Een demon?' vroeg Darien. Zijn stem klonk opeens wat schriller. Ayl zag er geschrokken uit.

'Een landgeest, beslist,' antwoordde Urdo kalm.

'Hij heeft me niets gedaan,' zei Darien beverig.

'Ja, jij bent al even erg als je moeder,' zei Urdo hoofdschuddend, met een glimlach.

'Als ik dat had geweten, zou ik hebben geprobeerd hem van de Blanke God te vertellen, en dan zou hij...' Darien hield op en begon te lachen. 'Al is het erg moeilijk je voor te stellen dat zoiets Hem eeuwig kan prijzen,' legde hij uit. Ayl en Luth lachten mee. Ayl kwam naast me op de heide zitten, om beter te kunnen lachen.

Zelf lachte ik niet. Tegenover zoveel woeste waardigheid moest iedere poging om Turth over te halen zich te bekeren even vergeefs zijn als een aanval met speren. 'Vader Gerthmol was er ook, maar die haalde het ook niet in zijn hoofd hem te bekeren,' zei ik. 'Eerlijk gezegd heb ik hem nog nooit zo hard zien rennen. Ik geloof dan ook niet dat je het jezelf moet verwijten dat je het niet hebt geprobeerd.'

Darien keek op naar Urdo. 'Ik wist niet dat er zulke wezens bestonden.'

'Ze maken allemaal deel uit van de wereld,' zei Urdo vriendelijk.

'Heeft Chanerig met zulke wezens geworsteld?' vroeg Darien. 'Als dat zo is, dan vind ik het nog afschuwelijker dan toen Thurrig me er voor het eerst van had verteld.'

'Ik heb geprobeerd hem te raken, maar mijn speer brak,' zei Luth.

Ayl staarde peinzend naar de sporen die het monster achter had gelaten. 'Ik neem aan dat we hem alleen maar wat hebben geprikt met onze speren?'

'De mijne drong iets in hem door, geloof ik,' merkte ik op.

'Hij heeft mij niets gedaan,' herhaalde Darien. 'Hij heeft me geen pijn gedaan...' Op dat moment keek hij mij aan en talmde even, kennelijk niet wetend hoe hij mij moest noemen. 'Eh... en u ook niet.'

'Jullie hadden hem geen van beiden kwaad gedaan,' zei Urdo. 'Tenzij je een poging om hem te speren of boven op hem te springen als kwaad kunt uitleggen. Zag ik dat goed, Darien, *sprong* je op de schouders van Turth?'

Darien hakkelde: 'Eh, ik... ja... ik mikte met mijn voeten op de punt tussen die slagtanden. Het... leek me de enige mogelijkheid. Iedereen wierp zich plat tegen de grond, maar ik begreep niet wat dat voor zin had.'

'Je hebt van twee kwaden het beste gekozen,' knikte ik.

'De slagtanden zijn alleen van onderaf gevaarlijk,' legde Ayl hem uit. 'Als je plat op de grond ligt, moet dat beest blijven staan en aan je wroeten of je bijten, voordat hij die slagtanden onder je lichaam kan krijgen. Bovendien hebben zwijnen er een grote hekel aan om te blijven staan. Maar het heeft sommigen deze keer weinig geholpen – hij is gewoon over ze heen gelopen. Ik zag het vanuit mijn ooghoeken toen Ap Gwien met een salto boven op hem belandde.'

'Hij heeft Cinons dij doorboord en zo ongeveer de helft van zijn mannen vertrapt,' vulde Urdo aan.

'Wat had Cinon dan gedaan om Turth zo kwaad te maken?' vroeg Luth, die nu niet meer lachte.

'Ik denk dat het de moord op zuster Arvlid is geweest,' zei Darien.

We draaiden ons allemaal om en gaapten hem aan.

'Of misschien was het omdat hij dat schip van koning Ayl had gestolen en in brand gestoken. Ze hebben ons onderweg overvallen. Ze konden ons makkelijk te pakken krijgen omdat we eerst dachten dat het vrienden waren. Ze wilden mij ook vermoorden, geloof ik, als ze eenmaal de juiste plek hadden bereikt. Ze hadden de boeien om mijn enkels losgemaakt, zodat ik kon lopen, en ik was van plan om weg te rennen zodra ik de kans kreeg. Maar toen we in de bossen waren werd het opeens mistig – en plotseling waren we allemaal hier.'

Luth opende en sloot zijn mond een paar keer, voordat hij met een stem die schril klonk van verbazing zei: 'Cinon?'

Ayl had wat langer nodig om de betekenis van wat Darien had gezegd in zich op te nemen. Hij zei: 'Mijn schip? Welk schip?'

'Wanneer was dat?' vroeg ik Darien, de anderen negerend. 'Hoe lang is het geleden dat ze je overvielen?'

'Vanochtend,' zei Darien gedecideerd.

'De goden hebben je beschermd,' zei ik. Mijn ademhaling verliep nu heel wat gemakkelijker. 'Het was namelijk vijf dagen geleden.' Ik keek naar Urdo en hij keek mij aan, langdurig.

'Er worden massa's mensen vermoord zonder dat de goden ingrijpen!' zei Luth. 'Maar waarom heeft Cinon dat allemaal gedaan?'

'Misschien verscheen Turth hier omdat Cinon een onschuldige non op een heilige plaats in het bos heeft geofferd, in een poging de vrede te verstoren,' zei ik. Ik wist echter dat de demon verschenen was om Darien te redden. Ik wist dat er ooit een dag zou komen waarop Darien belangrijk zou zijn.

Urdo keek kort naar mijn gezicht, maar zei niets.

'De koningsvrede schenden? *Cinon*?' zei Luth. Hij wreef over zijn voorhoofd alsof al dat denken hem pijn bezorgde. 'Cinon?'

'Arvlid was een Jarnsvrouw, een non uit Thansethan,' merkte Urdo op, 'en de diefstal van Ayls koninklijke schip was om te maken dat het eruitzag alsof hij de schuldige was.'

'O!' Luth keek alsof dat het allemaal heel logisch maakte. Toen staarde hij Ayl verbaasd aan.

Ayl luisterde met open mond. '*Mijn* schip? Alsof ik een strooptocht maakte en een heilige non van Thansethan zou hebben gedood?' Als ik niet al zeker was geweest van zijn onschuld, zou de volslagen verbijstering op zijn gezicht de doorslag hebben gegeven.

'Het zag er heel overtuigend uit,' knikte ik. 'Als ik de rivier overgestoken was om jou met mijn troepen aan te vallen, zou je niet eerst even aan me hebben gevraagd waarmee ik bezig was, nietwaar?'

'Ik veronderstel van niet,' zei hij. 'Cinon...' Hoofdschuddend liet hij erop volgen: 'Cinon heeft mij nooit willen vertrouwen, of welke Jarnsman dan ook, maar daar heeft hij nooit een geheim van gemaakt. Dit alles is veel en veel sluwer dan ik van hem had kunnen denken.'

'Ik evenmin,' zei Urdo fronsend.

'Een deel ervan was buitengewoon stom,' zei ik. 'Het lijkt mij echter logisch dat een stom iemand een plan uitvoerde dat door een veel sluwere persoon was uitgebroed.'

'Wie dan?' vroeg Urdo.

'Flavien ap Borthas?' opperde ik. 'En misschien...' Ik keek even opzij naar Ayl en besloot mijn verdenkingen jegens Morthu nog even voor me te houden. Per slot van rekening was hij met Morthu's zus getrouwd. 'Ik vond dat hij in het openbaar moest worden berecht,' zei ik in plaats daarvan, omdat ze allemaal naar me keken. 'Het leek me de enige manier om Ayl van alle verdenking te zuiveren. Alleen had ik geen everzwijn verwacht. Maar als Cinon dit heeft gedaan en hij dood is, gaan we dit dan rondbazuinen?'

'Dat Cinon bij een jachtongeval een koninklijke dood is gestorven?' zei Luth.

'Of dat de goden van dit eiland hem ter dood hebben gebracht omdat hij hun een offer had gebracht waartoe hij het recht niet had, en nog wel op een plaats die niet de zijne was,' zei Urdo. 'Dat lijken me de enige twee opties. En we moeten er nu over beslissen, voordat alle anderen hier zijn.'

'Waarmee is de koningsvrede het beste gediend?' vroeg ik.

'Dat het bandieten uit Jarnholme zijn geweest die zuster Arvlid hebben vermoord, en dat we hopen dat Cinons zoon zal leren vriendschappelijker met zijn buren om te gaan dan zijn vader deed,' zei Urdo. 'Degene die dit heeft uitgedacht, zal ervan leren dat dit soort aanvallen op ons niet werken.'

'Of dat hij de volgende keer zorgvuldiger te werk moet gaan,' zei ik. Ik hoorde hoefslagen; zo te horen was er een penoen uit het kampement naar ons in aantocht.

'Mogelijk,' beaamde Urdo. 'Dat neemt niet weg dat er in Nene nog veel zijn die erover denken zoals Cinon deed en tijd nodig hebben om er anders over te gaan denken. Als we hem te schande maken na zijn dood, zou dat er alleen maar toe leiden dat ze ons nog meer gaan haten. Maar hoewel er door deze daden aan mij onrecht is begaan, is er aan jou, Darien, en aan jou, Ayl, evenveel onrecht begaan. Als Cinon nog in leven was, zou ik hem hebben berecht vanwege zijn misdaden, ongeacht de consequenties.'

'Hij is al gestraft door de goden,' merkte Ayl op. 'Voor mij is dat genoeg, ook al zou ik van zijn erfgenamen de prijs van mijn schip verlangen.'

'Lijkt me billijk,' zei Urdo. 'En jij, Darien?'

'Ik voor mij ben al blij met de handhaving van de vrede,' zei Darien, die opeens heel volwassen klonk, maar tegelijkertijd als een jonge jongen. 'Het gaat echter ook om zuster Arvlid. Daarom zou u die vraag aan Thansethan moeten voorleggen. U zei dat vader Gerthmol hier is?'

Dit was een van de zeer weinige keren dat ik meemaakte dat Urdo door iets werd overrompeld. 'Dan zou het alom bekend worden,' zei hij. 'Vader Gerthmol heeft momenteel een hekel aan mij en maalt niet om mijn vrede.'

'Hij kan iemand alles vergeven, behalve als de persoon doelbewust God de rug toekeert,' zei Darien alsof hij een lesje opdreunde.

'En hij vindt dat ik dat heb gedaan?' vroeg Urdo nijdig. 'Denk jij er net zo over?' Toen, vriendelijker: 'Maar je hébt gelijk, ook hem is onrecht aangedaan.'

'Nee,' zei ik terwijl ik mezelf voorzichtig overeind werkte. Ik had overal pijn, erger dan na het wildste partijtje worstelen dat ik ooit met Larig had gedaan. Ik moest me op mijn zij draaien en beide armen gebruiken om overeind te komen. Ik snakte naar een warm bad en een massage met olie zodat ik niet stijf zou worden, maar wist dat dat er niet inzat. 'Het lijdt geen twijfel dat zuster Arvlid het slachtoffer is van een groot onrecht, en de Blanke God misschien ook, en Thansethan misschien een beetje, maar heeft vader Gerthmol het recht om voor hen allemaal te spreken?'

'Alleen voor het laatste,' zei Urdo.

Darien knikte langzaam en zei toen: 'Maar wie heeft dan recht van spreken voor Arvlid en de Blanke God?'

'Jij was haar vriend en vergezelde haar vaak,' zei Urdo terwijl hij Dariens gezicht bestudeerde. 'En wat zou de Blanke God hierover zeggen?'

'Hij zou zeggen...' Darien aarzelde, maar toen hij verder sprak, klonk het zelfverzekerder, alsof hij een les herhaalde die hij goed had geleerd. 'Hij zou zeggen: "Laat de doden de doden begraven; wij moeten ons bekommeren om wat er voor de levenden kan worden gedaan." En ook zou hij zeggen: "Zalig zijn de vredestichters, want hen zal Ik mijn kinderen noemen.'" Er rolden nu tranen over zijn wangen, maar hij verhief zijn stem niet. 'En zuster Arvlid zou hebben gezegd wat zij tegen de stenen zei: "Vergeef hen om mijn bloed". Dat heeft ze werkelijk gezegd, heer koning, dat heeft ze tegen hen gezegd voordat zij haar vermoordden.' Nu snikte hij; opeens was zijn zelfbeheersing verdwenen. Ik deed een stap naar hem toe, maar het was Urdo tot wie hij zich wendde en Urdo hield hem een ogenblik in zijn armen. Toen trok hij zich terug, haalde zijn gescheurde mouw langs zijn neus en met een door tranen verstikte, maar beheerste stem zei hij: 'Daarom kan ik voor hen spreken. En ik zeg: doe datgene waaraan u zei de voorkeur te geven.'

Op dat moment doemden de paarden die ik had gehoord uit de mistflarden op. Ap Erbin reed vooraan, gevolgd door Raul op Ulfs Smoky. In de regel bereed hij geen strijdros en ook droeg hij nooit een speer. Hij zag er in het zadel dan ook een beetje onbehaaglijk uit. Elidir en Grugin waren erbij, met Glimmer en een van de reserve-rijpaarden aan de teugel. De rest bestond uit wapendragers van mijn eigen penoen. Ze toomden hun paarden in toen ze ons zagen, en lieten enigszins verward hun speren zakken. Raul steeg van zijn paard af en liet zijn speer achteloos vallen, iets waarvoor hij tien dagen latrinecorvee zou hebben gekregen als hij tot mijn commando had behoord. Hij omhelsde Urdo, trok zich een beetje terug en werd op zijn beurt door Urdo omhelsd. Zo stonden ze daar met de armen om elkaar heen zonder iets te zeggen, terwijl wij allemaal toekeken, totdat we in plaats daarvan probeerden naar elkaar te kijken. Ayl steeg op, misschien om zichzelf een houding te geven. Ik beduidde Grugin mij Glimmer te brengen, en het paard voor Darien. Ik gaf mijn zoon een schouderklopje toen we opstegen.

'Je hebt het uitstekend gedaan,' zei ik zacht. Het liefst zou ik hem hebben gezegd dat ik trots op hem was, maar ik kon de juiste woorden niet vinden. Dus klopte ik hem nog maar eens op de schouder. Glimmer leek verheugd mij te zien en was uiterst nerveus. Ik deed mijn best hem gerust te stellen en hem duidelijk te maken dat ik er nog was en dat het zijn schuld niet was. Daarna reed ik naar Ap Erbin. Ik voelde me stijf en vermoeid.

'Wat is er na ons vertrek gebeurd?' vroeg ik hem met gedempte stem.

'Gigantische ruzie met vader Gerthmol en zijn broeders,' fluisterde Ap Erbin. 'Ook ontstond er een soort twist onder de wapendragers. Mijn schuld omdat ik niet snel genoeg ingreep, denk ik. Ik realiseerde me echter niet helemaal wat vader Gerthmol zei. Hij probeerde iedereen te beletten je achterna te gaan en beweerde dat het monster de bedrijvers van het kwaad had meegenomen. Ze posteerden zich voor de paarden en vielen een paar wapendragers lastig die de Blanke God volgen. Cinon is dood, weet je dat? Vader Gerthmol zegt dat de Blanke God het schip met zijn bliksem heeft geslagen en het everzwijn heeft gestuurd om Arvlid te wreken. Sommige wapendragers geloofden wat hij zei over u en de Grote Koning. Maar Gunnarsson begon het gevecht door die idiote broer van Angas neer te slaan. Hij stond te schreeuwen dat het monster Ayl en Cinon had meegenomen, opdat Nene en Aylsfa geen koning meer zouden hebben. Sidrok begon toen opeens een beetje anders naar die afschuwelijke standaard te kijken, de ellendeling. Ik probeerde mensen te verzamelen om jullie hier te helpen. Ik kon helaas vader Gerthmol niet doden, al kwam ik sterk in de verleiding. Ik kreeg de indruk dat een groot deel van Ap Selevans penoen het met hem eens was, plus een handvol van Luths wapendragers. Ik kon niet weg zonder eerst in het kampement orde op zaken te stellen. Het had op een echt gevecht kunnen uitdraaien. Ik bleef hopen dat jullie het goed maakten en zouden terugkomen. Waar zaten jullie trouwens al die tijd? Gelukkig zag die goeie ouwe Raul...'

Toen hield hij op en wees, zijn gezicht een en al verbazing. Ik keek, ook al was ik niet tevreden met zijn verslag. Raul knielde voor Urdo neer. Zijn gezicht was betraand. 'Ik heb geen zwaard,' zei hij, en zweeg toen. Darien was weer afgestegen en kwam naar hem toe lopen met de speer die hij had laten vallen. 'Dank je,' zei hij ernstig terwijl hij de speer aannam. 'Heer koning, we moeten snel terug, maar eerst wil ik je trouw zweren.'

'Toch niet als wapendrager, oude vriend?' vroeg Urdo, op hem neer kijkend.

'Ik zal je dienen op manieren die ik het beste beheers,' antwoordde Raul. 'Je weet dat vechten niet tot mijn vaardigheden behoort.'

'Hoe moet dat dan met jouw dienst aan de Blanke God?' vroeg Urdo.

'Het maakt niet uit wat ik doe: ik dien de Blanke God volgens mijn eigen geweten. Vader Gerthmol heeft me ontslagen van mijn geloften ten aanzien van Thansethan.'

'Hij heeft ze hem in zijn gezicht gesmeten,' mompelde Ap Erbin tegen mij. 'Hij wilde van hem weten aan wiens kant hij stond en was sprakeloos van woede toen Raul zei dat hij zich voor Gods troon zou verantwoorden.'

'Het was niet mijn wil of de wil van de Blanke God dat ik jouw dienst heb verlaten, maar nu staat het me vrij tot je terug te keren. Ik had je nooit mogen verlaten,' vervolgde Raul. Hierop reikte hij Urdo de speer aan en legde zijn eed erop af; hij riep de Blanke God aan tot zijn getuige en beloofde dat hij Urdo's bevelen zou opvolgen, in de woorden die wij wapendragers allemaal hadden gesproken. In plaats van hem de speer terug te geven, legde Urdo het wapen echter neer. Glimlachend stak hij zijn hand in zijn tuniek om iets te pakken. Hij trok Raul overeind en gaf het hem. Ik boog me naar voren om te zien wat het was toen Raul weer opstond en begon bijna te lachen, zo toepasselijk was het. Urdo had hem zijn Lossiaanse schrijfstift met het bijzondere patroon teruggegeven.

37

Almachtige God, Gij die een sterke burcht zijt voor Uw dienaren tegenover hun vijanden, U brengen wij lof en dank voor
onze verlossing uit de grote en aanwijsbare gevaren die ons
omringden. Wij erkennen dat wij het aan Uw goedheid danken
dat we er niet ten prooi aan zijn gevallen en smeken U ons Uw
genade te blijven betonen opdat heel de wereld weet dat Gij
onze Verlosser en Machtige Redder bent en heel de wereld zich
zal aansluiten bij onze lofzangen op Uw glorie.
– Dankgebed voor de overwinning zoals dat in Thansethan
werd gebeden. Een vroege vertaling

In Thansethan houdt een mozaïek de herinnering levend aan wat er
daarna gebeurde. 'Urdo in deemoed voor de heilige Gerthmol' noemen
ze het. Mijn neef Gwien heeft het gezien toen hij drie jaar voor zijn
dood een bedevaart naar Thansethan maakte. Hij meende dat het mij wel
zou interesseren omdat het Urdo betrof, hoewel hij zich de Grote Koning
nauwelijks herinnerde. Het mozaïek was toen zojuist gereedgekomen, met
echt goud voor de kroon en zilver voor de zwaarden, vertelde Gwien mij,
en het everzwijn dat dood achter hem ligt, was vervaardigd van gitsplinters,
afkomstig van de stranden ten oosten van Caer Avroc. Ap Lew was onder
de indruk van zoveel luister, maar ik snoof minachtend. Het enige wat ik
kan zeggen is dat ik het heb gezien en dat het me niet kan schelen hoe mooi
de kleuren zijn, maar dat monsterlijke everzwijn is door niemand gedood
en Urdo heeft nooit voor vader Gerthmol op de knieën gelegen, laat staan
hem om vergiffenis gesmeekt, wat anderen daarover ook mogen beweren.

De oostenwind blies de laatste mistflarden weg toen we terugkwamen
in het kampement. Toen we de helling afreden, zag ik de vlakke akkers van
Aylsfa die zich aan de overzijde van de rivier uitstrekten. In de bomen zat
een duif verwoed te koeren: *koe-ke-roe-koe-ke-roe-ke-roe*. Mijn botten voelden
aan alsof een smid ze als aambeeld had gebruikt om er hoefijzers voor
Glimmer op te smeden. Rijden deed ik nauwelijks; het was eerder zo dat ik
op Glimmers rug zat en hem de andere paarden liet volgen. Urdo en Raul

reden voor mij en praatten met elkaar, en ik hoorde Raul zeggen: 'Wat hij verder ook moge zijn, een eerlijk man ís hij.'

Het grootste deel van de ala zat te paard en voelde zich onbehaaglijk, zoals ik kon zien. Urdo had bevelen gegeven, waarna Ap Erbin en Luth vooruit waren gereden om te zorgen dat iedereen gereed stond. Ik had geopperd dat we de nacht wel in het kampement konden doorbrengen, maar had niet gedacht aan het probleem dat zelfs een dode Cinon voor ons betekende. Ik volgde Urdo naar het midden van het kampement. Daar dromden mensen samen rond de vertrapte lichamen van de slachtoffers van het monsterlijke everzwijn. Behalve de groep monniken zag ik Ayls broer Sidrok en Ayls andere getrouwen, en de overlevenden van Cinons groep, plus een handvol wapendragers. Ulf was er ook en hij had moordlust in zijn ogen. Ap Selevan stond naast hem, één brok zenuwen. Zijn hand omklemde het gevest van zijn zwaard. Morthu was er ook – hij stond dicht bij vader Gerthmol. Een kant van zijn gezicht was gekneusd en geschramd, waardoor zijn gelaatsuitdrukking ondoorgrondelijk was.

Iedereen keek op toen we naderbij kwamen, en hun gezichten spraken boekdelen. Morthu zag er heel even woedend uit, maar was zichzelf direct weer meester. Ap Selevan nam zijn hand van zijn zwaard en glimlachte. Ulf zag er onuitsprekelijk opgelucht uit, Sidrok verward. De andere Jarns lieten blijdschap blijken. De mannen uit Nene keken zorgelijk, net als broeder Geneth en de meeste monniken. Vader Gerthmol zag er nu nog angstiger uit dan toen hij voor het everzwijn de kuierlatten had genomen.

Urdo toomde zijn paard in en we hielden achter hem halt. Glimmer was er niet blij mee en danste een paar passen naar opzij. Hij gooide zijn hoofd omhoog en stootte Ayls paard aan. Hij wilde niet op een plek zijn waar Turth was geweest en ik had wat tijd nodig om hem onder controle te krijgen. Er viel een doodse stilte toen Urdo neerkeek op vader Gerthmol, die zijn halssteen omklemde en voor zich uit stond te prevelen. Op dat moment kreeg Sidroks gezicht weer zijn oude waardigheid.

'Ayl! Bij de Heer van de Donder en de Blanke God, we hadden niet eens durven hopen je nog levend terug te zien!'

'Niet de hoop van iedereen,' mopperde Ap Selevan hardop, met een frons naar Sidrok. Ayl liet zich van zijn paard glijden en de twee broers klopten elkaar op de rug, de manier waarop de Jarns elkaar genegenheid betuigen. Beschaafde mensen zouden elkaar hebben omhelsd. Daarna ging Ayl de rij van zijn mensen langs en ze werden ieder op hun beurt beklopt nadat ze hém hadden beklopt.

'Juist, wij zijn terug en ongedeerd,' zei Urdo terwijl dit gaande was.

'En wat is er gebeurd met die grote demon die u volgde?' vroeg Morthu.

'Het everzwijn is weg,' antwoordde Urdo op de toon die hij aansloeg om aan te duiden dat er verder niet meer over werd gesproken.

416

Vader Gerthmol draaide zich naar ons om. Een ogenblik leek hij te sidderen, maar toen omklemde hij zijn halssteen, richtte zich in zijn volle lengte op en begon te raaskallen: 'Scheer u weg, demonen en duivels in de gedaante van mens en dier, ik drijf u uit in de naam van de heilige Vader, de mensgeworden God en de eeuwig-levende Geest...'

Het gebeurde zo plotseling en onverwachts dat enkele ogenblikken lang niemand erop reageerde, behalve Glimmer die zijn oren in de nek legde en weer een paar danspasjes maakte. Toen ik hem weer in de hand had, stond vader Gerthmol het schuim op de lippen bij zijn poging alle demonen uit te drijven. De andere monniken hadden wat afstand van hem genomen en waren duidelijk onzeker, en er waren een paar die verwachtingsvol naar Raul keken. Broeder Geneth deed een – veel te voorzichtige – poging om aan vader Gerthmols mouw te trekken.

Ik had neiging om in lachen uit te barsten, maar plotseling deed Darien dat, met zijn heldere, hoge jongensstem – een plotselinge uitbarsting van niet te onderdrukken kinderlijk gelach. Het volgende ogenblik hoorde ik ook Urdo's stem bulderen en lachte ik zelf ook, net als de meeste anderen om ons heen, zelfs Ulf, Ap Selevan en Ayl en een deel van zijn mensen. Vader Gerthmol keek woedend om zich heen en scheen een ogenblik ten prooi aan hevige schaamte, maar toen begon hij opnieuw te schreeuwen en wild met zijn armen te zwaaien.

De bezwering die hij uitsprak moet krachteloos zijn geweest, of wellicht was de Blanke God vertoornd op hem omdat hij ons demonen en duivels had genoemd terwijl we dat niet waren. Hij zwaaide bezwerend met zijn armen naar onze lachende gezichten en tastte telkens naar zijn halssteen. Het koord waaraan de steen hing was waarschijnlijk vanwege alle devotie sterk gesleten, want plotseling knapte het en viel de witte steen. De steen ketste tegen een van de dode lichamen en viel toen in de modder, vlak voor Urdo's paard. Die gebeurtenis joeg vader Gerthmol meer angst aan dan al ons lachen. Iedereen die hem zag zou hebben gedacht dat dit het ergste moest zijn wat hem in maanden overkomen was. Hij hield op met schreeuwen en verstarde een ogenblik, starend naar de gevallen steen. Toen rimpelde zijn gezicht opeens en liet hij zich naar de grond zakken totdat hij zat, de pij in plooien om hem heen. Ik dacht dat hij misschien zou gaan huilen, maar dat deed hij niet; hij bleef eenvoudigweg op de grond zitten, als een zak vol knolrapen.

Broeder Gereth zette voorzichtig een stap in zijn richting. Op dat moment kwam Urdo met een vloeiende beweging van zijn paard. Hij raapte vader Gerthmols steen op, veegde die schoon aan zijn mantel en bood de oude man de steen aan.

'Nee, nee!' zei vader Gerthmol terwijl hij achteruit kroop. 'Hij heeft mij verlaten, hij heeft zich van mij afgewend!'

'Een mens kan een vergissing begaan en ervan leren zonder verdoemd te worden, vader Gerthmol,' zei Urdo. 'Ik ben geen demon, evenmin als al mijn metgezellen. Het beest was een beschermer van dit land en heeft gedaan waarvoor het gekomen was. Toen is het verder gegaan.'

Vader Gerthmol staarde Urdo aan, en daarna Raul, en voor het eerst las ik twijfel op zijn gezicht. 'Een macht van het land?' vroeg hij.

'Ja,' zei Urdo. 'Soms vertonen zij zich op aardse plaatsen, maar nooit echt in de tijd van ons stervelingen. U hebt iets gezien dat weinig mensen ooit hebben aanschouwd.'

Vader Gerthmol graaide onbewust naar zijn borst, en toen zijn vingers niets vonden, omklemden ze lucht. 'Ik had meteen moeten... weinig mensen hebben een dergelijke kans gehad en ik heb hem verspild!' Ik keek naar Darien, die hetzelfde had gezegd. Tot mijn verbazing keek mijn zoon niet naar vader Gerthmol, maar naar Morthu. De twee staarden elkaar aan, en in Morthu's blik lag een haat die intenser was dan ik ooit eerder had gezien. Raul sprak tegen vader Gerthmol en hij antwoordde iets, maar ik ving er niets van op; ik maakte me te veel zorgen over Darien. Morthu's gezicht dat opkeek naar Darien was een toonbeeld van vijandigheid, maar Darien zat kalm en ontspannen op zijn paard en beantwoordde zijn blik onverstoord. Ik merkte dat mijn hand naar het gevest van mijn zwaard tastte. Ik keek terug naar Urdo, maar hij werd volledig in beslag genomen door vader Gerthmol.

'Neem hem,' zei Urdo, hem de steen weer aanreikend. 'Weet dat ik geen demon ben, maar de koning van dit land. Weten hoe er met zulke wezens moet worden omgegaan, behoort tot het koningschap.'

'Een ieder heeft zijn plaats, en het is jouw plaats om zulke beschermers naar het licht te voeren!' zei vader Gerthmol. Langzaam werkte hij zich weer overeind. Hij zag er oud en versleten uit, en op een of andere manier alsof hij blind was en al te veel van het licht had gezien waarvan hij altijd zo de mond vol had, zodat hij nu alleen nog nabeelden zag, in plaats van de echte wereld om hem heen. 'Deze steen is mij ontnomen,' zei hij. Hij stak zijn hand uit, maar voordat hij de steen in Urdo's hand kon aanraken, was Morthu plotseling bij hen. Hij had zich langs broeder Geneth en de andere monniken gewurmd en legde nu zijn hand op die van de oude abt.

'U bent niet onwaardig, vader Gerthmol. Neem de mijne,' zei hij terwijl hij het koord van zijn halssteen over zijn hoofd trok. Vrijwel meteen scandeerden de andere monniken en de helft van de wapendragers eromheen: 'Neem de mijne, neem de mijne!'

Vader Gerthmol keek om zich heen, met tranen in de ogen. 'Zoveel devotie!' zei hij. Toen keek hij naar de anderen rond mij, Urdo en Ayl. 'Er komt ooit een dag dat iedereen deel zal uitmaken van de familie van de Heer,' zei hij. Bijna afwezig nam hij Morthu's halssteen en hing hem om.

Morthu zag er devoot uit en keek alsof het een grote eer voor hem was. Als ik die gruwelijke boosaardigheid niet in zijn ogen had gezien toen hij naar Darien keek, had hij misschien ook mij zand in de ogen kunnen strooien. Ik wierp een blik op Darien, die aandachtig naar Urdo zat te kijken. Hij had de steen om zijn hals niet aangeraakt.

Vader Gerthmol keek op naar Urdo. 'Jij hebt nu een halssteen,' zei hij. 'Als de heilige Vader hem mij heeft ontnomen om te laten zien dat ik het mis had, was het wellicht Zijn bedoeling dat jij hem zou krijgen. Wil je hem niet behouden? Wil je de kans die de Heer je nu schenkt benutten? Ben je bereid hier in het openbaar het geloof te belijden?'

Urdo keek omlaag naar de steen in zijn hand. Toen keek hij opzij naar Raul, die het met een flauwe glimlach aanzag. 'Deze steen is slechts een herinneringsymbool,' zei Urdo. Toen gaf hij een machtige brul, als de trompetstoot die de wapendragers aanspoort zich te verzamelen. De hele ala hoorde het en reageerde alsof het werkelijk de trompet was, zodat ze zich in stilte verzamelden, als op een exercitieplaats. Raul keek bevreesd, vader Gerthmol verheugd.

'Hoort, hoort!' zei Urdo, zo luid dat hij bijna schreeuwde. 'Hoort, gij goden van hemel en aarde, en alle goden van huis en haard en verwante volken, en de Blanke God, de Vader en Schepper, mensgeworden God en eeuwig-levende Geest! Komt nader en hoort deze woorden ten overstaan van het volk. Ik ben Urdo ap Avren ap Emrys, bevelhebber van alle Tanaganen, op grond van mijn geboorte, overwinningen en uitverkiezing de rechtmatige Grote Koning van het eiland Tir Tanagiri.' Toen hij verder sprak, deed hij dat op de gelijkmatige manier waarmee hij gewoon was zelfs grote vergaderingen toe te spreken. 'In dit land van Tir Tanagiri zal geen enkel geloof of welke god dan ook hoger zijn gesteld dan alle andere. Hier zal niemand worden gedwongen een andere god te aanbidden dan die hij of zij zelf heeft verkozen, noch zal iemand ooit worden vervolgd wegens het aanbidden van een bepaalde god of zijn of haar weigering die te aanbidden. Het ontwijden van een schrijn, sanctuarium of kerk zal een halsmisdrijf zijn dat voor mijn plaatselijke leenman moet worden gebracht opdat hij of zij recht zal spreken. Alle goden en alle religies die ons respect waardig zijn zullen ons respect genieten. Niets zal in de naam van onverschillig welke god ooit worden geëist of verboden, met als enige uitzondering het offeren van mensen: dat zal streng verboden zijn en als moord worden beschouwd.'

Ik zag mensen elkaar aankijken, met opgetrokken wenkbrauwen. Ik had geen idee waarom Urdo het deel van zijn wetboek dat over het geloof in goden handelde hier afkondigde. Vader Gerthmol begreep het evenmin, te oordelen naar zijn gelaatsuitdrukking. Urdo vervolgde zijn toespraak door te zeggen dat iemands geschiktheid voor enigerlei ambt niet mocht afhangen van de god of goden die hij of zij aanbad. Toen hij klaar was, stopte hij de halssteen in de buidel aan zijn gordel, maakte een buiging voor vader Gerthmol en steeg weer op.

Toen stelden we ons in formatie op en werd me duidelijk dat de groep uit Thansethan samen met Ap Selevans penoen in zuidelijke richting zou gaan, terwijl de rest, mezelf incluis, op weg ging naar Caer Rangor.

Darien en ik stegen even af om afscheid van elkaar te nemen. 'Je weet zeker dat alles goed met je is?' vroeg ik. Ik kon het zelf niet geloven, maar ik klonk precies als mijn moeder. Ik moest bijna om mezelf lachen. Hij keek bedremmeld om zich heen, zoals kinderen altijd doen als iemand te bezorgd doet, voordat ik me ervan bewust werd dat ík overbezorgd deed. 'Heus, ik mankeer niets,' zei hij.

'Zou je niet liever met ons meegaan naar Caer Rangor?' vroeg ik.

Hij aarzelde. 'Dat zou ik best willen, want het lijkt me interessant, maar dan moet ik achteraf toch terug naar Thansethan, en dat zou voor u vervelend zijn. Nog maar tweeënhalf jaar, dan kom ik naar de ala en word ik wapendrager. En wat ik in Thansethan leer, móet ik leren.' Hij klonk nu al volwassener dan sommige wapendragers uit mijn ala. Het ontbrak hem alleen nog aan de kracht in de armen die de vrucht is van langdurig en veel oefenen.

'Nou, blijf werken aan je rijkunst,' zei ik. 'Misschien is het nu mogelijk dat ik je af en toe in Thansethan kom bezoeken, als vader Gerthmol inderdaad tot de conclusie is gekomen dat ik geen demon ben. Eh... Darien, heeft Urdo nu wel of niet de steen aangenomen?'

'O, dat was ontzettend slim van hem,' zei Darien vol bewondering. 'Hij heeft zich eruit gered zonder een figuur te slaan, in wiens ogen dan ook.'

'Ja, maar heeft hij de steen aangenomen?'

'De steen is maar een symbool,' grinnikte Darien. 'Hij moet koning zijn, maar met zoveel heidense onderdanen is het heel moeilijk voor hem om niemand op de tenen te trappen. Raul heeft het me allemaal uitgelegd. Als hij de steen werkelijk zou aannemen, zou dat tot paniek en opstanden of zelfs oorlog leiden. En misschien zouden de goden hem niet willen volgen, en dan willen de gewassen niet meer groeien.'

'Maar...' Ik kon het hem niet opnieuw vragen. Overal om ons heen bestegen mensen hun paarden en Ap Selevan probeerde mij te beduiden dat hij gereed was voor vertrek. Ik negeerde hem. 'Wat was dat tussen jou en Morthu?'

'O.' Onmiddellijk verdween de lach van zijn gezicht. 'Ik wilde hem alleen even laten weten dat ik weet dat hij mij heeft proberen te doden en dat ik nu op mijn hoede voor hem ben. Vroeger dacht ik nog dat hij wat eergevoel zou hebben en zou wachten totdat ik volwassen was en het tegen hem kon opnemen. Als het zover is zal ik hem doden.'

Niet als ik hem eerder kan doden, dacht ik. Er was echter geen eervolle weg daartoe, en hij wás Angas' broer. Pas toen realiseerde ik me waarmee ik bezig was door Darien mét Morthu terug te laten gaan naar Thansethan. 'Blijf van nu af aan in Thansethan,' zei ik.

'Hij zal zoiets niet nog eens proberen,' zei Darien.

'Vertrouw daar maar niet op. Blijf in de buurt van andere mensen.' Ik wenkte Ap Selevan naderbij. 'Ik ben van gedachten veranderd,' zei ik tegen hem. 'Jij gaat met me mee naar Caer Rangor; ik kan je nodig hebben. Zeg Gormant dat hij en zijn penoen de koningin naar huis kan escorteren.'

Ap Selevan haalde fronsend zijn schouders op, maar herhaalde het bevel. Darien keek me aan met een uitdrukking die ik niet kon duiden. Gormant kwam aanrijden en ik vertelde hem dat zijn marsbevel was gewijzigd. Hij keek verbaasd, maar stelde geen vragen.

'Tot kijk dan maar,' zei Darien. Ik omhelsde hem en hij liet het gebeuren. Toen we waren opgestegen en in beweging kwamen, riep hij me nog toe: 'O, ik heb vergeten het u te zeggen: Keturah heeft een veulen. Hij is prachtig, en ik heb hem Poolster genoemd.'

'Zo heette zijn overgrootvader ook, wist je dat?' riep ik terug.

Hij schudde van nee en grijnsde voordat hij met Gormants penoen en de monniken terugreed. Ik nam mijn plaats in de al in beweging gekomen colonne in. Luth, Urdo, Raul en Ayl reden voorop, zodat Ap Erbin en ik ons terug lieten zakken naar de achterhoede, waar we alleen nog verspieders en piketten achter ons hadden, plus enkele mank lopende paarden. De hele colonne reed in een flink tempo naar het noorden. Tegen het vallen van de avond zouden we onze tenten moeten opzetten, maar in elk geval zouden we in de loop van de volgende dag in Caer Rangor aankomen. Er kon geen sprake van zijn Cinon te cremeren waar hij was gevallen: hij was een koning en moest eerst naar huis worden gebracht.

De mist was volledig opgetrokken en de zon scheen regelmatig tussen de wolken door. 'Heeft hij de steen nu aangenomen of niet?' vroeg Ap Erbin mij zacht toen we naast elkaar reden. Hij verkeerde evenzeer in verwarring als ikzelf.

'Geen idee,' antwoordde ik. Zo te zien had niemand er zekerheid over.

'Hij heeft er geen misverstand over laten bestaan dat iedereen de goden mag vereren die hij wil, en ook hoe hij dat wil,' zei Ap Erbin.

'Dat heb ik duidelijk verstaan,' knikte ik.

'Volgens mij was het blufpoker,' zei Ap Erbin. 'Vader Gerthmol probeerde hem onder druk te zetten, maar dat pakt altijd fout uit bij Urdo. Hij heeft iets gezegd waarop ze niet in het minst hadden gerekend. Het was als het ondernemen van een flankaanval met je reserves.'

'Ben ik even blij dat ik geen koning ben,' zei ik.

We hielden tegen zonsondergang halt. Ik zette een dubbele periferie schildwachten uit. Ik was er nog steeds niet zeker van of er misschien nog meer narigheid was gepland. Ik gaf Ap Selevans penoen patrouilledienst, maar steeds in delen, zodat er altijd iemand in Morthu's buurt was. Daarna ging ik mijn tent in en verwarmde Elidir wat olie om mij te masseren. Het was stinkende lijnolie, maar de stank kon me niet schelen. Het enige wat mij interesseerde was de pijn in mijn gekneusde lijf. De olie zat in een pot die mijn moeder me had gestuurd; er was gestampte munt in verwerkt, dat wellicht goed was tegen kneuzingen, maar de stank er niet minder op maakte. Urdo kwam naar me toe toen ik op mijn rug op het gras voor mijn tent lag te wachten tot de olie voldoende in mijn huid was getrokken. Dan pas kon ik mijn kleren weer aantrekken zonder dat ze maandenlang naar lijnolie en munt zouden ruiken. 'Je mag van geluk spreken dat je geen ribben hebt gebroken,' zei hij, knikkend naar mijn blauwe plekken.

'Over een dag of wat ben ik er weer bovenop,' zei ik. 'Misschien zou ik de ala moeten laten oefenen in het met een salto op paarden landen. Alleen zou het moeilijk zijn iets te vinden dat hoog genoeg was om ze ervan af te laten vallen.'

Urdo glimlachte. 'Luth heeft je anders keurig opgevangen.'

'Luth is geweldig met paarden,' beaamde ik. 'Ik zou hem moeten gaan bedanken. Waar is hij?'

'Je gelooft het niet, maar hij en Ayl zijn weggegaan om te proberen een paar eenden te speren die ze een eindje terug in een vijver hebben gezien.'

'Laten we dan maar hopen dat ze lijfwachten hebben meegenomen – én dat ze niet opnieuw verdwalen,' zei ik ironisch.

'Je zou denken dat ze op z'n minst voor een maand genoeg zouden hebben van de jacht,' grinnikte Urdo.

Op dat moment kwam Talog naar ons toe. Ze liep langzaam en droeg in iedere hand een kom dampend hete pap. 'Elidir zei dat je hier lag te rusten,' zei ze. Ze gaf ons ieder een kom. Die van mij geurde naar honing en ik zag dat er een flink stuk gekookt spek in zat.

'Jullie verwennen me te veel,' zei ik. 'Ik had best naar het kookvuur kunnen komen voor mijn portie.'

'Jij verdient zo nu en dan een bijzondere behandeling,' zei Talog.

Ik werd er zo door geroerd dat ik tranen in mijn ogen voelde opwellen. Ik stak mijn hand in mijn zadeltas om mijn lepel te pakken, om te voorkomen dat iemand het zag. 'O, Urdo, Gunnarsson was naar je op zoek. Zal ik hem hier laten komen?'

'Graag,' zei Urdo.

Ik begon aan mijn pap, die heerlijk smaakte. Urdo wachtte totdat Talog ver genoeg weg was om hem niet te kunnen horen voordat hij me vroeg: 'Sulien, had jij Turth aangeroepen?'

Ik schrok op. 'Nee! In geen geval. Ik zou niet eens weten hoe dat moet en ik wilde dat jij als rechter zou optreden en iedereen bijeen zou roepen, zoals ik je heb geschreven.'

'Je bent erfgename van een land, dus had jij hem kunnen oproepen,' zei Urdo terwijl hij zijn pap roerde. 'Ik geloofde niet dát je het had gedaan, maar ik wilde zekerheid hebben.'

'Ik wou maar dat Kerys een beetje opschoot met een baby krijgen, zodat ik niet langer erfgename van Derwen hoef te zijn,' klaagde ik. 'Maar ik was ver van huis en de gedachte is niet eens bij me opgekomen.'

'Dan is hij uit zichzelf gekomen, na die heiligschennis, maar ik vermoed dat hij voor Darien kwam,' zei Urdo. We keken elkaar even aan en ik hield op met kauwen.

'Luth, Ayl en ieder ander die er even over nadenkt, zal het logisch genoeg vinden om te denken dat Darien mijn zoon is,' zei Urdo heel zacht. 'En het heeft er alle schijn van dat ook het land vindt dat jij me een erfgenaam hebt geschonken, zoals we waren overeengekomen.'

Ik wist niet goed wat ik daarop moest zeggen; het idee dat Darien ooit Grote Koning van Tir Tanagiri zou zijn was te vreemd voor me. Het was echter wel degelijk zo dat Turth was gekomen én dat hij had voorkomen dat er iets ergs met Darien gebeurde. 'Turth heeft Cinon gedood,' zei ik. 'Maar Cinon was niet het hele gevaar – hij kan zo'n plan onmogelijk zelf hebben uitgedacht. Het zou Flavien kunnen zijn geweest, maar ik heb zo'n idee dat het Morthu was. Harde bewijzen daarvoor heb ik niet, maar Morthu haat Darien, daar is Darien heel zeker van. En dan... hij verstuurt massa's brieven en de manier waarop Arvlid werd vermoord, was gebaseerd op een droom van Ulf. Die kan hij hebben gelezen.'

'Een droom van Ulf?' Urdo trok een wenkbrauw op.

'Dat vertelde hij me. O, je kunt het hem zelf vragen, hij komt eraan.' Ik had een glimp opgevangen van Ulf die tussen de rijen tenten door onze kant op kwam.

Hij aarzelde toen hij ons zag. Urdo wenkte hem naderbij en voorzichtig kwam hij naar ons toe. Hij vermeed het om naar mij te kijken voordat hij dichtbij was en maakte toen een buiging voor ons allebei. 'Heer koning, prefect...' Verlegen bleef hij staan.

'Ga zitten,' zei Urdo. Hij gehoorzaamde, maar bleef slecht op zijn gemak. Na enkele ogenblikken zei Urdo: 'Je wilde mij spreken?'

'Het gaat mij om wat er gebeurde toen u dat everzwijn achterna ging,' zei Ulf. 'Het is waar dat ik dat handgemeen ben begonnen, maar ik wist niet wat ik anders kon doen.'

'Wat gebeurde er precies?' vroeg Urdo. Ik at verder; het spek gaf me nieuwe kracht.

'Dat everzwijn dook opeens op,' begon Ulf. 'Iedereen rende in het rond. Ik probeerde op te stijgen. Er waren daar meer mensen dan er hadden

423

moeten zijn. Toen ging het everzwijn in de aanval en liep Cinon en een deel van zijn mannen onder de voet. Suliensson en Ap Gwien sprongen boven op het beest.' Hij keek tersluiks naar mij, voordat hij heel vlug zijn blik weer op Urdo richtte. 'U en Luth en Ayl gingen hem achterna. Er deed zich toen een ogenblik voor waarop iedereen met open mond stond toe te kijken. Ap Erbin probeerde wat mensen die al in het zadel zaten te bewegen u na te gaan. Elwith gaf onze penoen het signaal om te verzamelen. Ik probeerde bij haar te komen, maar er waren monniken die ons in de weg begonnen te lopen. Op dat moment dook vader Gerthmol in het midden van het kamp op en begon te schreeuwen dat het monster de bedrijvers van het kwaad had meegenomen en dat niemand hen mocht volgen. Ap Erbin begon terug te schreeuwen, net als een paar anderen. Het geschreeuw was niet van de lucht, maar iedere keer als ruiters probeerden op ordelijke manier in beweging te komen liepen de monniken in de weg. Ze grepen naar de teugels en wij konden ze niet eenvoudigweg onder de voet lopen. Ook waren er leden van de ala die ruzie met elkaar kregen, maar er waren er meer die wilden weten waar u heen was. En toen zei Morthu van Angas dat we moesten wachten totdat u terugkwam, áls dat zou gebeuren. Op dat moment leek het er sterk op dat zowel Aylsfa als Nene zijn koning had verloren, en hij deed zijn mond open om iets dergelijks ook over Groot-Tanaga te roepen. Ik stond vlak bij hem en ik kon maar één manier bedenken om hem de mond te snoeren: hem neerslaan.'

'Met die bijl van je?' vroeg Urdo streng.

'Nee!' Het klonk spijtig. 'Ik gaf hem een trap in de rug, liet me van Smoky glijden en we raakten slaags. Ik raakte hem vol in het gezicht. Maar er kwamen geen wapens aan te pas. Sommige vrienden van hem kwamen hem helpen, en een paar van mijn vrienden schoten mij te hulp, en vader Gerthmol stond de hele tijd te mekkeren over zijn God, en over demonen en duivels. Ik heb ook iemand uit Luths penoen mijn vuist laten voelen, net als Morthu. Wie het was weet ik niet meer, maar ze had een dolk getrokken.'

'Zou je haar herkennen?' vroeg ik.

'Nee, prefect,' zei hij, nog steeds zonder naar mij te kijken, zijn gezicht volstrekt onbewogen. Ik weet zeker dat Urdo ook vermoedde dat hij loog, maar we zeiden geen van beiden iets. 'Hoe het ook zij, tegen die tijd kwam Raul naar voren en posteerde zich tussen ons in, met blote handen, en bulderde dat we moesten ophouden. Zo kwam er een eind aan het gevecht. Hij is een dapper man, ook al is hij monnik. Erna ontstond er gillende ruzie tussen hem en vader Gerthmol, want Raul bezwoer hem dat u geen bedrijver van het kwade was, maar de ware koning en dat u misschien in de heuvels hulp nodig zou hebben tegen dat enorme monster. Daarna zei hij dat hij er in elk geval zelf heenging en hij kreeg steun van Ap Erbin. Vader Gerthmol dreigde hem uit Thansethan te gooien als hij dat waagde, maar

Raul zei dat het wat hem betrof prima was. Hij wilde toch al weg en vader Gerthmol zei dat hij hem van zijn geloften ontsloeg. Dus keek hij om zich heen naar een paard en een speer, en omdat ik naast hem stond gaf ik hem mijn speer, en Smoky erbij. Toen beval Ap Erbin de hele ala om op te stijgen in formatie, maar dat kon ik niet omdat ik mijn paard niet had, zodat ik daar moest blijven.' Hij haalde adem. 'Raul en Ap Erbin hadden een eind gemaakt aan het handgemeen, maar er werd nog steeds geruzied toen ze weg waren. Vader Gerthmol beweerde dat het duidelijk was dat we u en de anderen nooit terug zouden zien en verlangde een escorte om Cinons lijk naar Thansethan over te brengen. Daar voelden Cinons overgebleven mannen niets voor; zij wilden hem thuis brengen, naar Caer Rangor. Sidrok vroeg hem of hij nu koning van Aylsfa was en zinspeelde erop dat hij de halssteen aan zou nemen als vader Gerthmol hem nu zou kronen. Niet dat hij dat ook maar twee minuten zou zijn gebleven, als hij eenmaal terug was bij zijn volk. Hij stelt als koning van de Jarns weinig voor, wat hij er ook zelf van mag vinden. Ap Selevan en ik stonden bij Cinon en dekten elkaar in de rug. Morthu zei ook dingen, maar niet veel. Hij noemde Sidrok "broeder" en zei nog wat van dat soort dingetjes, die erop berekend waren de gedachten van de mensen daar te beïnvloeden. Het liefst was ik een duel met hem aangegaan – in feite speet het me dat ik mijn aks niet had gebruikt toen ik er de kans voor had.'

Ik merkte dat ik knikte. Ulf zag het niet, maar Urdo wierp me een boze blik toe. 'Er is geen enkel bewijs dat Morthu er de hand in heeft gehad,' zei hij.

'Hoe het ook zij, de man is een slang,' zei Ulf.

'Het feit dat iemand zich als een slang gedraagt, is nog geen bewijs van boze daden. Niet iedere slang heeft giftanden. En bovendien is hij de broer van Angas en Penarwen. Hem doden zou ernstige gevolgen hebben gehad. Heeft een van jullie een hard bewijs dat hij erbij betrokken is geweest?' Hij keek naar ieder van ons.

Ik kon alleen maar nee schudden. Ik zette mijn lege kom neer en voelde een rilling langs mijn rug lopen; de avond beloofde koud te worden. Ik stak mijn hand uit naar mijn tuniek en kleedde me aan. Ulf zei lange tijd geen woord. Er wandelden wapendragers door het kampement en in de verte hoorden we wat gezang, maar niemand kwam naar ons toe.

'Dat hij brieven schrijft is geen bewijs,' zei Urdo, 'en ook het feit dat iemand een droom kan hebben meegelezen zegt helemaal niets. Dat geldt ook voor de bewering van Suliensson dat Morthu hem zou haten. Wat de dingen betreft die hij heeft gezegd – het is waar, ik mag hem evenmin. Ik zal op mijn hoede voor hem zijn, maar ik moet me aan de wet houden die ik zelf heb uitgevaardigd, anders is het geen wet.'

Voor het eerst die avond kruisten Urdo's blik en de mijne elkaar, en bij wijze van uitzondering waren we het eens. 'Ik zal zijn penoen reorganise-ren, om te voorkomen dat hij vaak naar Thansethan gaat,' zei ik. 'Ik zal hem niet op eerloze manier doden, maar ik wil ook mijn zoon niet in gevaar brengen.'

'Denk je werkelijk dat hij het op Suliensson heeft voorzien?' vroeg Urdo.

'Hij zal alleen iets tegen hem ondernemen als hij het eruit kan laten zien dat hij er niets mee te maken had. De manier waarop Morthu naar mijn zoon keek, was bijna genoeg om hem ter plekke te doden. Het deed me denken aan zijn moeder.'

'Wel, stuur hem dan niet naar Thansethan, maar doe hem evenmin iets aan.'

'Maar, Urdo...' Ik slikte de rest in, want ik was er niet zeker van welke woorden tot hem zouden doordringen, in de stemming waarin hij verkeer-de. 'Hij haat ons allemaal. Hij haat alles waarvoor wij staan en is een vijand, evenzeer als Sweyn ooit is geweest, of zijn moeder, Morwen. Ik ben er heel zeker van, vanwege de manier waarop hij naar Darien keek. En ik ben er nog zekerder van dat hij eerder de hand heeft gehad in dit plan dan Flavien.'

'Goed, hij haat ons. Wat dan nog?' verzuchtte Urdo. 'Hij is opgevoed om mij te haten, maar dat was Angas ook en toch is hij een van mijn trouwste leenmannen. Jij hebt tegen mij gevochten, Ulf, maar je bent nu loyaal aan mij. Morthu kan misschien nog gaan begrijpen waarmee wij bezig zijn en zich realiseren dat hij het mis heeft. Hij moet heel intelligent zijn, als hij dit plan heeft bedacht terwijl hij pas achttien is en pas twee jaar bij ons dienst. Ik mag hem niet, dat geef ik toe, en ik heb het druk gehad en heb hem niet genoeg aandacht gegeven, ook al is hij mijn neef. Jij mag hem evenmin, Sulien, dus heb jij ook niet veel tijd aan hem besteed. Geen wonder dat hij tijd genoeg had om dit soort streken te bedenken.'

'Streken?' zei ik met stemverheffing. 'Arvlid is verkracht en vermoord en Darien zou hetzelfde lot hebben ondergaan als...'

'Morthu kan het hebben bedacht, maar gedáán heeft hij het niet. Wel-licht zal dit contact met de realiteit hem iets hebben geleerd.' Urdo schudde het hoofd. 'Het zou verkeerd van ons zijn als we geen poging deden hem te helpen zich te verbeteren. We kunnen het goede voorbeeld geven en vaker met hem praten. We weten niet eens óf hij het wel heeft bedacht. Ik ben niet van plan in deze kwestie de wet te negeren en sta ook niet toe dat jij dat doet, Sulien.'

'Ik wou dat er binnen de wet mogelijkheden waren om Cinon alsnog te berechten,' gromde Ulf. 'Op die manier zouden we erachter kunnen komen wie hem heeft geholpen.'

'Dat is niet meer in onze handen,' zei Urdo. 'Maar je hebt je uitstekend gedragen, Ulf. Je hebt niemand gedood en voorkwam dat Morthu verraad zou prediken, iets dat ik niet had kunnen negeren.'

'Vader Gerthmol predikte verraad,' zei ik.

'Dat was een misverstand,' zei Urdo gedecideerd. Glimlachend voegde hij eraan toe: 'Hij heeft erkend dat hij het mis had en heeft ten overstaan van iedereen bevestigd dat ik als koning mijn eigen verantwoordelijkheden heb.' Urdo geeuwde. 'Het is al laat. Morgen krijg ik te maken met de jonge Cinon.'

Hij en Ulf wensten me goedenacht en vertrokken naar hun eigen tenten. Ik trok me ook terug en ging liggen, biddend dat Darien veilig zou zijn, en wensend dat Ulf Morthu had gedood, ongeacht of hij daarmee de wet van de koning zou hebben geschonden en de politiek van het koninkrijk zou hebben geschaad.

38

'In mijn aderen stroomt het bloed van goden en koningen en ik heb voorbij de Noordenwind onder de reuzen verkeerd, maar nu ik stervende ben, zie ik mij omringd door dwazen. Wanneer dringt het eens tot jullie door dat er een eind moet komen aan deze vijandelijkheden en er vooruit moet worden gekeken?'
— Laatste woorden van Emrys ap Gwerthus, opgetekend door de H. Sethan

De enige reden dat ik Morthu in de jaren daarna niet heb gedood, was dat Urdo groot vertrouwen stelde in mijn eer en ik dat vertrouwen niet kon beschamen. Respect voor de wet zou me er niet van hebben weerhouden. Ik geloofde Darien en ik wilde in elk geval mijn zoon beschermen, los van de schade die Morthu het koninkrijk kon berokkenen. De wet betekende echter heel veel voor Urdo en ik kon hem niet verraden, zoals Marchel had gedaan. Hoewel Morthu mij er later van heeft beschuldigd dat ik hem als het even mogelijk was aan gevaar blootstelde, heb ik dat nooit gedaan – althans niet aan meer gevaar dan mijn andere wapendragers. Ook heb ik hem nooit, hoewel dat meer naar mijn smaak zou zijn geweest, tijdens oefeningen met de lans doorstoken of Ulf gevraagd hem met zijn aks de schedel te klieven. Niet dat die gedachten nooit in me op zijn gekomen, maar ik heb ze niet in daden omgezet. In elk geval hield ik Morthu scherp in het oog, iets dat hem in geen geval is ontgaan. Ook deed Urdo al het mogelijke om meer tijd aan hem te besteden. Morthu gedroeg zich attent tegenover hem en Elenn en het had er alle schijn van dat hij zich onze manier van denken en doen eigen maakte, net als Angas voor hem had gedaan. Toen hij een nieuwe zet deed, gebeurde dat op een manier waarop ik niet had gerekend.

Het was ruim twee jaar na de dood van Arvlid. Het waren uitstekende jaren geweest, afgezien van Morthu, altijd de rotte appel in de mand. Raul was terug en Urdo was veel opgewekter. Vaak had hij weer tijd om 's avonds met mij te praten, een spelletje raper te spelen of gewoon maar wat te babbelen over de alae en het land, of andere dingen die bij ons opkwamen:

wetten, belastingen, de integratie van het Jarnse voetvolk in het leger, of waarom het eeuwig en altijd regent in Tevin. Mijn ala was uitstekend geoefend en floreerde. Er was eindelijk vrede, waarachtige vrede, en het land voer er wel bij. Er waren massa's veulens, nu mensen konden besluiten om met hun merries te fokken omdat ze niet elk voorjaar nodig waren voor de strijd. Ap Erbin en Alswith trouwden en kregen hun baby, en een jaar later nog een. Ook Garah en Glyn kregen nog een kind dat jaar, en hun oudere kinderen waren eindelijk groot genoeg om met ze te kunnen spelen of praten, want ze waren vlug van begrip. Baby's zijn natuurlijk best aardig, en kleine kinderen die 'tante Sulien' zeggen en me om een ritje smeken is ook niet verkeerd, maar praten met kinderen die je vragen stellen over de wereld en die de rijkunst al aardig onder de knie beginnen te krijgen is het mooiste. Ik herinner me hoe ik de oudste van Garah en de oudste van Ayl allebei op Sterrelicht tilde en ze aan de teugel rond een weiland bij Caer Tanaga liet rijden. Het was bedoeld als beloning omdat ze hun hielen op hun plaats hadden gehouden onder het rijden en niet meteen jammerden als ze van hun pony vielen. Ze leken heel klein op de brede rug van Sterrelicht en waren bijna te opgewonden om stil te kunnen zitten. Het is een vreemde gewaarwording, als ik eraan denk dat ze intussen als volwassenen met elkaar zijn getrouwd en koning en koningin van Aylsfa zijn.

De oogsten in die twee jaren van voorspoed waren overvloedig en er was aan voedsel geen gebrek, niet voor de mensen noch voor de dieren. Mijn moeder schreef me dat ze nu de methode voor het maaien van koren en hooi van vrouwe Rowanna hadden overgenomen, waardoor de opbrengsten van de akkers nog hoger waren geworden. Ook smeekte ze mij haar de plant uit Aylsfa te bezorgen die Ayl gebruikte voor het maken van die vreemde lichtrode verfstof. Hij gaf me bereidwillig een paar exemplaren van de plant en ik stuurde ze door naar Derwen. Zelf bezocht ik Derwen en Magor maar één keer, nadat Veniva me had bericht dat hertog Galba stervende was. Ik was nog op tijd om met hem te kunnen praten. Het speet me hem te zien gaan; de oude man was voor mij altijd vriendelijk geweest. Mijn moeder sneed haar hoofdhaar voor hem af. Hij was zo'n beetje de laatste van haar jeugdvrienden. Aurien gedroeg zich heel kil en formeel tegen mij zolang ik er was. Ik heb niet geprobeerd haar tot vriendschap te dwingen die we geen van beiden voelden. Tijdens de crematie van hertog Galba herinnerde ik mij die van Galba de Jongere, maar Emer en Lew waren erbij, statig naast Idrien en Uthbad. Deze keer kwam geen roodmantel de plechtigheid verstoren met nieuws over een invasie. Aurien regeerde Magor daarna, totdat de kleine Galbian oud genoeg zou zijn. Morien beloofde haar alle hulp te zullen geven die ze nodig had.

Om de paar maanden escorteerde ik Elenn naar Thansethan. Ik bezocht Darien en bracht tijd met hem door. Ik bracht hem leren rijkleding van het model dat ik zelf op zijn leeftijd had gedragen en hielp hem oefenen met speer en schild. De beste bescherming die ik hem kon geven, was hem helpen de krijgskunsten meester te worden. Ik zou zelfs een zwaard voor hem hebben laten smeden, ware het niet dat Urdo me ervan weerhield. Het was nog te vroeg, vond hij.

Ja, het waren goede jaren. Urdo had zijn wetboek af en riep alle koningen bijeen zodat ze de tekst konden vernemen en er hun goedkeuring aan geven. Daarna gaf hij hun allemaal een afschrift ervan mee. Flavien probeerde de spot te drijven met Ohtar, door te zeggen dat hij niet in staat was het te lezen, maar Ohtar liet hem versteld staan door uit het hoofd te citeren wat Urdo had gezegd. Hij had het in zijn geheel onthouden, hoewel hij het maar één keer had gehoord. De koningen waren niet meer dezelfden, na Foreth. Cinon was dood en de jonge Cinon was beleefder én voorzichtiger. Hij dreef Elenn niet tot waanzin, zoals zijn vader had gedaan. De jonge Galbian probeerde even waardig te zijn als zijn grootvader was geweest, maar hij was tenslotte pas acht jaar oud. Mardol de Kraai was ook dood. Hij was stilletjes gestorven – in bed met een jonge boerin. Cadraith huilde toen de wetten waren voorgelezen en zei dat zijn vader zich erover zou hebben verheugd.

Het jaar daarna was er reden tot vreugde, zij het met enig voorbehoud, voor ons allemaal, maar vooral voor degenen die altijd een wakend oog hadden gehouden op de leest van de koningin: het zag ernaar uit dat ze zwanger was. Tegen de jaarmarkt was het onmiskenbaar. Iedereen zei dat er rond midwinter een troonopvolger zou zijn.

In die tijd werd er in Caer Tanaga een nieuwe watermolen gebouwd. Hij maalde regelmatiger en beter, want het was een onderslagmolen, waarbij het schoepenrad door het erlangs stromende water in beweging werd gehouden, terwijl het bij de ouderwetse bovenslagmolen óp het waterrad viel. Zulke schoepenraderen zie je tegenwoordig overal, uiteraard, maar destijds was het een nieuwtje en in feite een soort wonder voor ons. Niemand was destijds al op de gedachte gekomen om het waterrad te gaan gebruiken voor het zagen van hout of snijden van steen; de molen werd alleen gebruikt voor het malen van koren tot meel. In het begin vond ik het maar niks, omdat het geval een groot kabaal maakte en de paarden angst aanjoeg. Maar nadat ik het brood dat van de fijne bloem was gebakken had geproefd, vond ik het een grootse uitvinding. Het nieuws erover verspreidde zich sneller en over een groter gebied dan we ons ooit hadden kunnen voorstellen.

De jaarmarkt was dat jaar de grootste die ik ooit had meegemaakt. Zo'n jaarmarkt brengt altijd de nodige opwinding met zich mee. Zelfs als er niets nieuws te zien is, is er altijd de belofte dat er in de volgende straat wellicht iets geweldigs te ontdekken valt.

Ik heb Glyn nooit benijd om zijn werk en dat jaar deed ik dat misschien nog wel minder dan ooit. Nu Elenn zwanger was en Garah in het kraambed lag, kwam al het werk voor de bevoorrading van de ala op hém neer. Toen ik het hoofddeel van de markt doorwandelde, waar de boeren hun overtollige oogsten aan de man brachten, zag ik hem staan loven en bieden met een fruithandelaarster. Glyn was in de loop der jaren dikker geworden, mede doordat er goed voor hem werd gekookt. De kleine Ap Glyn stond naast hem op en neer te springen en zag er verveeld uit. Het jongere kind, de zoon, zat op zijn schouders aan zijn haar te trekken en de nieuwe baby was thuis bij Garah. Eigenlijk was de jonge Ap Glyn al te oud om te worden gedragen, maar door de komst van de nieuwe baby was hij teruggevallen in het gedrag dat hij een jaar of twee eerder had vertoond. Hij miste het om de jongste te zijn. De twee kinderen hadden mij eerder in de gaten dan hun vader en ik maakte het handgebaar dat in de ala 'Ssst!' betekent. Ik ging vlak achter Glyn staan en porde hem in de ribben. Hij sprong op en het kind op zijn schouders giechelde. 'Koop niet zoveel peren als vorig jaar,' zei ik. 'Ze kwamen ons tot voor de lente de neus uit en de helft van de wapendragers voerden ze aan de paarden omdat ze er genoeg van hadden.'

Hij lachte. 'We kregen dat jaar de belasting van Guthrum en Rowanna in peren, zodat ik ze niet hoefde te kopen. Dit jaar heeft Guthrum bonen geleverd, en Rowanna stuurde hooi. Hóói! Nou vráág ik je! Ik heb veel liever belasting in klinkende munt, maar Urdo zegt dat hij er nog geen heikel punt van wil maken.'

'Hooi, nou vraag ik je!' herhaalde de kleine jongen. 'En nog wel over land, de oude dame zal zo langzamerhand wel kraken!'

Ik lachte uitbundig, maar Glyn was er verlegen mee. 'Tja,' zei hij, 'ik ben bang dat we dit jaar helemaal geen peren zullen hebben, als ik er deze prijzen voor moet neertellen.' Hij bekeek hoofdschuddend de manden van de boerin en zette zijn treurigste gezicht op. 'Ik neem aan dat de gedachte aan al die hongerige paarden jouw hart wel niet zal kunnen vermurwen?' De jongen op zijn schouders trok aan zijn haar, en de boerin begon grinnikend aan het loven en bieden.

'Ik wilde wat kopen voor je kinderen,' zei ik, voordat Glyn er al te zeer door in beslag werd genomen. Onmiddellijk begonnen de kinderen de aandacht te trekken, maar ze hielden op toen ik ze streng aankeek. 'Dat wil zeggen, alleen als ze zich netjes gedragen,' vulde ik vlug aan. 'Nergens aankomen, en als ik iets zeg moeten jullie luisteren. Ik heb iemand nodig die me met mijn geld kan helpen, en ik weet dat jullie er beter in zijn dan ik.'

'Jij denkt natuurlijk dat ze een grapje maakt,' zei Glyn tegen de boerin, die achter haar hand stond te giechelen toen ze de kinderen instemmend zag knikken. 'Maar nee, de prefect woont zelf in de barakken en eet in de zaal van de koning, zodat ze zich nooit herinnert hoeveel zilveren penningen er in een gouden victrix gaan. En wat loven en bieden aangaat, daar heeft ze nog minder kijk op dan mijn één maand oude baby thuis, laat staan dit tweetal hier.'

Ik glimlachte als een boer die kiespijn heeft. Ik liep weg, samen met de twee kinderen en Glyns hartelijke dank, die hij weliswaar verpakte in een plagerijtje, maar er niet in verborg. Vlug wandelden we door het deel van de jaarmarkt waar etenswaren werden verkocht. Daarna kwamen de ambachtslieden. Sommigen woonden in de stad en hadden hun nering het hele jaar door open, maar anderen waren van ver weg gekomen, speciaal voor de jaarmarkt. Hier zagen we minder mensen met manden, maar er waren meer schraagtafels opgesteld. Sommigen hadden zelfs een kleine tent neergezet waarin ze hun koopwaar hadden opgehangen. Er waren pottenbakkers die kommen, kruiken, potten en zelfs bekers verkochten, en andere die aanboden gebroken potten te repareren. Beris was er ook: ze liet er een bord repareren en knikte me lachend toe toen ik voorbijkwam. De nieuwe potten waren schreeuwend duur, maar ik had geen potten nodig, aangezien ik er geen huishouden op nahield. De kleuren en het glazuur waren heel mooi. De kinderen drongen erop aan dat ik door zou lopen. Bij de smeden en koperslagers bleven we even staan om te zien hoe ze kapot gereedschap repareerden. De smeden in Nant Gefalion halen hun neus op voor deze mensen en hun werk, maar er zouden maar weinig mensen zijn die iets van metaal kochten als ze er helemaal mee naar een verre smid moesten om het te laten repareren als het kapot was. Er waren wevers en spinners die allerlei soorten stof en klossen garen verkochten. Ik vertelde de kinderen dat je op een jaarmarkt een compleet stel nieuwe kleren kon kopen. Dan kocht je stof en garen, en bij de koperslagers naalden om ermee te naaien.

'Zouden ze je die dingen ook verkopen als je in je nakie kwam?' giechelde het meisje.

'De Jarns niet,' wist de kleine jongen, die naar een nabije tent wees, waar de onmiskenbare lichtrode stof uit Aylsfa werd verkocht door twee zwaar gesluierde jonge Jarnsvrouwen met gevlochten haar. De kinderen schaterden het uit bij de gedachte dat iemand zo dringend kleren nodig zou hebben en ze niet zou kunnen kopen. 'Je kunt hier ook schoenen kopen, kijk maar, van leer. En als je ze zelf niet kunt repareren, stap je met je kapotte schoenen naar de schoenmakers hier.'

'Dat doen de mensen inderdaad,' knikte ik. 'Ik heb hier zelf weleens rijlaarzen gekocht, maar meestal neem ik mijn gedragen laarzen mee naar hier en laat ze opknappen, zodat ik er nog een winter mee toe kan.' In Caer Rangor was een leerlooierij gevestigd, waar wij altijd het leer voor de ala kochten. De stank ervan verpestte de lucht tot mijlen in de omtrek.

Ik bleef staan en keek naar een schitterend stuk leer, opgehangen in een tent. Het was heel licht getaand. Toen ik het betastte, voelde het opmerkelijk zacht aan. Het zou beter geschikt zijn voor handschoenen dan voor leren laarzen.

'Vindt u dat mooi, prefect?' vroeg Morthu – zacht en plotseling. Hij was achter de tent vandaan gekomen en had een afgedekte mand aan de arm.

Ik was geschrokken. 'Het ís mooi spul,' beaamde ik eerlijk. 'Hoewel ik er momenteel geen behoefte aan heb.'

'Doodzonde,' zei hij, zijn hand uitstekend om het leer te bevoelen. Ik liet het abrupt los en deed een stap opzij. Hoewel hij slechts een terloopse opmerking had gemaakt, beleefd, had hij iets over zich dat me kippenvel bezorgde. Hij was inmiddels een volwassen man en had niets meer van de jongen die hij was geweest. Plotseling werd ik me daar bewust van, bijna alsof hij dat wilde. Hij leek niet op zijn vader of zijn moeder. In feite leek hij een beetje op Urdo, wat voor een neef natuurlijk niet verbazingwekkend is. Hij glimlachte bewust naar me en streelde het leer. 'Ongelooflijk zacht,' zei hij.

Ik had de neiging te huiveren of hem een dreun te verkopen, zodat ik mijn wilskracht moest aanwenden om me in te houden. De twee kinderen gedroegen zich heel netjes en stil, zoals ik hun had gevraagd. Ik wenste dat ze me om iets zouden vragen, of iets interessants zouden zien, zodat ze me een excuus konden geven om Morthu te laten staan. 'Je hebt al leer gekocht?' vroeg ik, met een hoofdknik naar de gevlochten mand. Ik hoopte dat mijn stem vast genoeg klonk.

'Nee,' zei hij. 'Wijn. Er is een schip uit Narlahena binnengevaren en ze verkopen een deel van hun vracht.'

'Waar precies?' vroeg ik.

Hij nam mijn arm om mij de richting te wijzen. Ik kromp licht ineen en ik weet dat hij het had gemerkt, want ik zag een flits van triomfantelijkheid in zijn gezicht. Ik kon er echter niets van zeggen, want wat hij had gedaan was iets wat elk ander lid van mijn ala had kunnen doen zonder dat het als een vrijpostigheid werd beschouwd. Het verschil was echter dat hij een vijand van mij was en het beledigend had bedoeld. Ik keerde hem de rug toe en liep weg met de kinderen, even omkijkend om te zien of hij me soms volgde.

Bij de volgende kraam werd ijzersmeedwerk verkocht: dolken, spaden, hakken enzovoort. Ik moest de kinderen uitleggen hoe de steel ervoor passend moest worden gemaakt. Ze wilden een spade kopen voor hun grootvader in Derwen, die alleen een houten exemplaar bezat. Ze loofden en boden een poosje, maar de smid was niet zo dwaas een kind van zeven iets mee te geven in ruil voor de belofte dat hij er later voor zou komen betalen. Ze moesten zich tevreden stellen met de gedachte dat ze terug konden gaan nadat ze hun vader hadden gevraagd er geld voor mee te geven. Tegen de tijd dat we verder liepen, was ik bijna volledig gekalmeerd.

We passeerden een kraam waar verfstoffen aan de man werden gebracht, en daarna bereikten we een man die warme worst verkocht. Ik kocht er voor elk kind een. We wandelden langs mensen die kruiden, snuisterijen en liefdesdranken sleten, en remedies voor alle mogelijke kwalen. Soms bestonden die uit echte kruiden, maar andere niet. Ik vond het erg om te zien dat ze als wondermiddelen aan de man werden gebracht, in plaats van als een artsenij voor een specifieke kwaal. Ik vroeg me af of ik Urdo kon vragen eens te zien of daar iets tegen te doen zou zijn. Uiteindelijk bereikten we de bemanning van het schip uit Narlahena.

Ze hadden vaten wijn bij zich, en over een tafelblad dat ze over twee grote vaten hadden gelegd hadden ze een geborduurd kleed gedrapeerd, waarop ze met was verzegelde kruiken en grote schenkkannen hadden uitgestald. Veel mensen stonden er te loven en te bieden na de wijnen te hebben gekeurd. Ik zag de kok van de Grote Koning er ook bij staan. Naast wijn hadden ze ook andere waren bij zich, en dat was wat ons interesseerde. De kinderen verslonden het restant van hun worst en hielden daarna hun handen op de rug om te voorkomen dat ze alles wat ze zagen aanraakten. Er waren glazen kralen, en kruiken en bekers van glas, alles in dieprode en diepblauwe kleuren en hier en daar zelfs wat groen. Ook boden ze wat boeken te koop aan. Ik keek er verlangend naar. Ik betwijfelde of ik genoeg geld bij me had om er een te kopen, zelfs als ik dat had gewild. Ik bekeek ze vluchtig. Tot mijn teleurstelling zag ik dat het allemaal afschriften waren van *Herinneringen aan de Blanke God*, op een na – een gebedenboek, samengesteld in een klooster in Narlahena. Ik legde het terug en richtte mijn aandacht weer op het fraai gekleurde glas.

De kinderen staarden verlangend naar wat glazen kralen met piepkleine diervormen erin. De kralen zelf waren zo groot als mijn duimnagel. Ik vroeg hoeveel ze kostten en ontdekte tot mijn verbazing dat ze tamelijk goedkoop waren. Ap Glyn stond erop om namens mij te loven en bieden, hoewel de Narlahenaan alleen Vincaans sprak en zij alleen Tanagaans, zodat ik alle biedingen moest vertalen. De kinderen spraken thuis Tanagaans en hoorden zelden Vincaans. De Narlahenaan had hetzelfde afgebeten accent als Amala, want hij slikte de laatste letters van de woorden in, zodat ik wist dat hij een Malm moest zijn. Ik kocht voor beide kinderen een kraal: een rood konijntje voor de jongen en een blauw paard voor het meisje. Toen we het over de prijs eens waren geworden, kocht ik impulsief nog een rode eekhoorn en een blauw hondje voor mijn neefjes in Magor, Auriens beide kinderen. Ik was niet van plan naar huis te gaan, maar kon ze met mijn volgende brief aan Veniva meesturen. Het speet me dat Darien al te oud was voor zoiets, maar toen zag ik een blauw varkentje en besloot het toch maar voor hem te kopen. Misschien zou hij erom glimlachen.

Toen de Narlahenaan zag dat ik zoveel kocht en merkte dat ik goud in mijn beurs had, haalde hij nog meer glaswaren te voorschijn. Er waren een paar prachtige dingen bij. Ik kwam niet in de verleiding voor de sieraden van glas, maar toen zette hij me een beker van groen glas voor: bijna doorzichtig en nauwelijks een vinger dik, afgewerkt met een gouden rand. Op dat moment bedacht ik dat als Elenns baby straks geboren was, ik er een cadeau voor moest hebben. En deze beker leek me een toekomstige koning wel waardig. Volgens de Jarns brengt het ongeluk als je een geschenk voor een ongeboren kind koopt. De man reikte mij juist de beker en de kralen aan toen ik door iemand werd aangesproken in een taal die ik niet kende.

Ik keek op om mezelf te excuseren, richtte me op en moest tot mijn grote verbazing opkijken naar een grote vrouw die heel veel op mijn vader leek. Mijn vader heeft nooit een zus gehad, maar áls hij er een zou hebben gehad, had dit haar gezicht kunnen zijn – dezelfde jukbeenderen, en ook haar neus en kin waren exact die van Gwien. Afgezien daarvan zag ze eruit als een barbaar van de meest wilde soort. Er zat zoveel witte leem in haar hoofdhaar dat het grijs leek en in pieken haar gezicht omkranste. Ze droeg kleding die van zeehondenleer was vervaardigd. Ze had brede schouders en tatoeages op haar blote armen: twee verstrengelde slangen op de ene arm, en een gestileerd paard op de andere. De kinderen hijgden van schrik en de kleine jongen omklemde angstig mijn been.

Ze herhaalde haar vraag, wat die ook geweest mocht zijn, en grijnsde nu breed. Ik schudde het hoofd. 'Ik versta u niet,' zei ik.

Ze zei nog iets anders dat volmaakt onbegrijpelijk was en maaide wat met haar getatoeëerde armen. Nu pas drong het tot me door dat ze – heel slecht – Vincaans sprak. 'Jij nicht van mij?' vroeg ze.

De glasverkoper wachtte op mijn geld. Ik gaf hem het, nam de gekochte spulletjes en deed ze voorzichtig in mijn buidel. Toen zei hij opgewekt en rad: 'Ik zou maar voor haar uitkijken, vrouwe. Ze komt uit de IJsbergen en voer vanuit Olisipo met ons mee. Ze heeft zes gigantische paarden en een enorme strijdbijl en betaalde voor haar overtocht met een stel kunstig besneden walrustanden, zo groot als mijn benen. En toen een zeeman haar wat te familiair deed, brak ze zijn arm.'

'Dank u,' zei ik, en draaide me om naar de vrouw, die geduldig stond te wachten. 'Als ik een nicht van u ben, is mij dat niet bekend,' antwoordde ik langzaam. 'Wie bent u?'

'Rigg, dochter van Farr, dochter van Beven, dochter van Neef,' zei ze terwijl ze zich op de borst sloeg. 'Neefs andere dochter was Larr, en Larr is met paarden naar eiland hier gegaan. Beven was heerschap en kon niet mee; zij zeggen later komen en paarden meenemen. Zij niet gekomen. Farr ook niet gekomen. Maar ik gekomen!'

Ik kneep even mijn ogen dicht. Laris, de reuzin, herinnerde ik mij. Rigg zelf was geen reuzin, al was ze een handbreedte of wat groter dan ik. Ik wenste dat mijn vader nog leefde, zodat hij haar had kunnen ontmoeten. 'U bent de kleindochter van de zus van mijn grootmoeder en u komt u aansluiten bij de familie?' Ik moest bijna giechelen toen ik plotseling het gezicht van mijn moeder voor me zag. De kinderen trokken aan mij en vroegen me wat ik had gezegd. 'Ze zegt dat ze een achternicht van mij is,' zei ik. Ze gaapten haar aan.

'Niet aansluiten familie,' glimlachte Rigg. 'Ik niet weten jouw familie hier; ik niet weten mijn grootmoeders zus Larr hier familie hebben. Ze was nog jonge krijgsvrouw als vertrokken, geen kinderen nog. Ik hier gekomen om belofte van mijn oma Beren aan Emeris nakomen.'

'Ik ben Sulien,' zei ik, me te laat realiserend dat ik me niet aan haar had voorgesteld. Ik probeerde mijn verbazing te verhullen. Een familielid leren kennen van wie ik nog nooit had gehoord was een heel vreemde ervaring voor mij. 'Mijn vader was Gwien en zijn moeder was Larr.'

'Zij dood zijn?'

'Ja. Gesneuveld in de burgeroorlogen. Mijn vader is ook dood, gestorven door een pest.'

'Droevig,' zei Rigg en boog haar hoofd. 'Hij zussen hebben?' vroeg ze.

'Nee. Hij was enig kind. Ik heb wel een broer en een zus. En zij heeft afstammelingen.'

'Afstammers? Woord betekenen kinderen van zoon? Kinderen van zoon beter zijn dan niets, maar alleen dochter van dochter echte afstammer.'

'Afstammeling betekent alleen kinderen van kinderen of nog verder,' zei ik. 'Wij gaan uit van afstamming van de vader, meestal.'

'Hoe iemand kan zeker zijn van vader?' grinnikte Rigg. 'Maar toch jij nicht van mij, jouw gezicht zeggen alles. En kinderen, zijn van jou?'

'Nee,' antwoordde ik. 'Zij zijn de kinderen van een vriend van mij en ik pas alleen vanmiddag op ze. Ze spreken alleen Tanagaans.'

Ze lachte en trok gekke gezichten tegen ze. Ze omklemden hun kraal en lachten schuchter. 'En Emeris? Hij ook dood zijn, ik horen?'

'Ja,' zei ik. Het was zo vreemd. Ze kwam uit de lucht vallen en vroeg me naar oude helden. Het maakte dat de hele ontmoeting het karakter leek te hebben van een droom. Er was sinds Emrys' dood pas vijfenveertig jaar verstreken en Thurrig had hem goed gekend, maar voor mij leek het de tijd waarvan sprake was in legenden. 'En zijn zoon Avren is ook dood. Nu is zijn zoon, Urdo, Grote Koning.'

'Dat ik hebben gehoord.' Ze glimlachte. 'Ik niet weten Emeris zichzelf koning hebben gemaakt tot ik in Narlahena kwam.'

Dit was nog vreemder. 'Er is een lied over zijn reis naar het land voorbij de Noordenwind,' zei ik voorzichtig. 'Maar veel meer is er niet van bekend.'

'Land heten Rhionn, Rigatona in Vincaantaal. Moeder van jouw vader jou nooit verteld van Rigatona, land van Paardenmoeder?'

'Ze is voor mijn geboorte gestorven. Ze sneuvelde in een slag voordat Emrys zichzelf uitriep tot Grote Koning. Mijn vader was toen nog maar een jongen. Ik draag haar wapenrusting.'

'Veel jammer,' zei Rigg. 'Ik belofte Emeris nakomen, via Urdo. Dochtersdochter van Beren en zoonszoon van Emeris, misschien dàt zijn wat Moeder van Paarden bedoelde.'

'Het intrigeert me,' zei ik, maar ze keek me niet-begrijpend aan. 'Ik ben heel nieuwsgierig naar deze belofte. Als je het me kunt vertellen, tenminste, maar ik zou het dolgraag weten. In elk geval kan ik je helpen Urdo te vinden.' In werkelijkheid had ik geen idee waar hij was, waarschijnlijk ergens op de jaarmarkt. Ik kon haar echter die avond helpen hem te benaderen, wat voor haar veel eenvoudiger zou zijn dan belet vragen via een schrijver. De kinderen waren inmiddels heel rusteloos geworden. Ik begon langzaam door te lopen door de mensenmassa, met Rigg en de kinderen in mijn kielzog. Ik was op de terugweg naar de kramen met landbouwproducten, waar ik Glyn hoopte terug te vinden.

'O, dat ik kan vertellen,' zei Rigg onder het lopen. 'Het geen geheime belofte zijn. Emrys, hij vijf spellen gewonnen, maar Beren alleen maar vier prijzen kon teruggeven.'

'Vier spellen won u op dit witte strand, verwierf ze met uw schone lied,' herinnerde ik mij van de ballade. 'Ze zeggen dat hij met een lied duizend paarden had gewonnen. Volgens sommigen reden ze over het schuim van de golven terug naar huis, langs de twee vurige bergen en Tir Isarnagiri voordat ze er waren.'

'Niet rijden op golven,' lachte Rigg. 'Hij hebben boot. En duizend ook niet. Geen heerschap duizend paarden kunnen geven voor begrafenislied voor haar moeder. Vrijgeviger dan de goden! Tweeënvijftig paarden hij hebben gewonnen, vier voor iedere maan. Zijn liederen heel goed en nieuw, allemaal; wij ze nog altijd zingen. Maar hij slechts achtenveertig paarden genomen, omdat van zomermaan geen paarden zijn. Tot nu toe er geen vier waren om kunnen brengen. Jij ze kijken willen?'

'Waar zijn ze?' vroeg ik. 'Willen jullie meegaan om een paar nieuwe strijdrossen uit het land van de reuzen te zien, kinderen?' Dat wilden ze wel – ze waren dol op paarden. We liepen naar de kade, langs de tafeltjes van de geldwisselaars. Ik glimlachte naar de wapendragers die hier wacht hadden en zich stierlijk verveelden. De wisselaars hadden zoals altijd hun bascules en stapeltjes goud, zilver en koper voor zich uitgestald en schenen goede zaken te doen. Raul was er ook; hij stond te praten met een oude man met een verbazingwekkend lange baard. Hij keek niet eens op toen we langs hem heen liepen.

437

Rigg ging ons voor naar de waterkant. Het wemelde dat jaar van schepen op de rivier. Er waren Jarns van het vasteland, plaatselijke rivierboten, schepen uit Narlahena en zelfs een paar grote schepen uit verre landen, met ruige bemanningen en enorme, vreemd gevormde zeilen. Roeiboten en barken voeren af en aan en laadden vracht uit of in. Ze zwermden over de anders zo vredige rivier als kikkers in het paarseizoen.

De zes paarden van Rigg stonden gekluisterd in het gras voor een tent van zeehondenleer. Twee van de paarden waren vossen, maar de andere vier hadden de kleur van bleek goud, met witte manen, een dito staart en een witte bles op de neus. Het waren de mooiste schepselen die ik ooit had gezien en hun kleur deed me aan zomerkoren denken. Een jongen met een bleke huid paste op de dieren, gezeten op een enorme stapel zeehonden-vachten.

'Ze zijn adembenemend,' zei ik tegen Rigg.

Ze glimlachte verlegen. 'Vier paarden van zomermaan.' Ik vertaalde het voor de kinderen. 'Ze worden zomerpaarden genoemd.' Voor Rigg voegde ik eraan toe: 'Paarden van die kleur heb ik nog nooit gezien!'

'Emeris niet hebben gebracht. Vier van alle manen – telkens twee paren – maar geen paarden van zomermaan; die er niet waren om te geven.'

De kinderen smeekten om een ritje op de zomerpaarden en ik moest ze streng aankijken voordat ze daarmee ophielden.

'Wij nu Urdo zoeken?' stelde Rigg voor, nadat ik vriendschap had gesloten met de paarden. Het waren dieren van drie jaar oud – twee paren, zoals ze had gezegd. Ze vertegenwoordigden een luisterrijk geschenk of een te laat overhandigde prijs of wat dan ook. Ik was er zeker van dat Urdo ermee in de wolken zou zijn.

'Van wie zijn de andere twee?' vroeg ik, wijzend naar de vossen.

'Mij,' zei Rigg. 'Ik eerlijk zeggen, ik willen avontuur. Ik niet zijn Berens erfgenaam. Rigatona mij te klein. Ik wereld willen zien. Kooplieden van Vuurberg zijn gekomen; paarden waren er, en ik gevraagd weg mogen.'

'Beren is dus nog in leven?' Het was een vreemd idee voor mij dat ik een oudtante had op een afgelegen eiland, slechts een stap verwijderd van een echte legende.

'O ja!' Rigg keek op mij neer. 'Zij oud zijn, maar niets gebeuren dat haar sterven maken. Zij vier dochters hebben, allemaal levend. Ikzelf hebben twee zussen en broer – allemaal ouder en groter. In Rigatona niet veel oorlog. Handelaren zeggen, oorlog kwamen in Tir Tanagiri. Ik mijn rossen gebracht voor vechten in oorlog.'

'Jij wilt voor Urdo vechten? Als lid van de ala?'

'Wat zijn ala – vleugel?'

'Inderdaad ja, een vleugel – een eskadron krijgslieden op paarden,' zei ik glimlachend. 'We vechten allemaal samen, met heel veel paarden. Ik ben de prefect van Urdo's ala.' Het was goed om voor de verandering iets te kunnen zeggen dat op háár indruk maakte.

Ze zei iets rads in haar eigen taal en maakte machtige bewegingen met haar armen. 'Ik woorden nodig hebben. Jij bedoelen, alle paarden tegelijk rennen, met lansen en speren? Wij dat niet hebben in Rigatona, maar ik wel gezien in Narlahena.'

'Ja,' antwoordde ik. 'Maar in Narlahena? Een ala? Met strijdrossen?'

'Kleine paarden,' zei Rigg minachtend. Ik dacht onmiddellijk aan Marchel en vroeg me af waarmee ze bezig was. De ala was Urdo's idee. 'Maar alle paarden tegelijk rennen en lansen ook, heel mooi. Ja, ik bij ala willen,' zei Rigg, nadat ze even op haar onderlip had gekauwd.

'Je zult het Urdo moeten vragen en hem trouw moeten zweren, maar ik zou het prima vinden om jou erbij te hebben,' zei ik. Juist op dat moment stak Ap Glyn voorzichtig zijn hand uit en raakte het getatoeëerde paard op Riggs arm aan. Ze begon te lachen en hurkte neer om hem de arm te laten bekijken, waarbij ze haar spieren liet rollen, zodat het leek alsof het paard galoppeerde. De kinderen vonden het allebei prachtig.

'Hebt u dat geschilderd?' vroeg de kleine jongen. Ik vertaalde de vraag.

'Niet geschilderd,' zei ze. 'Maken met naalden en verf, prik prik.' Ze maakte priemende bewegingen met haar wijsvinger om het te demonstreren.

Ik huiverde, vertaalde wat ze had gezegd, en nu huiverden de kinderen ook.

'Laten we doorlopen,' zei ik. 'Eens zien waar Urdo uithangt.'

39

[...] Toen droeg Tiya de Skath-prinses Gall tot hoog boven de stad en beval haar omlaag te kijken. Ze keek en zag dat hij zijn mannen opdracht had gegeven het aquaduct dat het kostelijke drink- en badwater aanvoerde te verwoesten.

Gall staarde naar de puinhopen en zei: 'Eerst dacht ik dat je alleen maar je moeder wilde wreken; en daarna dacht ik dat je uit was op de heerschappij over het imperium. Nu zie ik echter dat jij niet tevreden zult zijn voordat je ons allemaal hebt vernietigd, mét alles wat wij hebben opgebouwd, opdat zelfs onze namen in vergetelheid zullen raken.'

Tiya streelde glimlachte zijn snor en zei: 'Je hebt in je gevangenschap onder ons toch iets geleerd. Wij hebben jullie je geluk ontstolen. Jullie steden en boerderijen zijn de Grote Rat onwelgevallig, en als wij ze overnamen en ze als ónze steden en boerderijen gingen bewonen, zou dat hem evenmin plezieren. Als het echter allemaal is verwoest en jullie klaagzangen te midden van de puinhopen opstijgen, zal hem dat zeer welgevallig zijn.'

– Uit 'De ondergang van Vinca' in *Het rode boek*

Slechts enkele minuten nadat we terug waren bij de jaarmarkt riep Masarn me toe dat Urdo naar mij op zoek was. Vier andere wapendragers en Senach Roodoog gaven mij dezelfde informatie door voordat ik de kinderen veilig en wel bij Glyn afleverde. Die wist niet alleen dat Urdo mij moest hebben, maar ook waar hij was.

'Hij laat de ambassadeurs het nieuwe waterrad zien,' zei hij. 'Ja, meisje, een heel mooi paardje – Sulien, je verwent de kinderen.'

'Ik heb geen spade voor hun grootvader gekocht,' lachte ik. 'Mag ik je even voorstellen aan mijn achternicht uit Rigatona. Rigg, dit is Glyn, de logistieke tovenaar van onze ala.'

Glyn boog voor haar. 'Die gelijkenis zou me overal zijn opgevallen,' zei hij.

'Mij uw kinderen ook,' zei Rigg.

Ik liet het aan de kinderen over hem uitleg te geven over de wonderschone ijzeren spade en ging samen met Rigg omlaag naar de watermolen. We zochten ons een weg door het gewoel, dat me op een of andere manier minder exotisch voorkwam, zo met de vrouw uit Rigatona naast mij. Ze slaakte uitroepen van verrukking over de gewoonste dingen, zoals knolrapen, en scheen geen notitie te nemen van de vreemd geurende kruiden, behalve dat ze af en toe haar neus wat rimpelde. We liepen door en omzeilden lieden die hun hete kastanjes, cider, druipende honingraten, linten, vilten dekens en jachthonden aan ons kwijtwilden. Ik slaagde er maar net in Rigg ervan te weerhouden een enorme wolfshond uit Isarnagan te kopen, zoals Elenn er een bezat.

Urdo en Elenn stonden bij het grote waterrad te praten met Morthu en twee vreemdelingen. Ik wenste dat Morthu in het water zou vallen en verdrinken. We liepen naar het groepje toe. Urdo keek heel ernstig, maar Elenn zag er als altijd mooi en elegant uit, al leek ze wat vermoeid. Haar kennende, kon dat alleen maar betekenen dat ze uitgeput moest zijn. Urdo's ogen werden groot toen hij Rigg ontwaarde. Rigg zelf trok zich een beetje terug en ik moest haar geruststellen betreffende het kabaal van het schoepenrad. Toen knikte ze en stapte zelfverzekerd naar voren.

Toen ze Urdo had bereikt, boog ze. 'Urdo, heer koning van Tanaga, ik u brengen groeten en vier paarden van zomermaan van Beren, heerschap van Rigatona, nog te goed van prijzen Emeris gewonnen hebben. Ik ben Rigg, dochtersdochter van Beren.'

Urdo leek overdonderd. Ik denk niet dat hij meer van Rigatona en de reis van Emrys daarheen afwist dan ikzelf.

'Aan u en allen die in vrede naar Tir Tanagiri komen een groots welkom,' zei Elenn. Tot mijn verbazing hoorde ik haar Vincaans spreken. Ze had het de afgelopen jaren geleerd, maar vermeed het gebruik ervan zo veel ze kon. 'Komt u vanavond naar ons feestmaal, dan kan ik u naar behoren welkom heten.'

'Inderdaad welkom, welkom,' zei Urdo. 'Vandaag worden we zeer geëerd door bezoekers uit verre landen.'

Rigg glimlachte. 'Vreemden, ja, en familie ook. Nu ik u zeggen mijn grootmoeders zuster hebben...' – ze aarzelde even, maar gebruikte het woord weloverwogen – '... afstammelingen in dit land, en deze alaleider zijn een daarvan.'

'Ik wou maar dat mijn vader nog in leven was en nu te weten kwam dat hij onder de verwanten van zijn moeder nog achterneven en -nichten heeft,' zei ik in de verbijsterde stilte. Deze keer wist zelfs Morthu niets te zeggen.

Urdo keek nu nog verbaasder. Een van de vreemdelingen, een vrouw met een bleke huid en gitzwart haar, glimlachte. De andere, een man die er alledaags zou hebben uitgezien, ware het niet dat hij een met borduurwerk verfraaide buitentoga droeg hoewel het pas middag was, keek verveeld en richtte zijn aandacht weer op het waterrad. Morthu glimlachte, alsof alles aan de situatie hem bekoorde.

'Prefect Ap Gwien,' zei Urdo, 'ik wil je graag voorstellen aan ambassadeur Ap Theophilus, die ons bezoekt als afgezant van het hof van keizer Sabbatian in Caer Custenn.'

De man draaide zich weer naar ons om, nu duidelijk geërgerd. Hij boog voor mij en ik beantwoordde de groet. 'Wij zijn gewoon Sabbatian, keizer aller Vincanen te zeggen,' verbeterde hij Urdo, 'niet de keizer in Caer Custenn. Er is geen andere. Ik weet met zekerheid dat hij zelfs hier, aan het eind van de wereld, bij zijn ware titel wil worden genoemd.'

Ap Theophilus' Vincaans was zo goed dat het mijne in vergelijking ermee in zijn oren even slecht moest klinken als dat van Rigg in de mijne. Ik wenste dat Veniva erbij was, zodat ze hem kon horen spreken en zou weten dat er nog mensen waren die de taal zo goed beheersten. Wát hij echter zei was lang niet zo bewonderenswaardig. Hoewel het waar was dat er geen tweede keizer van het imperium was, had er honderden jaren lang een in Vinca en een in Caer Custenn geresideerd. En als dat niet meer zo was, kwam dat omdat de Skath vijftig jaar geleden de laatste keizer in Vinca hadden geëxecuteerd. De zoon van 's keizers zuster was echter nog in leven en maakte aanspraak op de titel, hoewel hij over een piepklein Malms vorstendommetje regeerde, volgens het laatste wat ik erover had vernomen. Er was allang geen Vincaans imperium meer; er waren alleen nog plaatsen die vroeger Vincaans waren geweest. Wat dat aangaat, Emrys en Avren hadden beiden beweerd zelf de keizer aller Vincanen te zijn, en hoewel Urdo dat nooit had gezegd, had hij bij Foreth de grote purperen keizerlijke standaard gevoerd. Ik was ervan overtuigd dat Ap Theophilus dit even goed wist als Urdo en ik, maar we glimlachten slechts, maakten een buiginkje en zeiden er niets meer over. Ik vroeg me af wat de keizer in het verre Caer Custenn van ons wilde.

'En dit is ambassadeur Ap Lothar van de Varni,' vervolgde Urdo, toen hij me voorstelde aan de vrouw. We bogen voor elkaar.

'Wat jammer nou dat we de welkomstbokaal nu niet kunnen delen,' zei Morthu met spijt in zijn stem.

'Ik zal meteen naar de citadel gaan om hem te halen,' zei Elenn. 'En anders stuur ik...'

'U behoort te rusten,' viel Morthu haar in de rede. 'U ziet er bleek en moe uit; u zou ergens moeten zitten terwijl er voor u wordt gezorgd, in plaats van hier de hele jaarmarkt in deze hitte af te lopen, laat staan dat u zich ook nog naar boven rept om de welkomstbokaal te halen. Bent u het met me eens, ambassadeur? Heeft ze geen rust nodig in haar conditie?'

Nu dit beroep op haar werd gedaan, kon ze er alleen maar mee instemmen. 'Vanzelfsprekend,' zei ze in afgebeten Vincaans. 'Vanavond is het vroeg genoeg om een bokaal met elkaar te delen.'

'Gelukkig heb ik hier wat wijn,' zei Morthu terwijl hij een kruik uit zijn mand nam. 'Ik heb hem gekocht bij de Narlahenanen. Hadden we nu maar een bokaal.'

'Die mijn nicht hebben!' zei Rigg stralend. 'Zij er net een gekocht!'

Ik wist dat ze het goed bedoelde, maar het irriteerde me niettemin. 'Hij was hoe dan ook voor jou bedoeld,' zei ik tegen Elenn en nam de glazen beker uit mijn buidel.

'Schitterend!' zei Elenn, de beker tegen het licht houdend. Ze bedankte me en iedereen bewonderde de beker. Urdo vroeg zich af hoe ze erin waren geslaagd hem veilig te vervoeren. Rigg vertelde hem dat ze had gezien hoe ze al hun glaswaren in stro verpakten. Toen hield Elenn hem op en stond Morthu toe hem met zijn wijn uit Narlahena te vullen.

Het was een vredesbeker en we dronken er allemaal uit, maar ik wist direct dat er iets niet klopte. Ik had Elenn de beker geschonken, dat kon het niet zijn: hij was haar eigendom en daarom even geschikt om er vreemdelingen mee te verwelkomen als de gouden welkomstbeker, of zelfs een gebarsten houten kom als ze die had verkozen voor een ceremonieel welkom. Ik zette het van mij af en voerde een gesprek met Ap Theophilus. Zijn reis vanuit Caer Custenn had hem acht maanden gekost, als ik hem mocht geloven. Hij was over land door Lossia en Vinca gereisd en was toen met Ap Lothar scheep gegaan in de Varniaanse haven Burdigala. Ik voelde er niets voor hem te vragen waarom hij hierheen gekomen was, al wilde ik het graag weten. Ik vermoedde dat Urdo mij erbij had willen hebben omdat ik redelijk goed Vincaans spreek. Dus kweet ik me van die taak, en steeds als Ap Theophilus een dichter of wijsgeer citeerde, deed ik dat ook zodra dat mogelijk was. Ik wilde niet dat hij ons 'aan het eind van de wereld' voor barbaren zou verslijten. Af en toe zag ik Urdo dankbaar naar mij kijken.

Na een tijdje, toen iedereen genoeg van het waterrad had gezien, stelde Rigg voor dat we met haar mee zouden gaan om haar zomerpaarden te bekijken. We begonnen stroomafwaarts de kade af te lopen. Elenn maakte aanstalten om de beker op te bergen.

'O, er is nog wijn genoeg,' zei Morthu. 'Laten we ervan genieten nu er nog meer dan genoeg is. Straks is het winter en staan we op rantsoen.' Hij vulde de beker en dronk hem leeg, waarna hij hem opnieuw vulde en Elenn aanbood. 'Nog een bekertje van deze heerlijke wijn uit Narlahena?'

We waren allemaal een ogenblik blijven staan. Ik vroeg me af wat Elenn ervan dacht. Ze liet echter niets blijken. Urdo was woedend, dat was duidelijk. Ze pakte de beker aan en nam een teugje. Ze kon weinig anders doen, behalve hem de wijn in het gezicht smijten. Toen glimlachte ze charmant en reikte het glas niet Urdo aan, zoals Morthu kennelijk had verwacht, maar

Rigg. Rigg dronk de beker dorstig leeg alsof het water was en gaf hem terug aan Morthu. Hij schonk hem opnieuw vol voor Ap Lothar en Ap Theophilus. Ap Lothar probeerde mij de beker door te geven, maar ik schudde het hoofd.

'Ik heb geen dorst,' zei ik.

'U hoeft het niet te bewaren voor de koude winternachten, prefect Sulien; tegen die tijd zal ik misschien geen wijn aan te bieden hebben,' zei Morthu met guitige blik en opgetrokken wenkbrauwen. De ambassadeurs en Rigg moesten erom lachen, maar ik vroeg me af hoe hard ze nog zouden lachen als ik hem ter plekke de kop afhakte omdat hij de gastvrijheid van mijn heer en gebieder tot een aanfluiting had gemaakt.

Urdo nam de beker en bekeek hem peinzend. Het kleine glas leek heel broos in zijn grote hand. 'Is dit het laatste?' vroeg hij. Hij had gezien dat Morthu de kruik leegschonk, zodat hij het antwoord kende. Morthu knikte, met een glimlach. Iedereen had zijn vrijgevigheid al leren kennen, een man die de koning en koningin in hun eigen stad wijn aanbood. Urdo hief het glas en zei: 'Als dit het laatste van die drank is, pleng ik het voor de goden, opdat de wereld altijd eer zal kennen, en genegenheid, en alle dingen in hun eigen seizoen.' Toen goot hij de wijn uit op het droge gras, dat de vloeistof direct absorbeerde. Hij veegde het glas af met zijn mantel en gaf het terug aan Elenn, die het in de zak van haar overgooier stopte. Meteen toen ze dat deed kromp ze ineen, en na twee stappen nog eens.

'Voelt u zich wel goed?' vroeg Morthu vriendelijk, met bezorgdheid in zijn stem. 'Ik raad u aan te gaan zitten. Er moet beter voor u worden gezorgd. U ziet er uitgeput uit.'

Urdo, die bij Rigg en Ap Lothar wandelde, bleef staan en draaide zich om naar Elenn, maar ze gebaarde hem door te lopen. 'Er is niets met me,' zei ze. Morthu kwam naar voren en ging naast mij en Ap Theophilus lopen. 'Je zou het nu niet zo zeggen, maar als onze koningin gezond en fit is, wordt ze tot de mooiste vrouwen van het land gerekend,' zei hij.

'Voor mij is ze zelfs nu heel mooi. Ze doet slechts onder voor de keizerin, in vergelijking met alle vrouwen die ik ooit heb gezien,' zei Ap Theophilus galant. Ik liet me terugvallen om naast Elenn te gaan lopen. Ze zag er wat moe uit, maar haar schoonheid had er niet onder geleden. In feite was haar huid stralender dan ooit.

'Het spijt me dat ik te lang ben om je mijn arm te geven om op te leunen,' zei ik.

Ze glimlachte, wat haar duidelijk wat moeite kostte. 'Ik ben...' begon ze, maar toen bleef ze staan. 'Ik vrees dat je dat toch zult moeten doen,' bracht ze uit, met een vreemde klank in haar stem. Toen viel ze flauw en kon ik haar nog maar net opvangen. Zelfs zwanger en bewusteloos was ze niet erg zwaar, maar zwaarder dan ze leek.

'Urdo!' riep ik dringend om het lawaai van de menigte te overstemmen. Hij en Rigg kwamen terugrennen, gevolgd door de anderen. Morthu keek heel bezorgd en ontsteld. Ap Theophilus' gezicht drukte verveling uit, maar misschien was dat zijn normale gelaatsuitdrukking. Ap Lothar keek bezorgd. Ik had beide armen vol aan Elenn en kon niets uitrichten. Rigg legde een hand op Elenns buik en de andere tegen haar keel.

Ze zei iets onverstaanbaars. Als ze haar eigen taal sprak, deed ze dat vier keer zo snel dan als ze iets in het Vincaans zei. En op een of andere manier leek ze dan ook intelligenter. 'Waar is...' zei ze op dringende toon in het Vincaans, gevolgd door een woord dat ik niet kende.

'Wat?' vroeg ik.

'Vroedvrouw,' zei Rigg, op nog dringender toon.

'Zover is het nog niet!' zei Urdo. Nooit had ik hem zo radeloos gezien.

'Zijn priesteres van Brioth in de buurt? Of priesteres van de Moeder?' vroeg Rigg, om zich heen kijkend naar de ontstelde gezichten.

'Ik heb een kind gehad,' zei ik. 'Laten we haar naar binnen brengen.'

'Ik geholpen bij bevallingen,' zei Rigg. 'Mijn zussen, mijn nichten – misschien dat voldoende. Naar binnen, ja, en jullie moeten weg.'

Urdo deed zijn mond open om iets te zeggen, maar Rigg gaf me een duwtje in de rug en ik begon naar de citadel te rennen. Rigg rende naast me mee. Na een ogenblik haalde Urdo ons in. 'Ik heb die twee moeten achterlaten bij Morthu, ik had geen keus,' zei hij.

'Ga maar terug, heer koning,' zei Rigg. 'Bij bevalling geen plaats voor mannen.'

'Onzin!' snauwde Urdo. 'In Tir Tanagiri mag de vader erbij zijn. En ík ben de vader.'

'Vaders niet van belang,' zei Rigg. 'Mannen er niet bij horen, en vaders helemaal niet. Als moeten kiezen tussen moeder en baby, wat jullie kiezen, hier, waar vaders belangrijker dan moeders?'

Urdo keek haar aan alsof een speer hem zojuist had doorboord. 'Is dat de keuze?' vroeg hij.

'U hebben vier paarden van maan,' zei Rigg. 'Ik meegebracht over de grote zee, voor u. Ga ze rijden – dan terugkomen en ik zeggen of u vrouw hebben, of kind. U geen keuze kan maken. Vertrouw nu vrouwen; dit is mysterie van de Moeder, niet van mannen.'

'Ik heb de Moeder ontmoet,' hijgde Urdo woedend terwijl we door de straten van de stad renden. 'Je kunt mij niet weghouden – ik ben de koning!'

'En Moeder u baby hebben beloofd?' vroeg Rigg met een rimpel in haar voorhoofd. 'Wat u willen als koningin sterven? U hier geen goed kunnen doen, alleen schade.'

'Ik wou dat ik er meer over wist,' zei Urdo radeloos. 'Sulien, toen Darien werd geboren, wie was daar toen bij?'

'Garah en Arvlid,' hijgde ik. Elenn hing in mijn armen als een halflege zak. 'Maar Thossa zou erbij zijn geweest als hij het niet te druk had gehad. Mijn vader heeft al zijn kinderen geboren zien worden.'

'Bid tot land,' zei Rigg onverwacht. 'Bid tot land voor gezondheid – haar en kind. Blijf onder hemel en bid tot ik u laten halen.'

Ik vermoed dat het haar onwankelbare overtuiging was die Urdo op andere gedachten bracht. Hij bleef staan en liet ons doorrennen. Toen we een eindje weg waren, zei Rigg tegen mij: 'Dit hier misschien niet zijn tegen mysterie, misschien ik haar nog maar kort kennen, maar zij niet willen hij haar zien, dat ik weet. Dit beter is.'

Tegen de tijd dat we Elenns vertrekken hadden bereikt, was ik uitgeput. Op mijn rug zou ik haar gewicht nauwelijks hebben gevoeld, maar ik had nooit met een gewicht op mijn armen getraind. Elenn vertoonde nog geen enkel teken van bewustzijn. Rigg kneep even in haar wang en fronste haar voorhoofd. 'Jij haar op bed leggen – deze biezen op grond mogen verbrand?'

Dat mocht, en ik deed het. Toen pas zag ik al het bloed op mijn armen, waar ik haar gedragen had. Het was te veel en te vroeg. Ik herinnerde me wat Urdo me had verteld over de voorspelling dat zijn lendenen geen erfgenaam zouden verwekken.

Ik stuurde een dienaar eropuit om Garah te waarschuwen en liet warm water komen om Elenn te wassen. Rigg en ik kleedden haar uit en Rigg begon haar te wassen, onder het zingen van bezweringsspreuken. Na een poosje opende ze haar ogen en gaf een schreeuw.

Inmiddels was Garah er ook, om zich heen kijkend naar een schone doek. Ze haastte zich naar Elenn en nam haar hand in de hare, proberend haar gerust te stellen. Het haalde niets uit, niets had enig effect. Elenn schreeuwde en schreeuwde, telkens als haar buik zich samentrok, wat vaak en hevig gebeurde. Rigg bleef zingen en haar buik strelen. Op een gegeven moment tilde ze haar op en begon met haar rond te lopen. Garah bleef haar hand vasthouden en reciteerde spreuken en ik hield haar omhoog als ze mij nodig had. Iedereen die aanklopte stuurde ik weg, ongeacht wat ze wilden. Urdo bleef weg. Ik vroeg Elenn of ze hem erbij wilde hebben, maar Rigg had gelijk, dat wilde ze niet. Ze schreeuwde haar keel schor. Ik moest de hele middag monniken en priesters wegsturen totdat Teilo kwam. Ik kon haar moeilijk wegsturen, zodat ze binnenkwam en voor Elenn begon te bidden, hetgeen haar iets leek te kalmeren. Na haar gebeden bleef ze en ging stil in een hoekje zitten, zodat ik bijna vergat dat ze er was.

Uiteindelijk, kort na het vallen van de avond, kwam de baby ter wereld. Hij was veel te klein om in leven te kunnen blijven. Hij ademde drie keer in en uit, genoeg om ter wereld te komen en een naam te ontvangen voordat hij verder ging. Toen stierf hij in mijn armen. Hoe hard ik ook mijn best deed, ik kreeg hem niet meer aan het ademen. Het arme kleine ding, paars en overdekt met bloederig slijm, was nauwelijks groter dan mijn hand. Ze zeggen dat alle baby's op elkaar lijken, maar hij deed me tot mijn ontsteltenis sterk denken aan Darien. Het was die bleke huid, vermoed ik, maar het liet mijn hart schrijnen. Zijn vuistjes waren gebald, zijn ogen waren gitzwart. Hij leek me woedend aan te kijken, kwaad omdat hij al die moeite van geboren worden had moeten doormaken en meteen moest sterven, zo snel dat hij geen schijn van kans had gehad ook maar iets te leren. Hij zou een goede zoon voor Urdo zijn geweest als hij was blijven leven, daar ben ik zeker van.

Opeens stond moeder Teilo naast mij. Ze had een van de lampen aangestoken en tuurde naar het kind. 'Dood,' zei ze. 'Helaas. De Heer moet het zo hebben gewild, maar soms is het moeilijk. Welke naam zullen we hem geven, voor het beetje tijd dat hem was vergund?'

'Emrys,' zei ik, waarschijnlijk omdat ik die naam die middag zo vaak had gehoord, maar ook omdat de naam leek te passen bij zijn woede en intense verlangen om de wereld waarin hij niet mocht leven te zien.

'Huil niet, kind,' zei Teilo tegen mij. 'De naam lijkt me goed genoeg, al is het een heidense naam.'

Iedereen zegt dat Teilo hard is, en ik heb haar zelf Urdo en Ayl de mantel uit horen vegen alsof het kleine kinderen waren. Raul heeft me verteld dat ze eens naar Thansethan was gekomen en woedend tegen vader Gerthmol te keer was gegaan omdat hij ruzie had met Urdo. Ze had hem verweten dat hij liever heilig gevonden wilde worden dan dat hij echt heilig wilde zijn. Vader Gerthmol had haar verwijten gelaten over zich heen laten komen. Ik heb horen zeggen dat ze de afgelopen zestig jaar niet anders heeft gedaan dan mensen ervan langs geven. Ik kan alleen maar zeggen dat ze mij nooit streng heeft behandeld en me geen verwijten maakte of zelfs maar een poging deed mij te bekeren. Die avond bleef ze erbij en rouwde samen met mij om de baby, en als haar gebeden voor de Blanke God bestemd waren, en mijn hymnen voor de Brenger van het Licht, dan leken ze op dat moment met elkaar te harmoniëren.

Toen dacht ik dat ik Elenn hoorde huilen en draaide me om. Ze zat rechtop in het bed en huilde alsof haar hart was gebroken. Ze leefde echter, wat ik niet had durven hopen. Ik bracht haar het dode kind. Teilo en ik hadden hem gewassen en in linnen gewikkeld. Ze wist ogenblikkelijk dat hij dood was. Toen huilde ze nog meer terwijl Garah en Teilo haar omhelsden. Toen trok ze Rigg naar zich toe en kuste haar. 'Zonder jou zou ik ook dood zijn,' zei ze schor.

'Ja, ja,' zei Rigg, 'maar iedereen hier geholpen. En zonder je man jij zou ook dood zijn. Ik hem naar buiten gestuurd om voor jou te bidden, ook om te voorkomen dat hij erbij zijn. Hij gebeden heeft en jou hier gehouden.

Toen jouw geest wegvloeide met bloed, hij jou in je lichaam gehouden totdat ik bloeden kon stelpen. Jij hem nu binnen mogen roepen.'

'Maar wat is er toch gebeurd?' vroeg Elenn. 'Het kind had pas omstreeks midwinter behoren te komen. Wat gebeurde er? Heeft...' Op dat moment herinnerde ze zich iets en veranderde haar stem. 'Die slang Morthu heeft de wijn vergiftigd!'

'Wij allemaal van gedronken,' zei Rigg. 'Stil maar, dat soort dingen je niet moet denken. Zulke dingen gebeuren.'

'Dat is waar,' knikte Teilo. 'Soms zendt de Heer ons bezoekingen, al zijn we nog zo goed. Je leeft nog, geloofd zij de Heer, en dankzij de gebeden van iedereen hier. Je kunt nog andere kinderen krijgen.'

'Ik vermoord hem,' zei ze, iedereen negerend.

'Ik diezelfde wijn gedronken,' hield Rigg vol. 'Als kruiden in die wijn waren die weeën opwekken, ik nu buikkrampen hebben.' Ze beklopte haar buik.

Elenn kalmeerde wat, maar haar ogen spuwden vuur. Ze gaf de arme dode Emrys over aan Teilo. Toen wendde ze zich tot mij en omklemde mijn arm, bijna met genoeg kracht om hem te breken. 'Maak hem dood voor mij.'

'Elenn...' Ik aarzelde. 'Rigg zegt dat hij het niet kan hebben gedaan.'

'Er zijn misschien nog andere soorten gif,' zei ze. Ze liet zich achterover zakken, uitgeput en krachteloos. 'Ik heb zijn ogen gezien. Ik wéét dat hij me kwaad wilde doen. Hoe kan ik me tegen hem verweren? Dood hem voor mij, Sulien.'

Ik had haar moeten geloven. Sterker, ik had het moeten doen. Teilo wrong zich echter langs mij heen en knielde naast het bed. Ze nam Elenns handen in de hare en dwong haar om haar aan te kijken. 'Ik zal met Morthu ap Talorgen spreken en hem dan vragen of hij jou vergiftigd heeft, of je misschien met een vloek heeft geslagen, opdat je je kind zou verliezen,' zei ze. 'Hij zal tegen mij niet kunnen liegen. Als hij je heeft vergiftigd of vervloekt zullen we hem voor de koning brengen, om te worden berecht.'

'Zo luidt de wet,' zei ik, bijna gelijk met Garah.

Rigg schudde het hoofd. 'Ik meer wijn gedronken dan u. Er geen gif in zitten.'

'Hij heeft bij mijn dood en die van mijn baby veel te winnen,' zei Elenn. Bij het laatste woord brak haar stem en begon ze weer te huilen.

Teilo trok haar tegen zich aan en streelde haar haar. 'Ik zal met hem praten,' beloofde ze.

'Als je hem zonder enig bewijs beschuldigt, zal hij ons allemaal uitlachen,' waarschuwde ik.

'Hij is de broer van Angas en Penarwen en zij zullen niet toestaan dat hij ongestraft wordt vermoord,' zei Garah.

448

'Hij zal zich voor mij moeten verantwoorden,' zei Teilo onverzettelijk. 'En als hij zich niet ten overstaan van de heilige relikwieën wil verantwoorden, zal hij dat in het openbaar moeten doen.'

'Ik wil ook dat hij zich ervoor moet verantwoorden, *als* hij het heeft gedaan,' zei ik. 'Storm alleen niet de gang op om er heisa over te maken.'

Teilo snoof en stond op. We hoorden haar knieën kraken toen ze zich oprichtte. 'Ik weet wel beter – ik had al met koningen en koningshuizen te maken voordat Rowanna met Avren huwde.'

'Jij Urdo halen,' zei Rigg tegen mij. Ik liep naar de deur.

'Zeg dit niet tegen Urdo,' waarschuwde Garah. 'Maak hem niet nog meer van streek door zijn neef van vergiftiging te beschuldigen, tenzij het niet anders kan.'

'Dank de Heer dat je nog leeft,' zei Teilo tegen Elenn. Ze liep samen met mij de kamer uit. Op de gang maakte ze een zegenend gebaar over de deur. 'Ze moet het zich verbeelden, volgens mij, als jullie er allemaal zeker van zijn dat de wijn niet was vergiftigd. Hoewel ik niet begrijp hoe hij het in zijn hoofd haalde om de koningin wijn aan te bieden. Daar begrijp ik echt niets van.'

'Ik denk dat hij eropuit was om moeilijkheden uit te lokken,' zei ik.

'Mogelijk, maar hij zou nooit hebben geprobeerd haar te vermoorden; hij is niet zo stom om zoiets te doen – en al helemaal niet als het er zo dik bovenop ligt. Ik ga naar hem toe en zal hem aan de tand voelen, zoals ik al zei.' Ze liep weg om hem te gaan zoeken, en haar stok tikte driftig op de plavuizen.

Ik wandelde de citadel in en zag tot mijn verbazing dat de avond nog jong was en de meeste mensen in de grote hal nog zaten te eten. De broer van Ap Erbin zong zijn lied over de vrouw uit Wenlad toen ik de deur passeerde. Het kwam me vreemd voor. Het was alsof er in Elenns kamer heel veel tijd was verstreken en ik eigenlijk een ander seizoen had verwacht. Ik zag Ap Cathvan en vertelde hem het slechte nieuws. Hij zei dat Urdo bij de stallen moest zijn. Ik had het kunnen raden en had er rechtstreeks heen moeten lopen.

Hij was in de paardenweide waar hij de zomerpaarden heen had gebracht en stond een van de dieren over de neus te aaien. Hij keek op toen ik de hoek van de stallen omkwam, maar ik hoefde hem niets te zeggen, hij had de hele middag staan bidden en het land had hem al op de hoogte gebracht, of de Moeder misschien. Zijn gezicht was betraand en toen ik hem zag begon ik zelf ook weer te huilen. Het was zijn kind dat gestorven was en ik had hem behoren te troosten, maar het omgekeerde gebeurde. Hij omhelsde me en zei: 'Ach, Sulien, stil maar, stil maar,' totdat ik ophield met huilen.

Toen wandelden we terug naar Elenns vertrekken. Teilo was al terug. Ik keek haar vragend aan, maar ze schudde het hoofd. Urdo kuste Elenn voordat hij de kleine Emrys een ogenblik in zijn handen nam en hem triest bekeek. 'Je had gelijk,' zei hij tegen Rigg. 'Waar ik was, kon ik meer voor haar doen.'

Op dat moment maakte Garah een geluid dat het midden hield tussen lachen en huilen. 'Ik zal jullie mannen nooit begrijpen,' zei ze. 'Komt het niet in je op even te zeggen hoe blij je bent dat je vrouw nog leeft?'

'Ze weet hoe blij ik daarom ben,' zei hij, met een glimlach naar Elenn. Ze beantwoordde zijn glimlach flauwtjes. 'Een erfgenaam is voor mij niet het voornaamste,' zei hij. 'Zolang het maar goed is met jou.'

Ik stak de kamer over naar Teilo.

'Hij kan zijn boosaardige bedoelingen niet ontkennen, maar hij heeft haar niet vergiftigd noch behekst om een miskraam uit te lokken,' verzekerde ze mij.

Ik had haar nooit mogen geloven. Ik had een onderzoek naar zijn intenties moeten eisen of anders had ik moeten weggaan om hem alsnog te doden. Ik liet het na.

Elenn keek op naar Urdo. 'Wil je samen met mij naar Thansethan gaan om daar om een zoon te bidden?' vroeg ze.

'In het voorjaar,' zei Urdo. 'Als je weer sterker bent. Als dit is wat je wilt, gaan we er het komend voorjaar heen.'

40

Schuimvolger, uit golven geborene,
is het Manan, uit op wraak, die daar de
golftoppen berijdt als in een lelieveld?
Wie kent de naam van de wind?

Machtige hoeven boven de woelingen,
wapperende manen op de weg der zwanen,
met de zon rood rijzende zwaarden.
Wie kwam stormen als de wind?

Neersuizende zwaarden, sterke armen;
verdedigers als wrakken op het strand.
Snelle rossen draven voort, ongedeerd.
Wie zou het wijten aan de wind?
– Amagien ap Ross, uit: *De aanvallen*
op Oriel

De monniken van Thansethan, niet tevreden met een jaarlijks feest om het eind van de winter te vieren, alsmede een feest ter viering van de bloei van het land, hebben voor zichzelf nog een ander feest ingevoerd, om de dag te gedenken waarop hun klooster werd gesticht door de grote H. Sethan. Het is een ware hoogtijdag voor hen, een van de belangrijkste van het jaar. Omdat die dag in het voorjaar valt, vieren ze dan tevens het voorjaarsfeest. Ze versieren hun sanctuarium met vroege voor-jaarsbloemen en geven elkaar etenswaar ten geschenke, zoals beschaafde mensen doen op de dag van Bel, een maand later. Omdat dit grote feest samenviel met de verjaardag van Dariens geboorte, vertrokken we naar Thansethan.

We reden uit in grote stijl. Het was Urdo's eerste officiële bezoek aan het klooster sinds zijn meningsverschil met vader Gerthmol. En alsof dat niet voldoende was, zouden we er ook gaan bidden om een erfgenaam voor het koninkrijk.

Elenn en Garah hadden zich al een maand lang druk gemaakt over het uitzoeken van geschenken en de voedingsmiddelen die we moesten meenemen. Ik nam de halve ala mee als escorte en had een nieuwe wapenrusting voor Darien laten maken. Hij was al bijna zestien en oud genoeg om terug te keren naar Caer Tanaga en dienst te nemen in de ala. Urdo zelf had een zwaard voor hem laten smeden.

Onze buitenlandse bezoekers waren nog altijd bij ons. Rigg had zich niet in de ala laten opnemen. Ze had een tijdlang voor Elenn gezorgd. Ze kwam wel oefenen als we exercities deden met de lans, maar werd niet toegevoegd aan een penoen en kreeg ook geen andere plichten. Ze veroorzaakte veel opschudding door alle beminnelijke jongemannen van de citadel een voor een in haar bed te nodigen, maar tegen midwinter wees alles erop dat ze smoorverliefd was geworden op onze norse Vincaanse ambassadeur, Ap Theophilus. Zo mogelijk nog verbazingwekkender was dat hij haar liefde scheen te beantwoorden. De aanblik van dat stel, hand in hand en elkaar verliefd aanstarend, werd een alledaags verschijnsel, die winter. Algauw begon ze hem zelfs rijlessen te geven, terwijl hij haar Vincaans probeerde te verbeteren.

Wat hij nu eigenlijk van ons wilde, was moeilijk te ontdekken. Ik weet dat Urdo hem er die winter diverse keren over probeerde uit te horen. Het leek erop dat hij ons wilde overhalen om de soevereiniteit van Caer Custenn te erkennen. Hij liet doorschemeren dat Caer Custenn op het punt stond Vinca te heroveren, en misschien zelfs het hele voormalige imperium. Uiteindelijk moest Urdo hem er onomwonden op wijzen dat Tir Tanagiri een soeverein koninkrijk was en Caer Custenn aan de andere kant van duizend mijlen aan vijandig territorium was gelegen. Hij beaamde dat en begon een vaag verhaal op te hangen over handeldrijven, en later een zo mogelijk nog vager verhaal over watermolens, belegeringsmachines en de organisatie van alae.

Ap Lothar was heel wat eenvoudiger te duiden. Ze was een zus van Radigis, de koningin van de Varni, en had van haar zus de bevoegdheid gekregen om over bondgenootschappen te onderhandelen. Wat zij wilde, was een sterke militaire alliantie tegen Arling Gunnarsson. Het scheen dat Sweyn een huwelijksalliantie tussen Arling en Radigis had bekokstoofd, maar dat Arling nu voor de eer had bedankt omdat hij de voorkeur gaf aan een prinses van de Skaths. Radigis had zich daarom vast voorgenomen Arling de oorlog te verklaren en wilde nu onze hulp daarbij. Haar koninkrijk werd net als het onze bewoond door de oorspronkelijke bevolking en veel immigranten uit Jarnholme.

'Ik zou haar een ala kunnen sturen,' zei Urdo nadenkend, toen we getweeën een rit maakten. 'De kwestie is alleen welke ala – én of ik er wel genoeg voor kan terugkrijgen. De risico's zijn groot, maar aan de andere kant is het me wel iets waard om Arlings handen te binden op het vaste-land.'

'De bevoorrading zou een probleem zijn,' zei ik.

Urdo glimlachte. 'Dat zeker. Het zou een kostbare onderneming worden en ik loop de kans een hele ala te verliezen die ik hier misschien hard nodig heb. Daarom zie ik er toch maar van af. Ik had echter gedacht dat jij me zou smeken erheen te mogen.'

'Misschien begin ik oud te worden,' zei ik. Ik was dat jaar drieëndertig geworden, dus niet meer jong en wild. En de gedachte aan weggaan om in een vreemd land oorlog te gaan voeren maakte dat ik des te meer ging waarderen hoe fijn ik het had in Caer Tanaga. We moesten er allebei om lachen. Later zei hij Ap Lothar dat hij géén ala zou sturen om haar te helpen Jarnholme binnen te vallen, maar wel bereid was een verdedigingsalliantie tegen Arling te sluiten. Als Arling een van beide koninkrijken mocht aan-vallen, zou het andere hulp sturen.

Twee dagen voor het feest van de H. Sethan kwamen we in Thansethan aan. Toen Urdo en Elenn officieel buiten de poort werden verwelkomd, zag ik tot mijn grote verbazing mijn moeder onder de menigte. Ik liet me van Helderoogs rug glijden en omhelsde haar. Ze oogde broos, zoals altijd, en toen ik haar zo zag met haar stok en haar vertrouwde gouden haarkam, besefte ik dat opeens heel sterk. Ik kon me slechts twee keren herinneren dat mijn moeder Derwen had verlaten.

'Moeder! Wat doet u hier?' vroeg ik.

Ze grimlachte op haar bekende manier. 'Je broer en zijn vrouw zijn hier met hetzelfde doel als de Grote Koning: bidden om een erfgenaam. Ik ben meegegaan om hen te steunen, hoewel Morien denkt dat ik alleen ben meegegaan om erop toe te zien dat hij zich niet stiekem laat bekeren als ik even niet kijk.' Ze snoof.

'Waarom bent u werkelijk hier?' hield ik aan.

Ze rolde met haar ogen en zei toen: 'Om de kleinzoon die jij al die jaren verborgen hebt gehouden met eigen ogen te zien. Ik begon me al af te vragen of er misschien iets mis met hem was, maar ik ben blij te weten dat dat niet zo is.'

Ik voelde mijn wangen branden. Het liefst was ik helemaal weggekropen onder mijn mantel. Ik had Veniva nooit echt iets over Darien verteld, maar het was zo absurd van mij geweest te denken dat ze van niets wist. 'U hebt hem dus gezien,' zei ik.

'Reken maar. Hij moet hier ergens zijn, bezig met paarden. Hij is bezeten van paarden, net als jij en mijn Darien op die leeftijd. Hij heeft me zijn vier paarden al laten zien en zei dat Urdo hem een veulen van een zomerpaard heeft beloofd zodra er een geboren is. Dat is heel vrijgevig van Urdo, heb ik hem gezegd.'

'Darien zal een voortreffelijke wapendrager worden,' zei ik. 'Ik ben van plan hem mee terug te nemen naar Caer Tanaga om hem in de ala op te nemen, na dit bezoek. Hij is nu zestien – dus oud genoeg.'

'Te oud om te midden van een groep monniken te leven,' beaamde Veniva droogjes. 'En wat jou betreft, vind je niet dat het tijd wordt dat je eens gaat trouwen? Het heeft geen zin je hele leven naar Urdo te blijven smachten. Als hij zoveel moeite doet voor zijn koningin uit Tir Isarnagiri, zal hij haar heus niet voor jou opzij zetten, al ben je nog zo vruchtbaar. Laat mij eens voor je rondneuzen. Ik heb tot nu toe geen aandrang uitgeoefend, omdat ik dacht dat het evenveel zin zou hebben als een ezel dwingen te gaan lopen, maar als je meer kinderen wilt, wordt het tijd om spijkers met koppen te slaan.'

'Moeder!' zei ik, bijna sprakeloos. 'Ik ben niet... ik verlang niet... het is niet zo dat...'

'Hou toch eens op met dat tegensputteren!' zei Veniva. 'Denk er nou gewoon maar eens over na. De zoon die je hier hebt is een prachtexemplaar en ik zit niet al te dik in de kleinkinderen. Ik word er bovendien ook niet jonger op.'

Gelukkig was het toen mijn beurt om door Thansethan te worden verwelkomd, waardoor ik niet over een antwoord hoefde na te denken. Die middag ging ik uit rijden met Darien en die avond was er een feestmaal.

In Thansethan kennen ze geen alkoven om in te eten. Iedereen eet aan dezelfde lange tafel, of aan een reeks lange tafels die voor iedereen zichtbaar zijn. Het gebed dat ze voorbidden voor het voedsel op tafel komt, zegt dat alle vetes en animositeit aan tafel opzij moeten worden gezet. Gewoonlijk is dat een prima regeling, zolang er geen sprake is van echte vetes. Het is ook de manier waarop wij na een slag in de ala plegen te feesten – allemaal samen. Zelfs dan moeten mensen zich soms laten excuseren, en gelukkig zijn er altijd wel dingen die gedaan moeten worden zodat een uitvlucht gauw gevonden is. Ulf was gewend aan de situatie en ging in de keukens eten, zonder dat iemand hem hoefde aan te sporen. Hij werd er zelfs niet mee geplaagd door zijn vrienden in de ala.

De maaltijd verliep die avond zonder incidenten, ware het niet dat Morien en Kerys in Morthu's buurt zaten en dat drietal veel met elkaar praatte. Ik had wat moeite met de stroeve beleefdheden van vader Gerthmol en werd in beslag genomen door mijn gesprekken met Veniva, Urdo en Elenn.

De volgende morgen, na de ochtendgebeden, was ik van plan met Darien uit rijden te gaan. Urdo had zich teruggetrokken met Raul en vader Gerthmol, zodat hij mij niet nodig zou hebben. Elenn was uit rijden met Ulf. Voordat ik Darien kon vinden, vond Morien míj, onderweg naar de stallen. Hij was alleen, zonder Kerys, waarover ik me verbaasde.

'Ik moet met je praten,' zei hij heel ernstig.

Ik keek hem vragend aan.

'Het is een kwestie waarbij de eer van de familie in het geding is,' vulde hij aan.

Mijn eerste gedachte was dat hij achter mijn geheim met Darien was gekomen en ervan gruwde. 'Wat is er aan de hand?' vroeg ik.

'Niet hier,' zei hij. 'Laten we naar buiten gaan, ergens.'

Ik nam aan dat hij te paard bedoelde en liep verder naar de stallen, maar hij keek me nors aan en vroeg: 'Kunnen we niet lopen? Op die manier kunnen we zachter praten.' Niemand zou hebben gedacht dat hij een wapendrager was, laat staan een prefect, als hij de voorkeur gaf aan lopen in plaats van rijden.

We wandelden de oostpoort van Thansethan uit, en toen mijn voeten een vertrouwde weg vonden, deed ik geen poging ze tegen te houden. Het pad voerde tussen de akkers door en langs bosjes kreupelhout naar de steen van Geelhaar. Een tijdlang liepen we zwijgend voort. We passeerden enkele wapendragers die hun paarden beweging gaven, en daarna een groep gevangenen die brandhout had verzameld in het kreupelhout. Na een poosje hadden we iedereen achter ons gelaten.

'Waar gaat het om?' vroeg ik toen niemand ons nog kon horen.

'De prins van Angas heeft me verteld dat de man die Darien vermoordde deel uitmaakt van jouw ala!' Morien beefde bijna van woede nu hij zijn hart kon luchten. 'Je hebt onze moeder verteld dat hij dood was en dat zijn wapens op Dariens graf liggen! In plaats daarvan is hij hier en eet openlijk met ons mee!'

'Ik heb niet gelogen tegen moeder,' zei ik, mijn best doend om rustig te blijven tegenover deze beschuldiging. In mijn hart vervloekte ik Morthu. Ik bleef lopen, wat me hielp om mijn kalmte te bewaren. 'Bovendien eet hij niet met ons mee, en al helemaal nooit met mij. Hij eet altijd afzonderlijk, zoals gisteravond in de keukens. Voor de rest is de aangelegenheid afgehandeld, zoals ik Veniva heb uitgelegd. Hij doodde Darien, en ik heb zijn wapens op Dariens graf gelegd. Hij heeft ze mij uit vrije wil overhandigd. De kwestie is ten overstaan van de Grote Koning op de heuvel Foreth beslecht.'

'Beslecht? Hoe zou een dergelijke kwestie ooit op die manier beslecht kunnen zijn?' Hij sprak steeds luider van kwaadheid. 'Het is een bloedvete en hij moet sterven voordat die beslecht kan zijn.'

'Het is in dergelijke gevallen mogelijk om een regeling te accepteren,' zei ik, overmand door schuldgevoelens.

'Het is alleen aan mij om een regeling te accepteren,' snauwde Morien, die zichtbaar moeite had om zich te beheersen. 'Ik ben het hoofd van de familie, hoe jij er ook over mag denken. Jij was niet gerechtigd wat voor regeling dan ook aan te nemen, en ik kan niets bedenken dat onze eer in die situatie had kunnen redden, behalve zijn leven. Bloedvetes worden nooit meteen al in de eerste generatie beslecht door een regeling.'

'Ik ben jouw erfgenaam,' zei ik, zo zacht mogelijk. Ik wenste dat we niet zo ver weg waren van iedereen en dat Urdo erbij was, of Veniva. Urdo was er heel goed in om uit te leggen waarom bloedvetes die generaties lang in stand bleven een gruwelijk fenomeen waren. 'Totdat jij een andere hebt. Ik wás bevoegd een regeling aan te nemen en ik heb het gedaan. Ulf Gunnarsson heeft Darien tijdens een strooptocht gedood, toen hij zeventien was. Hij heeft mij ten overstaan van getuigen zijn wapens gegeven. De koningsvrede is er meer mee gediend dat hij leeft dan dat hij sterft. Hij is Sweyns neef en dient nu Urdo.'

'Het kan me niet schelen wie hij is en wie hij dient, of om wat voor politieke redenen ook!' snauwde Morien. Daarna bleef hij langdurig stil terwijl hij driftig voortbeende. Ten slotte zei hij: 'Volgens de zeden en gebruiken heb je dat recht, dat is waar, maar waarom heb je het mij nooit verteld?'

'Het is moeilijk om jou dingen te vertellen,' zei ik eerlijk. 'Ik had het echter moeten doen – eigenlijk was ik het ook van plan, maar toen ik thuiskwam, hadden we die belegering en stond jij tegen mij te foeteren omdat ik vrede had gesloten met Lew. De kwestie was al afgedaan en destijds leek het me niet van belang dat jij alle bijzonderheden kende.'

'Je bent zo ongelooflijk arrogant,' zei Morien tandenknarsend. De steen van Geelhaar was in zicht gekomen toen we de top van de helling hadden bereikt die getuige was geweest van de grootste stormaanval aller tijden. We liepen ernaar toe. 'Wat zou er gebeuren als jij het eens niet beter wist, Sulien? Zou de wereld instorten?'

Ik keek hem aan. 'Het was niet mijn bedoeling je dwars te zitten,' zei ik. Ik stak mijn hand uit naar de steen en leunde erop. 'De kwestie is afgedaan in bijzijn van de Grote Koning zelf. Als je er niet gelukkig mee bent, zou je er met hem over moeten praten.'

'O, natuurlijk, jouw dierbare Urdo,' zei Morien. 'Maar ik zal het doen. Ik ben namelijk van plan met Ulf Gunnarsson te duelleren. Ik ben zelf ook een koning. Ik weet wat juist en eerbaar is in plaats van alleen maar gemakkelijk!'

Nu begon ik zelf ook kwaad te worden. Ik keek van zijn minachtende gezicht, dat mij mijn eer betwistte, naar de enorme steen die ze over de broedermoordenaar Geelhaar hadden gelegd. Als ik Morien doodde, zou ik zelf ook een wetteloze worden, en er zou niets mee worden bereikt. 'Ik geloof dat ik genoeg weet om zelf mijn eer te verdedigen,' zei ik.

'Jouw eer? *Jouw* eer? Het gaat om de eer van de familie!'

Uiteraard wist hij niets van de verkrachting, die betekende dat mijn eer zwaarder moest wegen dan de familie-eer. Maar dat kon ik hem onmogelijk vertellen, ook al nam hij het me nog zo kwalijk dat ik dingen voor hem had verzwegen.

'Neem het op met Urdo,' zei ik. 'De kwestie is beslecht en zijn wapens liggen op Dariens graf.' Ik was van plan er zelf met Urdo over te praten, en was ervan overtuigd dat hij erin zou slagen Morien tot rede te brengen op een manier die voor mij niet was weggelegd, omdat ik bij nagenoeg ieder onderhoud met Morien al mijn stekels opzette.

Ik probeerde te negeren wat Morien zei. Hij bleef maar doorzagen over mijn arrogantie en de eer van de familie. Ik staarde over de golvende heuvels naar het zuiden en liet het over me heen komen. Ik dacht dat als hij zijn hart had gelucht, hij vanzelf wel kalmer zou worden en vatbaar voor rede.

Hij bleef zichzelf echter steeds meer opwinden en slaagde erin steeds kwader te worden. 'Hoe is het mogelijk dat jij iemand om je heen verdraagt die jouw eigen broer heeft vermoord?' vroeg hij. 'Als je ook maar een greintje fatsoen had zou je dat niet dulden.'

Op dat moment begreep ik dat ik Ulf niet langer haatte. Voor mij was hij nu alleen nog een evenwichtige en betrouwbare wapendrager, ongeacht wat hij mij al die jaren geleden had aangedaan. Ik schudde mijn hoofd naar Morien, wiens wereld zo zwart-wit was.

'Ik duelleer met hem, als jij daar te bang voor bent,' zei hij.

Mijn woede nam weer toe en ik probeerde die te onderdrukken. Bang! Wie had er zoveel stormaanvallen geleid? Hoe kon hij zoiets tegen mij zeggen, hij die in zijn hele leven nauwelijks had hoeven vechten? Het kostte me grote moeite mijn mond te houden. Morien had altijd al geprobeerd mij zover te drijven dat ik mijn geduld verloor, zodat hij zijn beklag kon doen bij Veniva.

'Geef je dan helemaal niet om Darien?' vroeg hij. 'Ik heb altijd gedacht dat jullie zo dik met elkaar waren. Daarom kan ik nauwelijks geloven dat je niet genoeg om hem gaf om de moord op hem te wreken.'

Hij had het niet moeten zeggen. Ik dacht er niet bij na, maar haalde naar hem uit, en toen hij gestrekt lag ging ik boven op hem zitten en begon hem af te rossen. Ik denk niet dat ik hem zou hebben gedood, hij was tenslotte mijn jongere broer. Als ik hem had willen doden, zou ik wel mijn zwaard hebben getrokken en dan zou hij morsdood zijn geweest. Ik herinner me dat gevecht nog als de dag van gisteren. Ik was woest. Ik was al jaren lang kwaad op hem. Ik weet niet of hij kans heeft gezien mij terug te slaan. In ieder geval heb ik er niets van gevoeld.

Het volgende dat ik wist, was dat iemand me van hem af trok. Ik zag niet direct wie het was, maar herkende zijn stem. 'Ga je mij vermoorden als ik je loslaat?' vroeg Conal Vissensnoet. Hij had zijn armen strak om de mijne heen geslagen, zodat ik ze niet kon verroeren. Ik kende drie manieren om die greep abrupt te verbreken, maar het had geen zin hem dat te laten zien. Iets in mij wist dat ik hem dankbaar zou zijn omdat hij me had tegengehouden.

'Op dit moment niet,' zei ik, en hoorde mijn stem beven. Hij liet me los en ik draaide me naar hem om. Hij droeg een mantel die bijeengehouden werd met een beukentwijg waar de bladeren nog aan zaten, maar voor het overige zag hij er nog precies zo uit als de laatste keer dat ik hem had gezien. Een litteken op dat knappe gezicht, overgehouden aan de oorlog in Demedia, zou te veel gehoopt zijn. 'Wat doe jij hier in Coventina's naam, Vissensnoet?' vroeg ik hem.

'Ik ben als heraut uitgezonden door het hof van Oriel naar Thansethan, met geloofsbrieven van koningin Atha ap Gren,' zei hij.

'Dan moet ze wel heel krap in haar afgezanten zitten.'

'Aha, ik ben blij te horen dat je weer in je gewone doen bent en doorgaat met je beledigingen aan mijn adres,' zei hij, en had het lef een buiging te maken. 'Ze zit inderdaad wat krap in het soort mensen dat weet hoe ze met een lepel moeten eten, of dat ze hun neus in hun mouw moeten snuiten, in plaats van met hun vingers. We hebben in Demedia nogal wat van onze kampioenen verloren, zoals je ongetwijfeld weet. Ik denk echter dat ik met evenveel recht jou kan vragen wat jij hier aan het doen bent.'

'Ik ben...' Ik haalde diep adem. 'Urdo is in Thansethan om te bidden om vruchtbaarheid. Of bedoel je deze plek hier?' Ik blikte op Morien neer, een tikje verward. Hij had zich niet verroerd.

'Ik wist al dat Urdo in Thansethan was. Ik liep de koningin in de bossen tegen het lijf, en daarom volgde ik dit pad en niet het meest gebruikte. Ik vroeg me af waarom jij juist op deze plek een ruzie wilde uitvechten.' Hij keek omlaag. 'Ah, ik herken je geëerde broeder. Geef maar geen antwoord, ik begrijp het wel, denk ik.'

'Wat zou je hebben gedaan als hij een echte vijand was geweest?' vroeg ik. 'Zou je me dan ook weg hebben getrokken?'

'Ik had geen idee wie je ervan langs gaf,' zei hij, met zijn armen gespreid. 'Maar ik zag wel dat hij niet terugvocht, en je scheen nogal op te gaan in je bezigheid. Het leek me geen slecht idee je wat tijd te geven om na te denken. En als je tot de conclusie zou zijn gekomen dat je ermee door wilde gaan, had ik je misschien de helpende hand kunnen bieden.'

'Hij is toch niet dood, hè?' zei ik, plotseling bezorgd. Ik deed een stap naar achteren. Om een of andere reden wilde ik Morien niet meer aanraken. Conal bukte zich, trok hem overeind en zette hem voorzichtig op de steen.

'Zijn bloed stroomt door zijn aderen en zijn longen ademen,' meldde hij. Hij trok een van Moriens oogleden op, en daarna het andere. 'Ook simuleert hij niet dat hij buiten bewustzijn is en ik denk dat hij tamelijk heftig zal overgeven als hij bijkomt. Als jij een vrouwelijke bezwering voor hem kunt zingen om te maken dat zijn hoofd en maag beter aanvoelen en te voorkomen dat die zwellingen zo groot worden dat ze zichtbaar zijn, zul je het misschien kunnen afdoen als een vriendschappelijke familieruzie.'

'Heb je een paard?' vroeg ik.

'Zeker. Staat tussen de bomen, daar. Zal ik haar ophalen, zodat ze jouw broer kan helpen terug te keren naar Thansethan?'

'Dank je,' zei ik. Ik voelde er niets voor bij Conal in het krijt te staan, en Moriens woede op Ulf zou in het niet zinken ten opzichte van Elenns reactie op Conal, maar ik wás hem dankbaar dat hij me op tijd had tegengehouden. Toen hij zijn paard ging halen, zong ik inderdaad wat bezweringen over Morien en ik denk wel dat ze hebben geholpen. In elk geval kwam hij net bij toen Conal terugkwam.

Conal gaf hem wat water. 'Je hebt een vreselijke smak gemaakt,' zei hij monter. 'Boven op je gezicht. Het verbaast me dat je je nek niet hebt gebroken. Kun je me zeggen hoe het is gekomen? Ben je soms op deze rots geklommen om je zus te bewijzen dat je het kon, en is je voet toen uitgegleden?'

'Zo moet het gegaan zijn,' zei Morien terwijl hij me nors aankeek. 'Wat doe jij in naam der goden zo ver van huis, Conal?'

'Ik ben door Atha ap Gren als heraut uitgezonden naar Thansethan,' zei hij opnieuw. Glimlachend wees hij naar de twijg aan zijn mantel, die bedoeld was als de vredestak van een heraut, zo begreep ik nu.

'Waarom in Sethans naam stuurt Atha een gezant naar Thansethan?' vroeg Morien, die moeite had overeind te blijven zitten. Hij was niet altijd een dwaas – dit was een goeie vraag.

'In naam van Sethan, inderdaad, de spijker op de kop!' zei Conal. 'Ze wil wat betere priesters dan die wij krijgen. Het zijn allemaal vrienden van Chanerig of, erger, orakelpriesters uit Tir Isarnagiri die hij heeft bekeerd tot de geest van de Blanke God, zodat ze nu niet ophouden zijn lof te zingen. Als we een god moeten vereren, dan vind ik dat prima, maar volgens mij kan het best een beetje minder fanatiek.'

'Zeg zoiets niet tegen vader Gerthmol,' waarschuwde ik.

Hij lachte. 'Ik zal zeggen dat wij graag priesters willen die in de geest van Thansethan de Blanke God prijzen – niet dat we minder strengheid willen.'

'Minder streng? Dat had je gedroomd,' zei Morien. 'Broeder Cinwil, die Auriens priester is in Magor, is afkomstig uit Thansethan, en de man is onbuigzaam.'

'Tja, misschien kan ik beter "minder krankzinnig" zeggen?' vroeg Conal. 'Dat is namelijk Atha's verzoek en ik ben hier om dat over te brengen.'

'De koningin is hier,' zei Morien, die het zich plotseling had gerealiseerd. 'Zij zal jouw aanwezigheid hier niet zo ijzig dulden als haar zuster pleegt te doen.'

'Ik neem aan dat ze dat wel zal doen, aangezien ik haar de vredestak van de heraut kom aanbieden,' zei Conal achteloos. 'Voel je je goed genoeg om terug te gaan naar het klooster, Morien? Ik heb mijn paard hier, dus hoef je niet te lopen.'

'Een geluk dat je toevallig hier langs kwam,' zei Morien. Ik beaamde het. Conal hielp Morien op zijn paard. Het was een aftandse grijze merrie die nauwelijks in staat leek Morien langer dan een mijl te dragen, laat staan Conal en zijn hele bagage vanaf de plaats waar hij aan wal was gegaan.

'Hoe is het met mijn oom?' vroeg Conal.

'Hij maakt het goed, net als al zijn mensen. Zijn dochter heeft afgelopen herfst haar been gebroken toen ze van het dak van de stallen sprong, maar ze is weer helemaal de oude.'

Gedrieën gingen we terug naar Thansethan, pratend over koetjes en kalfjes, en niemand van ons sprak zijn gedachten uit.

41

Wat onpartijdig te beslechten conflicten betreft: niemand mag tot duelleren worden gedwongen. Hij of zij heeft te allen tijde het recht om de aangelegenheid voor te leggen aan de rechter. Niemand mag anderen aanklagen dan in eigen persoon, en ook mag niemand een aanklacht indienen jegens hen wier woord geringer wordt geacht dan het zijne. Voorts is het niet toegestaan iemand die nog niet de volwassen leeftijd heeft bereikt, of naar lichaam en/of geest niet volwaardig is, uit te dagen of van zo een iemand een uitdaging aan te nemen.

Indien de uitdaging wordt overgenomen door een kampioen, is hij voor wie de kampioen in het strijdperk treedt aansprakelijk voor de prijs van de misdaad, indien bewezen, alsmede voor de prijs, maar alleen de prijs, van de bloedschuld van de winnende kampioen aan de familie van de verliezende kampioen.

Halsmisdrijven kunnen vanzelfsprekend worden beslecht door een eerlijk duel, indien de beschuldigde partij besluit zich gewapenderhand te verdedigen, maar het hiervoor in de arm nemen van een kampioen is niet toegestaan. Geen enkele kampioen mag een vergoeding accepteren die de prijs van zijn verwondingen te boven gaat.

— Het Wetboek van Urdo ap Avren

Niemand mocht van Conal evenveel fatsoen verwachten als Ulf in acht nam door ook in de keuken te eten. Trouwens, hij was een heraut en op grond van eeuwenoude tradities mogen herauten nooit slecht worden behandeld. Vader Gerthmol was gelukkig zo verstandig hem niet bij ons te laten zitten, maar aan een van de andere tafels. Ik zag hem plaatsnemen tussen de wapendragers. Hij had zijn vredestak nu bevestigd aan een schone tuniek en zag er vrolijk en ontspannen uit. Darien zat aan dezelfde tafel, nog altijd in een bruine pij, maar ik troostte mezelf met de wetenschap dat dit niet lang meer zou duren. Zelf zat ik tussen Kerys en Morien, tegenover mijn moeder en Raul, om te voorkomen dat

Morthu de gelegenheid kreeg om Morien weer op te hitsen. Ap Theophilus zat tussen Raul en Elenn, en Morthu tussen Rigg en vader Gerthmol, tegenover Urdo en Elenn. Morien leek niet op zijn gemak tussen mij en Rigg – hij kon nog niet wennen aan onze nieuwe nicht. Ik zag Elenn zoeken naar Conal. Zodra ze hem had gevonden, zag ik hoe haar ogen zich vernauwden, en daarna keek ze weg.

Het was in Thansethan die dag een vastendag. We kregen koude gerookte vis en warme erwtenpap, en er was alleen water te drinken. Elenn raakte haar voedsel niet aan, en toen vader Gerthmol haar er een vraag over stelde, mompelde ze iets en wreef over haar maag alsof ze zich niet lekker voelde. Morien praatte met Kerys en Veniva, maar zei tegen mij zo weinig mogelijk. Zijn gezicht zag er enigszins gekneusd uit, maar niemand vroeg hem ernaar. De maaltijd verliep tamelijk stroef. De wapendragers en monniken aten en praatten en lachten opgewekt, maar aan de koningstafel had niemand veel te zeggen. Conal maakte een opmerking waarmee hij een lachsalvo van zijn tafelgenoten oogstte. Beris lachte zo hard dat ze bijna stikte, waarna Conal haar galant op de rug klopte. Hierna zei Ap Padarn iets waardoor iedereen aan die tafel zich een breuk lachte, zelfs Darien en de monniken.

Toen verhief Conal zijn stem om zich boven het kabaal verstaanbaar te maken, op hetzelfde moment dat er na al het gelach even een stilte viel, zodat zijn stem door de zaal schalde. 'Wel, als jullie allemaal hier zijn, waar is dan die vrolijke Jarnsman door wie jullie koningin zich zo graag door de bossen laat begeleiden?'

De stilte duurde voort, en iedereen staarde naar Elenn, die met neergeslagen ogen aan tafel zat. Urdo's lepel bevond zich halverwege zijn kom en zijn mond. Een ogenblik dacht ik dat het wel voorbij zou gaan. Ze zouden doen alsof ze niets hadden gehoord. Er werden vaak flauwe grappen over Elenn en Ulf gemaakt, maar nooit binnen haar gehoorsafstand. Dat soort roddels baarde in de ala nauwelijks enig opzien. Het was overduidelijk onwaar en nergens op gebaseerd – Elenn had altijd een escorte bij zich als ze uit rijden ging, en ze had een voorkeur ontwikkeld voor een handvol wapendragers, van wie Ulf er een was. Dat was de hele basis voor de grap – ongetwijfeld had Conal hen samen gezien, die middag, en was zijn interpretatie van die gebeurtenis enkel en alleen bedoeld om zijn tafelgenoten te vermaken. Het was net als met de grappen die over mij en Urdo werden gemaakt, of over Ap Selevans genegenheid voor een van de nonnen van Thansethan. Meer aandacht verdiende het niet. Zelfs als het waar was, was het geen misdrijf en ging het niemand iets aan, behalve Elenn, Ulf en Urdo zelf.

Ik herademde net toen Morthu zijn stem verhief. 'Schenk geen aandacht aan die liederlijke kerel uit Tir Isarnagiri! Hij kletst onzin en niemand hecht geloof aan zo'n beschuldiging.'

Urdo legde zijn lepel neer, met een duidelijk hoorbare tik. Hij deed zijn mond open om iets te zeggen, maar Elenn legde een hand op zijn arm, zonder naar hem te kijken.

'Ik ben beledigd,' zei ze heel ernstig. 'Iedereen hier is er getuige van geweest. Dit is een beschuldiging waarbij ontkenning geen enkel nut zou hebben, ook al ontbreekt elke grond ervoor. Daarom daag ik Conal uit voor een duel, opdat God moge beslissen wie hier de waarheid spreekt.'

Conal stond op en wendde zich tot haar. Met een frons zei hij: 'Ik heb er niets mee bedoeld...'

Ze snoerde hem met een vinnig handgebaar de mond. 'Zou dat mijn eer herstellen? U hebt mijn eer te schande gemaakt en ik eis genoegdoening.'

Urdo deed heel even zijn ogen dicht, maar haar hand lag nog op zijn arm en hij zei niets. Ik begreep niet waarmee ze bezig was. Conal was een boom van een vent en een geoefend wapendrager, terwijl zij maar een kleine, tengere vrouw was die in geen jaren een wapen had gehanteerd, áls ze dat al ooit had gedaan.

'Als u staat op een duel, neem ik uw uitdaging aan,' zei Conal. Zijn gezicht drukte onbegrip uit. 'Ik zie niet in waarom dit tot een conflict moet...'

Ze legde hem opnieuw het zwijgen op, kennelijk vastbesloten hem niet de kans te geven zich te verontschuldigen. 'Dan zal ik een kampioen kiezen om mijn eer te verdedigen,' vervolgde ze. Nu speelde er een flauwe glimlach om haar mond, nauwelijks meer dan een licht trekken van de mondhoeken. Morthu zat erbij als een spinnende kat. Urdo leek een uit graniet gehouwen koning. Vader Gerthmol staarde naar Elenn zoals een man zou kijken naar een schoothondje dat een wolf op afstand houdt. Ik was ook geschrokken. Dit klonk als iets uit een heel oud lied, en wel een oud heldenlied van de Isarnaganen. Elenn en Conal waren allebei Isarnagaan en ik vermoed dat zij zich gedroegen op een manier die voor hen normaler was dan voor ons. Ik dacht dat ze zou gaan zeggen dat Urdo het tegen hem op zou nemen, en Urdo dacht dat ook, vermoed ik. Haar moeder zou dat ook hebben gedaan. Ik was niet gelukkig met die gedachte. Conal had Larig gedood, die toch een voortreffelijke krijgsman was geweest. Elenn was echter iets anders van plan.

'Tot de persoonlijke ala van mijn gemaal behoren vele kampioenen, en ik weet dat ze geen van allen nee zouden zeggen indien ik een beroep op hen deed.' Ze oogstte luid gejuich van de banken waarop de wapendragers zaten. Misschien hadden ook zij het gevoel in een oud lied verzeild te zijn geraakt, maar als hun koningin hen nodig had, kon zij op hen rekenen. Ze sprongen op en schreeuwden en stampvoetten, wilden allemaal haar kampioen zijn. De monniken en nonnen zagen en hoorden het verbijsterd aan. Nagenoeg allemaal omklemden ze hun halssteen.

Ze stak haar hand op voor stilte, en het rumoer stierf weg. 'Ik zou ieder van deze dappere armigers kunnen kiezen, omdat God en het recht aan mijn zijde zijn. Het is moeilijk een keuze te maken, maar om te voorkomen dat iemand mij er ooit nog eens van kan beschuldigen dat ik iemand voortrek, kies ik Sulien ap Gwien om mijn eer te verdedigen.'

Iedereen staarde mijn kant uit. Urdo was volkomen verbluft. Ik stond op en boog naar Elenn; het was het enige wat ik kon doen. Ik wierp een blik op Conal. Er lag een vreemde grijns op zijn gezicht. Hij hief zijn beker met water bij wijze van saluut. Ik wilde hem niet doden, alleen omdat hij een stomme grap had gemaakt, maar ik had geen andere keus. Ik maakte een kort buiginkje naar hem. Darien, naast hem, keek naar mij alsof hij trots op mij was.

'Morgenochtend, bij het aanbreken van de dag,' zei Conal terwijl hij mijn buiginkje beantwoordde. Toen verliet hij de hal. Ik ging weer zitten en staarde naar de vis op mijn bord. Hij zag er morsdood uit. Urdo keek bezorgd en ik probeerde naar hem te glimlachen. Elenn zei op zachte toon iets geruststellends tegen vader Gerthmol. Iedereen praatte nu weer, luid. Rigg boog zich over Morien om mij een schouderklopje te geven.

Veniva schudde langzaam het hoofd. 'Dit is een slechte zaak. De laatste vier eeuwen waren duels onder de Vincaanse wetten verboden.'

'Rechtvaardige duels zijn toegestaan, tegenwoordig,' zei ik. 'En of de wet het nu verbood of niet, er zijn in die vierhonderd jaar evengoed heel wat duels uitgevochten.'

Kerys lachte, en Raul begon de wet op duels uit te leggen aan Veniva. Ik bleef naar mijn bord staren totdat een non het wegnam en het feestmaal voorbij was. Zodra ik met enig fatsoen kon vertrekken, deed ik dat, op zoek naar Conal.

Hij was niet moeilijk te vinden. Het is voor een boomlange Isarnagaan met een beukentak aan zijn tuniek moeilijk zich in een klooster verborgen te houden. Hij had echter zijn best gedaan – een monnik dirigeerde mij naar een van de kleine contemplatiecellen onder de bibliotheek. Ik begon die richting uit te lopen, maar maakte eerst een korte omweg door de stallen. Ik had een flacon mede in mijn zadeltas en ik dacht dat ik die nodig zou hebben. Ik begroette de paarden kort en beloofde ze spoedig uit rijden te nemen. Daarna hervatte ik mijn weg naar Conal.

Hij scheen niet verrast mij te zien. Hij had een kaars aangestoken en zat op de driepootkruk die het enige meubilair in de cel vormde. Er was verder alleen een muurschildering op het pleisterwerk waarin een van de volgelingen van de Blanke God een preek hield voor wat dieren. De mede had ik in mijn zadeltas kunnen laten. Hij had zelf al voor mede gezorgd.

'Je bent niet goed snik, Vissensnoet,' zei ik plompverloren terwijl ik de deur van de cel achter me sloot.

'Ik weet het,' zei hij luchthartig. 'Ik ga de bossen in met een vrouw die taboe voor mij is. Ik volg mijn koning naar een uitzichtloze oorlog in Tir Tanagiri en overleef hem omdat hij sneuvelt. Jou weerhoud ik ervan je eigen broer te doden. En dan maak ik ook nog smakeloze grappen, nota bene waar de mensen over wie het gaat bij zijn. En het ergste van alles is, dat ik me er iedere keer op heterdaad bij laat betrappen.'

'Als je geen eer te verdedigen had, zou je nu weg kunnen gaan, terug naar Oriel,' zei ik bot.

Hij reikte me zijn flacon aan. Hij was van gedegen zilver en de mede was ook eersteklas – het spul ging erin als vader Gerthmols woorden in een monnik.

'Mijn eer is alles wat ik heb,' zei hij lamlendig.

'Ik heb niet de behoefte jou te doden,' zei ik. 'Elenn... het gaat helemaal niet om haar eer, ook al had je het nooit mogen zeggen. Ze wil alleen dat ik jou dood omdat jij haar moeder, Maga, hebt gedood.'

'Dat is de enige eer die ze heeft. Dat wist ik, en ik had niet zo lichtvaardig moeten schertsen,' beaamde Conal. 'Onze eer is de vrucht van onze daden, maar wat heeft zij om zich op te beroemen, behalve dat ze mooi is en de trouwe gemalin van een koning?'

'Misschien denkt men er zo over in Tir Isarnagiri,' zei ik. 'Hier niet. Zij heeft zelf gekozen wie zij is en nam de taken van een koningin op zich. Niemand wint een slag als de logistiek niet in orde is. Ze werkt goed en even hard als Glyn om de bevoorrading te organiseren. En ze...'

Conal lachte en stak zijn hand uit naar de flacon. 'Daar mag ze trots op zijn, maar het is geen basis voor eer.'

'Toch wel,' zei ik terwijl hij een slok nam. 'Het is alleen een ander soort eer. Eer is niet iets dat je alleen maar opbouwt door goed te vechten en je tegenstander snel en ordentelijk te doden. De monniken hier zeggen dat al wat de Blanke God dient eervol is, of je nu een kamer schoonveegt of appels in zijn naam bewaart. Zolang je het goed doet, is dat niet alleen eervol, maar ook heiligmakend. Zij geloven dat al wat leeft hun God moet dienen, maar ik ben van mening dat eenvoudigweg je leven goed leven eervol kan zijn, ongeacht hoe je leeft en wie je dient. Ja, ze hééft eer. Ze is een uitstekende koningin voor Tir Tanagiri.' Ik herinnerde me hoe ze met Urdo in de gang wandelde en hij haar verzekerde dat alle koningen samen Sweyn zouden verslaan. Ik herinnerde me ook hoe ze onder de zuilengalerij vandaan kwam om Mardol en Cadraith te verwelkomen, de welkomstbokaal uitnodigend in haar gestrekte armen. En ik herinnerde me hoe ze een toonbeeld van kalmte was geweest toen ze, met een hand rustend op de kop van haar hond, luisterde naar onze verhitte discussie over de vermeende aanval van de Jarns. 'Het is echter niet eervol om jou op deze manier te doden.'

'Als ik sterf, wil jij dat dan aan Emer gaan zeggen?' vroeg hij.

'Wat moet ik haar zeggen?' Het was een pijnlijk idee voor me om haar een dergelijke boodschap te moeten brengen.

'Zeg haar dat ik dood ben, dan hoeft ze niet te schrikken als ze het te horen krijgt waar Lew en de hele hofhouding bij zijn. Ze zal zich goed houden, als het moet, maar ik wil haar die schande besparen.'

'Ik zal het doen als dat mogelijk is. Maar sta er nu eens even bij stil! Als jij dood bent, ben *ik* degene die jou heeft gedood. Het lijkt me dat er wel geschiktere mensen zijn om die boodschap over te brengen.'

'Dat is waar, maar er zijn er niet veel die weten dat het nodig is haar eerst in te lichten.' Hij glimlachte en rolde met zijn ogen. 'Maar kom, ik ben nog niet dood. Ga toch zitten, wil je? Is het nog niet bij je opgekomen dat ik jou weleens zou kunnen doden?'

Ik moest lachen en ging zitten. Natuurlijk had ik er niet bij stilgestaan. 'Dat had ik misschien moeten doen,' zei ik. 'Per slot van rekening heb jij Larig gedood.'

'Larig?' zei hij, alsof de naam hem vreemd was. 'Larig ap Thurrig? Waarom begin je juist over hem?'

'Omdat hij mè de Malmse worstelkunst heeft bijgebracht. Bovendien was hij een goede vriend van mij en een geweldig krijgsman.'

'Hoe weet jij eigenlijk dat ik hem heb gedood?' vroeg hij, op dezelfde beleefde manier waarop hij eerder naar de gezondheid van zijn oom had geïnformeerd.

'Ap Erbin heeft het me verteld. Hij was erbij. En Larig was mijn vriend; we waren zelfs nog verre familie van elkaar.'

'Aha, Ap Erbin,' zei hij. Toen zweeg hij een ogenblik, starend naar de kaarsvlam. 'Je weet wat er daarginds is gebeurd?' vroeg hij toen.

'Ik heb gehoord dat er zware strijd is geleverd, dat er heel wat koppen zijn gerold en dat jullie hebben verloren.'

Hij proestte het uit. 'Dat is het hele verhaal in een notendop, als je de regen en de heuvels buiten beschouwing laat. Demedia is een ellendig oord. De moeilijkheid was dat we het net goed genoeg deden om het de moeite waard te maken vol te houden – maar dat deden we veel te lang. We hadden vrijwel direct moeten inzien dat we uiteindelijk aan het kortste eind zouden trekken, dan hadden we kunnen aansturen op een wapenstilstand. Darag is er echter nooit goed in geweest in te zien dat hij was verslagen, al van kindsbeen af niet. We zijn samen opgegroeid, moet je weten; hij was mijn pleegbroer. Zijn moeder was een zus van de mijne. En zijn vader, nou ja, volgens sommigen was zijn vader de god van de Vaardige Hand, de Schepperheer. Hoe het ook zij, hij werd al op jeugdige leeftijd mijn moeders pleegkind. Zijn moeder én de mijne waren zussen van de oude koning, Conary. Omdat Conary geen zoons had, was het duidelijk dat ik of Darag

– of Leary, zijn andere neef – de volgende koning zou worden. Als kinderen wedijverden we altijd met elkaar, maar Darag kon zijn verlies nooit toegeven. Dat is hem echter goed van pas gekomen, want nadat Conary in de oorlog met Conat sneuvelde, trouwde hij met Atha en werd tot koning gekozen.' Conal slaakte een zucht en gaf mij de flacon aan. Die was bijna leeg, zodat ik de laatste slok had. 'In Demedia heeft het hem echter geen goed gedaan; hij weigerde in te zien dat wij moesten capituleren. Hij weigerde het aan te horen, als ik het hem zei.' Na een nieuwe zucht keek hij naar mij op. 'Heeft Ap Erbin jou verteld hoe ik Darags lijk heb gevonden?'

'Nee,' zei ik. 'Volgens mij zal hij dat niet hebben geweten.'

'Darag en Larig streden in hun eentje met elkaar, hoog in de heuvels. Afgaande op wat ik er aantrof toen ik er later heenging, had Darag zijn speer naar een van Larigs paarden geworpen en het dier verwond. Toen moet Larig de speer terug hebben gegooid en Darags paard hebben verwond. Daardoor kon ik hen in feite opsporen. Het gewonde paard was gevlucht, en ik hoefde alleen maar het bloedspoor te volgen. Daarna moet Darag de speer opnieuw hebben gegooid, waarmee hij Larigs andere paard onder hem doodde. Hij wierp die speer beter dan Larig, wat niet verrassend is, want het was zijn speer en hij oefende er altijd mee. Larig rukte de speer uit het dode dier en gooide hem terug, waarmee hij Darag ernstig verwondde. Hij was toen in feite al dood, uiteraard, want hij bloedde als een rund; hij kon niet eens meer op zijn benen staan. Maar nóg weigerde hij zijn nederlaag toe te geven. Hij sleepte zichzelf naar een offersteen in de buurt en bond zichzelf erop vast met zijn gordel. Ik heb geen idee wat Larig toen deed – misschien heeft hij hem erbij geholpen, als hij een man van eer was. In elk geval moeten ze nog een poosje hebben gevochten terwijl hij daar op die steen lag, met uitpuilende ingewanden. Toen ik er aankwam, stond Larig naast de steen waarop het lijk was vastgebonden – Larig had hem onthoofd, uiteraard – en maakten de raven zich al op voor een feestmaal. Darags zwaard lag op de grond, naast de rechterhand van Larig, die recht was afgehouwen.'

'Ugh,' zei ik, en maakte mijn flacon met mede open.

'Zeg dat wel,' beaamde Conal, zijn hand uitstekend naar de flacon. 'Dus je ziet dat het feit dat ik Larig heb gedood – en ik kan niet ontkennen dat ik dat heb gedaan – geen grootse daad was: de man was niet te paard en miste een hand. Aangezien het zwaard én de hand echter voor zijn neus lagen, heb ik me alleen wel vaak afgevraagd waarom hij de hand er niet eenvoudigweg weer heeft aangezet.'

'Hij was een Malm én een volgeling van de Blanke God,' zei ik. 'Ik denk dat hij vond dat genezingsbezweringen vrouwenwerk waren.' Op dat moment herinnerde ik me opeens dat Ulf me in gebroken Vincaans had gevraagd: 'Jij zangspreuken kennen?'

'Juist,' zei Conal. 'Als dit soort dingen in Tir Isarnagiri samen met het geloof in de Blanke God wordt verspreid, zal er straks minder worden gevochten en zullen er meer mensen met één hand zijn.' Hij lachte. 'Ik begin dronken te worden en het niveau van mijn grappen daalt. De grap is, uiteraard, dat hoeveel mannen met maar één hand je ook doodt, het zal altijd een geringer wapenfeit zijn dan het doden van een tweehandige tegenstander. Dus wat dat aangaat heb je van mij niets te duchten.'

'Zit daar maar niet over in,' zei ik. 'Luister, Conal, ik wil jou helemaal niet doden.'

'Daar sta ik toch even van te kijken,' zei hij, 'werkelijk. Dit is de eerste keer dat je mij bij mijn naam hebt genoemd. Nu zal ik vermoedelijk sterven, morgenochtend. Het verbreken van een vervloeking is meestal een slecht voorteken.'

Ik negeerde die opmerking. 'Ik zal de belediging van de eer van de koningin moeten wreken, maar dat betekent niet dat ik je moet doden,' zei ik. 'Volgens Urdo's wetboek kunnen gerechtvaardigde duels eindigen zodra een van de opponenten bloed heeft laten vloeien. Als je je daarbij neerlegt en de strijd staakt bij het eerste bloed dat er vloeit, zal ik zeggen dat de eer van de koningin gewroken is. Dan maak jij je verontschuldigingen, en dat moet genoeg zijn.'

'Het zal haar niet bevredigen,' wierp Conal tegen.

'Ik zal er eerst met Urdo over praten. Mits je dit accepteert.'

'Mijn vader heeft me gevraagd waarom ik nog in leven was als mijn koning dood was. Ik had gedacht dat ik belangrijk voor hem was, maar hij had na een van jullie strooptochten langs de kust de lijken gezien, en dat had hem verbitterd gemaakt.'

'Je accepteert dus een duel dat wordt gestaakt bij het eerste bloed?' drong ik aan.

'Dat doe ik,' zei hij. 'Maar als dat nu eens in jouw nadeel uitpakt? Je kunt net zo goed als eerste bloeden. Er wordt gezegd dat ik goed met een zwaard kan omgaan.'

'De goden zullen voor Elenns eer getuige zijn.'

'En jij bent er zeker van dat ik met mijn grap niet de waarheid heb gezegd?' vroeg hij ironisch.

Ik huiverde bij de gedachte dat Elenn zich vrijwillig door Ulf zou laten aanraken. 'Dat risico kan ik met een gerust hart nemen,' zei ik terwijl ik opstond. Ik liet Conal de flacon met mede houden en liep het klooster in, op zoek naar Urdo.

42

'Breng alles hier,' sprak zij met droge ogen.
Fluks kwamen zij met Evalwens pijl en bogen,
en bovendien met 's mans zwaard, zo goed,
de punt nog rood van haar gebieders bloed.
Ook kwamen zij met Evalwens speer, en
legden steeds meer van zijn wapens neer.
'Haal nog meer hout en maak hem groter,
met daar bovenop de wapens van de doder!'
Ze wilde niet wenen, al stapte haar heer op,
tot ze de stapel bekroonden met Evalwens kop.
— De bloedvete van Dun Cidwel, lied uit Tir Isarnagiri

U rdo zat met Darien bij de waterklok. 'Daar is ze!' zei Darien en sprong op zodra hij mij in het oog kreeg. De klok had zojuist geluid voor de vespers en ik hoorde de monniken in hun sanctuarium zingen.

'Zochten jullie mij?' vroeg ik. Ik ging naast Urdo zitten en rilde een beetje. De avond was kil geworden. De sterren straalden helder en leken heel ver weg.

'Ja,' zei Urdo. 'Haal je mantel uit de stallen, dan wandelen we een stukje. Het is te kil om lang stil te zitten.'

In de stallen was het behaaglijk warm. De geluiden van paarden die aten en zich bewogen waren aangenaam vertrouwd. In een hoek zag ik een kring van geel lamplicht, waar iemand een heelspreuk zong voor een ziek paard. Ik nam mijn mantel, die ik achter Helderoogs box had opgehangen, en gedrieën liepen we naar buiten, het avondduister in. Voor de tweede keer die dag merkte ik dat mijn voeten me naar het pad brachten dat uitkwam bij de steen van Geelhaar.

'Heb je Conal gesproken?' vroeg Urdo.

'Ja. Ik heb hem gevraagd of hij genoegen nam met een duel tot het eerste bloed vloeide. Het zou verkeerd zijn hem te doden, alleen omdat hij een foute grap heeft gemaakt.'

'Precies wat ik zei,' zei Darien.

Ik keek van hem naar Urdo. 'Dat heb *jij* gezegd?'

'Inderdaad, dat heeft Darien gezegd,' knikte Urdo. 'Elenn vond dat Conal sterven moest omdat hij haar had beledigd. Vader Gerthmol zei dat ze hem genade moest betonen, ook al was de belediging geuit door een vijand van haar Huis.'

'Waar was dat? En wat heb jij gezegd?' zei ik, bijna struikelend over een graspol.

'In de werkkamer van vader Gerthmol,' zei Urdo. 'Ik zei dat duelleren tot het eerste bloed me wel afdoende leek en Morthu vond dat het heel genadig was om na zo'n belediging van mijn vrouw ten overstaan van iedereen de hand over het hart te strijken voor Conal.'

'Ik wou maar dat ik met Morthu kon duelleren,' zei ik. Urdo lachte, maar ik vond het kwaad klinken. 'Ik kreeg de indruk dat ze eropuit was hém te vragen met Conal te duelleren.'

'Dacht ik ook,' zei Darien. 'Ik was blij dat ze in plaats daarvan Sulien koos. Ik was bang dat Conal Morthu zou doden, zodat ik daar nooit zelf de kans voor zou krijgen.'

'Jij vecht niet met Morthu zonder mijn toestemming,' zei Urdo streng. 'Je bent er nog lang niet aan toe.'

'Mag ik terugvechten als hij mij aanvalt?' vroeg Darien. We liepen nu onder de bomen en ik kon hun gezichten niet onderscheiden, al tuurde ik nog zo hard.

'Geloof je werkelijk dat hij je wil aanvallen?' vroeg Urdo.

'Ja. Zodra hij denkt dat hij mij ongestraft kan doden, zal hij het doen. Hij weet dat ik de pest aan hem heb, en trouwens, ik sta hem in de weg,' zei Darien.

'Je zult Morthu moeten doden. En anders moet je hem verbannen,' zei ik abrupt. 'Op deze manier kan het niet verder. Hij zal blijven proberen ons dit soort moeilijkheden te bezorgen, net zo lang tot hij succes heeft.'

'Hij heeft niets onwettigs gedaan,' wierp Urdo tegen. 'Teilo heeft hem stevig aan de tand gevoeld over Elenn, maar hij heeft haar niet vergiftigd en ook heeft hij haar niet behekst zodat ze een miskraam kreeg. Dat heb ik Elenn gezegd, en Teilo heeft het haar ook bezworen, maar ze weigert te luisteren.'

'Als we wachten totdat hij iemand vermoordt is het te laat,' zei ik, 'en dan laat ik Arvlid even buiten beschouwing. Je moet toch hebben gemerkt dat de dingen die hij zegt keer op keer moeilijkheden uitlokken?'

'Inderdaad,' zei Urdo. We liepen naar buiten, weer onder het sterrenlicht, en ik kon zien dat hij bedroefd was. 'Je hebt uiteraard gelijk. Ik kan hem niet veroordelen, maar ik kan hem wel wegzenden. Ik zal hem naar Angas' ala sturen. Per slot van rekening hoort hij daar thuis. Ja, dat ga ik doen.'

'En wanneer geeft u mij toestemming hem te doden?' vroeg Darien.

'Niet voordat je daar aan toe bent en hij iets bewijsbaars heeft gedaan waardoor hij de dood verdient. Dat zijn de drie voorwaarden.' Urdo bleef staan en keek de helling af naar de steen van Geelhaar, een donkere vorm in de duisternis. 'Hier heb ik mijn eerste overwinning behaald,' zei hij.

Hij legde zijn hand op Dariens schouder. 'Veel stelde het niet voor, in vergelijking met wat daarna kwam, maar toch sloten ze zich allemaal bij mij aan: Talorgen van Angas, en Custennin en Thurrig en al hun mensen. Daar is alles mee begonnen. Na de slag stond ik voor de stallen en goot Raul koud water over me heen om me schoon te spoelen. Het zonlicht toverde een regenboog in de druppels en toen wist ik vanbinnen dat ik niet terug zou gaan naar de bibliotheek. Het hele land om mij heen leek te juichen. Ik begon te lachen en bedacht dat het leven hierna nooit minder hoefde te zijn.' Hij laste een pauze in. 'Die avond onthulde vader Gerthmol wie ik was.'

'Wist u dat niet?' vroeg Darien.

'Nee, nooit. Ik dacht dat Gwair Aderyn mijn vader was, omdat hij me regelmatig kwam bezoeken.'

'Behandelden de monniken u niet anders?'

'Dat wel, maar ik wist niet waarom. Toen hij het mij had verteld, had ik het gevoel dat ik wel heel dom moest zijn geweest om het niet te weten.'

'Ik begrijp het,' zei Darien. 'Het leven is het moment waarop je leeft.'

'Ik heb jou vandaag een zwaard gegeven. Nu je dit hebt begrepen, weet ik dat je het in ere voor mij zult dragen,' zei Urdo. We stonden een ogenblik zwijgend omlaag te staren, voordat we ons omdraaiden en terug begonnen te lopen.

'Kan ik met Conal duelleren tot het eerste bloed?' vroeg ik na een poosje.

'Ja,' verzuchtte Urdo. 'Zeg het echter niet achteraf tegen Elenn. Zodra het duel is afgelopen, verklaar je openlijk dat het hiermee is geëindigd. Daar zal ze zich bij neer moeten leggen.'

'Dat zal haar niet aanstaan.'

'Nee, maar ze zal het minzaam accepteren.'

'Goed,' zei ik, bot en onbeholpen als altijd.

'Is dat niet hetzelfde als tegen haar liegen?' vroeg Darien.

'In zekere zin,' knikte Urdo. 'De koningin... de koningin vindt dat haar eer is geschonden. Als ze wat gekalmeerd is, zal ze inzien dat dit belachelijk is en dat niemand die grap serieus heeft kunnen nemen. Dat is het probleem als je macht hebt: het is altijd noodzakelijk goed na te denken voordat je er gebruik van maakt. Dat is een van de redenen waarom wetten zo'n belangrijk instrument zijn.'

'De mensen nemen het volgens mij wel serieus,' zei Darien. 'Er zijn altijd mensen die beweren dat de koningin gesteld is op mannen.'

'Mensen vinden het leuk om over dit soort dingen te kletsen en er grappen over te maken,' zei ik. 'Ik weet niet waarom, maar ze doen het. Ze schijnen graag te willen geloven dat iedereen in het geheim verliefd is op iemand anders.' Ik heb me er inderdaad altijd over verbaasd dat mensen dit soort dingen geloofwaardig vinden. Het lijkt wel alsof ze het *willen* geloven. Over Elenn werd beweerd dat ze altijd het gezelschap van mannen zocht, en dat ze er dus naar snakte ze in haar bed te krijgen. De werkelijkheid was dat ze eenvoudigweg een mooie vrouw was die graag wilde hóren dat ze mooi was. Meer zat er niet achter. In haar wereld waren mannen in feite een andere diersoort. Ik geloof dat ze zelfs Urdo niet al te dicht in haar buurt wilde, laat staan al die anderen die met haar werden geassocieerd. En wat mezelf betrof, tja, iedereen dacht dat ik tegen zoveel mannen nee had gezegd dat ik ook tegen anderen wel nee zou zeggen. Het is waar, ik heb jarenlang nooit tegengesproken dat Darien Urdo's zoon was en inmiddels werd het algemeen aangenomen. Iedereen die kon tellen, wist dat Darien al jaren vóór Urdo's huwelijk was geboren, maar deze leugens waren zo vaak herhaald dat iedereen geloofde dat Urdo en ik al sinds de dag waarop we elkaar hadden leren kennen minnaars waren geweest.

'Je moet niet alles geloven wat je hoort,' zei Urdo. 'Het komt voor dat mensen soms een deken delen zonder dat iedereen aan zijn neus te hangen, maar het komt veel minder vaak voor dan alle roddels je willen doen geloven.'

Op dat moment realiseerde ik me dat ik Urdo nooit over Conal en Emer had verteld. Er was nooit een geschikt moment voor geweest en ook dit moment leende zich er niet voor. Het zou te indiscreet zijn geweest, met Darien erbij. 'Heeft Morien nog met je gepraat?' vroeg ik in plaats daarvan.

Urdo bleef staan. 'Wat? Ik vroeg me af waarom jullie hebben gevochten. Heeft hij soms een minnares?'

'Nee!' zei ik vol overtuiging. 'Nee, het was heel iets anders. Het kwam doordat Morthu hem heeft verteld over... nou ja, wie onze broer had gedood. Hij was woedend omdat ik de zaak had beslecht zonder hem erin te kennen.'

'Hij heeft het er niet met mij over gehad, maar als hij dat doet, zal ik met hem praten en hem op andere gedachten brengen,' zei Urdo en begon weer te lopen. We waren al bijna terug in Thansethan.

'Waar zullen we morgen duelleren?' vroeg ik.

'Aan de westzijde van het kloostercomplex, op het vlakke veld,' zei Urdo. Hij klonk allesbehalve blij. 'Er zullen veel kijklustigen zijn.'

Darien opende de stallenpoort. 'Ik denk dat iedereen het zal willen zien,' zei hij.

We liepen naar binnen. 'Ik moest maar eens gaan slapen, als ik morgen vroeg een beetje fris wil zijn,' zei ik geeuwend.

Urdo keek me glimlachend aan. 'Ja, zorg goed voor jezelf. Ik twijfel geen moment aan je vaardigheid met wapens, maar wees voorzichtig – ik wil je niet kwijt.'

Toen we de stallen verlieten, kwamen we Beris tegen. 'Ah, daar ben je,' zei ze. 'Gunnarsson is naar je op zoek, maar ik heb hem gezegd dat hij naar bed moest gaan en je vanavond niet lastig mocht vallen.'

'Ik zorg wel dat ik morgenochtend met hem praat,' zei ik, me afvragend wat Ulf zo opeens van mij zou willen.

Ik sliep onrustig en schrok wakker uit een duelleerdroom doordat Elidir me heftig schudde om me te zeggen dat ze mijn wapenrusting en mijn ontbijt voor me klaar had.

Darien had gelijk. Werkelijk iedereen stond in het grauwe ochtendlicht te wachten. Het vlakke veld strekte zich langs de westelijke muur van Thansethan uit. De toeschouwers hadden zich langs de muur geposteerd. Urdo, Elenn en vader Gerthmol stonden in het centrum. Toen ik naar hen toe liep, ving ik een glimp op van Veniva met Darien en Raul. Ik wuifde naar hen. Toen zag ik Kerys met Ap Selevan naast Elenn en vroeg me af waar Morien uithing. De hele ala scheen er te zijn, en ook ontbrak er geen enkele monnik, zo te zien. Er waren al met al bijna vierhonderd mensen die wachtten op mijn duel met Conal. Ik wenste dat ik minder pap had gegeten. Het lag me als een steen op de maag.

Ik boog naar Urdo en daarna naar Elenn. Ze droeg een overgooier van lichtgele stof, die bijna stijf stond van met zilverdraad geborduurde bloemen. Ze had haar zilveren hoofdband met parels op en iedereen zou onmiddellijk hebben gezien dat zij een koningin was, zelfs al hadden ze haar nooit eerder ontmoet. 'Ik ben hier als uw kampioen,' zei ik, toen ik me had opgericht.

'Vecht goed voor mij, voor Gods aangezicht,' zei ze. Toen nam ze een sjaal van dezelfde stof als haar overgooier en bond die om mijn arm om iedereen kenbaar te maken dat ik streed om haar eer te verdedigen. Toen stapte ik achteruit en zag Grugin aankomen. Hij had Helderoog aan de teugel, geharnast als voor een slag.

'O nee,' zei ik. Ik draaide me om naar de andere kant van het veld en ontwaarde daar Conal, op zijn oude hit. 'Ik ben niet van plan de man te vermoorden,' zei ik tegen Urdo. 'Heeft hij ooit te paard geduelleerd?'

'Wat doet dat ertoe?' vroeg Elenn.

'Het is niet rechtvaardig,' zei ik. 'En het ziet er niet eerlijk uit.' Ik keek de menigte langs, om te zien of Morthu er triomfantelijk grijnzend bij stond, maar kon hem niet ontdekken. 'Laat iemand hem een strijdros lenen.' Ik zou het zelf hebben gedaan, maar ik had alleen Helderoog en een rijpaard bij me.

Vader Gerthmol begon iets te zeggen over zijn kudde, en ook Urdo had zijn mond al open, toen Darien aan kwam rennen. 'Daar kan hij onmogelijk op duelleren!' barstte hij los. 'Alstublieft, mama, leen hem Helderoog, dan leen ik u Keturah!'

Veniva was hem gevolgd, in een waardiger tempo. 'De jongen heeft groot gelijk!' riep ze uit. 'Het zou een schande zijn om tegen hem te duelleren als hij die oude knol moet berijden.'

'Volledig mee eens,' zei ik. 'Darien, ga met Grugin mee om Keturah klaar te maken. Ik breng Helderoog zelf even naar Conal.'

Helderoog was goed uitgerust en tuk op actie. Hij begreep niet waarom ik hem het veld opleidde, in plaats van hem te bestijgen. Zo te zien begreep Conal het evenmin.

'Gegroet, Vissensnoet!' riep ik, toen ik dicht genoeg bij hem was. De menigte was plotseling heel stil geworden, nieuwsgierig naar wat er werd gezegd. Ik zag Rigg bij Beris staan luisteren. Even vroeg ik me af waar Ulf kon zijn. Ik had hem nog niet kunnen spreken. 'Ik breng je een fatsoenlijk strijdros; je kunt op dit oude dier onmogelijk duelleren.'

'Stel je een ruil voor?' vroeg hij. Hij droeg een leren harnas, versterkt met geëmailleerde platen.

'Mijn paard zal er spoedig zijn,' zei ik. Hij steeg af en rommelde even aan Helderoogs zadel. 'Heb je al eens te paard gevochten?' vroeg ik.

'Natuurlijk,' zei hij. 'Hoewel ik uiteraard niet zo intensief geoefend heb als jij.'

'We duelleren tot het eerste bloed,' zei ik. 'Urdo stemt ermee in. 'Stijg af zodra je dat met fatsoen kunt doen, dan doe ik dat ook. De paarden weten in elk geval wat ze moeten doen – althans, op zijn minst deze. Hij heet Helderoog. Zorg goed voor hem.'

Ik liep het veld weer op. Darien bracht Keturah naar buiten. Ze zag er schitterend uit en leek veel op Sterrelicht. De vraag of ze wel getraind was, was niet bij me opgekomen voordat ik met Conal sprak, maar nu wenste ik dat ik om een paard van de ala had gevraagd. Ik bedankte Darien ernstig, trok haar zadelriem aan en steeg op. Toen reed ik stapvoets naar het andere eind van het veld, om te zorgen dat er voldoende ruimte was.

Ik beduidde Urdo dat ik gereed was. Het hele gedoe met de paarden had aardig wat tijd gekost en de zon was al op. De daken van het klooster staken donker af tegen de roze horizon, maar het werd elk moment lichter.

Urdo verkondigde luid: 'Dit is het gerechtvaardigde duel om te bepalen of Conal de Overwinnaar bewust Elenn ap Allel heeft willen beledigen. Sulien ap Gwien treedt als haar kampioen in het strijdperk. Komt en weest getuigen, gij allen die verbonden zijt met de goden van hemel en aarde, en alle goden van huis en haard en verwante volken, en de Blanke God, de Vader en Schepper, mensgeworden God en eeuwig-levende Geest. Mogen zij de arm van het recht versterken en die van het onrecht verzwakken, opdat er gerechtigheid geschiede voor het aanschijn van allen! U kunt beginnen.'

Ik liet mijn lans zakken en zette Keturah aan tot een draf en daarna een galop. Conal deed hetzelfde met Helderoog. Ik richtte mijn lans op de zijne, en hij richtte de zijne op mijn hals. Ik voelde dat hij ter hoogte van mijn zij mijn harnas schampte, juist toen ik de zijne hard boven zijn hand raakte. Hij verloor zijn evenwicht en de schacht van de lans stootte hem uit het zadel, zodat hij op de grond belandde. Ik steeg bijna even snel af en wachtte totdat hij weer op de been was. Ik zag dat de paarden door stalknechten werden opgevangen en hoe Darien Keturah geruststelde. Ik hoopte dat iemand hetzelfde zou doen voor de arme Helderoog, die in grote verwarring moest verkeren. Conal was inmiddels opgestaan en trok zijn zwaard. We bevonden ons in het midden van het veld, recht voor Urdo en Elenn, maar op enige afstand.

We wisselden enkele slagen. Tot mijn vreugde zag ik dat Conal dan slecht mocht rijden en dansen, maar wel kon zwaardvechten. 'Korter dan dit heeft nog niemand mij een paard geleend,' zei hij.

Ik moest lachen. 'Ik dacht dat jij had gezegd dat je eerder te paard had geduelleerd? Er was weinig van te merken.'

Nu begon hij de strijd serieus te nemen. Zijn gezicht verstrakte en hij maakte geen opmerkingen meer. Ik dook onder een geweldige houw door. Het duel was plotseling uitermate boeiend. Ik hoefde hem niet te doden en het had veel weg van een oefenduel met een wapenbroeder, maar dan met het gebrek aan aarzeling dat ik anders alleen tijdens een slag kende. We duelleerden allebei goed en met gemak. We riposteerden allebei en grijnsden elkaar toe. Hij was een meester met het zwaard. Ik ben ervan overtuigd dat hij Larig had kunnen doden, zelfs als de man allebei zijn handen had gehad. Ik kon niet door zijn dekking komen – en hij niet door de mijne. We bleven voortdurend in beweging en vochten door. We gaven geen van beiden de ander de kans om dicht genoeg bij te komen om het lichaam te raken. Ik geloof niet dat ik ooit een betere zwaardvechter tegenover me had gehad. Tijdens een slag is er natuurlijk zoveel gaande dat als iemand van zijn paard is gestoten, er nauwelijks tijd is voor een gevecht van man tegen man. Zo'n duel op het slagveld wordt meer bezongen dan dat het werkelijk plaatsvindt. Ik heb intensief getraind met mijn wapenbroeders en gestreden in alle grote slagen van Urdo, nog afgezien van ontelbare schermutselingen, maar nooit heb ik te voet zo'n formidabele tegenstander tegenover mij gehad als Conal Vissensnoet. Als hij duelleerde, zei hij geen woord. Ik denk zelfs dat dit de *enige* keer was dat ik hem zag en dat hij niet babbelde en grappen maakte. Hij vocht alsof hij ervoor in de wieg was gelegd. Op een of andere manier was het een bezigheid die me blij maakte, zodat ik niet kon ophouden met glimlachen omdat iedere manoeuvre werd gevolgd door een andere terwijl ik riposteerde of op mijn beurt een aanval inzette. We zouden misschien wel de hele dag hebben geduelleerd, als ik niet in de modder was uitgegleden en daardoor te snel naar voren kwam, zodat ik zijn dekking penetreerde en zijn dijbeen verwondde. Zodra hij het bloed zag, hield hij op en stak ik eveneens mijn zwaard omhoog.

'Eerste bloed!' schreeuwde ik. 'Mij is de overwinning! Koningin Elenn is gewroken!' De menigte juichte oorverdovend.

'Ik geef mij gewonnen en biedt de koningin van Tir Tanagiri mijn excuus aan voor de krenkende opmerking die ik heb gemaakt!' bulderde Conal. Hij liet zijn zwaard vallen en drukte de wond dicht met zijn hand. 'Ben je er nu nog zo zeker van dat je mij kunt doden?' vroeg hij me zacht.

Ik had om zijn trots kunnen lachen, maar deed dat niet. 'Ik heb nooit een waardiger tegenstander gehad,' zei ik. 'Maar ik had je kunnen doorsteken als ik dat had gewild. Kom mee, dan gaan we buigen voor de koning.'

Conal hinkte naar Urdo en Elenn. Als Elenn woedend was, liet ze dat niet merken. Ze stond voor ons, maar glimlachte niet.

'Ik verontschuldig mij nogmaals voor de krenkende opmerking,' zei Conal.

'Er is gerechtigheid gedaan,' zei Urdo.

Elenn maakte een buiginkje voor Conal en vader Gerthmol stak stralend de vredestak weer in Conals tuniek.

'Bedankt dat je voor mij wilde duelleren,' zei Elenn. Ik veegde mijn zwaard af.

'Je hebt geweldig gevochten,' zei Veniva.

'O ja, was ze niet geweldig?' riep Darien uit. Ik keek hen stralend aan.

Juist op dat moment kwam Morthu het veld oprennen, zichtbaar geschokt. Een eind achter hem kwam Ulf aangehinkt, met Ap Theophilus naast hem. Morthu rende door naar Urdo, aarzelde, bleef staan en liep pas verder toen Urdo hem wenkte. De menigte werd weer doodstil.

'Kom snel!' zei Morthu. 'Ulf Gunnarsson heeft met Morien ap Gwien van Derwen gevochten! Het was een duel. Kom, alstublieft! Hij heeft hem gedood. Hij heeft hem de schedel ingeslagen met zijn bijl!'

Morthu leek geschokt, maar diep in mijn hart dacht ik dat hij in zijn vuistje lachte. Kerys begon te schreeuwen. Veniva trok langzaam en voorzichtig de kam uit haar haar en liet het afhangen. Haar gezicht was uitdrukkingsloos. Darien was ontsteld. Urdo deed een stap naar mij toe. Ik gaapte Morthu aan en probeerde tot me te laten doordringen wat hij had gezegd. Hij deinsde een stap achteruit voor mij. Morien moest Ulf hebben uitgedaagd. Ulf had geprobeerd mij te waarschuwen, in de hoop dat ik een duel kon voorkomen. Het was niet verbazingwekkend dat hij Morien had gedood. De belachelijke trots van mijn jongere broer was hem eindelijk fataal geworden. Hij zou nooit akkoord zijn gegaan met het eerste bloed, ook al

476

was hij niet goed in het hanteren van wapens. Ik had iets moeten doen om hem tegen te houden. Ik had verwacht dat hij er met Urdo over zou praten, maar hij was nog koppiger geweest dan ik had gedacht. Het was vreemd, maar het idee ging door me heen dat als iemand in de ala mijn broer had moeten doden, Ulf daar de meest geschikte man voor was. Ik kon hoe dan ook nooit met hem aan één tafel zitten.

Pas daarna realiseerde ik me wat dit betekende. Ik zou niet meer bij mijn ala kunnen blijven. Ik was Moriens erfgenaam. Ik zou moeten vertrekken, weg van de ala, weg van Urdo en Darien en al mijn vrienden. Er zat niets anders op. Ik kon Urdo's prefect niet meer zijn. Ik had Morien gemakkelijk zelf kunnen doden, als Ulf niet zo stom was geweest dat voor mij te doen. Ik had het gevoel alsof de hele wereld plotseling werd verduisterd. Ik liep met Urdo en Veniva mee naar Moriens lijk om te zien of er rechtvaardig was geduelleerd. Ulf kwam naar ons toe, met wanhoop zijn gezicht. Urdo sprak hem streng toe, om zich ervan te vergewissen dat het een eerlijk gevecht was geweest en dat Morien hem had uitgedaagd. Ik hoorde Ap Theophilus bevestigen dat het zo was gegaan. Ik zei niets; wat had ik kunnen zeggen? Ik kon Ulf geen verwijten maken voor het stompzinnige gedrag van Morien. Hij had geprobeerd mij te bereiken, opdat ik het zou verhinderen. Mijn gezicht was nat van tranen, maar ik stond zo rustig als mogelijk was naast Urdo en hoorde zijn oordeel aan: Morien had Ulf nooit mogen uitdagen om een kwestie die op rechtvaardige manier was beslecht – de goden hadden de arm van het recht versterkt en zijn dood mocht Ulf niet worden verweten. Ik vermoed dat Urdo wist dat ik niet om mijn broer huilde, maar omdat ik er niets voor voelde om weg te gaan teneinde mijn verantwoordelijkheden en plichten als heerschap van Derwen op mij te nemen. Het zou vijf jaar duren voordat ik weer naast mijn koning zou rijden.

Opdracht, dankwoord en noten

Als een gracieus geschenk
kwamen de woorden
negen dagen later terug;
veranderd, om te bewaren.

Ik spande de kettingen,
wie deed de schering?
Geniet, jij Raadselman,
het zijn je eigen woorden!

Dit boek is opgedragen aan de vier mensen die met het verhaal
meeleefden terwijl het werd geschreven; zij speurden de fouten op,
deden suggesties en hielpen mij, ieder op hun eigen manier, om er
vorm aan te geven zolang het groeide. Mijn zoon Sasha Walton, pleitbezorger van het Jarnse volk, omdat hij dat vanzelfsprekend vond en erop stónd.
Emmet O'Brien, voor zijn liefde, hulp, enthousiasme en niet-aflatende
steun. F. Gertsen-Briand, mijn adviseur voor militaire details, voor het vele
werk dat hij deed en de manier waarop hij mij hielp gestalte te geven aan
Caer Lind, maar vooral ook omdat hij mee droomde en me liet zien dat er
meer dan één manier is om niet te dromen. Graydon, mijn ongeorganiseerde muze, zonder wie er niet alleen geen boek zou zijn geweest, maar helemaal niets; hij zag steeds scherp wat er niet deugde en was en bleef altijd
akelig goed zichzelf.

Dit boek heeft bovendien in onschatbare mate gewonnen dankzij de bereidheid van mijn goede fee Janet Kegg, mijn tante Mary Lace en Michael Grant
om het manuscript kritisch te lezen.

Ook ben ik dank verschuldigd aan: Pamela Dean, voor haar inspiratie,
wijze adviezen, geruststellingen en onze gesprekken over de kunst van het
schrijven; Mary Lace, die zo lief was om mij naar Oxford, Caerleon en
andere nuttige oorden te rijden; Patrick en Teresa Nielsen Hayden, omdat
ze er aandacht aan wilden schenken; en Jez Green, Andrew Morris, Ken

Walton, Helen Marsden, Steve Miller, Bill Bas en Art Questor voor de inspiratie die voortkwam uit een spel.

Voor de lezer die de juiste uitspraak van namen belangrijk vindt, heb ik voor Engelssprekenden alle namen zo eenvoudig mogelijk weergegeven. De *c* en de *g* klinken altijd hard (zoals in *cat* en *gold*) en alle letters worden op de gebruikelijke manier uitgesproken. Vocalen die twijfel wekken moeten in de meeste gevallen lang klinken. De *ch* klinkt als de Nederlandse *g* (zoals in Bach), behalve in namen van het Malmse volk. Dit is niet ónze wereld en het is géén geschiedschrijving.

Wie behoefte heeft aan informatie over de geschiedenis van Brittannië in het begin van de zesde eeuw zal waarschijnlijk veel hebben aan *The Age of Arthur* van John Morris – geen onfeilbaar boek, maar aangename lectuur. Voorts kan ik de schitterend geïllustreerde recente werken van Ken M. Dark warm aanbevelen, vooral *Civitas to Kingdom* en *External Contacts*. Voor zover het de primaire bronnen betreft: veel ervan zijn te vinden in *The Celtic Sources for the Arthurian Legend* van Coe en Young. De meest bruikbare delen van deze nuttige reeks verschenen de afgelopen jaren bij Llanarch Press. Voor informatie over de toenmalige technologie kan ik *Cathedral, Forge and Waterfall* van Gies en Gies van harte aanbevelen; en voor religie Fletcher's verwonderlijk grondige *The Conversion of Europe*. Graag geef ik hier uiting aan mijn dankbaarheid voor het personeel van de Sketty Library: zij droegen steeds welgemoed grote stapels vreemde boeken aan, afkomstig uit alle windstreken. Ook zonder hen had ik niets klaargespeeld.